Japanese Syllaba

あ ア a	か カ ka	さ サ sa	た タ ta	な ナ na	は ハ ha	ま マ ma	や ヤ ya	ら ラ ra	わ ワ wa	ん ン n
い イ i	き キ ki	し シ shi	ち チ chi	に ニ ni	ひ ヒ hi	み ミ mi		り リ ri		
う ウ u	く ク ku	す ス su	つ ツ tsu	ぬ ヌ nu	ふ フ fu	む ム mu	ゆ ユ yu	る ル ru		
え エ e	け ケ ke	せ セ se	て テ te	ね ネ ne	へ ヘ he	め メ me		れ レ re		
お オ o	こ コ ko	そ ソ so	と ト to	の ノ no	ほ ホ ho	も モ mo	よ ヨ yo	ろ ロ ro	を ヲ o	

が ガ ga	ざ ザ za	だ ダ da	ば バ ba	ぱ パ pa
ぎ ギ gi	じ ジ ji	ぢ ヂ ji	び ビ bi	ぴ ピ pi
ぐ グ gu	ず ズ zu	づ ヅ zu	ぶ ブ bu	ぷ プ pu
げ ゲ ge	ぜ ゼ ze	で デ de	べ ベ be	ぺ ペ pe
ご ゴ go	ぞ ゾ zo	ど ド do	ぼ ボ bo	ぽ ポ po

きゃ キャ kya	ぎゃ ギャ gya	しゃ シャ sha	じゃ ジャ ja	ちゃ チャ cha	ぢゃ ヂャ ja
きゅ キュ kyu	ぎゅ ギュ gyu	しゅ シュ shu	じゅ ジュ ju	ちゅ チュ chu	ぢゅ ヂュ ju
きょ キョ kyo	ぎょ ギョ gyo	しょ ショ sho	じょ ジョ jo	ちょ チョ cho	ぢょ ヂョ jo

にゃ ニャ nya	ひゃ ヒャ hya	びゃ ビャ bya	ぴゃ ピャ pya	みゃ ミャ mya	りゃ リャ rya
にゅ ニュ nyu	ひゅ ヒュ hyu	びゅ ビュ byu	ぴゅ ピュ pyu	みゅ ミュ myu	りゅ リュ ryu
にょ ニョ nyo	ひょ ヒョ hyo	びょ ビョ byo	ぴょ ピョ pyo	みょ ミョ myo	りょ リョ ryo

A New Dictionary of Kanji Usage

あたらしい漢字用法辞典

Gakken

A NEW DICTIONARY OF KANJI USAGE

Published by GAKKEN CO., LTD.
4-40-5, Kami-ikedai, Ohta-ku, Tokyo 145, Japan
ISBN4-05-051805-8
Printed in Japan.

First published 1982
Tenth impression 1988

EDITORIAL STAFF

Authors

Nao'omi KURATANI Professor
SHOIN WOMEN'S UNIVERSITY

Akemi KOBAYASHI Associate Professor
Shunsuke OKUNISHI Associate Professor
OSAKA UNIVERSITY OF FOREIGN STUDIES
Special Intensive Course In Japanese For Foreign Students

Editorial Adviser

Yasuo YOSHIDA Professor
OSAKA UNIVERSITY OF FOREIGN STUDIES
Special Intensive Course In Japanese For Foreign Students

English Consultant

Frederick M. ULEMAN

Gakken Co., Ltd.

Yoshio TANAKA
Masayoshi OKUBO

Printed in Japan by
Tosho Printing Co., Ltd. Tokyo

Foreword

Kanji is a major stumbling block for any student, and especially the foreign student, aspiring to learn Japanese. Yet because written Japanese is a mix of *kanji* ideograms and *kana* syllables, it is clear that *kanji* literacy is indispensable.

Although *kanji* has its origins in China, it has undergone considerable change in its centuries-long Japanization. Part of this transformation has involved the acquisition of new pronunciations—*kun* readings—as *kanji* was adapted to indigenous words. It has also entailed the development of entirely new meanings to represent Japanese life and living. In addition, these differences have been exaggerated over the years as Japanese and other *kanji*-using languages have evolved independently.

In pronunciation, for example, an individual *kanji* typically has but one reading in Chinese. Although the readings are different, Korean is similar in having but one reading for each *kanji*. In Japanese, however, the *kanji* will have one reading for its original Chinese meaning as well as other readings for its various Japanese meanings. Indeed, it is not unusual for a single character to have three, four, and even five or more variant readings.

This multiplicity of readings and even meanings makes *kanji* a special problem for the student of Japanese. Yet despite *kanji*'s importance and difficulty, there has been a notable absence of good *kanji*-English dictionaries.

This dictionary by Professor Kuratani *et al.* fills that gap excellently. Drawing upon their years of experience teaching Japanese to foreign students, the authors show plainly how each *kanji* is formed, what it means, how it is pronounced, and even how it is used. Their ingenuity in making all of this concisely intelligible is admirable. To cite but one example, their giving the meanings for all *kanji* in compound words, and grouping usage examples by primary *kanji* meaning, shows the range and continuity of meaning each ideogram carries. In addition, the many useful indices, including a listing by English meanings, make this an especially valuable educational and reference tool.

I am confident that this fine dictionary, an ambitious undertaking superbly executed, will find wide use both in Japan and overseas.

June 1982

Kikuo Nomoto, Director General
The National Language Research Institute, Japan

Preface

Teaching Japanese to foreigners, I have long been keenly aware of the urgent need for a better *kanji* dictionary. While many fine *kanji*-English dictionaries exist, most are either out of date or follow too-closely the format for reference works to be used by native speakers. Either way, they are inadequate to the very special needs of foreign students of the Japanese language.

Thus it was that the authors and I embarked in April 1976 on the preparatory work for the creation of an entirely new dictionary. In order to ensure that this would meet foreign students' needs, we conducted a variety of surveys, discussed theories and approaches, and drew upon the opinions and suggestions of our own students.

Once the basic conceptual foundations had been laid, we met with GAKKEN, a leading Japanese educational publisher, to discuss our proposals. To our delight, we found that GAKKEN had long been considering the publication of just such a dictionary, both in response to international demand and as part of its own committment to the expansion of Japanese-language resource materials. With this expression of interest and enthusiasm by GAKKEN, we linked forces in September 1977 and the work of compiling and writing began.

Our sights we set high: to compile a dictionary which included all those features missing from its predecessors. The task of collating the necessary entries has meant years of painstaking work. Moreover, in 1981, in the very midst of our labors, the Government announced revisions in the official list of general-use *kanji*. This revision had major ramifications for character usage, and for our schedule.

Characters and examples have been selected and arranged on the basis of usage frequency as determined by "A Study of Uses of Chinese Characters in Modern Newspapers" and other surveys conducted by the National Language Research Institute in Tokyo, our own surveys, and a variety of other individual and institutional surveys. Dr. Nomoto of the National Language Research Institute has also done us the honor of a preface.

After much work, we feel we have met our initial goals. However, this would not have been possible without the generous cooperation and assistance of people too numerous to name. To these people, we owe a special debt of gratitude. We would also like to take this opportunity to acknowledge our indebtedness to the contributions of our predecessors. Finally, there is a special thank-you to the GAKKEN staff, especially Yoshio Tanaka and Masayoshi Okubo, for their invaluable editorial assistance and patience.

June 1982

Yasuo Yoshida
Editorial Adviser

Introduction

Our aim in this work has been to create an entirely new dictionary for the English-speaking student studying Japanese. A number of special features have been incorporated to make this dictionary easier to use and more helpful than any other.

1. The character entries are the 2,000 most frequently used and/or most important characters. Together, they cover over 98% of the characters in current common usage. These 2,000 characters are illustrated with 12,500 usage examples.

To make them easier to learn, these 2,000 *kanji* have been systematically arranged in order of usage frequency and/or importance and divided into ten levels of 200 characters each. The 1,200 characters found in the first six levels represent 95% of the characters in current modern usage. They have accordingly been treated in special detail.

Consideration has also been given to including character usage examples which, while not found in printed texts, are frequently encountered in everyday life. Examples include compounds used mainly in personal notes such as 前略 or compounds appearing on bulletin boards such as 満車.

2. Character meanings are shown in accordance with their meanings in actual usage. In cases where a character has several meanings, examples illustrate each separate meaning. Thus, for certain characters, meanings differ somewhat from those found in standard dictionaries. Meanings no longer relevant to modern Japanese have been omitted, and, conversely, new meanings have been added where appropriate. Wherever possible, entries have been grouped according to the entry *kanji*'s English-language meanings: Characters with only one meaning in Japanese have been given other supplementary meanings if such exist in English, and vice versa.

3. Characters do not always look the same brush-drawn as printed. In order to facilitate quick recognition and understanding of the distinctive features of each character, the first 1,200 characters are illustrated in several different forms.

4. Figuratively similar characters, for instance, 士 and 土, are contrasted in order to avoid any confusion in their identification.

5. Stroke order, an essential element in correct writing and stroke count, is explained clearly and simply for all of the first 1,200 characters.

6. Modern readings are fully detailed in all their complexity. Traditionally, the character 生, for instance, has been written "u(mareru)", but in modern usage this character can be read as "u" (生まれる), "uma" (生れる), or "umare" (生). This dictionary shows all readings, thus eliminating the confusion often caused when the student sees readings in real life which differ slightly from the dictionary reading. For characters with a number of different readings, the basic reading is indicated as are important variant readings.

7. Syntactic function is illustrated for all example entries. Here, the emphasis is on how a word functions within a sentence and in relation to other words.
8. Space permitting, synonyms are given and differences in nuance explained.
9. Character compounds are explained through analysis of the character meanings in combination. This is a new feature not found in any other *kanji* dictionary, and one which makes character usage and compound formation far clearer. This feature is an invaluable aid for the student seeking an enriched vocabulary.
10. The use of prefixes and suffixes as well as abbreviated forms of character compounds, largely ignored in other dictionaries, are clearly explained and illustrated with examples.
11. Expressions and word usages derived from classical quotations generally prove difficult to understand without extensive background in Japanese culture. The same is true of proper nouns. For this reason supplementary notes are provided for words expressing or alluding to complex cultural elements.
12. For easy reference, comprehensive indices have been compiled by readings, stroke counts, and English meanings, and any character can be looked up in any of these indices.

The reading index includes all modern reading variations. It is thus unnecessary to convert to a "standard" dictionary form to use the index. Reading is systematized by grouping together all characters used with each reading.

Using the stroke count index is made easier than ever with the inclusion of listings for errors commonly made in the calculation of character strokes.

The meaning index makes it possible to refer to characters by their English meanings. This index aids in understanding usage and meaning distinctions.
13. Finally, to promote greater understanding of the role characters play in the Japanese language, appendices have been included outlining information of general interest regarding the history of *kanji*, their readings, and the formation of compounds.

We hope that we have been successful in achieving all of our original aims and that this dictionary prove an aid, and even a friend, to all students of the Japanese language.

June 1982

Nao'omi Kuratani
Akemi Kobayashi
Shunsuke Okunishi

Contents

A Guide to this Dictionary

I. EXPLANATORY CHART

Pattern A: Nos. 1~1,200

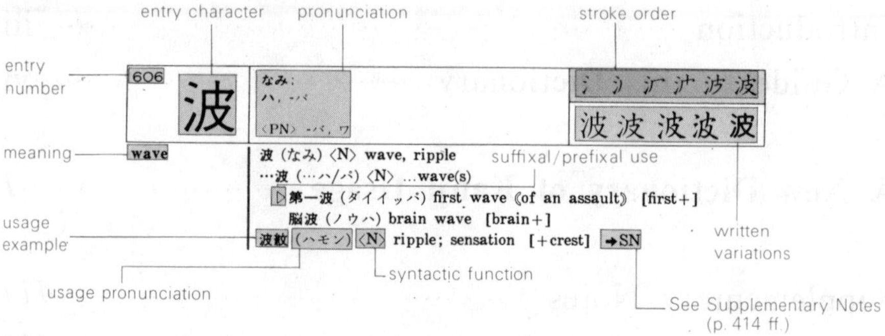

Pattern B: Nos. 1,201~2,000

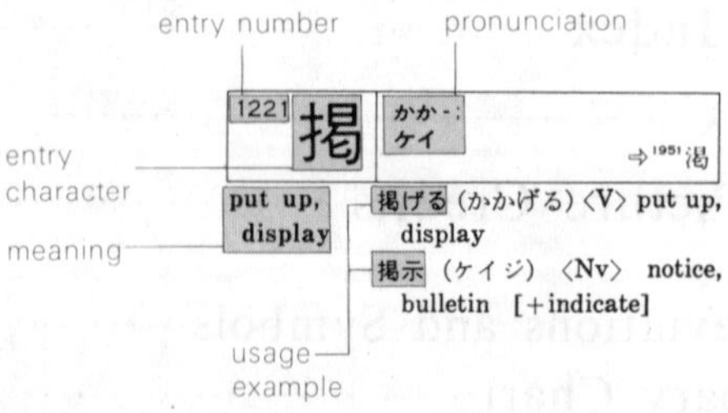

II. ENTRY CHARACTER

Entry Order

1. These entry characters are all the 2,000 characters needed for an adequate understanding of modern Japanese.

2. They are arranged by order of frequency and/or importance, grouped into ten "levels" of 200 characters each.

3. Each entry character is assigned a number from 1 to 2,000. All references in the indices are to the character by number.

Form

1. Gothic is used as the basic form or typeface.

2. Five non-Gothic variants are given for the 1,200 most frequently encountered characters to facilitate their figurative distinction. These are, in order, (Ming) printed style, textbook style, square style, semi-cursive style, and rounded Gothic style. The (Ming) printed style is most widely used in printed matter, except for compulsory education textbooks, which use the textbook style. The square style is the most basic style in brush calligraphy, and the semi-cursive style, which also originates from brush-writing, is most widely used in handwriting today. The Gothic and rounded Gothic styles are used on signs, billboards, doorplates, etc.

3. In addition, attention is drawn to characters which are similar enough to be confusing but not the same. These are noted in the lower right-hand corner of the pronunciation box, preceded by the symbol ⇨. Not only does this notation help you avoid mistakes in reading and writing, it can also be used to find the correct *kanji* if you have looked up a slightly different one by mistake.

e.g. ⇨[316]土

Stroke Order

1. The stroke order is shown in six-frame sequences for the 1,200 most frequently encountered characters.

2. For characters having more than six strokes, common parts are assumed and given as one frame.

e.g. 

3. For the general principles governing stroke order, see page 433.

Pronunciation

1. Native-Japanese *kun* readings are given in *hiragana* and Chinese-origin *on* readings in *katakana*.

2. Readings considered particularly important and/or basic are indicated in Gothic type.

3. Variants of a *kun* or *on* reading are grouped within semicolons. For an explanation of the rules governing variant readings, see page 430.

e.g. **きわ**, -ぎわ;
サイ, -ザイ

4. Readings preceded and/or followed by a hyphen are always used in combination with other sequences of sounds before or after to form words.

e.g. ガッ- ⇨ ガッ-コウ
-ポン ⇨ イッ-ポン
-ゴウ- ⇨ コウ-ゴウ-しい

5. The designation ⟨Ir⟩ (irregular) indicates that the character has idiomatic or very unusual readings in addition to its usual *kun* and/or *on* readings. These irregular readings are shown as they occur.

6. Readings which are encountered frequently but exclusively in proper nouns are designated ⟨PN⟩.

7. Obsolete *on* readings no longer used in modern Japanese are indicated with daggers.

e.g. なべ;
カ†

Meaning

1. Meanings are shown below the entry character, in principle beginning with the original meaning and proceeding to later-evolved meanings.

2. The designation ***Cs*** (counter suffix) indicates that the entry character is used as a suffix for counting.

e.g. ***Cs* days** ⟹ a suffix for counting days

3. The designation ***Ph*** (phonetic) indicates that the entry character functions simply as a phonetic symbol and bears no semantic content.

e.g. ***Ph*** 派手(はで) ⟨N/Na⟩ showy, flashy ⟹ 派 functions solely to represent the sound 'ha' and does not carry any sense of derive or sect.

4. The designation ***Abbr*** (abbreviation) indicates that the entry character functions as an abbreviation.

e.g. ***Abbr*** 東京 ⟹ abbreviation of 東京

5. The designation ***Suf*** (suffix) indicates that the entry character is used as a suffix.

e.g. ***Suf* plurality** ⟹ a suffix for plurality

6. The designation ⟨Place⟩ indicates that the entry character is used in an important place name.

7. The designation ⟨Person⟩ indicates that the entry character is used mainly but importantly in personal names.

8. The designation ⟨PN⟩ (proper noun) indicates that the entry character is used mainly in place or personal names.

9. Obsolete meanings no longer used in modern Japanese are indicated with daggers.

e.g. **fertile†**

10. Italics indicates that the meaning is a grammatical function or a Japanese word not readily translatable into English.

e.g. ***go/shogi*** 棋士 (キシ) ⟨N⟩ player of *go/shogi*...

11. Double parentheses indicate supplementary explanations for clarity of meaning.

e.g. **two 《archaic》**

III. USAGES

Order

1. Entries are grouped by entry-character meaning, and given at the right of each meaning.
2. Within each entry-character meaning, usages are arranged in order by:
   a. The single character
   b. The single character plus *hiragana* or *katakana*
   c. The character in combination with another character or characters
   d. The readings for the entry character
   e. Japanese alphabetical order

In this arrangement, it is assumed that letters/characters in parentheses are being used.

e.g. 曲(が)る ⟹ in order as 曲がる

Word Forms

1. Inflectional words are, in principle, given in their dictionary forms. However, Na-adjectives ⟨Na⟩ and Taru-adjectives ⟨Nt⟩ are given in their stem forms.

e.g. 静か (しずか) ⟨Na⟩
漠然 (バクゼン) ⟨Nt⟩

2. Parentheses indicate that the enclosed part may be omitted.

e.g. 日曜(日) ⟹ may be either 日曜 or 日曜日
曲(が)る ⟹ may be either 曲がる or 曲る

3. Ellipses indicate suffixal or prefixal uses, and examples are indented with ▷. The wavy line indicates that the reading is as given in the entry.

e.g. …法 (…ホウ) ⟨N⟩
▷使用法 (ショウ〜) ⟹ ショウホウ

4. Most usage examples use the entry character as the initial character. However, when the entry character is seldom used as the initial character, or when there are important examples or its non-initial use, these are given indented with ▶.
5. When the entry character forms a word in combination with either of two different characters, these different characters are separated by a slash.

e.g. 意志/思 ⟹ may be either 意志 or 意思

Pronunciation

1. Pronunciation is given in parentheses after each entry, *kun* readings in *hiragana* and *on* readings in *katakana*.

e.g. 人気(ひとケ) ⟨N⟩ sign of life
人気(ニンキ) ⟨N⟩ popularity

2. Characters which are indicated as optional by parentheses in the entry also have their readings similarly shown.

e.g. 日曜(日) (ニチヨウ(び))

3. When the given word has a plural number of possible readings and the difference in readings does not affect the meaning, the

different readings are separated by a slash.

e.g. 日本(ニッポン/ニホン)

When the difference in reading does affect meaning, the different readings are separated by a semicolon.

e.g. 一月(イチガツ; ひとつき) ⟨T⟩ January; ⟨Q⟩ one month ⟹ means that this word means 'January' when read イチガツ and 'one month' when read ひとつき.

4. When the entry's pronunciation is used in an indented word, this is indicated by a wavy line.

e.g. …食(…ショク) ⟨N⟩ …food
▷宇宙食(ウチュウ〜) ⟹ ウチュウショク

5. When the entry's pronunciation is "irregular," this is indicated by the ⟨Ir⟩ preceding the entry.

e.g. ⟨Ir⟩ 相撲 (すもう)

Syntactic Functions

1. Abbreviations enclosed in brackets after each usage entry pronunciation indicate syntactic functions.
2. When a given word has a plural number of possible syntactic functions with no difference in meaning, the different functions are shown separated by a slash within the brackets.

e.g. 上等(ジョウトウ) ⟨N/Na⟩ superiority… ⟹ may be either the noun 上等 or the Na-adjective 上等, with both 上等のチーズ and 上等なチーズ meaning 'superior cheese.'

When the syntactic functional differences do entail differences in meaning, the syntactic functions are indicated in front of the different meanings.

e.g. 一月… ⟨T⟩ January; ⟨Q⟩ one month

3. Abbreviations used are as shown below

●CHART OF SYNTACTIC FUNCTION ABBREVIATIONS

A	Adjective (*keiyōshi*). e.g. *ōki-i* 'big'
Adj	Adjectival word/phrase used exclusively to modify nouns. e.g. *chiisana* 'small'
Adv	Adverb (*fukushi*) or adverbial phrase. e.g. *yōsuru-ni* 'in short'
CF	Customary formula (*meishi*) now used exclusively in letters. e.g. *haikei* 'Dear Sir'
Cph	Conversational phrase. e.g. *arigatō* 'thank you'
Int	Interjection (*kantōshi*). e.g. *namu* 'Namo!'
N	Noun (*meishi*) other than CF, Nu, Nv, Q, S, and T.
Na	Na-adjective (*keiyōdōshi*) taking the suffix *na* and used to modify nouns. e.g. *shizuka* 'quiet'
Nt	Taru-adjective (*keiyōdōshi*) taking the suffix *taru* and used to modify nouns. e.g. *bakuzen* 'vague'
Nu	Numeral (*meishi*) such as *ichi* 'one' or *ni* 'two' which cannot be used as cardinal numbers to modify nouns. This does not include fractions such as *ni-bun-no-ichi* 'one half' which can modify nouns as in *ni-bun-no-ichi no ringo* 'half an apple.'

Nv	Verbal noun (*meishi*) which can be used as verbs with the addition of *suru*. e.g. *benkyō* 'study (*n*.)'; *benkyō-suru* 'to study'
Postp	Postposition (*joshi*). e.g. *made* 'until'
Q	Quantitative (*meishi*) which indicates quantity and can be used adverbially without the addition of a postposition. e.g. *futari* 'two persons' or *takusan* 'many, much' as in *Koko ni gakusei ga futari/takusan imasu*. 'There are two/many students here.'
S	Stative (*meishi*) which indicates state, condition, or place and which can be used adverbially without the addition of a postposition. e.g. *gūzen* 'fortuity' as in *Gūzen kare ni aimashita*. 'I met him by chance.'
T	Temporal (*meishi*) which indicates point of time and which can be used adverbially without the addition of a postposition. e.g. *nigatsu mikka* 'Feb. 3' as in *Nigatsu mikka Tōkyō e ikimashita*. 'I went to Tokyo on February 3.'
V	Verb (*dōshi*)

⟨NB⟩ Words parentheses are the names of the parts of speech in Japanese traditional grammar.

Meaning

1. Meaning is irrespective of function.

2. Meanings are given separated by commas and semicolons, commas separating different phrasings of the same meaning and semicolons separating different meanings.

e.g. 'good, fine' means that the entry could be translated as good or fine; whereas 'good; fine' would mean that the entry had the two distinct meanings of 'good' and 'fine.'

3. A slash means that the word(s) after the slash is/are interchangeable with the word(s) before the slash.

e.g. 'masterpiece picture/film' means a masterpiece picture and/or film.

4. Parentheses iedicate optionality. For Nv, however, they indicate how the noun is used as a verb.

e.g. 一覧(イチラン) ⟨Nv⟩ (take) a look (at)
⟹ the noun *ichiran* means 'a look' and the verb *ichiran-suru* means 'take a look at.'

When the verb form can be automatically derived from the noun form of the English, this transformation is not indicated.

e.g. 決定(ケッテイ) ⟨Nv⟩ decision
⟹ the noun *kettei* means 'decision' and the verb *kettei-suru* means 'decide.'

5. Double parentheses indicate supplementary explanation for clarity of meaning when the English is ambiguous.

e.g. 定石(ジョウセキ) ⟨N⟩ formula ⟪of table games⟫
⟹ the meaning of *jōseki* does not include formula as in mathematical formulae.

6. When a given verb is specifically transitive or intransitive, (*vt*.) or (*vi*.) is given after the English translation.

e.g. 回す(まわす) 〈V〉 turn (*vt.*)
⟹ *mawasu* has only the transitive sense of 'turn' and not the intransitive sense.

IV. WORD FORMATION

1. Meanings preceded or followed in brackets by an addition sign (+) are meanings of characters or morphemes in *hiragana* or *katakana* added to the entry character to make the entry word.

e.g. 日本(ニッポン/ニホン) 〈N〉 Japan [+origin]
⟹ [+origin] means that 本 means 'origin' in this combination.

2. When the meaning is given after the plus sign [+*meaning*], this indicates that the additional character or morpheme comes after the entry character, and conversely [*meaning*+] indicates that it comes before.

e.g. 楽器(ガッキ) 〈N〉 musical instrument [+tool]
音楽(オンガク) 〈N〉 music [sound+]

3. When the additional morpheme is in *hiragana* or *katakana*, the meaning is given in parentheses.

e.g. 日ソ(ニッソ) 〈N〉 Japan and USSR [+(Soviet)]

4. When there are a plural number of additional characters added to the entry character but these also constitute a word in themselves, their meaning as given in brackets is that single word rather than the separate components.

e.g. 科学者(カガクシャ) scientist [science+]
⟹ indicates that 科学 means 'science' as a single word.

5. The usages of slashes, semicolons, and parentheses are the same as explained in the USAGE sections on pronunciation and meaning.

e.g. 交代/替(コウタイ) 〈Nv〉 alternation, taking turns [+substitution/replace]
苦戦(クセン) 〈Nv〉 hard fight; close match [+battle; match]
火曜(日)(カヨウ(び)) 〈T〉 Tuesday [+day of the week (+day)]

6. For an explanation on the creation of semantic combinations of characters, see page 428.

LEVEL 1

1 **日**	**-か; ひ, -び, -ぴ;** **ジツ; ニチ, ニッ-** 〈Ir〉 ⇒[26]月	丨 冂 日 日 / 日 日 日 日 日

sun
日 (ひ) 〈N〉 sun
日の出 (ひので) 〈N〉 sunrise [+come out]
日の丸 (ひのまる) 〈N〉 Sun-flag 《Japanese flag with the round sun on it》 [+round]
日焼け (ひやけ) 〈Nv〉 sunburn (*vi.*), suntan [+burn]
日曜(日) (ニチヨウ(び)) 〈T〉 Sunday [+day of the week (+day)]
〈Ir〉 日本 (ニッポン/ニホン) 〈N〉 Japan [+origin]

day, daytime
日 (ひ) 〈T〉 day, daytime
…日 (…び/ニチ) 〈T〉 …day
▷記念日 (キネンび) memorial day [commemoration+]
第一日 (ダイイチニチ) 1st day [the first+]
日帰り (ひがえり) 〈Nv〉 returning on the same day [+return]
日頃 (ひごろ) 〈T〉 ordinary, everyday [+around]
日付 (ひづけ) 〈N〉 date 《as on a letter, etc.》 [+attach]
日々 (ひび) 〈T〉 days, from day to day [+*Rep*]
日時 (ニチジ) 〈N〉 time, date and hour [+time]
日常 (ニチジョウ) 〈T〉 everyday, daily [+usual]
日記 (ニッキ) 〈N〉 diary [+record]
日中 (ニッチュウ) 〈T〉 daytime [+middle]
日程 (ニッテイ) 〈N〉 day's schedule [+span]
▶休日 (キュウジツ) 〈T〉 holiday [rest+]
前日 (ゼンジツ) 〈T〉 previous day [before+]

〈Ir〉 **Names of the days of the month 〈T〉**

一日	(ついたち)	1st	十三日	(ジュウサンニチ)	13th
二日	(ふつか)	2nd	十四日	(ジュウよっか)	14th
三日	(みっか)	3rd	十五日	(ジュウゴニチ)	15th
四日	(よっか)	4th	十六日	(ジュウロクニチ)	16th
五日	(いつか)	5th	十七日	(ジュウシチニチ)	17th
六日	(むいか)	6th	十八日	(ジュウハチニチ)	18th
七日	(なのか/なぬか)	7th	十九日	(ジュウクニチ)	19th
八日	(ようか)	8th	二十日	(はつか)	20th
九日	(ここのか)	9th	二十一日	(ニジュウイチニチ)	21st
十日	(とおか)	10th	二十四日	(ニジュウよっか)	24th
十一日	(ジュウイチニチ)	11th	三十日	(サンジュウニチ)	30th
十二日	(ジュウニニチ)	12th	三十一日	(サンジュウイチニチ)	31st

〈Ir〉 ▶ [84]明日 (あす/ミョウニチ), [346]昨日 (きのう/サクジツ)
[146]今日 (きょう/コンニチ), [4]一日 (ついたち/イチニチ)

Cs **days**
…日 (…ニチ/か) 〈Q〉 …days
▷一日 (イチニチ) one day [one+] 二日 (ふつか) two days [two+]
三日 (みっか) three days [three+]
百二十日 (ヒャクニジュウニチ) one hundred and twenty days [120+]
★The names of days of the month, except 一日 (ついたち), may also be used to express duration. 十四日 (ジュウよんニチ) and 二十

四日 (ニジュウよんニチ) are also applicable.

Japan, ***Abbr*** 日本

日米 (ニチベイ) 〈N〉 Japan and USA [+America]
日ソ (ニッソ) 〈N〉 Japan and USSR [+(Soviet)]
日中 (ニッチュウ) 〈N〉 Japan-China, Sino-Japanese [+China]

2 **円**

まる;
エン
〈PN〉 つぶら

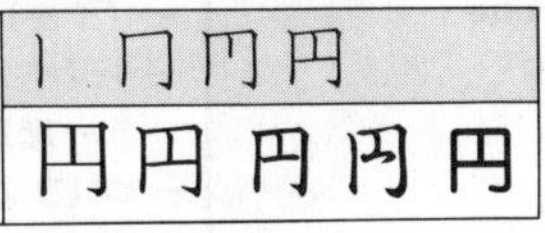

round, circle

円 (エン) 〈N〉 circle《geometric figure》
円い (まるい) 〈A〉 round, circular →567丸い
円滑 (エンカツ) 〈Na〉 smooth [+slide]
円周率 (エンシュウリツ) 〈N〉 circular constant, π [+round+ratio]

yen《¥》

円 (エン) 〈N〉 yen
…円 (…エン) 〈Q〉 …yen
▷一万円 (イチマン〜), 千円 (セン〜)

3 **年**

とし, -どし;
ネン
〈PN〉 ネ

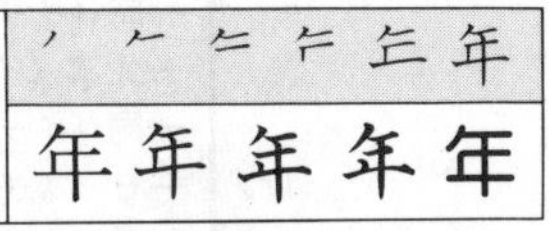

year

年 (とし) 〈T〉 year
年… (ネン…) annual…, …per year
▷年平均 (〜ヘイキン) 〈N〉 yearly mean [+average]
年一回 (〜イッカイ) 〈Q〉 once a year [+once]
…年 (…ネン) 〈T〉 …year; 〈Q〉 …years
▷1980年 〈T〉 the year 1980; 〈Q〉 1980 years
…か年/…カ年 (…かネン) 〈Q〉 …years, …-year
▷五か年計画 (ゴ〜ケイカク) five-year plan [five+〜+plan]
年ごと (としごと) 〈T〉 year by year
年に (ネンに) 〈Adv〉 per year, annually
年月 (としつき/ネンゲツ) 〈T〉 years, days [+month]
年賀状 (ネンガジョウ) 〈N〉 New Year's card [+congratulate+document]
年間 (ネンカン) 〈N〉 for the year [+period]
年金 (ネンキン) 〈N〉 pension [+money]
年始 (ネンシ) 〈N〉 start of the year; New Year's call [+inaugurate]
年中 (ネンジュウ) 〈N〉 all year around [+*Suf* duration]
年代 (ネンダイ) 〈N〉 age, epoch; historical date [+period]
年度 (ネンド) 〈N〉 fiscal/school/business year [+degree]
年内 (ネンナイ) 〈T〉 within the year [+within]
年々 (ネンネン) 〈T〉 every year, annually [+*Rep*]
年末 (ネンマツ/としずえ) 〈T〉 end of the year [+end]
年齢 (ネンレイ) 〈N〉 one's age [+age]

age

年 (とし) 〈N〉 age《as in…years old》
年頃 (としごろ) 〈N〉 age, generation; marriageable age; adolescence [+about]
年寄(り) (としより) 〈N〉 old person, the aged [+gather]
▶数え年 (かぞえどし) 〈N〉 one's age counted in Japanese traditional way《counting the fraction of the 1st year as one year》 [+number]

4	一	ひと-; **イチ**, イッ-; イツ ⟨Ir⟩ : ⟨PN⟩ かず, はじめ, ひ	一 一 一 一 一 一

one

一 (イチ) ⟨Nu⟩ one
一… (イチ…) one…, a certain…; petty…
▷一庶民 (～ショミン) ⟨N⟩ one petty person [+common people]
一つ (ひとつ) ⟨Q⟩ one《thing》
一息 (ひといき) ⟨Q⟩ a breath; a pause; an effort; a draft [+breath]
一言 (ひとこと/イチゴン) ⟨Q⟩ just one word [+say]
一目 (ひとめ) ⟨Q⟩ a glance, a look [+sight]
一人 (ひとり) ⟨Q⟩ one《person》; alone [+person]
一員 (イチイン) ⟨N⟩ one of members [+member]
一応 (イチオウ) ⟨S⟩ once, tentatively [+react] ➜SN
一月 (イチガツ; ひとつき) ⟨T⟩ January; ⟨Q⟩ one month [+month]
一時 (イチジ) ⟨N⟩ one o'clock; ⟨Q⟩ one time [+time]
一大事 (イチダイジ) ⟨N⟩ serious affair [+serious affair]
一同 (イチドウ) ⟨Q⟩ everyone concerned [+accompanying]
⟨Ir⟩ 一日 (イチニチ; ついたち) ⟨Q⟩ one day; ⟨T⟩ 1st day of the month [+day]
一番 (イチバン) ⟨N⟩ first, No. 1; ⟨Adv⟩ most [+number]
一部 (イチブ) ⟨Q⟩ one part; one copy [+part]
一面 (イチメン) ⟨N/Adv⟩ one side; whole surface [+aspect; surface]
一覧 (イチラン) ⟨Nv⟩ (take) a look (at) [+survey]
一律 (イチリツ) ⟨S⟩ uniformity, evenness [+rule]
一連 (イチレン) ⟨N⟩ a series, a chain [+link]
一家 (イッカ) ⟨N⟩ a family [+home]
一角 (イッカク) ⟨N⟩ a corner, a nook [+corner]
一括 (イッカツ) ⟨Nv⟩ lumping together [+bundle]
一貫 (イッカン) ⟨Nv⟩ (have) consistency, coherence [+penetrate]
一環 (イッカン) ⟨N⟩ a link, a part [+ring]
一気に (イッキに) ⟨Adv⟩ in one breath/stretch [+air]
一挙に (イッキョに) ⟨Adv⟩ at one stroke [+raise]
一見 (イッケン) ⟨Nv⟩ (take) a glance; ⟨Adv⟩ seemingly [+see]
一行 (イッコウ) ⟨N⟩ a party, an entourage [+go]
一切 (イッサイ) ⟨Q⟩ all, entire [+end]
一種 (イッシュ) ⟨N⟩ a sort, a kind, a variety [+sort]
一瞬 (イッシュン) ⟨Q⟩ an instant, a flash, a wink [+wink]
一緒 (イッショ) ⟨N⟩ together, company; same [+*Ph*] ➜SN
一生 (イッショウ) ⟨N⟩ lifetime; ⟨Adv⟩ all one's life [+life]
一斉 (イッセイ) ⟨N⟩ in chorus, as one [+same]
一掃 (イッソウ) ⟨Nv⟩ extermination, driving away [+sweep]
一体 (イッタイ) ⟨N⟩ one body, as a whole; ⟨Adv⟩ on earth, in the name of God; originally; properly speaking [+body]
一帯 (イッタイ) ⟨N⟩ a zone; ⟨Q⟩ whole place [+belt]
一致 (イッチ) ⟨Nv⟩ agreement; accordance [+attain]
一定 (イッテイ) ⟨Nv⟩ being fixed/settled/constant [+fix]
一般 (イッパン) ⟨N⟩ general, common, average [+sort]

一服（イップク）〈Nv〉 a dose; a puff; (take) a rest/break [+dose]
一方（イッポウ）〈N〉 one side, one way; 〈S〉 while on the other hand, in the meantime [+direction]
▶均一（キンイツ）〈N/Na〉 uniformity, equality [level+]
★一日 pronounced イチニチ means one day's duration, and ついたち the first day of the month. By the same token, 一月 pronounced as ひとつき means one month's duration, and イチガツ January.

another, one more
一段（イチダン）〈Q〉 still more [+step]
一昨日（イッサクジツ）〈T〉 the day before yesterday [+past+day]
一昨年（イッサクネン）〈T〉 the year before last [+past+year]
一新（イッシン）〈Nv〉 renovation, renewal [+new]
一層（イッソウ）〈Q〉 still more [+layer]
一転（イッテン）〈Nv〉 (undergo) complete change [+change]

5	十	と-, **とお**; ジッ-, **ジュウ**, ジュッ- 〈Ir〉:〈PN〉そ	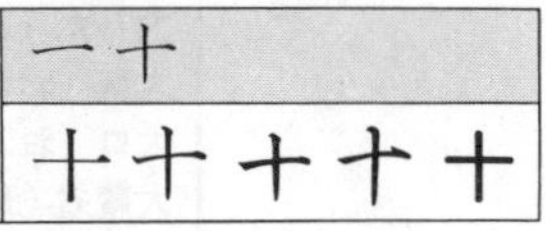

ten
十（とお/ジュウ）〈Nu/Q〉 ten
十日（とおか）〈Q〉 ten days; 〈T〉 10th day of the month [+day]
十月（ジュウガツ; とつき）〈T〉 October; 〈Q〉 ten months [+month]
十月十日（ジュウガツとおか; とつきとおか）〈T〉 Oct. 10; 〈Q〉 ten months and ten days《human gestation》 [+month+～+day] ➔SN
十回（ジュッカイ/ジッカイ）〈T〉 ten times [+turn]
〈Ir〉 ▶⁶二十日（はつか/ニジュウニチ）, ⁶二十（ニジュウ/はたち）
⁶二十歳（はたち/ニジッサイ/ニジュッサイ）

full
十分（ジュウブン）〈Na/Q〉 sufficient, enough [+portion]
十二分（ジュウニブン）〈Q〉 more than enough [+two+portion]
★十分 has four pronunciations: ジュウブン, ジュップン, ジップン, ジュウブ. ジュウブン means 'sufficient,' ジュップン or ジップン 'ten minutes,' and ジュウブ '10%.' →³⁵分

cross
十字（ジュウジ）〈N〉 cross [+letter]

6	二	ふた-; ニ 〈Ir〉:〈PN〉ジ, ふ	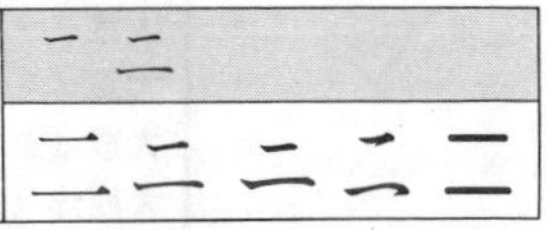

two
二（ニ）〈Nu〉 two
二つ（ふたつ）〈Q〉 two《things》
二人（ふたり/ニニン）〈Q〉 two《persons》 [+person]
二月（ニガツ; ふたつき）〈T〉 February; 〈Q〉 two months [+month]
〈Ir〉 二十（ニジュウ; はたち）〈Nu/Q〉 20; 〈N〉 20 years old [+ten] 「age]
〈Ir〉 二十歳（はたち/ニジッサイ/ニジュッサイ）〈N〉 20 years old [+ten+*Cs*]
〈Ir〉 二十日（はつか/ニジュウニチ）〈Q〉 20 days; 〈T〉 20th day of the month
二千（ニセン）〈Nu/Q〉 two thousand [+thousand] └[+ten+day]
二百（ニヒャク）〈Nu/Q〉 two hundred [+hundred]
〈Ir〉 二日（ふつか）〈Q〉 two days; 〈T〉 2nd day of the month [+day]
★二十日 pronounced はつか also means 20 days, and 二十 pronounced はたち means exclusively twenty years old.

7 大	おお-; タイ; ダイ 〈Ir〉 ⇨[343]太	一ナ大 大大大大大

big, great

大 (ダイ) 〈N〉 big one
大… (おお/ダイ…) big…, large…, great…
▷大時計 (おおどケイ) 〈N〉 big clock [+clock]
大企業 (ダイキギョウ) 〈N〉 large enterprise [+enterprise]
大好き (ダイすき) 〈Na〉 very fond, favorite [+fond]
大いに (おおいに) 〈Adv〉 very much, greatly; heavily; seriously
大きい (おおきい) 〈A〉 big, large, great
大きさ (おおきさ) 〈N〉 size
大きな (おおきな) 〈Adj〉 big, large, great
大した (タイした) 〈Adj〉 great; important; serious; many, much
大型 (おおがた) 〈N〉 large size [+model]
大口 (おおぐち) 〈N〉 large amount, lots; boastful speech [+lot; mouth]
大蔵省 (おおくらショウ) 〈N〉 Ministry of Finance [+finance+ministry]
大騒ぎ (おおさわぎ) 〈Nv〉 hubbub, tumult [+clamorous]
大勢 (おおゼイ; タイセイ) 〈Q〉 crowd of people; 〈N〉 general trend [+force; state]
大台 (おおダイ) 〈N〉 higher numerical value plane [+base]
大手 (おおて) 〈N〉 major 《of companies》 [+hand]
大通(り) (おおどおり) 〈N〉 main street [+pass]
大幅 (おおはば) 〈N/Na〉 full width, large margin [+width]
大物 (おおもの) 〈N〉 big thing/game; VIP, big figure [+thing; figure]
大会 (タイカイ) 〈N〉 mass meeting, convention [+meeting]
大気 (タイキ) 〈N〉 atmosphere, air 《surrounding the earth》 [+air]
大国 (タイコク) 〈N〉 big nation/power [+country]
大差 (タイサ) 〈N〉 great difference, big gap [+difference]
大作 (タイサク) 〈N〉 great work [+produce]
大使 (タイシ) 〈N〉 ambassador [+envoy]
大衆 (タイシュウ) 〈N〉 the masses 《of people》 [+crowd]
大正 (タイショウ) 〈N〉 Taisho era 《Jap. hist.: 1912–1926》 [+just]
大成 (タイセイ) 〈Nv〉 (attain) big success [+form]
大西洋 (タイセイヨウ) 〈N〉 Atlantic Ocean [+west+ocean]
大切 (タイセツ) 〈Na〉 important, precious [+moderate]
大戦 (タイセン) 〈N〉 big war; World War [+war]
大半 (タイハン) 〈Q〉 majority, great portion, greater part [+half]
大病 (タイビョウ) 〈N〉 serious disease [+sick]
大変 (タイヘン) 〈Na/Adv〉 extraordinary; 〈N〉 convulsion, disturbance [+change]
大砲 (タイホウ) 〈N〉 cannon [+gun]
大陸 (タイリク) 〈N〉 continent [+land]
大量 (タイリョウ) 〈Q〉 large amount [+quantity]
大学 (ダイガク) 〈N〉 university [+school]
大工 (ダイク) 〈N〉 carpenter [+craft]
大事 (ダイジ) 〈N〉 serious affair; 〈Na〉 important [+affair]
大小 (ダイショウ) 〈N〉 of different size [+small]

大丈夫（ダイジョウブ）〈Na〉 safe, all right [+*jo*†+man] ➔SN
大臣（ダイジン）〈N〉 minister《of state》[+subject]
大体（ダイタイ）〈Q〉 the most part, almost; in general; originally [+body] ┌➔SN}
大胆（ダイタン）〈Na〉 bold, daring, adventurous [+gall bladder]}
〈Ir〉 大人（おとな）〈N〉 adult, grown-up [+person]
〈Ir〉 大和（やまと）〈N〉 Japan《classical name》[+Japan] ➔SN

university, *Abbr* 大学
…大（…ダイ）〈N〉 …university, University of…
▷ハーバード大 Harvard University [(Harvard)+]
女子大（ジョシ～）women's college [girl+]
東大（トウ～）Tokyo University [Tokyo+]

〈Place〉 大分（おおいた）Oita Pref./City　大阪（おおさか）Osaka Pref./City

8 国	くに，-ぐに； コク，-ゴク，コッ-	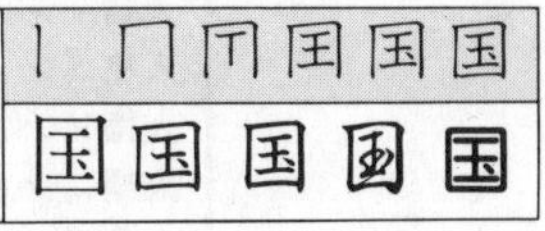

country, nation
国（くに）〈N〉 country, nation
…国（…コク）〈N〉 …land, …country
▷先進国（センシン～）advanced country [previous+advance+]
国々（くにぐに）〈N〉 countries [+*Rep*]
国営（コクエイ）〈N〉 being under state operation, state-run [+operate]
国王（コクオウ）〈N〉 king [+king]
国語（コクゴ）〈N〉 national language; Japanese [+language]
国債（コクサイ）〈N〉 national bond [+debt]
国際…（コクサイ…）international… [+inter-]
▷国際会議（～カイギ）〈N〉 international conference [+conference]
国際連合（～レンゴウ）〈N〉 United Nations [+union]
国際的（コクサイテキ）〈Na〉 worldly, world-wide [+inter-+*Suf Na*]
国産（コクサン）〈N〉 domestic production [+produce]
国政（コクセイ）〈N〉 national administration [+administration]
国税（コクゼイ）〈N〉 national tax [+tax]
国鉄（コクテツ）〈N〉 national railways [+railway] ➔SN
国土（コクド）〈N〉 territory, realm, domain [+land]
国道（コクドウ）〈N〉 national road [+way]
国内（コクナイ）〈N〉 domestic [+inside]
国宝（コクホウ）〈N〉 national treasure [+treasure]
国防（コクボウ）〈N〉 national defense [+defend]
国民（コクミン）〈N〉 the people/nation [+people]
国務（コクム）〈N〉 state affairs [+duty]
国有（コクユウ）〈N〉 state ownership [+possess]
国立（コクリツ）〈N〉 being national, state-established [+establish]
国連（コクレン）〈N〉 United Nations [+group] ➔SN
国家（コッカ）〈N〉 nation [+home]
国会（コッカイ）〈N〉 Congress; Diet; Parliament [+meeting]
国旗（コッキ）〈N〉 national flag [+flag]
国境（コッキョウ）〈N〉 national borders [+border]
国交（コッコウ）〈N〉 diplomatic relations [+exchange]

9 人	ひと, -びと, -ぴと; ジン; ニン 〈Ir〉: 〈PN〉と ⇨74 入	ノ 人 人人人人人

man, person

人 (ひと) 〈N〉 man
…人 (…ジン/ニン/ひと/びと) 〈N〉 …person
▷知識人 (チシキジン) intellectual, highbrow [knowledge+]
通行人 (ツウコウニン) passer-by [passing+]

human

人柄 (ひとがら) 〈N〉 personality [+pattern]
人気 (ひとけ) 〈N〉 sign of life, sign of human habitation [+atmosphere]
人手 (ひとで) 〈N〉 helping hand [+hand]
人々 (ひとびと) 〈N〉 people [+*Rep*]
人員 (ジンイン) 〈N〉 staff, personnel [+member]
人格 (ジンカク) 〈N〉 personality [+structure]
人権 (ジンケン) 〈N〉 human rights [+right]
人絹 (ジンケン) 〈N〉 imitation silk [+silk]
人件費 (ジンケンヒ) 〈N〉 personnel expenditures [+matter+expense]
人工 (ジンコウ) 〈N〉 artificial [+skill]
人口 (ジンコウ) 〈N〉 population [+lot]
人材 (ジンザイ) 〈N〉 talent; human resources [+material]
人事 (ジンジ) 〈N〉 personnel matters, human business [+affair]
人種 (ジンシュ) 〈N〉 race [+sort]
人生 (ジンセイ) 〈N〉 human existence, man's life [+live]
人体 (ジンタイ) 〈N〉 human body [+body]
人道的 (ジンドウテキ) 〈Na〉 humane [+way+*Suf Na*]
人物 (ジンブツ) 〈N〉 person, character, talent [+figure]
人民 (ジンミン) 〈N〉 the people [+people]
人命 (ジンメイ) 〈N〉 human life [+life]
人名 (ジンメイ) 〈N〉 person's name [+name]
人文科学 (ジンモンカガク) 〈N〉 humanities, liberal arts [+literal+science]
人類 (ジンルイ) 〈N〉 mankind [+genus]
人形 (ニンギョウ) 〈N〉 doll; puppet [+shape]
人間 (ニンゲン) 〈N〉 human being, mortal; personality [+*Suf* mass]
人情 (ニンジョウ) 〈N〉 humaneness, heart, human nature [+emotion]
人数 (ニンズウ) 〈N〉 number of persons [+number]
人相 (ニンソウ) 〈N〉 physiognomy, looks [+face]

〈Ir〉 ▶ 7 大人 (おとな), 4 一人 (ひとり), 6 二人 (ふたり), 372 若人 (わこうど)
1514 玄人 (くろうと), 717 素人 (しろうと), 892 仲人 (なこうど)

another man, others

人 (ひと) 〈N〉 others
人手 (ひとで) 〈N〉 somebody else's possession [+hand]
人気 (ニンキ) 〈N〉 popularity [+atmosphere]
人気者 (ニンキもの) 〈N〉 favorite, popular person, celebrity [+atmosphere+person]

***Cs* men 〈Ir〉**

…人 (…ニン/Ir) 〈Q〉 …persons
▷一人 (ひとり), 二人 (ふたり), 三人 (サンニン)

***Suf* race, nationality**

…人 (…ジン) 〈N〉 …-ese, …-an, …-ish
▷アメリカ人 American [(America)+]
日本人 (ニッポン〜/ニホン〜) Japanese [Japan+]

10 三	み，みつ-，**みっ-**； **サン** 〈Ir〉：〈PN〉サ，サブ，ぞう	一 二 三 三 三 三 三 三

three
三（サン）〈Nu〉three
三つ（みっつ）〈Q〉three《things》
三日（みっか）〈Q〉three days;〈T〉3rd day of the month [+day]
三月（サンガツ；みつき）〈T〉March;〈Q〉three months [+month]
三十（サンジュウ）〈Nu/Q〉thirty [+ten]
三千（サンゼン）〈Nu/Q〉three thousand [+thousand]
三百（サンビャク）〈Nu/Q〉three hundred [+hundred]
〈Ir〉 三味線（シャミセン）〈N〉samisen [+taste+line] ➜SN
〈Place〉 三重（みえ）Mie Pref.

11 東	**ひがし**； **トウ** 〈PN〉あずま　⇒[162]車，[998]束	一 ㄇ 白 申 東 東 東 東 東 東 東

east
東（ひがし）〈N〉east
東…（ひがし…）east...
　▷**東アジア**〈N〉East Asia [+(Asia)]
東口（ひがしぐち）〈N〉east exit/entrance [+mouth]
東洋（トウヨウ）〈N〉the East [+overseas]
〈Place〉 東海（トウカイ）Tokai District　東京（トウキョウ）Tokyo Pref./City
東北（トウホク）Tohoku District
Abbr 東京 東大（トウダイ）〈N〉Tokyo University [+university]

12 会	**あ**-； エ；**カイ** 〈PN〉あい　⇒[46]合，[146]今	ノ 人 亼 亼 会 会 会 会 会 会 会

meeting, assembling, association
会（カイ）〈N〉meeting
…会（…カイ）〈N〉...association, ...society
　▷研究会（ケンキュウ～）study group; meeting for the study [re-search+]
会う（あう）〈V〉meet, see
会釈（エシャク）〈Nv〉(give) salutation, bow [+disentangle] ➜SN
会員（カイイン）〈N〉member, membership [+member]
会館（カイカン）〈N〉hall, assembly hall [+hall]
会期（カイキ）〈N〉session, period [+period]
会議（カイギ）〈N〉conference, convention [+debate]
会計（カイケイ）〈N〉account, finance [+measure]
会見（カイケン）〈Nv〉(have) interview [+see]
会合（カイゴウ）〈N〉meeting, gathering [+meet]
会社（カイシャ）〈N〉company, firm [+assembling]
会場（カイジョウ）〈N〉meeting site [+place]
会談（カイダン）〈Nv〉talk, conference [+talk]
会長（カイチョウ）〈N〉chairman《of an association/company》[+chief]
会費（カイヒ）〈N〉membership fee [+expense]
会話（カイワ）〈N〉conversation [+tale]

13 **中**

なか;
-ジュウ, **チュウ**

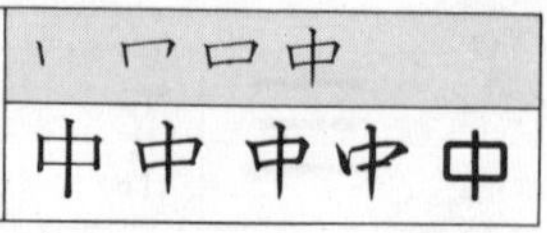

inside
中 (なか) 〈N〉 inside
中身 (なかみ) 〈N〉 interior, contents [+body]

middle, center
中 (チュウ) 〈N〉 middle size, middle grade
中央 (チュウオウ) 〈N〉 center, central part [+center]
中学生 (チュウガクセイ) 〈N〉 secondary school student [+school+student]
中型 (チュウがた) 〈N〉 middle size [+model]
中学校 (チュウガッコウ) 〈N〉 junior high school [+school]
中間 (チュウカン) 〈N〉 middle, midway [+between]
中継 (チュウケイ) 〈Nv〉 relay [+succeed to]
中堅 (チュウケン) 〈N〉 backbone, main body; medium standing [+solid]
中元 (チュウゲン) 〈N〉 midyear (gift) [+origin] ➜SN
中止 (チュウシ) 〈Nv〉 discontinuance; calling off [+stop]
中旬 (チュウジュン) 〈T〉 middle ten days《of a month》 [+ten days]
中小企業 (チュウショウキギョウ) 〈N〉 small business [+small+enterprise]
中心 (チュウシン) 〈N〉 center [+heart]
中世 (チュウセイ) 〈T〉 medieval ages [+period]
中断 (チュウダン) 〈Nv〉 interruption, suspension [+cut off]
中年 (チュウネン) 〈N〉 middle age [+age]
中古 (チュウぶる/チュウコ) 〈N〉 secondhand, used [+old]
中立 (チュウリツ) 〈N〉 neutrality [+stand]

hit
中毒 (チュウドク) 〈N〉 addiction; poisoning [+poison]

Suf **space, duration**
…中 (…ジュウ/チュウ) 〈N/T/S/Adv〉 in…, during…, over…
▷一日中 (イチニチジュウ) 〈Adv〉 all day [one day+]
世界中 (セカイジュウ) 〈N/Adv〉 all over the world [world+]
会議中 (カイギチュウ) 〈T〉 through the meeting; 〈S〉 in conference [meeting+]
午前中 (ゴゼンチュウ) 〈T〉 in the morning [morning+]

Suf **group**
▶連中 (レンジュウ/レンチュウ) 〈N〉 company, party, set, crowd [together+]

Abbr 中学校
▶付属中 (フゾクチュウ) 〈N〉 attached secondary school [annex+]

〈Place〉
中国 (チュウゴク) China; Chugoku District
中部 (チュウブ) Chubu District

Abbr 中国
▶日中 (ニッチュウ) 〈N〉 Japan and China; Sino-Japanese [Japan+]

14 **五**

いつ-;
ゴ
〈PN〉 い

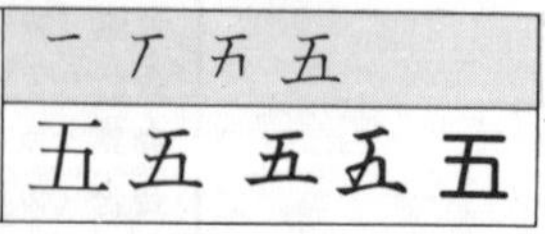

five
五 (ゴ) 〈Nu〉 five
五つ (いつつ) 〈Q〉 five《things》
五日 (いつか) 〈Q〉 five days; 〈T〉 5th day of the month [+day]
五月 (ゴガツ) 〈T〉 May [+month]
五十 (ゴジュウ) 〈Nu/Q〉 fifty [+ten]
五十音図 (ゴジュウオンズ) 〈N〉 Japanese Syllabary Chart [+ten+sound+diagram] ➜SN

15 **本**

もと;
ホン, -ボン, -ポン

⇨[148]木

一十才木本

本本本本本

book

本 (ホン) ⟨N⟩ book
…本 (…ボン) ⟨N⟩ …book
▷文庫本 (ブンコ〜) book in *bunko* size [library+]
本屋 (ホンや) ⟨N⟩ book shop [+shop]

origin, root, main body, base

本 (もと) ⟨N⟩ origin, basis
本格的 (ホンカクテキ) ⟨Na⟩ genuine; full-scale, earnest [+structure +*Suf Na*]
本館 (ホンカン) ⟨N⟩ main building [+hall]
本国 (ホンゴク) ⟨N⟩ one's homeland [+country]
本質 (ホンシツ) ⟨N⟩ essential quality, substance [+quality]
本社 (ホンシャ) ⟨N⟩ head office of a company [+company]
本店 (ホンテン) ⟨N⟩ main shop [+shop]
本土 (ホンド) ⟨N⟩ mainland [+land]
本能 (ホンノウ) ⟨N⟩ instinct [+proficiency]
本場 (ホンば) ⟨N⟩ home/best place [+place]
本部 (ホンブ) ⟨N⟩ headquarters [+part]
本来 (ホンライ) ⟨N/Adv⟩ originally, essentially [+come]

true, real

本… (ホン…) true… →[1322]仮
▷本契約 (〜ケイヤク) ⟨N⟩ formal/real/true contract [+contract]
本気 (ホンキ) ⟨N⟩ earnestness [+spirit]
本当 (ホントウ) ⟨N⟩ truth, reality [+hit]
本人 (ホンニン) ⟨N⟩ the person himself; the principal [+person]
本音 (ホンね) ⟨N⟩ one's true intention [+sound] →[244]建(て)前
本名 (ホンミョウ) ⟨N⟩ one's real name [+name]
本命 (ホンメイ) ⟨N⟩ likely winner [+register]
本物 (ホンもの) ⟨N⟩ genuine thing, real article [+thing]

this particular

本… (ホン…) this… 《formal》
▷本年度 (〜ネンド) ⟨T⟩ this fiscal year [+fiscal year]
本日 (ホンジツ) ⟨T⟩ today [+day] →[93]当日
本書 (ホンショ) ⟨N⟩ this book [+book]
本年 (ホンネン) ⟨T⟩ this year [+year] →[146]今年

***Cs* slender things**

…本 (…ホン/ボン/ポン) ⟨Q⟩ …pieces
▷一本 (イッポン), 二本 (ニホン), 三本 (サンボン)

⟨Place⟩

本州 (ホンシュウ) Honshu Island

16 **京**

キョウ; ケイ-

丶亠古亨亨京

京京京京京

capital†

⟨Place⟩

京都 (キョウト) Kyoto Pref./City
▶東京 (トウキョウ) Tokyo Pref./City

***Abbr* 京都**

京大 (キョウダイ) ⟨N⟩ Kyoto University [+university]

***Abbr* 東京**

京浜 (ケイヒン) ⟨N⟩ Tokyo and Yokohama [+Yokohama]
▶上京 (ジョウキョウ) ⟨Nv⟩ coming/going up to Tokyo [up, above+]

17 出	だ-; で, でる; シュツ, シュッ-; スイ- 〈Ir〉: 〈PN〉 いずる, いで	丨 十 屮 出 出 出 出 出 出 出

come out, go out, put out

…出 (…で) 〈N〉 arising/graduating from…
▷大学出 (ダイガク～) university graduate [university+]
京大出 (キョウダイ～) graduate of Kyoto Univ. [Kyoto Univ.+]
出す (だす) 〈V〉 put out, bring out; send; submit
…出す (…だす) 〈V〉 begin to…; …out
▷売り出す (うり～) put on sale [sell+]
走り出す (はしり～) start running [run+]
出る (でる) 〈V〉 come out, appear, attend; get out, depart
出会い (であい) 〈N〉 encounter, meeting [+meeting]
出会う (であう) 〈V〉 come across, meet [+meeting]
出足 (であし) 〈N〉 start [+foot]
出入り (でいり/ではいり) 〈N〉 going in and out [+enter]
出入(り)口 (でいりぐち) 〈N〉 doorway, exit and entrance [+enter+mouth]
出掛ける (でかける) 〈V〉 go out, set off [+begin]
出稼ぎ (でかせぎ) 〈N〉 being at work in another part of the country [+earn one's living]
出来事 (できごと) 〈N〉 happening, incident [+come+affair]
出来る (できる) 〈V〉 come out, emerge; be perfected; can [+come]
出揃う (でそろう) 〈V〉 be all on hand, appear all together [+set, sort]
出回る (でまわる) 〈V〉 come on 《to the market》 [+round]
出演 (シュツエン) 〈Nv〉 stage appearance, performance [+perform]
出願 (シュツガン) 〈Nv〉 (make) application (for) [+beg]
出現 (シュツゲン) 〈Nv〉 (make) advent, appearance [+appearance]
出場 (シュツジョウ) 〈Nv〉 appearance, participation [+place]
出動 (シュツドウ) 〈Nv〉 march, moving out [+move]
出馬 (シュツバ) 〈Nv〉 going in person; entering a race [+horse] ➔SN
出力 (シュツリョク) 〈N〉 energy generation, output [+power]
出火 (シュッカ) 〈Nv〉 outbreak of fire [+fire]
出荷 (シュッカ) 〈Nv〉 shipment [+load]
出勤 (シュッキン) 〈Nv〉 attendance at office [+serve]
出血 (シュッケツ) 〈Nv〉 bleeding [+blood]
出国 (シュッコク/シュツゴク) 〈Nv〉 departure from a country [+country]
出産 (シュッサン) 〈Nv〉 (undergo) delivery [+give birth]
出資 (シュッシ) 〈Nv〉 investment, contribution [+capital]
出身 (シュッシン) 〈N〉 hailing/coming from [+body]
出世 (シュッセ) 〈Nv〉 achieving fame/power/wealth [+world]
出席 (シュッセキ) 〈Nv〉 attendance [+seat]
出張 (シュッチョウ) 〈Nv〉 business trip, travel on business [+stretch]
出頭 (シュットウ) 〈Nv〉 appearance 《in court/bureau, etc.》 [+head]
出発 (シュッパツ) 〈Nv〉 departure, start [+start]
出版 (シュッパン) 〈Nv〉 publishing 《of books》 [+print]
出品 (シュッピン) 〈Nv〉 exhibition, show [+goods]
出納 (スイトウ) 〈N〉 revenue and expenditure, accounts [+put in]
〈Ir〉 ▶見出す (みいだす) 〈V〉 find, pick out [see+]

18 **四**	よ, よっ-, **よっ-**, **よん**; シ ⇨[1595] 匹	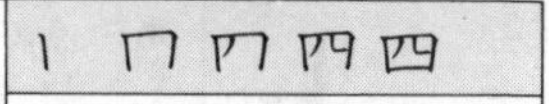 四 四 四 四 四

four
四 (よん/シ) ⟨Nu⟩ four
四つ (よっつ) ⟨Q⟩ four 《things》
四日 (よっか) ⟨Q⟩ four days; ⟨T⟩ 4th day of the month [+day]
四人 (よニン) ⟨Q⟩ four persons [+person]
四千 (よんセン) ⟨Nu/Q⟩ four thousand [+thousand]
四百 (よんヒャク) ⟨Nu/Q⟩ four hundred [+hundred]
四本 (よんホン/シホン) ⟨Q⟩ four slender things [+*Cs* slender things]
四月 (シガツ; よつき) ⟨T⟩ April; ⟨Q⟩ four months [+month]
四季 (シキ) ⟨N⟩ four seasons [+season]
四十 (シジュウ/よんジュウ) ⟨Nu/Q⟩ forty [+ten]
四方 (シホウ) ⟨N⟩ four quarters, all directions [+direction]
⟨Place⟩ 四国 (シコク) Shikoku Island/District

19 **時**	とき, -どき; ジ ⟨Ir⟩	 時 時 時 時 時

time
時 (とき) ⟨T⟩ time
…時 (…ジ) ⟨T⟩ time of …ing
▷退職時 (タイショク～) time of retirement 《from a job》 [resignation+]
時々 (ときどき) ⟨T⟩ sometimes, now and then [+*Rep*]
時価 (ジカ) ⟨N⟩ current price [+price]
時間 (ジカン) ⟨N⟩ hour, time; ⟨Q⟩ hour(s) [+interval]
時期 (ジキ) ⟨T⟩ time, season/time of year [+period]
時限 (ジゲン) ⟨T⟩ time limit; scheduled time [+limit]
時刻 (ジコク) ⟨T⟩ time, hour [+segment of time]
時差 (ジサ) ⟨N⟩ time difference [+difference]
時代 (ジダイ) ⟨T⟩ period, epoch, age, era [+period]
⟨Ir⟩ 時雨 (しぐれ) ⟨N⟩ hiemal rain [+rain] ➜SN
⟨Ir⟩ 時計 (とケイ) ⟨N⟩ watch, clock [+measure]
hour 時速 (ジソク) ⟨N⟩ speed per hour [+speedy]
o'clock …時 (…ジ) ⟨T⟩ …o'clock
▷十二時二十五分 (ジュウニ～ニジュウゴフン) 12:25 [12+～+25 minutes]

20 **六**	む, むっ-, **むっ-**; **ロク**, ロッ- ⟨Ir⟩	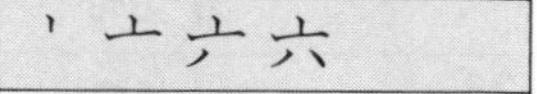 六 六 六 六 六

six
六 (ロク) ⟨Nu⟩ six
六つ (むっつ) ⟨Q⟩ six 《things》
六月 (ロクガツ; むつき) ⟨T⟩ June; ⟨Q⟩ six months [+month]
六十 (ロクジュウ) ⟨Nu/Q⟩ sixty [+ten]
六千 (ロクセン) ⟨Nu/Q⟩ six thousand [+thousand]
六百 (ロッピャク) ⟨Nu/Q⟩ six hundred [+hundred]
⟨Ir⟩ 六日 (むいか/ロクニチ) ⟨Q⟩ six days; ⟨T⟩ 6th day of the month [+day]

21 上	あ-; うえ, うわ-; かみ, -がみ; のぼ-, のぼる; ショウ; ジョウ 〈PN〉 かん ⇨[400] 止	丨 ⺊ 上 上 上 上 上 上

up, above
上 (うえ) 〈N〉 up, above
…上 (…ジョウ) 〈S〉 from the viewpoint of…
▷教育上 (キョウイク～) from the educational viewpoint [education+]
上がる (あがる) 〈V〉 go up, ascend, rise
…上がる (…あがる) 〈V〉 …up (*vi.*)
▷出来上がる (でき～) be completed [come out+]
上げる (あげる) 〈V〉 raise, lift up
…上げる (…あげる) 〈V〉 …up (*vt.*)
▷育て上げる (そだて～) breed, grow [bring up+]
上り (のぼり) 〈N〉 ascent, rise (of a road); for Tokyo 《train》
上る (のぼる) 〈V〉 go/come up, ascend, rise
上回る (うわまわる) 〈V〉 be above, exceed [+turn]
上位 (ジョウイ) 〈N〉 high rank [+rank]
上院 (ジョウイン) 〈N〉 Upper House [+house]
上記 (ジョウキ) 〈N〉 above-mentioned [+describe]
上京 (ジョウキョウ) 〈Nv〉 coming/going up to the capital [+Tokyo]
上空 (ジョウクウ) 〈N〉 up in the sky/air, high above [+sky]
上下 (ジョウゲ) 〈N〉 up and down [+down]
上昇 (ジョウショウ) 〈Nv〉 rise, ascent, going up [+rise]
上部 (ジョウブ) 〈N〉 upper part [+part]
上陸 (ジョウリク) 〈Nv〉 landing 《from a ship》 [+land]
上流 (ジョウリュウ) 〈N〉 upper stream; high society [+stream; class]

on 《stage, etc.》
上映 (ジョウエイ) 〈Nv〉 screening, showing 《of film》 [+reflect]
上演 (ジョウエン) 〈Nv〉 performance, staging 《of a play》 [+perform]

outer
上着 (うわぎ) 〈N〉 upper/outer garment; jacket [+wear]

superior, excellent
上 (ジョウ) 〈N〉 better/best one
上人 (ショウニン) 〈N〉 saint [+person]
上手 (ジョウズ; うわて) 〈Na/N〉 skillfull, good at; 〈N〉 superior 《in skill》 [+hand]
上達 (ジョウタツ) 〈Nv〉 (attain) proficiency, improvement [+reach]
上等 (ジョウトウ) 〈N/Na〉 superiority, superior grade [+rank]
上品 (ジョウヒン) 〈Na〉 decent, graceful [+human quality]

earlier part
上半期 (かみハンキ) 〈N〉 first half 《of a year》 [+half+term]
上旬 (ジョウジュン) 〈T〉 first ten days 《of a month》 [+ten days]

22 者	もの; -サ, -ザ; シャ, -ジャ	一 + 土 耂 者 者 者 者 者 者 者

person
者 (もの) 〈N〉 person
…者 (…もの/シャ) 〈N〉 …person, …-ist
▷田舎者 (いなかもの) rustic [rural districts+]
科学者 (カガクシャ) scientist [science+]
関係者 (カンケイシャ) person concerned [relation+]
▶猛者 (モサ) 〈N〉 stalwart, intrepid; old campaigner [violent+]

23 **同**

おな-;
ドウ

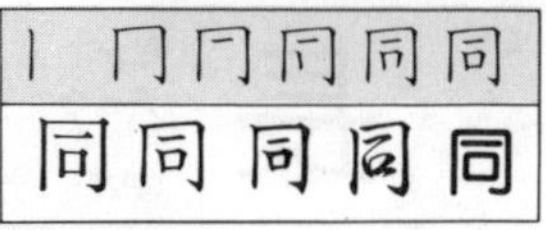

same

同… (ドウ…) the same…; …previously mentioned
▷同年齢 (～ネンレイ) 〈N〉 same age [+age]
同文書 (～ブンショ) 〈N〉 above-mentioned document [+document]
同じ (おなじ) 〈N〉 same; 〈Adj〉 equivalent; 〈Adv〉 (if…) at all
同じく (おなじく) 〈Adv〉 likewise
同意 (ドウイ) 〈Nv〉 agreement, consent [+intention]
同一 (ドウイツ) 〈N〉 one and the same, identical [+one]
同化 (ドウカ) 〈Nv〉 assimilation; adaptation [+change itself]
同感 (ドウカン) 〈N〉 same sentiment, sympathy [+feel]
同期 (ドウキ) 〈N〉 same period/term; 〈T〉 that period [+period]
同月 (ドウゲツ) 〈N〉 same month; 〈T〉 that month [+month]
同好 (ドウコウ) 〈N〉 sharing the same taste [+fond]
同志 (ドウシ) 〈N〉 same-minded; comrade [+ambition]
同時 (ドウジ) 〈T〉 same time/hour, simultaneous [+time]
同日 (ドウジツ) 〈T〉 same day/date [+day]
同情 (ドウジョウ) 〈Nv〉 sympathy, compassion [+emotion]
同性 (ドウセイ) 〈N〉 same sex [+sex]
同窓 (ドウソウ) 〈N〉 at/from the same school; alumni [+window]
同調 (ドウチョウ) 〈Nv〉 in concert, siding with [+tone]
同点 (ドウテン) 〈N〉 same score, tie [+point]
同等 (ドウトウ) 〈N〉 same rank; equality [+rank]
同年 (ドウネン) 〈N〉 same year/age; 〈T〉 that year [+year]
同様 (ドウヨウ) 〈S〉 same; the similar, like [+state]
同類 (ドウルイ) 〈N〉 same kind/class [+genus]

accompanying, sharing, together

同居 (ドウキョ) 〈Nv〉 living together, sharing the same house [+reside]
同行 (ドウコウ) 〈Nv〉 traveling together, going with [+go]
同士 (ドウシ) 〈N〉 comrade [+brave man]
同乗 (ドウジョウ) 〈Nv〉 riding together, sharing《a car, etc.》 [+ride]
同棲 (ドウセイ) 〈Nv〉 cohabitation, living together [+inhabit]
同道 (ドウドウ) 〈Nv〉 accompanying [+way]
同伴 (ドウハン) 〈Nv〉 going with, accompanying [+accompany]
同封 (ドウフウ) 〈Nv〉 enclosuring《in an envelope》 [+seal]
同僚 (ドウリョウ) 〈N〉 colleague [+officer]

24 **田**

た, -だ;
デン
〈Ir〉 ⇒347 申, 376 由, 1071 甲

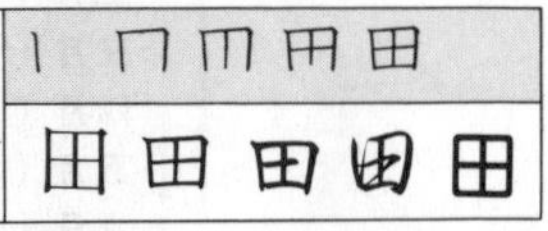

rice field

田(んぼ) (た(んぼ)) 〈N〉 rice field
田植(え) (たうえ) 〈N〉 planting of young rice plants [+plant]
田園 (デンエン) 〈N〉 fields and gardens, the country [+garden]
〈Ir〉 田舎 (いなか) 〈N〉 rural districts; one's native place [+house]
▶水田 (スイデン) 〈N〉 wet rice paddy [water+]
油田 (ユデン) 〈N〉 oil well [oil+]

25 長	なが； チョウ 〈PN〉おさ，はせ(長谷)	

long
長… (チョウ/なが…) long…
　▷長距離 (チョウキョリ) 〈N〉 long distance [+distance]
長い (ながい) 〈A〉 long
長さ (ながさ) 〈N〉 length
長続き (ながつづき) 〈Nv〉 lasting, long continuance [+continue]
長年 (ながネン) 〈Q〉 for many years, long time [+year]
長期 (チョウキ) 〈N〉 long term, long time [+period]
長編/篇 (チョウヘン) 〈N〉 long work《of a movie/novel, etc.》 [+edition/volume]

eldest
長女 (チョウジョ) 〈N〉 eldest daughter [+daughter]
長男 (チョウナン) 〈N〉 eldest son [+son]

chief
…長 (…チョウ) 〈N〉 chief/chairman of…
　▷委員長 (イイン～) committee chairman [committeeman+]
▶社長 (シャチョウ) 〈N〉 president《of a company》 [company+]

〈Place〉
長崎 (ながさき) Nagasaki Pref./City　長野 (ながの) Nagano Pref./City

26 月	つき，-づき； -ガツ，-ガッ-；ゲツ，ゲッ- ⇨¹日	

moon
月 (つき) 〈N〉 moon
月面 (ゲツメン) 〈N〉 surface of the moon [+surface]
月曜(日) (ゲツヨウ(び)) 〈T〉 Monday [+day of the week (+day)]

month
月 (つき) 〈T〉 month
月末 (ゲツマツ/つきずえ) 〈T〉 end of a month [+end]
月刊 (ゲッカン) 〈N〉 monthly (publication) [+publish]
月間 (ゲッカン) 〈T〉 duration of a month [+interval]
月給 (ゲッキュウ) 〈N〉 monthly salary [+salary]
月経 (ゲッケイ) 〈N〉 menstruation [+passage]
月謝 (ゲッシャ) 〈N〉 monthly tuition/fee [+thank]
月収 (ゲッシュウ) 〈N〉 monthly income [+income]
月賦 (ゲップ) 〈N〉 monthly installment [+levy]

Names of the months 〈T〉

一月 (イチガツ) January	七月 (シチガツ) July
二月 (ニガツ) February	八月 (ハチガツ) August
三月 (サンガツ) March	九月 (クガツ) September
四月 (シガツ) April	十月 (ジュウガツ) October
五月 (ゴガツ) May	十一月 (ジュウイチガツ) November
六月 (ロクガツ) June	十二月 (ジュウニガツ) December

Cs **months**
…月 (…ツキ) 〈Q〉 …months
　▷一月 (ひと～), 二月 (ふた～), 三月 (み～)
　十月十日 (と～とおか) human gestation period [ten+～+ten days]
…か月/…ケ月 (…かゲツ) 〈Q〉 …months →1943箇
　▷一か月 (イッ～), 二か月 (ニ～), 三か月 (サン～)

27 間

あいだ; ま;
カン; ケン, -ゲン

〈PN〉はざま ⇒[75]問, [262]聞

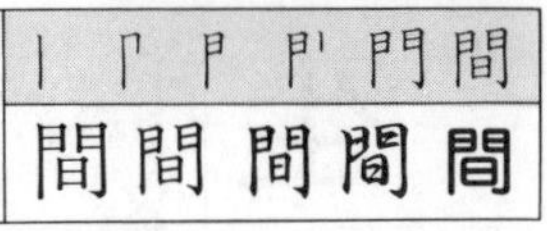

space, room, between	間 (あいだ) 〈N〉 gap; between
	間 (ま) 〈N〉 room
	…間 (…カン) 〈N〉 between…
	▷日米間 (ニチベイ～) between Japan and USA [Japan+America+]
	すき間 (すきま) 〈N〉 gap, hiatus, opening
	間口 (まぐち) 〈N〉 width of house/land [+mouth]
	▶居間 (いま) 〈N〉 living room [reside+]
period, interval	間 (あいだ/カン) 〈T〉 interval, period, while
	間 (ま) 〈N〉 period, interval, pause
	…間 (…カン) 〈Q〉 for… 《period》
	▷三日間 (みっか～) for three days [three days+]
	間接 (カンセツ) 〈N〉 indirect [+attach]
ken 《=182cm》	…間 (…ケン/ゲン) 〈Q〉 …*ken*
	▷一間 (イッケン), 二間 (ニケン), 三間 (サンゲン)
Cs **rooms**	…間 (…ま) 〈Q〉 …rooms
	▷一間 (ひと～), 二間 (ふた～), 三間 (み～)
Suf **mass**	▶仲間 (なかま) 〈N〉 company, cohorts [intimacy+]
	人間 (ニンゲン) 〈N〉 human being [man+]
Ph	間違い (まちがい) 〈N〉 mistake, error [+differ] ➜SN
	間違う/間違える (まちがう/まちがえる) 〈V〉 mistake [+differ]

28 方

かた, -がた;
ホウ, -ボウ, -ポウ

〈Ir〉 ⇒[96]万

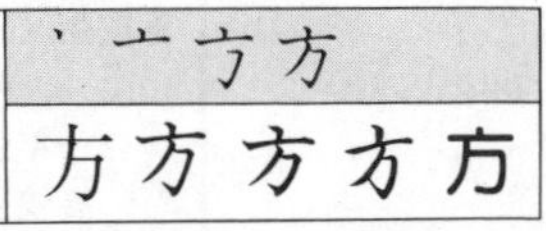

direction	方 (ホウ) 〈N〉 direction
	…方 (…かた/がた) 〈N〉 …side; 〈T〉 toward…
	▷相手方 (あいてがた) 〈N〉 the other party [opponent+]
	方向 (ホウコウ) 〈N〉 direction, course [+direction]
	方針 (ホウシン) 〈N〉 line, policy [+needle]
	方面 (ホウメン) 〈N〉 direction, district [+aspect]
〈Ir〉	▶行方 (ゆくえ) 〈N〉 one's whereabouts [go+]
way, means	…方 (…かた) 〈N〉 how to…
	▷読み方 (よみ～) how to read [read+]
	方策 (ホウサク) 〈N〉 plan, means, measure [+plot]
	方式 (ホウシキ) 〈N〉 format, mode, system [+style]
	方法 (ホウホウ) 〈N〉 means, method [+method]
person	方 (かた) 〈N〉 person 《polite》
c/o	…方 (…かた) 〈CF〉 c/o…
	▷田中様方 (たなかさま～) c/o Mr. Tanaka [*PN*+]
square	▶平方 (ヘイホウ) 〈Q〉 square 《measure》 [square+]
	九平方メートル $9m^2$ 九メートル平方 9m×9m
Suf **plurality**	…方 (…がた) 〈N〉 …-s 《honorific》
	▷あなた方 you (*pl.*) 先生方 (センセイ～) teachers [teacher+]

29 **生**	**い**-, いき-, いけ-; **う**-, うま-, -うまれ; お-, おい-; き-; **なま**; は-, -ば-, はえ-; **ショウ**, -ジョウ; **セイ**, -ゼイ 〈Ir〉: 〈PN〉 いく, うぶ	ノ 𠂉 牛 牛 生 生 生 生 生 生

life, live
- 生かす (いかす) 〈V〉 enliven; make use of
- 生きる (いきる) 〈V〉 live, be alive
- 生き生き (いきいき) 〈Nt〉 vivid [+live]
- 生(け)花 (いけばな) 〈N〉 *ikebana*, flower arrangement [+flower]
- 生涯 (ショウガイ) 〈T〉 life, lifetime, all one's life [+end]
- 生活 (セイカツ) 〈Nv〉 life, livelihood, living [+vivid]
- 生存 (セイゾン) 〈Nv〉 survival [+exist]
- 生態 (セイタイ) 〈N〉 ecology [+figure]
- 生物 (セイブツ) 〈N〉 animate beings [+thing]
- 生物学 (セイブツガク) 〈N〉 biology [+thing+-logy]
- 生命 (セイメイ) 〈N〉 life, being alive [+life]

▲生(け)花

birth
- 生(ま)れ (うまれ) 〈N〉 birthplace; lineage; ...born
- 生(ま)れる (うまれる) 〈V〉 be born, come into existence
- 生む (うむ) 〈V〉 bear, give birth to, produce
- 生み出す (うみだす) 〈V〉 bring forth, produce [+put out]
- 生産 (セイサン) 〈Nv〉 production [+produce]
- 生年月日 (セイネンガッピ) 〈N〉 birth date [+year+month+day]

growth
- 生える (はえる) 〈V〉 grow (*vi.*), come out
- 生やす (はやす) 〈V〉 grow (*vt.*) 《of a beard, etc.》
- 生い立ち (おいたち) 〈N〉 one's breeding, growth [+rise]
- 〈Ir〉 ▶芝生 (しばふ) 〈N〉 lawn, grass [lawn+]

pupil
- …生 (…セイ) 〈N〉 ...pupil, ...student
  - ▷一年生 (イチネン～) first-grade student; freshman [one+year+]
  - 高校生 (コウコウ～) high school student [high school+]
- 生徒 (セイト) 〈N〉 pupil; student 《of a high school》 [+fellow]

raw, natural
- 生 (なま) 〈N〉 raw
- 生地 (きジ) 〈N〉 plain cloth; dough; one's natural quality/state [+ground]
- 生野菜 (なまヤサイ) 〈N〉 fresh vegetable [+vegetable]

physiological
- 生理 (セイリ) 〈N〉 physiology; menstruation [+logic]
- 生理学 (セイリガク) 〈N〉 physiological studies [+logic+...studies]

30 **社**	やしろ; **シャ**, -ジャ	ラ ネ ネ ネ一 社 社 社 社 社 社 社

shrine
- 社 (やしろ) 〈N〉 shrine

assembling, company
- 社 (シャ) 〈N〉 company
- …社 (…シャ) 〈N〉 ...company
  - ▷出版社 (シュッパン～) publishing company [publication+]
- 社員 (シャイン) 〈N〉 company employee [+member]
- 社会 (シャカイ) 〈N〉 society [+assembling] →12会社
- 社会学 (シャカイガク) 〈N〉 sociology [+assembling+-logy]
- 社説 (シャセツ) 〈N〉 editorial article [+explain]
- 社長 (シャチョウ) 〈N〉 president 《of a company》 [+chief]

31 行

いー，いき；おこー，**おこなー**；ゆー，ゆき，ゆくー；
アン；**ギョウ**；**コウ**

行行行行行

go

行く (いく/ゆく) 〈V〉 go
…行(き) (…いき/ゆき) 〈N〉 (vehicle/vessel) bound for…
▷京都行(き) (キョウト～) for Kyoto [Kyoto+]
行方 (ゆくえ) 〈N〉 one's whereabouts [+direction]
行方不明 (ゆくえフメイ) 〈N〉 missing [+direction+unclear]
行脚 (アンギャ) 〈Nv〉 (make) pilgrimage; traveling on foot [+leg]
行進 (コウシン) 〈Nv〉 march, parade [+proceed]
行楽 (コウラク) 〈N〉 outing, excursion [+amuse]

exert, conduct

行(な)う (おこなう) 〈V〉 conduct, carry out
行事 (ギョウジ) 〈N〉 event [+affair]
行政 (ギョウセイ) 〈N〉 administration [+politics]
行為 (コウイ) 〈N〉 act, conduct, deed [+do]
行使 (コウシ) 〈Nv〉 use, excercise 《of force, privilege, rights, etc.》 [+use]
行動 (コウドウ) 〈Nv〉 action, behavior [+move]

line, row

行 (ギョウ) 〈N〉 line 《of letters》
行列 (ギョウレツ) 〈Nv〉 procession, queue [+line]
▶銀行 (ギンコウ) 〈N〉 bank [money+]

Cs **lines**

…行 (…ギョウ) 〈Q〉 …lines 《of letters》
▷一行 (イチ～), 二行 (ニ～), 三行 (サン～)

Abbr 銀行

行員 (コウイン) 〈N〉 bank clerk [+member]

32 事

こと，-ごと；
ジ；-ズ

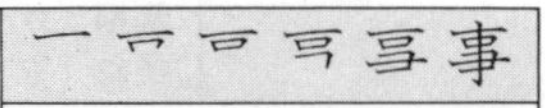

事事事事事

affair, fact, happening

事 (こと) 〈N〉 affair, matter, fact
事柄 (ことがら) 〈N〉 matter, affair [+pattern]
事件 (ジケン) 〈N〉 incident, event, affair; case [+case]
事故 (ジコ) 〈N〉 accident [+obstacle]
事項 (ジコウ) 〈N〉 items, articles, matters [+item]
事実 (ジジツ) 〈N〉 fact [+real]
事情 (ジジョウ) 〈N〉 circumstances, reasons [+state of affairs]
事前 (ジゼン) 〈N〉 before the fact, in advance [+before]
事態 (ジタイ) 〈N〉 situation [+figure]
事典 (ジテン) 〈N〉 cyclopedia [+classical book]
▶好事家 (コウズカ) 〈N〉 dilettante [fond+～+*Suf* specialist]
[397]仕事 (シごと), [17]出来事 (できごと), [48]見事 (みごと)

charge, engagement

事業 (ジギョウ) 〈N〉 undertaking [+business]
事務 (ジム) 〈N〉 clerical work [+duty]
事務所 (ジムショ) 〈N〉 office 《for clerical work》 [+duty+place]

person in charge of…

▶刑事 (ケイジ) 〈N〉 police detective [punishment+]
知事 (チジ) 〈N〉 governor 《of a prefecture/state》 [govern+]
判事 (ハンジ) 〈N〉 judge, judiciary [judge+]
領事 (リョウジ) 〈N〉 consul [domain+]

33 **学**	まな-; ガク, ガッ- 〈PN〉 まなぶ　⇨[612]字	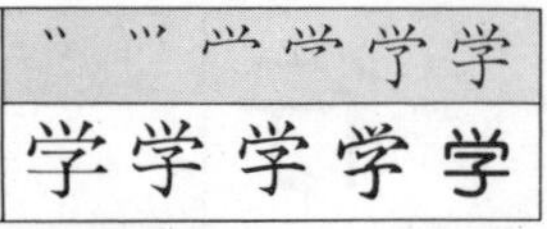

study

学ぶ (まなぶ) 〈V〉 learn, study
学院 (ガクイン) 〈N〉 institute, academy [+institute]
学園 (ガクエン) 〈N〉 educational institute, campus [+garden]
学士 (ガクシ) 〈N〉 university graduate, bachelor [+expert]
学識 (ガクシキ) 〈N〉 knowledge, scholarship [+knowledge]
学者 (ガクシャ) 〈N〉 scholar [+person]
学習 (ガクシュウ) 〈Nv〉 learning, studying [+learn]
学術 (ガクジュツ) 〈N〉 science, learning [+art]
学問 (ガクモン) 〈N〉 learning, scholarship [+inquire]
学力 (ガクリョク) 〈N〉 scholastic ability/attainments [+power]
学科 (ガッカ) 〈N〉 subject of study; department of a university [+division]
学会 (ガッカイ) 〈N〉 learned society; academic conference [+meeting]
学界 (ガッカイ) 〈N〉 academic world [+world]
学校 (ガッコウ) 〈N〉 school [+school]

school

学生 (ガクセイ) 〈N〉 student 《not of a high school》 [+life]
学長 (ガクチョウ) 〈N〉 president 《of a university》 [+chief]
学年 (ガクネン) 〈N〉 (school) year [+year]
学費 (ガクヒ) 〈N〉 school expenses [+expense]
学部 (ガクブ) 〈N〉 faculty, school 《of a university》 [+department]
学歴 (ガクレキ) 〈N〉 school/academic career [+career]
学期 (ガッキ) 〈N〉 (school) term, semester [+period]
学級 (ガッキュウ) 〈N〉 (school) class [+class]

-logy, ...studies

…学 (…ガク) 〈N〉 ...-logy, ...studies
▷経済学 (ケイザイ～) economics [economy+]
日本学 (ニホン～) Japanology [Japan+]
物理学 (ブツリ～) physics [physics+]
▶医学 (イガク) 〈N〉 medical science [medical+]
工学 (コウガク) 〈N〉 engineering, technology [craft+]
法学 (ホウガク) 〈N〉 study of law, jurisprudence [law+]

34 **場**	ば; ジョウ ⇨[1022]湯	

place

場 (ば) 〈N〉 place
…場 (…ば/ジョウ) 〈N〉 ...place, ...site, ...lot
▷工事場 (コウジば) construction site [construction+]
駐車場 (チュウシャジョウ) parking lot [parking+]
場所 (ばショ) 〈N〉 place, spot [+place]
場末 (ばすえ) 〈N〉 (rustic) outskirts 《of a city》 [+end]
場面 (ばメン) 〈N〉 scene [+aspect]

scene

場 (ば) 〈N〉 scene
場合 (ばあい) 〈T〉 case, occasion [+meet]
▶第一場 (ダイイチば) 〈N〉 Scene 1 《of a play》 [the first+]

35 分	わ-, わか-; ブ; フン, -プン; ブン 〈PN〉わけ	ノ 八 分 分 分 分 分 分 分

division, part, portion

分 (ブン) 〈N〉 portion, share; one's lot/bit; rate, degree
…分 (…ブン) 〈N〉 …content; 〈Q〉 portion/amount for…
▷アルコール分 〈N〉 alcohol content [(alcohol)+]
五人分 (ゴニン〜) 〈Q〉 amount for 5 persons [5 persons+]
三日分 (みっか〜) 〈Q〉 3 days' worth [3 days+]
分(か)る (わかる) 〈V〉 be analyzable/understandable
分(か)れる (わかれる) 〈V〉 diverge, branch off
分ける (わける) 〈V〉 divide, part
…分する (…ブンする) 〈V〉 divide into…
▷二分する (ニ〜) divide into two [two+]
三分する (サン〜) divide into three [three+]
…分の… (…ブンの…) 〈Nu〉 《fraction》
▷二分の一 (ニ〜イチ) 1/2　三分の二 (サン〜ニ) 2/3
四分の三 (よん/シ〜サン) 3/4
分解 (ブンカイ) 〈Nv〉 dissolution; disassembly [+dissolve]
分科会 (ブンカカイ) 〈N〉 section meeting [+branch+meeting]
分割 (ブンカツ) 〈Nv〉 division, partition [+divide]
分業 (ブンギョウ) 〈N〉 division of labor, specialization [+job]
分散 (ブンサン) 〈Nv〉 breakup, divergence [+disperse]
分子 (ブンシ) 〈N〉 numerator; molecule, element [+child; tiny thing]
分譲 (ブンジョウ) 〈Nv〉 selling subdivisions 《of real estate》 [+transfer]
分身 (ブンシン) 〈N〉 the other self [+body]
分析 (ブンセキ) 〈Nv〉 analysis [+analyze]
分担 (ブンタン) 〈Nv〉 (take) partial charge (of) [+bear]
分配 (ブンパイ) 〈Nv〉 allotment, allocation [+allot]
分布 (ブンプ) 〈Nv〉 distributional occurrence [+expand]
分母 (ブンボ) 〈N〉 denominator [+mother] →分子
分野 (ブンヤ) 〈N〉 field, sphere [+field]
分離 (ブンリ) 〈Nv〉 separation, dissociation [+separate]
分類 (ブンルイ) 〈Nv〉 classification [+genus]
分裂 (ブンレツ) 〈Nv〉 (take) dissolution, fission, disunion [+rend]

1/10

…分 (…ブ) 〈Q〉 …tenths
▷七分 (シチ〜) 70%　五分五分 (ゴ〜ゴ〜) 50:50
三十六度五分 (サンジュウロクドゴ〜) 36.5°C

1/100

…分 (…ブ) 〈Q〉 …hundredths
▷二割五分 (ニわりゴ〜) 25% →[357]割, [1230]厘

minute

…分 (…フン/プン) 〈T/Q〉 …minutes 《not of temperature》
▷一分 (イップン), 二分 (ニフン), 三分 (サンプン),
四分 (よんプン), 五分 (ゴフン), 六分 (ロップン)

★一, 二, 三, etc. plus 分 can have different meanings depending upon whether 分 is pronounced ブン or ブ or フン/プン.
e.g. 二分 (ニブ) 2%/two tenths; (ニフン) 2 minutes. 十分 (ジュウブ) 10%; (ジップン/ジュップン) 10 minutes; (ジュウブン) full enough

36 新	あたら-; あら-; にい-; シン 〈PN〉にった(新田), にとべ(新渡戸) ⇨[381]親	亠 立 亲 新 新 新 新 新 新 新

new, fresh | 新…(シン…) new…
▷新記録(～キロク)〈N〉new record [+record]
新しい(あたらしい)〈A〉new, fresh
新た(あらた)〈Na〉newly-brought
新妻(にいづま)〈N〉new bride [+wife]
新案(シンアン)〈N〉new idea/design [+idea]
新型(シンがた)〈N〉new style [+model]
新刊(シンカン)〈N〉new publication [+publish]
新館(シンカン)〈N〉new building, annex [+hall]
新幹線(シンカンセン)〈N〉*shinkansen*, bullet train [+trunk+line]
新規(シンキ)〈N〉new, fresh [+regulate]
新婚(シンコン)〈N〉newly-married [+wedding]
新作(シンサク)〈N〉new work/piece [+make]
新車(シンシャ)〈N〉new car [+car]
新春(シンシュン)〈N〉New Year [+spring] ➜SN
新設(シンセツ)〈Nv〉establishing anew [+establish]
新鮮(シンセン)〈Na〉fresh [+fresh]
新築(シンチク)〈Nv〉new-built, building anew [+construct]
新入社員(シンニュウシャイン)〈N〉new employee [+enter+company employee]
新入生(シンニュウセイ)〈N〉new student/pupil; freshman [+enter+pupil]
新年(シンネン)〈N〉New Year [+year]
新品(シンピン)〈N〉new/unused article [+goods]
新聞(シンブン)〈N〉newspaper, journal [+hear]
新約聖書(シンヤクセイショ)〈N〉New Testament [+promise+Bible]

▲新幹線

〈Place〉 | 新潟(にいがた) Niigata Pref./City 新宿(シンジュク) Shinjuku

37 部	ブ 〈Ir〉:〈PN〉べ, はっとり(服部)	亠 立 音 部 部 部 部 部 部 部

department, part, section | …部(…ブ)〈N〉…department, …section, …part
▷営業部(エイギョウ～) business department [business+]
文学部(ブンガク～) literature department [literature+]
部下(ブカ)〈N〉subordinate personnel, one's men [+under]
部隊(ブタイ)〈N〉corps, squad [+troop]
部長(ブチョウ)〈N〉head《of a department》 [+chief]
部品(ブヒン)〈N〉parts《of a machine, etc.》 [+article]
部分(ブブン)〈N〉part, section [+part]
部門(ブモン)〈N〉department, section [+sect]
〈Ir〉 部屋(へや)〈N〉room [+house]

club | …部(…ブ)〈N〉…club
▷テニス部 tennis club [(tennis)+]

***Cs* copies** | …部(…ブ)〈Q〉…copies
▷一部(イチ～), 二部(ニ～), 三部(サン～)

38 前	まえ； ゼン	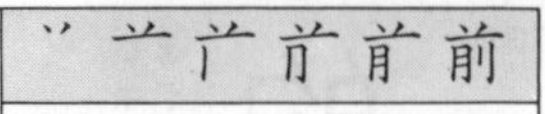 前前 前前 前

before, front, previous

前（まえ）〈N〉 before, front; 〈T〉 before, previous
前…（ゼン…） the previous..., the most recent... →[82]現…
▷前首相（〜シュショウ）〈N〉 the most recent Prime Minister [+prime minister]
…前（…まえ）〈N〉 in front of..., facing... 《often for names of bus stops or stations》
▷公園前（コウエン〜） in front of the park [park+]
大学前（ダイガク〜） in front of the university [college+]
…前（…まえ/ゼン）〈T〉 before... 《time, event》
▷一時前（イチジまえ） before one o'clock [one o'clock+]
紀元前（キゲンゼン） B.C. [era+]
結婚前（ケッコンまえ） before marriage [marriage+]
二十歳前（はたちまえ） under 20 years old [20 years old+]
…前（…まえ）〈T〉 ...before, ...ago
▷十年前（ジュウネン〜） ten years ago [10 years+]
三日前（みっか〜） three days before [3 days+]
前売(り)（まえうり）〈Nv〉 sale in advance [+sell]
前向き（まえむき）〈N〉 facing the front; forward-looking [+direction]
前科（ゼンカ）〈N〉 previous conviction, criminal record [+penalty]
前回（ゼンカイ）〈T〉 last time [+round]
前期（ゼンキ）〈T〉 earlier term; first half-year [+period]
前後（ゼンゴ）〈Nv〉 sequence, being inverted; before and behind [+behind; after]
…前後（…ゼンゴ）〈Q〉 ...or so; 〈T〉 around...
▷十人前後（ジュウニン〜）〈Q〉 ten or so people [ten persons+]
三日前後（みっか〜）〈Q〉 3 days or so; 〈T〉 around the 3rd day of the month [3 days; 3rd day of the month+]
前日（ゼンジツ）〈T〉 preceding day, day before [+day]
前者（ゼンシャ）〈N〉 the former [+person] →[45]後者
前進（ゼンシン）〈Nv〉 advance, going forward [+proceed]
前線（ゼンセン）〈N〉 front line [+line]
前提（ゼンテイ）〈N〉 premise [+propose]
前途（ゼント）〈N〉 one's future [+course]
前年（ゼンネン）〈T〉 preceding year [+year]
前半（ゼンハン）〈N/T〉 first half [+half]
前夜（ゼンヤ）〈T〉 previous night [+night]
前略（ゼンリャク）〈CF〉 Skipping preliminary formalities. 《used at the start of a letter to indicate so》 [+abbreviate]
前例（ゼンレイ）〈N〉 former example, precedent [+example]

lot, share, deserve

▶一人前（イチニンまえ）〈Q〉 one helping of food; 〈N〉 an independent adult [one person/man+]
自前（ジまえ）〈N〉 at one's own expense [self+]
建(て)前（たてまえ）〈N〉 raising the frame of a house; façade, principle, policy, system, official stance [build+] →[244]建

39 **的**	まと; **テキ**, テッ-	′ 亻 白 白′ 的 的 的 的 的 的 的

target

的 (まと) 〈N〉 target
的確 (テキカク/テッカク) 〈Na〉 exact, accurate [+certain]

***Suf* to make na-adjectives**

…的 (…テキ) 〈Na/Adv〉 …like, …-al, …-istic
▷ 意識的 (イシキ～) 〈Na〉 conscious, intentional [consciousness+]
一時的 (イチジ～) 〈Na〉 provisional [one time+]
感情的 (カンジョウ～) 〈Na〉 emotional [emotion+]
機械的 (キカイ～) 〈Na〉 mechanical, machinelike [machinery+]
規則的 (キソク～) 〈Na〉 like clockwork, regular [regulation+]
近代的 (キンダイ～) 〈Na〉 modern, modernistic [modern ages+]
計画的 (ケイカク～) 〈Na〉 planned, deliberate [plan+]
芸術的 (ゲイジュツ～) 〈Na〉 artistic, aesthetic [art+]
劇的 (ゲキ～) 〈Na〉 dramatic [drama+]
決定的 (ケッテイ～) 〈Na〉 decisive, conclusive [decision+]
現実的 (ゲンジツ～) 〈Na〉 realistic [actuality+]
現代的 (ゲンダイ～) 〈Na〉 modern, up-to-date [present age+]
効果的 (コウカ～) 〈Na〉 effective [effect+]
個人的 (コジン～) 〈Na〉 personal, private [individual+]
個性的 (コセイ～) 〈Na〉 individual, unique [personality+]
古典的 (コテン～) 〈Na〉 classical [classics+]
実用的 (ジツヨウ～) 〈Na〉 practical [practical use+]
自動的 (ジドウ～) 〈Na〉 automatic [automotive+]
事務的 (ジム～) 〈Na〉 businesslike [clerical work+]
社会的 (シャカイ～) 〈Na〉 social [society+]
世界的 (セカイ～) 〈Na〉 worldwide, global [world+]
絶望的 (ゼツボウ～) 〈Na〉 desperate, hopeless [despair+]
徹底的 (テッテイ～) 〈Na〉 thoroughgoing [thoroughness+]
道徳的 (ドウトク～) 〈Na〉 moral, ethical [morality+]
人間的 (ニンゲン～) 〈Na〉 human [human being+]
能率的 (ノウリツ～) 〈Na〉 efficient [efficiency+]
比較的 (ヒカク～) 〈Na/Adv〉 comparative [comparison+]
悲劇的 (ヒゲキ～) 〈Na〉 tragic [tragedy+]
必然的 (ヒツゼン～) 〈Na〉 inevitable [inevitability+]
部分的 (ブブン～) 〈Na〉 partial [part+]
文化的 (ブンカ～) 〈Na〉 cultural; civilized [culture+]
発作的 (ホッサ～) 〈Na〉 hysterical [fit+]
理想的 (リソウ～) 〈Na〉 idealistic [ideal+]
良心的 (リョウシン～) 〈Na〉 conscientious [conscience+]
理論的 (リロン～) 〈Na〉 theoretical [theory+]
論理的 (ロンリ～) 〈Na〉 logical [logic+]

▶ 公的 (コウテキ) 〈Na〉 public, official [public+]
私的 (シテキ) 〈Na〉 private, personal [private+]
知的 (チテキ) 〈Na〉 intellectual [intelligence+]
病的 (ビョウテキ) 〈Na〉 morbid; abnormal [sick+]

40 **地**

ジ; チ

⇨355他, 548池

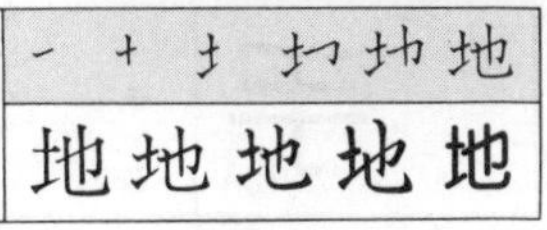

ground, base

地 (ジ) 〈N〉 foundation, ground
地 (チ) 〈N〉 place, ground
…地 (…チ) 〈N〉 …land, …lot, …district
▷住宅地 (ジュウタク～) residential quarter [dwelling house+]
…地 (…ジ) 〈N〉 …cloth; material for…
▷カーテン地 cloth for curtains [(curtain)+]
地獄 (ジゴク) 〈N〉 hell, inferno [+prison]
地震 (ジシン) 〈N〉 earthquake [+quake]
地主 (ジぬし) 〈N〉 landlord [+owner]
地盤 (ジバン) 〈N〉 ground, footing [+base]
地味 (ジミ) 〈Na〉 plain, modest [+taste] →293派手
地道 (ジみち) 〈Na〉 unflamboyant, steady [+way]
地元 (ジもと) 〈N〉 local, home [+origin]
地位 (チイ) 〈N〉 position, status [+rank]
地域 (チイキ) 〈N〉 region, zone [+sphere]
地価 (チカ) 〈N〉 price/value of land [+price]
地下 (チカ) 〈N〉 underground [+under]
地階 (チカイ) 〈N〉 basement [+floor]
地学 (チガク) 〈N〉 geology; geophysics; physiography [+-logy]
地下鉄 (チカテツ) 〈N〉 subway, underground railway [+under+railway]
地球 (チキュウ) 〈N〉 earth, globe [+ball]
地区 (チク) 〈N〉 area, region [+ward]
地上 (チジョウ) 〈N〉 terrestrial, on the ground [+on]
地図 (チズ) 〈N〉 map; atlas [+diagram]
地帯 (チタイ) 〈N〉 zone, belt [+belt]
地点 (チテン) 〈N〉 spot, point [+point]
地方 (チホウ) 〈N〉 locality, district, province; outlying (non-Tokyo) region [+direction]
地理 (チリ) 〈N〉 geography; topography, geographical features [+logic]
地理学 (チリガク) 〈N〉 geography [+logic+…studies]

Abbr 地方

地裁 (チサイ) 〈N〉 district court [+court]

41 **八**

や, やつ-, **やっ-**;
ハチ, -パチ, ハッ-
〈Ir〉

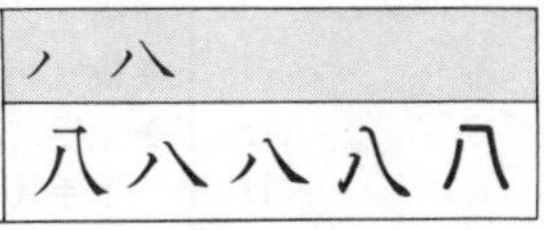

eight

八 (ハチ) 〈Nu〉 eight
八つ (やっつ) 〈Q〉 eight 《things》
八月 (ハチガツ) 〈T〉 August [+month]
八十 (ハチジュウ) 〈Nu/Q〉 eighty [+ten]
八千 (ハッセン) 〈Nu/Q〉 eight thousand [+thousand]
八百 (ハッピャク) 〈Nu/Q〉 eight hundred [+hundred]

〈Ir〉 八日 (ようか/ハチニチ) 〈Q〉 eight days; 〈T〉 8th day of the month [+day]

many

八百屋 (やおや) 〈N〉 greengrocer, grocery [+hundred+shop] ➔SN

42 手	た-, て, -で; シュ, -ジュ 〈Ir〉 ⇒[521]毛	一 二 三 手 / 手 手 手 手 手

hand

手 (て) 〈N〉 hand; skill
手足 (てあし) 〈N〉 hands and feet, limbs [+foot]
手当(て) (てあて) 〈N〉 allowance, compensation; 〈Nv〉 (give) medical treatment [+hit]
手入れ (ていれ) 〈N〉 repair, care; police raid [+put in]
手掛(か)り (てがかり) 〈N〉 hold, clue, scent [+charge]
手掛ける (てがける) 〈V〉 handle, work with [+charge]
手形 (てがた) 〈N〉 bill, draft; hand print [+shape] ➜SN
手堅い (てがたい) 〈A〉 steady, sound [+solid]
手紙 (てがみ) 〈N〉 letter, epistle [+paper]
手軽 (てがる) 〈Na〉 light, informal, ready [+light]
手口 (てぐち) 〈N〉 method, modus operandi [+mouth]
手順 (てジュン) 〈N〉 procedure, program [+sequence]
手数 (てスウ/てかず) 〈N〉 trouble, labor [+number]
手製 (てセイ) 〈N〉 handmade [+production]
手相 (てソウ) 〈N〉 lines on a palm, palm reading [+figure]
手帳 (てチョウ) 〈N〉 appointment calendar, pocket diary [+notebook]
手伝い (てつだい) 〈N〉 help, assistance [+hand over]
手伝う (てつだう) 〈V〉 help, assist [+hand over]
手続(き) (てつづき) 〈N〉 procedure, formalities [+continue]
手直し (てなおし) 〈Nv〉 amelioration [+just]
手配 (てハイ) 〈Nv〉 (make) arrangements, preparations [+allot]
手引(き) (てびき) 〈Nv〉 guidance; 〈N〉 manual, handbook [+draw]
手袋 (てぶくろ) 〈N〉 gloves, mittens [+sack]
手本 (てホン) 〈N〉 model, paragon [+book]
手間 (てま) 〈N/Na〉 labor, trouble, time [+period]
手前 (てまえ) 〈N〉 this side; I《humble》; 〈S〉 in others' company [+front]
手持ち (てもち) 〈N〉 holdings, …on hand [+hold]
手元 (てもと) 〈N〉 at hand, within reach [+base]
手渡す (てわたす) 〈V〉 hand, deliver [+cross]
手芸 (シュゲイ) 〈N〉 handcraft [+art]
手術 (シュジュツ) 〈Nv〉 (perform) surgical operation [+skill]
手段 (シュダン) 〈N〉 means, measure [+step]
〈Ir〉 ▶上手 (ジョウズ; うわて) 〈N/Na〉 skillful; 〈N〉 superior 《in skill》 [[superior+]]
〈Ir〉 下手 (へた; したて) 〈N/Na〉 unskillful; 〈N〉 inferior 《in skill》 [[inferior+]]

person

手 (て) 〈N〉 person
…手 (…シュ) 〈N〉 person engaged in…, …-er
▷運転手 (ウンテン～) driver; chauffeur [drive+]
電話交換手 (デンワコウカン～) telephone operator [telephone+exchange+]
▶歌手 (カシュ) 〈N〉 singer [song+]
聞き手 (ききて) 〈N〉 hearer [hear+]
助手 (ジョシュ) 〈N〉 assistant [assist+]
話し手 (はなして) 〈N〉 narrator [talk+]

43 **発**

ハツ, ハッ-, -パツ;
ホツ, ホッ-

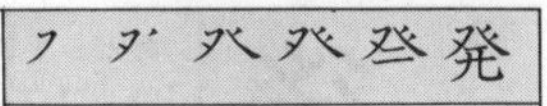

発発発発発

issue, start

発する (ハッする) 〈V〉 issue; start
発育 (ハツイク) 〈Nv〉 growth, growing up [+breed]
発言 (ハツゲン) 〈Nv〉 utterance, speech [+say]
発電 (ハツデン) 〈Nv〉 generation of electricity [+electricity]
発熱 (ハツネツ) 〈Nv〉 generation of heat; becoming feverish [+heat; fever]
発売 (ハツバイ) 〈Nv〉 sale, putting on market [+sell]
発明 (ハツメイ) 〈Nv〉 invention [+clear]
発揮 (ハッキ) 〈Nv〉 demonstration, exhibition 《of one's ability, etc.》 [+enliven]
発掘 (ハックツ) 〈Nv〉 excavation [+dig]
発見 (ハッケン) 〈Nv〉 discovery, finding out [+see]
発行 (ハッコウ) 〈Nv〉 publication, issue [+go]
発効 (ハッコウ) 〈Nv〉 effectuation, coming into effect [+effect]
発車 (ハッシャ) 〈Nv〉 starting 《of a train/car》; leaving [+car]
発射 (ハッシャ) 〈Nv〉 discharge, fire [+shoot]
発生 (ハッセイ) 〈Nv〉 being generated, occurrence, outbreak [+birth]
発送 (ハッソウ) 〈Nv〉 sending, forwarding, dispatch [+send]
発想 (ハッソウ) 〈N〉 way of thinking, conception [+image]
発達 (ハッタツ) 〈Nv〉 development, progress [+attain]
発注 (ハッチュウ) 〈Nv〉 ordering, (give) order [+order]
発展 (ハッテン) 〈Nv〉 expansion, development [+widespread]
発表 (ハッピョウ) 〈Nv〉 announcement, publication [+display]
発作 (ホッサ) 〈N〉 fit, spasm, paroxysm [+make]
発足 (ホッソク/ハッソク) 〈Nv〉 (make) start, inauguration [+foot]
発端 (ホッタン) 〈N〉 origin, beginning, outset [+edge]

departure, leaving...

…発 (…ハツ) 〈N〉 leaving...
▷UPI 発 UPI by-line
7:30 発 leaving at 7:30
東京発 (トウキョウ〜) departing from Tokyo [Tokyo+]

***Cs* shots**

…発 (…ハツ/パツ) 〈Q〉 ...shots
▷一発 (イッパツ), 二発 (ニハツ), 三発 (サンパツ)

44 **七**

なな, なの-, なぬ-;
シチ
〈Ir〉

一七

七七七七七

seven

七 (なな/シチ) 〈Nu〉 seven
七つ (ななつ) 〈Q〉 seven 《things》
七十 (ななジュウ/シチジュウ) 〈Nu/Q〉 seventy [+ten]
七千 (ななセン/シチセン) 〈Nu/Q〉 seven thousand [+thousand]
七百 (ななヒャク/シチヒャク) 〈Nu/Q〉 seven hundred [+hundred]
七日 (なのか/なぬか/シチニチ) 〈Q〉 seven days; 〈T〉 7th day of the month [+day]
七月 (シチガツ/ななガツ) 〈T〉 July [+month]
〈Ir〉 七夕 (たなばた) 〈N〉 *Tanabata*, Star Festival 《July 7 or 7th day of the 7th month by lunar calendar》 [+evening] ➜SN

45 後	あと；うし-；おく-；のち； ゴ；コウ	彳 彳 彸 彸 後 後 後 後 後 後 後

after, later, latter

後（あと/のち/ゴ）〈T〉 after, later, latter
…後（…あと/のち/ゴ）〈T〉 after…; …later
▷数日後（スウジツあと/のち/ゴ） several days later [several days+]
卒業後（ソツギョウゴ） after graduation [graduation+]
後期（コウキ）〈N〉 latter term, latter half [+term]
後継者（コウケイシャ）〈N〉 successor [+succeed to+person]
後進（コウシン）〈N〉 after-comer, inferior; less-advanced [+proceed]
後者（コウシャ）〈N〉 the latter [+person] →38 前者
後続（コウゾク）〈Nv〉 succession, following [+continue]
後任（コウニン）〈N〉 succession to a post [+allot]
後半（コウハン）〈T〉 latter half [+half]
後妻（ゴサイ）〈N〉 second wife [+wife]
後日（ゴジツ）〈T〉 future, some other day [+day]

back, behind

後（あと）〈N〉 back
後ろ（うしろ）〈N〉 behind, back
後援会（コウエンカイ）〈N〉 sponsors' association [+aid+meeting]
後進（コウシン）〈Nv〉 moving backward [+proceed]
後退（コウタイ）〈Nv〉 retreat [+retreat]
後部（コウブ）〈N〉 rear part [+part]

46 合	あ-，あい，あわ-； カッ-；ガッ-；ゴウ ⇒12会，667合	ノ 人 亼 亼 合 合 合 合 合 合 合

suit, meet, combine, gather

合う（あう）〈V〉 fit, suit
…合う（…あう）〈V〉 do together/mutually
▷知(り)合う（しり～） get acquainted with each other [know+]
合わせる（あわせる）〈V〉 fit one to the other
合図（あいズ）〈Nv〉 (give) sign, signal [+diagram]
合戦（カッセン）〈Nv〉 battle [+war]
合衆国（ガッシュウコク）〈N〉 United States [+crowd+nation]
合宿（ガッシュク）〈Nv〉 lodging together; camping [+lodging]
合唱（ガッショウ）〈Nv〉 chorus [+recite]
合併（ガッペイ）〈Nv〉 amalgamation, affiliation [+put together]
合意（ゴウイ）〈Nv〉 mutual agreement/consent [+intention]
合格（ゴウカク）〈Nv〉 success in an exam, qualification [+grade]
合計（ゴウケイ）〈Nv〉 total, sum [+measure]
合成（ゴウセイ）〈Nv〉 synthesis; composition [+form]
合同（ゴウドウ）〈Nv〉 union, incorporation, coalition [+together]
合弁会社（ゴウベンガイシャ）〈N〉 joint-venture corporation [+manage+company]
合法的（ゴウホウテキ）〈Na〉 legal, lawful [+law+*Suf Na*]
合理的（ゴウリテキ）〈Na〉 rational [+reason+*Suf Na*]

go 《=0.18*l*》

…合（…ゴウ）〈Q〉 …*go*
▷一合（イチ～），二合（ニ～），三合（サン～）

47 員	イン ⇨[330]買

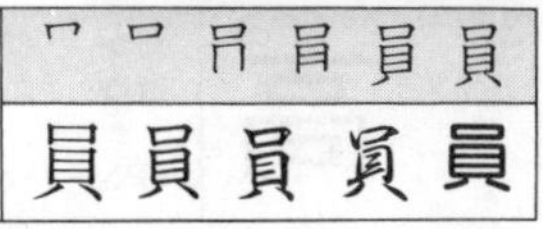

member

…員（…イン）〈N〉 member of…
▷会社員（カイシャ～） company employee [company+]
銀行員（ギンコウ～） bank clerk [bank+]
▶会員（カイイン）〈N〉 member of an association [association+]
議員（ギイン）〈N〉 member of a council [debate+]
船員（センイン）〈N〉 seaman, sailor [ship+]
全員（ゼンイン）〈Q〉 all the members [all+]
定員（テイイン）〈N〉 admission quota/limit [fix+]
満員（マンイン）〈N〉 full, no vacancy《in a hotel/theater, etc.》 [full+]

48 見	み；ケン，-ゲン ⇨[1590]貝

see, look, view

見える（みえる）〈V〉 be visible, can be seen; look, seem
見せる（みせる）〈V〉 show, let see
見つめる（みつめる）〈V〉 gaze at
見る（みる）〈V〉 look at, see, watch
見合う（みあう）〈V〉 look at each other [+meet]
見当(た)る（みあたる）〈V〉 be found, come across [+hit]
見出す（みいだす）〈V〉 find, pick out [+put out]
見送り（みおくり）〈N〉 send-off [+send]
見送る（みおくる）〈V〉 see off; let pass [+send]
見極める（みきわめる）〈V〉 see through, discern [+extreme]
見事（みごと）〈Na〉 splendid, excellent, neat [+affair]
見込(み)（みこみ）〈N〉 promise, prospect, possibility [+into]
見込む（みこむ）〈V〉 anticipate, estimate; believe in [+into]
見出し（みだし）〈N〉 heading, headline [+put out]
見付かる（みつかる）〈V〉 be found out [+attach]
見付ける（みつける）〈V〉 discover, find out [+attach]
見通し（みとおし）〈N〉 perspective, prospects [+pass]
見所（みどころ）〈N〉 noteworthy/good point [+place]
見直す（みなおす）〈V〉 review; reassess favorably [+just]
見習(い)（みならい）〈N〉 apprenticeship [+learn]
見逃がす（みのがす）〈V〉 overlook, miss [+flee]
見本（みホン）〈N〉 sample, specimen [+origin]
見舞(い)（みまい）〈N〉 inquiry about a person in trouble [+*Ph*]
見舞う（みまう）〈V〉 inquire, ask after; visit [+*Ph*]
見守る（みまもる）〈V〉 watch (over), wait and see [+guard]
見解（ケンカイ）〈N〉 opinion, viewpoint [+dissolve]
見学（ケンガク）〈Nv〉 observation/visit for study [+study]
見地（ケンチ）〈N〉 point of view [+ground]
見当（ケントウ）〈N〉 aim, estimate, conjecture [+hit]
見物（ケンブツ）〈Nv〉 sightseeing; visit to observe [+thing]

49 **高**

たか，-だか；
コウ
〈PN〉 たかし

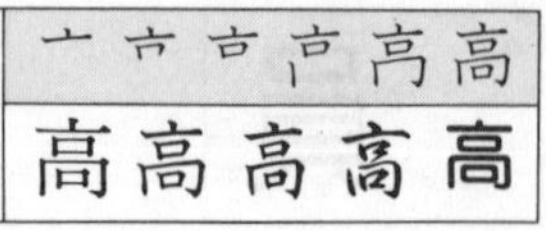

high

高… (コウ…) high…
　▷高血圧 (〜ケツアツ) 〈N〉 hypertension [+blood pressure]
　高性能 (〜セイノウ) 〈N〉 high effectiveness/efficiency [+efficiency]
…高 (…だか) 〈N〉 amount of…; high…
　▷生産高 (セイサン〜) amount of production, output [production+]
　物価高 (ブッカ〜) high commodity prices [commodity prices+]
高い (たかい) 〈A〉 high
高さ (たかさ) 〈N〉 height
高まり (たかまり) 〈N〉 rising, climax
高まる (たかまる) 〈V〉 rise, come to climax
高める (たかめる) 〈V〉 raise, heighten, exalt
高台 (たかダイ) 〈N〉 platform, high ground [+platform]
高圧 (コウアツ) 〈N〉 high pressure [+pressure]
高価 (コウカ) 〈Na〉 high price, expensive [+price]
高級 (コウキュウ) 〈Na〉 high-quality, high-class [+class]
高原 (コウゲン) 〈N〉 tableland, highland [+field]
高校 (コウコウ) 〈N〉 high school [+school] ➔SN
高層 (コウソウ) 〈N〉 upper layer; high-rise [+layer]
高速 (コウソク) 〈N〉 high-speed [+speedy]
高速道路 (コウソクドウロ) 〈N〉 expressway [+speedy+road]
高度 (コウド) 〈N〉 altitude; high degree [+degree]
高騰 (コウトウ) 〈Nv〉 sudden rise 《in prices》 [+rise]
高等 (コウトウ) 〈Na〉 high grade [+rank]
高等学校 (コウトウガッコウ) 〈N〉 high school [+rank+school]
高慢 (コウマン) 〈N/Na〉 arrogance, haughtiness [+haughty]

Abbr 高校

高卒 (コウソツ) 〈N〉 high school graduate [+graduate]
▶女子高 (ジョシコウ) 〈N〉 girls' high school [girl+]

〈Place〉

高知 (コウチ) Kochi Pref./City　高松 (たかまつ) Takamatsu City

50 **政**

まつりごと；
セイ；-ショウ
〈PN〉 まさ

administration, politics

政 (まつりごと) 〈N〉 affairs of state, politics
政界 (セイカイ) 〈N〉 political world [+world]
政局 (セイキョク) 〈N〉 political situation [+game of *go*]
政権 (セイケン) 〈N〉 political power [+right]
政策 (セイサク) 〈N〉 policy [+stratagem]
政治 (セイジ) 〈N〉 politics, government [+govern]
政治学 (セイジガク) 〈N〉 political science [+govern+…studies]
政党 (セイトウ) 〈N〉 political party [+party]
政府 (セイフ) 〈N〉 government [+administrative agency]
政令 (セイレイ) 〈N〉 government ordinance [+command]
▶摂政 (セッショウ) 〈N〉 regency [control+]

51 内	うち; ダイ; ナイ ⇨[779]肉	丨 冂 内 内 内 内 内 内 内

inner, within, inside

内 (うち) 〈N〉 inner, within, inside
…内 (…ナイ) 〈N〉 within…
▷会社内 (カイシャ～) within the company [company+]
権限内 (ケンゲン～) within the jurisdiction [competence+]
二か月内 (ニかゲツ～) within two months [two months+]
内側 (うちがわ) 〈N〉 inside, inner part [+side]
内気 (うちキ) 〈Na〉 bashful, timid and shy [+mind]
内金 (うちキン) 〈N〉 bargain money [+money]
内幕 (うちマク) 〈N〉 inner workings [+curtain]
内輪 (うちわ) 〈N〉 private, informal, inside; moderate, conservative [+ring]
内訳 (うちわけ) 〈N〉 items 《of an account》, breakdown [+*Ph*] ➜SN
内科 (ナイカ) 〈N〉 internal medicine/department [+division]
内外 (ナイガイ) 〈N〉 interior and exterior, inside and outside [+outer]
内閣 (ナイカク) 〈N〉 Cabinet [+cabinet]
内心 (ナイシン) 〈S〉 (in) one's inmost heart [+heart]
内線 (ナイセン) 〈N〉 telephone extension [+line]
内定 (ナイテイ) 〈Nv〉 informal decision [+settle]
内部 (ナイブ) 〈N〉 inner part [+part]
内容 (ナイヨウ) 〈N〉 content [+accomodate]
▶家内 (カナイ) 〈N〉 family, household; (my) wife [house+]
境内 (ケイダイ) 〈N〉 precincts, compound 《of a shrine/temple》 [boundary+]

domestic, not foreign

内政 (ナイセイ) 〈N〉 domestic administration [+administration]
内戦 (ナイセン) 〈N〉 civil war [+war]

home

内 (うち) 〈N〉 home
内職 (ナイショク) 〈Nv〉 (have) side job to do at home [+job]

52 議	ギ	言 訁 詳 詳 議 議 議 議 議 議 議

debate, discussion

議案 (ギアン) 〈N〉 bill [+idea]
議院 (ギイン) 〈N〉 House, Diet Chamber [+house]
議員 (ギイン) 〈N〉 councilman [+member]
議会 (ギカイ) 〈N〉 Congress, Parliament [+meeting]
議決 (ギケツ) 〈Nv〉 decision, vote [+determine]
議事 (ギジ) 〈N〉 proceedings [+affair]
議席 (ギセキ) 〈N〉 seat 《on council》 [+seat]
議題 (ギダイ) 〈N〉 agenda item [+title]
議長 (ギチョウ) 〈N〉 chairman [+chief]
議論 (ギロン) 〈Nv〉 argument, discussion [+argue]
▶参議院 (サンギイン) 〈N〉 House of Councilors 《Jap.》 [attend+～+house]
衆議院 (シュウギイン) 〈N〉 House of Representatives 《Jap.》 [crowd+～+house]

53 **自**

みずか-;
シ-; ジ
〈Ir〉 ⇨266 白

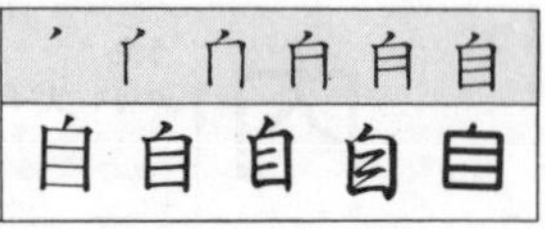

self

自ら (みずから) 〈N/Adv〉 (for) oneself
自然 (シゼン) 〈S/Na〉 nature, natural [+*Suf* state] ➜SN
自衛隊 (ジエイタイ) 〈N〉 Self Defense Force [+defense+troop]
自覚 (ジカク) 〈Nv〉 self-awakening [+awake]
自家用車 (ジカヨウシャ) 〈N〉 one's private car [+home+use+car]
自供 (ジキョウ) 〈Nv〉 confession《of crime》 [+depose]
自決 (ジケツ) 〈N〉 determination by oneself; 〈Nv〉 (commit) suicide [+determine]
自己 (ジコ) 〈N〉 self [+ego]
自在 (ジザイ) 〈N/Na〉 free, unrestricted [+exist]
自殺 (ジサツ) 〈Nv〉 (commit) suicide [+kill]
自主的 (ジシュテキ) 〈Na〉 independent [+main+*Suf Na*]
自粛 (ジシュク) 〈Nv〉 (practice) self-control, self-discipline [+strain]
自身 (ジシン) 〈N〉 self [+self]
自信 (ジシン) 〈N〉 self-confidence [+trust]
自体 (ジタイ) 〈N〉 oneself, itself [+body]
自宅 (ジタク) 〈N〉 one's own house [+home]
自治 (ジチ) 〈N〉 self-government [+govern]
自重 (ジチョウ) 〈Nv〉 (use) prudence [+grave]
自転車 (ジテンシャ) 〈N〉 bicycle [+roll+car]
自動 (ジドウ) 〈N〉 automotive [+move]
自動車 (ジドウシャ) 〈N〉 motorcar, automobile [+move+car]
自発的 (ジハツテキ) 〈Na〉 voluntary [+issue+*Suf Na*]
自分 (ジブン) 〈N〉 oneself [+portion]
自慢 (ジマン) 〈Nv〉 self-conceit, boast [+haughty]
自由 (ジユウ) 〈N/Na〉 freedom, liberty [+course]

from 〈Ir〉

自…至… (ジ…シ…/…より…まで) from…through…
▷自九時至十時 (ジクジシジュウジ/クジよりジュウジまで) 9:00—10:00

54 **業**

わざ;
ギョウ; ゴウ

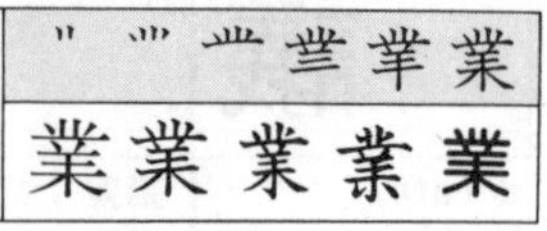

job, work, business

…業 (…ギョウ) 〈N〉 …business
▷小売業 (こうり～) retail business [retail+]
業界 (ギョウカイ) 〈N〉 business world [+world]
業者 (ギョウシャ) 〈N〉 trader/maker concerned [+person]
業種 (ギョウシュ) 〈N〉 (type of) business [+sort]
業績 (ギョウセキ) 〈N〉 achievement, work [+accumulate]
業務 (ギョウム) 〈N〉 duty, work [+duty]
▶工業 (コウギョウ) 〈N〉 manufacture, industry [craft+]
商業 (ショウギョウ) 〈N〉 commerce [merchandize+]

karma

業 (ゴウ) 〈N〉 karma

skill, act

▶神業 (かみわざ) 〈N〉 divine work, miracle [divine+]
仕業 (シわざ) 〈N〉 act, one's doing [do+]

55 対	タイ; ツイ 〈PN〉ツしま(対島)	亠 ナ 文 文 対 対 対 対 対 対 対

counter-, against, opposing

対… (タイ…) opposing…
　▷対日政策 (〜ニチセイサク) 〈N〉 policy toward Japan [+Japan+policy]
…対… (…タイ…) …vs.…
対する (タイする) 〈V〉 confront, oppose
対応 (タイオウ) 〈Nv〉 correspondence [+respond]
対外 (タイガイ) 〈N〉 for the outside [+foreign; out]
対岸 (タイガン) 〈N〉 opposite shore [+coast]
対決 (タイケツ) 〈Nv〉 confrontation [+determine]
対抗 (タイコウ) 〈Nv〉 opposition, counterwork [+protest]
対策 (タイサク) 〈N〉 countermeasure [+stratagem]
対処 (タイショ) 〈Nv〉 coping/dealing with [+settle]
対象 (タイショウ) 〈N〉 object 《of study, etc.》 [+image]
対戦 (タイセン) 〈Nv〉 combat with; playing a match against [+war; match]
対立 (タイリツ) 〈Nv〉 opposition, antagonism [+stand]

pair, couple

対 (ツイ) 〈N〉 pair
対照 (タイショウ) 〈Nv〉 contrast [+shine]
対談 (タイダン) 〈Nv〉 dialogue, discussion 《between two persons/groups》 [+talk]
対話 (タイワ) 〈Nv〉 dialogue [+speak]

***Cs* pairs**

…対 (…ツイ) 〈Q〉 …pairs
　▷一対 (イッ〜), 二対 (ニ〜), 三対 (サン〜)

56 子	こ, -ご; ね; シ, -ジ; -ス, -ズ	了 了 子 子 子 子 子 子

child

子 (こ) 〈N〉 child
子… (こ…) young…, cub…
　▷子犬 (〜いぬ) 〈N〉 puppy [+dog]
…っ子 (…っこ) 〈N〉 …-ite, …child
　▷江戸っ子 (えど〜) Edoite, Tokyoite [Edo+]
　　現代っ子 (ゲンダイ〜) thoroughly modern child [modern+]
子供 (こども) 〈N〉 child [+*Ph*]
子宮 (シキュウ) 〈N〉 womb, uterus [+court]
子孫 (シソン) 〈N〉 offspring, descendant [+grandchild]
子弟 (シテイ) 〈N〉 sons, children [+younger brother] →[742]父兄

tiny thing, particle

▶原子 (ゲンシ) 〈N〉 atom [basic+]
　電子 (デンシ) 〈N〉 electron [electricity+]
　分子 (ブンシ) 〈N〉 molecule, element [division+]

piece

▶椅子 (イス) 〈N〉 chair [chair+]
　障子 (ショウジ) 〈N〉 *shoji*, (paper) sliding door [obstacle+]
　様子 (ヨウス) 〈N〉 state of affairs [state+]

ne

子 (ね) 〈N〉 *ne*; rat† →App.

〈Person〉

★Many female names end with 子(こ). e.g. 和子 (かずこ), 恵子 (ケイこ), 妙子 (たえこ), 光子 (みつこ)

57 全	まった-, まっと-; ゼン ⇒59金	ノ 𠆢 亼 仝 仐 全 / 全 全 全 全 全

whole, all

全… (ゼン…) all…
▷全世界 (～セカイ) 〈N〉 whole world [+world]
全責任 (～セキニン) 〈N〉 full responsibility [+responsibility]
全く (まったく) 〈Q〉 complete, entire →全然
全うする (まっとうする) 〈V〉 accomplish, complete
全域 (ゼンイキ) 〈N〉 total area [+sphere]
全員 (ゼンイン) 〈Q〉 all the members [+member]
全額 (ゼンガク) 〈Q〉 total amount [+amount]
全巻 (ゼンカン) 〈Q〉 whole volume, all volumes; whole reel [+volume; roll]
全権 (ゼンケン) 〈N〉 plenipotentiary, full powers [+right]
全国 (ゼンコク) 〈N〉 all over the country [+country]
全集 (ゼンシュウ) 〈N〉 one's complete works, complete collection [+collect]
全焼 (ゼンショウ) 〈Nv〉 being completely burnt [+burn]
全身 (ゼンシン) 〈Q〉 whole body [+body]
全然 (ゼンゼン) 〈Adv〉 (not) at all [+*Suf* state]
★全然 is used with the negative while 全く is either negative or affirmative.
全体 (ゼンタイ) 〈N〉 the whole [+body]
全店 (ゼンテン) 〈Q〉 whole store [+shop]
全廃 (ゼンパイ) 〈Nv〉 total abolition [+abolish]
全般 (ゼンパン) 〈N〉 the whole [+sort]
全部 (ゼンブ) 〈Q〉 all, whole [+part]
全文 (ゼンブン) 〈N〉 whole sentence/statement [+sentence]
全米 (ゼンベイ) 〈N〉 all-America [+America]
全貌 (ゼンボウ) 〈N〉 overview, whole aspect [+look]
全滅 (ゼンメツ) 〈Nv〉 (suffer) annihilation, total destruction [+perish]
全面的 (ゼンメンテキ) 〈Na〉 overall, full-scale [+aspect+*Suf Na*]
全力 (ゼンリョク) 〈N〉 full power [+power]

58 九	ここの-; キュウ; ク ⇒69力, 567丸	ノ 九 / 九 九 九 九 九

nine

九 (キュウ/ク) 〈Nu〉 nine
九つ (ここのつ) 〈Q〉 nine 《things》
九日 (ここのか) 〈Q〉 nine days; 〈T〉 9th day of the month [+day]
九十 (キュウジュウ) 〈Nu/Q〉 ninety [+ten]
九千 (キュウセン) 〈Nu/Q〉 nine thousand [+thousand]
九百 (キュウヒャク) 〈Nu/Q〉 nine hundred [+hundred]
九月 (クガツ) 〈T〉 September [+month]
九九 (クク) 〈N〉 multiplication table 《from 1×1 to 9×9, usually to be memorized》 [+nine]
九分九厘 (クブクリン) 〈Q〉 99%, most likely [+1/10+～+1/100]

〈Place〉 九州 (キュウシュウ) Kyushu Island/District

59 **金**

かな-, **かね**, -がね;
キン, -ギン; コン, -ゴン

⇨[57]全

ノ 八 亼 今 余 金

金 金 金 金 金

gold
金 (キン) 〈N〉 gold
…金 (…キン) 〈N〉 …K
▷18金 (ジュウハチ～) 18K, 18-carat gold
金色 (キンいろ/コンジキ) 〈N〉 gold color [+color]
金魚 (キンギョ) 〈N〉 goldfish [+fish]
▶純金 (ジュンキン) 〈N〉 pure gold [pure+]

▲金魚

metal
金 (かね) 〈N〉 metal
金物 (かなもの) 〈N〉 hardware [+thing]
金属 (キンゾク) 〈N〉 metal [+genus]
金曜(日) (キンヨウ(び)) 〈T〉 Friday [+day of the week(+day)]
▶針金 (はりがね) 〈N〉 wire [needle+]

money
(お)金 ((お)かね) 〈N〉 money [(*Pref honorific*+)]
…金 (…キン) 〈N〉 …money, …fund
▷退職金 (タイショク～) retirement allowance [retirement+]
金…円(也) (キン…エン(なり)) 〈N〉 (the sum of)…yen 《so written on a receipt, check, etc.》 [+yen(+be)]
▷金一万円 (～イチマン～) ¥10,000.— [+10,000+]
金持(ち) (かねもち) 〈N〉 rich (person) [+hold]
金一封 (キンイップウ) 〈N〉 an enclosure of money 《as a gift》 [+one +seal]
金額 (キンガク) 〈N〉 sum 《of money》 [+amount]
金庫 (キンコ) 〈N〉 safe [+storehouse]
金銭 (キンセン) 〈N〉 money, monetary [+money]
金融 (キンユウ) 〈N〉 banking, finance [+accommodate]
金利 (キンリ) 〈N〉 money rates, interest [+profit]

〈Place〉
金沢 (かなざわ) Kanazawa City

60 **山**

やま;
サン, -ザン; -セン

〈Ir〉

丨 ㇄ 山

山 山 山 山 山

mountain
山 (やま) 〈N〉 mountain
…山 (…やま) 〈N〉 …mound, …mountain
▷砂山 (すな～) sand hill [sand+]
夏山 (なつ～) mountains in summer [summer+]
山岳 (サンガク) 〈N〉 mountains [+steep mountain]
山脈 (サンミャク) 〈N〉 mountain range [+vein]
山林 (サンリン) 〈N〉 mountain forest [+forest]
〈Ir〉 山車 (だし) 〈N〉 festival float [+car] ➜SN

▶山車

Mt.
…山 (…やま/サン/ザン) 〈N〉 Mt.…
▷浅間山 (あさまやま), 天王山 (テンノウザン), 富士山 (フジサン)

〈Place〉
山形 (やまがた) Yamagata Pref./City
山口 (やまぐち) Yamaguchi Pref./City
山梨 (やまなし) Yamanashi Pref.
山陰 (サンイン) San'in District 山陽 (サンヨウ) San'yo District

61 **立**	た-, -だ-, たち-, -だち, -たつ, たて, -だて; **リツ**, リッ-; -リュウ	丶 亠 亠 亠 立 立 立 立 立 立

stand, erect, rise

立つ (たつ) 〈V〉 stand, erect, rise
立ち上がる (たちあがる) 〈V〉 stand up [+up]
立(ち)会(い) (たちあい) 〈N〉 witnessing, attendance [+meeting]
立(ち)入(り)禁止 (たちいりキンシ) 〈N〉 Keep Out [+enter+prohibition]
立(ち)入(り)検査 (たちいりケンサ) 〈N〉 on-the-spot inspection [+enter +examination]
立(ち)往生 (たちオウジョウ) 〈Nv〉 standstill [+die]
立(ち)直(る) (たちなおる) 〈V〉 recover (*vi.*), rally [+straight]
立(ち)寄る (たちよる) 〈V〉 drop in (*vi.*) [+drop in]
立場 (たちば) 〈N〉 standpoint [+place]
立候補 (リッコウホ) 〈Nv〉 stand/run for election [+candidacy]
立派 (リッパ) 〈Na〉 outstanding, fine, lofty [+*Ph*]

set up, raise, establish

…立 (…リツ) 〈N〉 established by…
▷大阪市立 (おおさかシ～) established by Osaka City [Osaka City+]
立てる (たてる) 〈V〉 set up, raise, establish
立案 (リツアン) 〈Nv〉 making a plan [+idea]
立秋 (リッシュウ) 〈N〉 setting-in of autumn 《about Aug. 8》 [+autumn]
立春 (リッシュン) 〈N〉 setting-in of spring 《about Feb. 4》 [+spring]
立腹 (リップク) 〈Nv〉 (show) anger [+abdomen] ➔SN
立法 (リッポウ) 〈N〉 legislative, lawmaking [+law]
▶建立 (コンリュウ) 〈Nv〉 constructing 《of a Buddhist temple》 [build+]

cubic

立体 (リッタイ) 〈N〉 three dimensional object [+body]
立方 (リッポウ) 〈N〉 cubic [+square]

62 **定**	さだ-; ジョウ; **テイ** 〈PN〉 さだむ ⇨ 305 足	丶 宀 宀 宁 宇 定 定 定 定 定 定

fix, settle

定める (さだめる) 〈V〉 regulate, establish
定規 (ジョウギ) 〈N〉 ruler, square, norm [+regulate]
定石/跡 (ジョウセキ) 〈N〉 formula 《of table games》 [+stone/trace]
定員 (テイイン) 〈N〉 admission quota/limit [+member]
定価 (テイカ) 〈N〉 fixed price [+price]
定義 (テイギ) 〈Nv〉 definition [+meaning]
定期(券) (テイキ(ケン)) 〈N〉 commuter's season pass [+period(+ticket)]
定期的 (テイキテキ) 〈Na〉 regular, periodical [+period+*Suf Na*]
定休日 (テイキュウび) 〈N〉 regular holiday, day off [+repose+day]
定時 (テイジ) 〈N〉 fixed time [+time]
定食 (テイショク) 〈N〉 table d'hôte [+food]
定数 (テイスウ) 〈N〉 fixed number [+number]
定着 (テイチャク) 〈Nv〉 fixation [+attach]
定年 (テイネン) 〈N〉 retirement age [+age]
定評 (テイヒョウ) 〈N〉 established reputation [+criticism]
定例 (テイレイ) 〈N〉 established usage [+example]

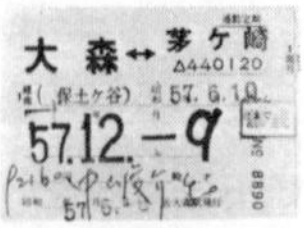

▲定期(券)

63 **小**

お-; こ-; ちい-;
シヨウ
〈Ir〉: 〈PN〉 さ-　⇨[111]川, [231]少

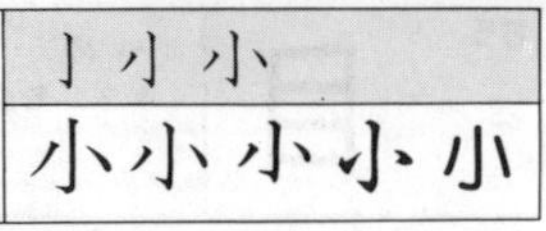

small, little
小…(こ/ショウ…) small…; branch…
▷小荷物 (こにモツ) 〈N〉 parcel [+baggage]
小委員会 (ショウイインカイ) 〈N〉 subcommittee [+committee]
小さい (ちいさい) 〈A〉 small, little
小さな (ちいさな) 〈Adj〉 small
小川 (おがわ) 〈N〉 brook, creek [+river]
小売(り) (こうり) 〈Nv〉 retail [+sell]
小型 (こがた) 〈N〉 small size [+model]
小切手 (こぎって) 〈N〉 personal check [+tally†] ➜SN
小遣(い) (こづかい) 〈N〉 pocket/spending money [+spend]
小包(み) (こづつみ) 〈N〉 postal package [+wrap]
小幅 (こはば) 〈N〉 single breadth, narrow limits [+width]
小麦 (こむぎ) 〈N〉 wheat [+barley]
小物 (こもの) 〈N〉 small articles [+thing]
小屋 (こや) 〈N〉 cottage, hut [+house]
小学生 (ショウガクセイ) 〈N〉 school child [+study+pupil]
小学校 (ショウガッコウ) 〈N〉 primary school [+school]
小児科 (ショウニカ) 〈N〉 pediatrics [+child+division]
〈Ir〉 小豆 (あずき) 〈N〉 red bean [+bean] →[988]大豆

trivial
小生 (ショウセイ) 〈N〉 I《humble, literary, male》 [+life]
小説 (ショウセツ) 〈N〉 novel [+elucidate] ➜SN

64 **回**

まわ-;
エ-; カイ
⇨[945]囲

turn, round, revolve
回 (カイ) 〈N〉 turn, round
…回 (…カイ) 〈Q/T〉 …times, …round →[83]…度
▷二回 (ニ〜) 〈Q〉 twice; 〈T〉 second round [two+]
回す (まわす) 〈V〉 turn (*vt.*), revolve; send round
回る (まわる) 〈V〉 turn (*vi.*), revolve; go round
回向 (エコウ) 〈Nv〉 (hold) Buddhist memorial service [+direction]
回収 (カイシュウ) 〈Nv〉 withdrawal, recycle [+take in]
回数 (カイスウ) 〈N〉 the number of times [+number]
回数券 (カイスウケン) 〈N〉 strip of tickets [+number+ticket]
回送 (カイソウ) 〈Nv〉 forwarding, redirection; out-of-service《car》 [+send]
回想 (カイソウ) 〈Nv〉 recollection [+image]
回転 (カイテン) 〈Nv〉 being rotated, revolution [+roll]
回答 (カイトウ) 〈Nv〉 reply, response [+answer]
回避 (カイヒ) 〈Nv〉 avoidance, averting [+avoid]
回復 (カイフク) 〈Nv〉 recovery [+retrieve]
回路 (カイロ) 〈N〉 circuit《of electricity》 [+rout]

Islam
回教 (カイキョウ) 〈N〉 Islam [+religion]

65 **目**

まー, **め**;
-ボク; **モク**, モッ-

⇨ 1323 耳

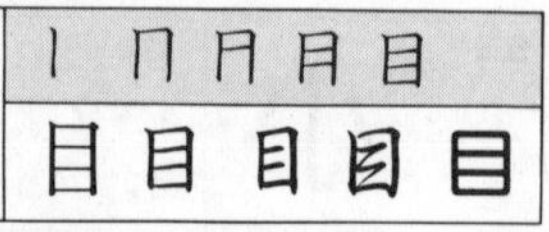

eye, sight

目 (め) 〈N〉 eye, sight
目の当(た)り (まのあたり) 〈N〉 just before one's eyes [+hit]
目先 (めさき) 〈N〉 before one's eyes; foresight [+foregoing]
目指す (めざす) 〈V〉 aim [+point at]
目印 (めじるし) 〈N〉 mark, sign; landmark [+sign]
目立つ (めだつ) 〈V〉 be conspicuous [+stand]
目玉 (めだま) 〈N〉 eyeball [+round thing]
目撃 (モクゲキ) 〈Nv〉 observation, witnessing [+attack]
目算 (モクサン) 〈Nv〉 eye estimation, rough calculation [+count]
目前 (モクゼン) 〈N〉 just ahead, immediate [+before]
目測 (モクソク) 〈Nv〉 eye measurement, estimate visually [+measure]
目的 (モクテキ) 〈N〉 purpose [+target]
目標 (モクヒョウ) 〈N〉 object, goal, end [+mark]
目下 (モッカ) 〈T〉 presently, current [+under]
▶面目 (メンボク/メンモク) 〈N〉 face-saving, honor; dignity [face+]

item, class, order, unit

目 (モク) 〈N〉 order 《biology》
…目 (…め) 〈T/N〉 …rank, …class
▷一年目 (イチネン～) 〈T〉 in one year; first year [one+year+]
二丁目 (ニチョウ～) 〈N〉 2-*chome*, second block 《in addresses》 [two+*cho*+]
目次 (モクジ) 〈N〉 table of contents [+sequence]
目録 (モクロク) 〈N〉 list of articles, inventory [+record]

element

▶効き目 (ききめ) 〈N〉 effect, work [effect+]
役目 (ヤクめ) 〈N〉 duty, role [role+]

knot, cross, point

目 (め) 〈N〉 knot, stich, cross; pip; spot
▶割れ目 (われめ) 〈N〉 crevice, crack, split [divide+]

66 **相**

あいー;
ソウ, -ゾウ; -ショウ, -ジョウ
〈Ir〉

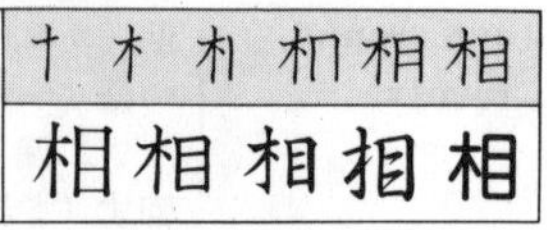

face, figure

相 (ソウ) 〈N〉 facial appearance
▶人相 (ニンソウ) 〈N〉 looks, facial features [person+]

face to face, mutual

相変(わ)らず (あいかわらず) 〈S〉 as usual/ever [+change+(not)]
相手 (あいて) 〈N〉 opponent, partner [+person]
相違 (ソウイ) 〈Nv〉 difference [+differ]
相互 (ソウゴ) 〈N〉 mutual [+mutual]
相続 (ソウゾク) 〈Nv〉 inheriting [+continue]
相談 (ソウダン) 〈Nv〉 consultation [+talk]
相当 (ソウトウ) 〈Nv/Na〉 fit, suitable; 〈Nv〉 correspond to; be proportionate to; 〈Q/Na〉 fair, considerable, passable [+hit]
相場 (ソウば) 〈N〉 market price, quotation, rate [+place]
〈Ir〉 相撲 (すもう) 〈N〉 *sumo* [+beat]

minister

▶外相 (ガイショウ) 〈N〉 Minister for Foreign Affairs [foreign+]
首相 (シュショウ) 〈N〉 Prime Minister [head+]

67 **区**	ク	一フヌ区 区区区区区

division, section	区域（クイキ）〈N〉 zone, area, district, territory [+sphere] 区画（クカク）〈Nv〉 partition, compartment, block [+draw a line] 区間（クカン）〈N〉 section, block 《of a railway line》 [+between] 区別（クベツ）〈Nv〉 differentiation [+different]
ward	…区（…ク）〈N〉 …ward ▷北区（きた～）Kita-ku　港区（みなと～）Minato-ku 区役所（クヤクショ）〈N〉 ward office [+public office]

68 **代**	か-, -が-, かわ-, -がわ-; しろ, -じろ; よ; **タイ; ダイ** ⇒[1990]伐	ノイ仁代代 代代代代代

on behalf of, substitution	代える（かえる）〈V〉 substitute (*vt.*) 代(わ)り（かわり）〈N〉 substitute, substitution 代(わ)る（かわる）〈V〉 substitute (*vi.*) 代議士（ダイギシ）〈N〉 member of the Diet [+debate+expert] 代金（ダイキン）〈N〉 money to be paid [+money] 代行（ダイコウ）〈Nv〉 acting…, agency [+exert] 代償（ダイショウ）〈N〉 compensation, indemnity [+compensate] 代表（ダイヒョウ）〈Nv〉 representation [+display] 代理（ダイリ）〈Nv〉 procuration, agency [+manage] ▶交代（コウタイ）〈Nv〉 alternation, change, taking turns [exchange+] 身代金（みのしろキン）〈N〉 ransom [body+～+money]
generation, period	代（ダイ）〈N〉 generation …代（…ダイ）〈N/T〉 …generation, …period →[216]…台 ▷十代（ジュウ～）〈N〉 teens [ten+] 30年代（サンジュウネン～）〈T〉 the 30s [year+] ▶君が代（きみがよ）〈N〉 Thy Glorious Reign 《Jap. anthem》 [lord+] 現代（ゲンダイ）〈T〉 present age, modern times [presence+]
money to pay, fee	…代（…ダイ）〈N〉 …fee, …charge ▷修理代（シュウリ～）cost of repairs [mend+]
〈Person〉	★代 pronounced よ is found typically in given names. e.g. 千代子（ちよこ），加代（カよ）

69 **力**	ちから, -ぢから; **リキ; -リョク** 〈PN〉 つとむ　⇒[58]九, [1494]刀	フカ 力力力力力

power	力（ちから）〈N〉 power …力（…リョク）〈N〉 …power, …energy ▷原子力（ゲンシ～）nuclear energy [atom+] 実行力（ジッコウ～）power of execution [execution+] 力強い（ちからづよい）〈A〉 powerful; encouraging [+strong] 力作（リキサク）〈N〉 labored work 《typically of fine arts》 [+make] 力士（リキシ）〈N〉 *sumo* wrestler [+expert]

70 民	たみ; ミン ⇨[177]氏	 民民民民民

people, folk
民（たみ）〈N〉 folks, people
民家（ミンカ）〈N〉 town house, private house [+house]
民間（ミンカン）〈N〉 non-governmental, folk [+between]
民芸品（ミンゲイヒン）〈N〉 folk handicraft [+art+goods]
民衆（ミンシュウ）〈N〉 folks, people [+crowd]
民宿（ミンシュク）〈N〉 tourist home [+lodging]
民主主義（ミンシュシュギ）〈N〉 democracy [+lord+-ism]
民俗（ミンゾク）〈N〉 folklore, folk customs [+custom]
民族（ミンゾク）〈N〉 race [+tribe]
民族学（ミンゾクガク）〈N〉 ethnology [+tribe+-logy]
民謡（ミンヨウ）〈N〉 folk song [+chant]

71 通	**かよ-**, -がよ-; **とお-**, -どお-, -とおり, -どおり; ツ-, **ツウ**, -ヅウ 〈PN〉みち	 通通通通通

pass, let pass, transmit
通す（とおす）〈V〉 let pass; pass through; let in; persist
通り（とおり）〈N〉 passage, street
…通(り)（…どおり）〈N〉 …St., Av.…
　▷銀座通(り)（ギンザ～）Ginza St. [*PN*+]
通る（とおる）〈V〉 pass
通じる（ツウじる）〈V〉 lead to, put through
通夜（ツヤ）〈N〉 wake, funeral night [+night]
通過（ツウカ）〈Nv〉 passage [+pass]
通行（ツウコウ）〈Nv〉 passing, going through [+go]
通告（ツウコク）〈Nv〉 (give) legal notice [+tell]
通算（ツウサン）〈Nv/Adv〉 aggregate, in total [+calculate]
通常（ツウジョウ）〈S〉 usual, ordinal, common, regular [+ordinary]
通信（ツウシン）〈Nv〉 correspondence, dispatch [+message]
通達（ツウタツ）〈Nv〉 (give) official notice [+reach]
通知（ツウチ）〈Nv〉 notification [+know]
通帳（ツウチョウ）〈N〉 bankbook [+notebook]
通用（ツウヨウ）〈Nv〉 circulation, currency, passing for [+use]

frequent, commute
通う（かよう）〈V〉 frequent, commute to
通学（ツウガク）〈Nv〉 going to school [+school]
通勤（ツウキン）〈Nv〉 commuting to work [+work for]

in the manner of, true to
通り（とおり）〈S〉 in the way, in the manner, as, thus
…通り（…どおり）〈S〉 true to…, the way…
　▷期待通り（キタイ～）as expected [expectation+]

well-informed
通（ツウ）〈N〉 well-informed (person)
通じる（ツウじる）〈V〉 be well-versed, be proficient
通訳（ツウヤク）〈Nv〉 interpretation; interpreter [+interpret]

***Cs* mail**
…通（…ツウ）〈Q〉 …letters, …postcards, …telegrams, etc.
　▷一通（イッ～）, 二通（ニ～）, 三通（サン～）

72 下

お-; **くだ**-; **さ**-, さが-, さげ-;
した, -じた; **しも**, -じも; もと;
カ; **ゲ**
〈Ir〉

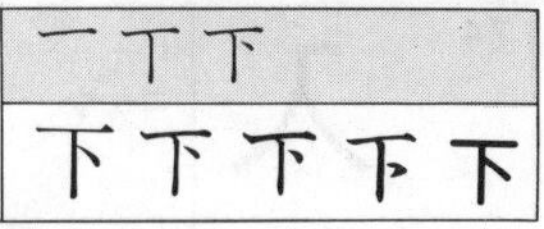

under, lower, down

下 (した/しも) 〈N〉 under, lower, down, below
下 (もと) 〈N〉 under (the influence/direction, etc. of)
…下 (…カ) 〈N〉 under…; below…
▷影響下 (エイキョウ〜) under the influence [influence+]
戦時下 (センジ〜) under wartime conditions [wartime+]
氷点下(ヒョウテン〜) below freezing [freezing point+]
下りる (おりる) 〈V〉 descend, get down
下ろす (おろす) 〈V〉 take/put down; use for the first time
下さい (ください) 〈Cph〉 Give to me., Grant to me.
下さる (くださる) 〈V〉 give, grant, bestow
下り (くだり) 〈N〉 descent; passage《of sentences》; away from Tokyo《of a train》 →[21]上り
下がる (さがる) 〈V〉 hang down (*vi.*); come/go down; step back
下げる (さげる) 〈V〉 hang (*vt.*); lower; move back; take away
下請(け) (したうけ) 〈N〉 subcontract [+take on]
下町 (したまち) 〈N〉 residential downtown [+town]
下回る (したまわる) 〈V〉 be lower than, be below [+turn]
下院 (カイン) 〈N〉 Lower House《of a legislature》 [+house]
下記 (カキ) 〈N〉 below-mentioned [+describe]
下部 (カブ) 〈N〉 lower part [+part]
下流 (カリュウ) 〈N〉 downstream [+stream]
下車 (ゲシャ) 〈Nv〉 getting off, alight from [+car]
下宿 (ゲシュク) 〈Nv〉 board and lodging, boarding at [+lodging]
下水 (ゲスイ) 〈N〉 sewage [+water]
下落 (ゲラク) 〈Nv〉 fall, degradation [+fall]
▶閣下 (カッカ) 〈N〉 His/Her/Your Excellency [cabinet+]
陛下 (ヘイカ) 〈N〉 His/Her/Your Majesty [steps+]

inner

下着 (したぎ) 〈N〉 underwear [+wear]
▶靴下 (くつした) 〈N〉 socks, stockings [shoe+]

inferior

下品 (ゲヒン) 〈Na〉 vulgar, unrefined [+human quality]
〈Ir〉 下手 (へた; したて) 〈N/Na〉 unskillful, poor at; 〈N〉 inferior《in skill》 [[+hand]

latter half

下半期 (しもハンキ) 〈N〉 latter half《of a year》 [+half year]
下旬 (ゲジュン) 〈T〉 last ten days《of a month》 [+ten days]

73 百

ヒャク, -ビャク, -ピャク

〈Ir〉: 〈PN〉 もも, ゆり(百合) ⇨[266]白

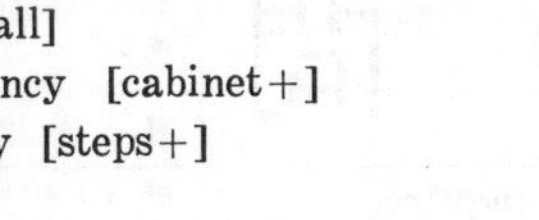

hundred

百 (ヒャク) 〈Nu/Q〉 one hundred
百科事典 (ヒャッカジテン) 〈N〉 encyclopedia [+division+cyclopedia]
百貨店 (ヒャッカテン) 〈N〉 department store [+goods+shop]
〈Ir〉 ▶八百屋 (やおや) 〈N〉 greengrocer, grocery [many+〜+shop]
[6]二百 (ニヒャク), [10]三百 (サンビャク), [18]四百 (よんヒャク), [20]六百 (ロッピャク), [41]八百 (ハッピャク), [58]九百 (キュウヒャク)

74 **入**

い-, いり, いれ-; **はい-**, はいる;
ニュウ

⇒[9]人

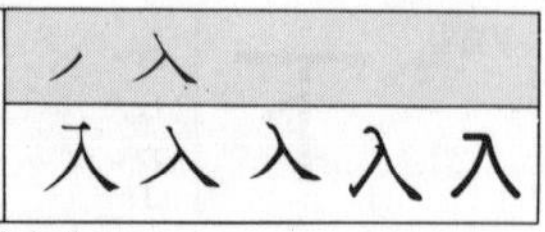

enter, put in

…入(り) (…いり) 〈N〉 containing…; 〈Nv〉 joining…
▷蜂蜜入(り) (はちミツ～) 〈N〉 containing honey [bee+honey+]
仲間入り (なかま～) 〈Nv〉 joining the ranks/circle of [fellows+]
入る (いる/はいる) 〈V〉 enter, go into
…入れ (…いれ) 〈N〉 …container
▷札入れ (サツ～) pocketbook, wallet [banknote+]
入れる (いれる) 〈V〉 put in
入(れ)替(え) (いれかえ) 〈N〉 replacement, change [+exchange]
入れ歯 (いれば) 〈N〉 false tooth [+tooth]
入(り)口 (いりぐち) 〈N〉 entrance [+mouth]
入院 (ニュウイン) 〈Nv〉 hospitalization, being hospitalized [+hospital]
入荷 (ニュウカ) 〈Nv〉 arrival/receipt of goods [+load]
入会 (ニュウカイ) 〈Nv〉 admission, joining a society [+association]
入学 (ニュウガク) 〈Nv〉 entering a school [+school]
入居 (ニュウキョ) 〈Nv〉 moving 《into a new house》 [+reside]
入港 (ニュウコウ) 〈Nv〉 entry into port [+port]
入国 (ニュウコク) 〈Nv〉 entry into a country [+country]
入札 (ニュウサツ) 〈Nv〉 (offer) tender, bid [+card]
入社 (ニュウシャ) 〈Nv〉 joining/going to work for a company [+company]
入賞 (ニュウショウ) 〈Nv〉 winning a prize [+prize]
入場 (ニュウジョウ) 〈Nv〉 entrance, getting in [+place]
入門 (ニュウモン) 〈Nv〉 becoming a disciple of [+school]

75 **問**

と-, -ど-, とい, -どい;
モン
〈Ir〉

⇒[27]間

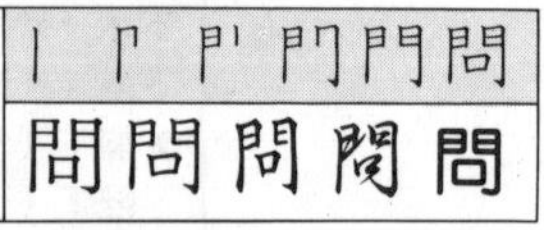

inquire, question

問 (とい) 〈N〉 question
問う (とう) 〈V〉 inquire, ask, question
問(い)合(わ)せ (といあわせ) 〈N〉 inquiry [+suit]
問(い)合(わ)せる (といあわせる) 〈V〉 make inquiries [+suit]
問題 (モンダイ) 〈N〉 question, problem [+theme]
問答 (モンドウ) 〈Nv〉 argument, Q & A [+answer]
Ph 〈Ir〉 問屋 (とんや) 〈N〉 wholesaler [+shop]

76 **第**

ダイ

⇒[1090]弟

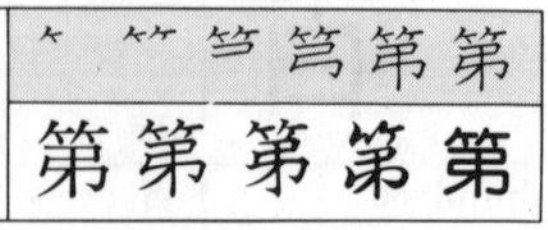

rank

第… (ダイ…) 〈N〉 No.…
▷第一 (～イチ) No. 1　第九 (～キュウ/ク) No. 9
第一 (ダイイチ) 〈Adv〉 firstly, first of all [+one]
第三者 (ダイサンシャ) 〈N〉 outsider, disinterested party [+three+person]
▶次第 (シダイ) 〈N〉 sequence, process; 〈T〉 as soon as [following+]

77 **気**

キ, -ギ; ケ, -ゲ

〈Ir〉 ⇨[1732]汽

気 気 気 気 気

spirit, mind, anima

気 (キ) 〈N〉 spirit, mind, anima
気の毒 (キのドク) 〈N/Na〉 pitiful, miserable [+poison]
気合(い) (キあい) 〈N〉 yell, shout; stamina, will power [+suit]
気性 (キショウ) 〈N〉 disposition, temper [+character]
気付く (キづく) 〈V〉 become aware of [+attach]
気分 (キブン) 〈N〉 feeling, mood, state of mind [+portion]
気味 (キミ) 〈N〉 feeling, sensation [+taste]
…気味 (…ギミ) 〈N〉 touch of…, slightly… [+taste]
▷風邪気味 (かぜ〜) having a slight cold [cold+]
気持(ち) (キもち) 〈N〉 feeling, frame of mind [+hold]
気力 (キリョク) 〈N〉 spirit, vigor [+power]

〈Ir〉 ▶意気地 (イクジ) 〈N〉 spirit, guts [intention+〜+ground]

air, atmosphere

気圧 (キアツ) 〈N〉 air pressure [+pressure]
気温 (キオン) 〈N〉 atmospheric temperature [+temperature]
気候 (キコウ) 〈N〉 climate [+feature]
気体 (キタイ) 〈N〉 gas, gaseous body [+body]
気配 (ケハイ) 〈N〉 atmosphere, indications, signs [+supply]

78 **市**

いち;
シ

⇨[749]布

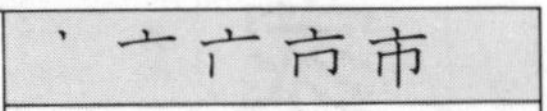

市 市 市 市 市

market

市 (いち) 〈N〉 market, fair
…市 (…いち) 〈N〉 …market; …fair
▷見本市 (みホン〜) trade fair [sample+]
市場 (いちば; シジョウ) 〈N〉 market 《as a place to shop》; market 《as demand for a commodity or service》 [+place]

city

市 (シ) 〈N〉 the city
…市 (…シ) 〈N〉 …City
▷大阪市 (おおさか〜) Osaka City [Osaka+]
市営 (シエイ) 〈N〉 municipal management [+operate]
市街 (シガイ) 〈N〉 streets 《of a city》, city [+streets]
市長 (シチョウ) 〈N〉 mayor [+chief]
市内 (シナイ) 〈N〉 in the city [+inner]
市民 (シミン) 〈N〉 citizen, town folk [+folk]
市立 (シリツ) 〈N〉 established by the city [+establish]

79 **千**

ち, -ぢ;
セン, -ゼン

⇨[1179]干

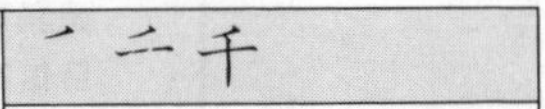

千 千 千 千 千

thousand

千 (セン) 〈Nu/Q〉 one thousand
千円札 (センエンサツ) 〈N〉 one thousand yen note [+yen+banknote]
▶一千 (イッセン), 三千 (サンゼン), 四千 (よんセン)

〈Place〉 千葉 (ちば) Chiba Pref./City

80 **開**	あ-; ひら-, -びら-, ひらき-, ひらく; カイ ⇨[104]関	開開開開開

open

開く (あく; ひらく) 〈V〉 open (*vi.*); open (*vt.*), unfold
開ける (あける; ひらける) 〈V〉 open (*vt.*); open (*vi.*), unfold
開演 (カイエン) 〈Nv〉 start of a performance [+perform]
開会 (カイカイ) 〈Nv〉 opening of a meeting [+meeting]
開業 (カイギョウ) 〈Nv〉 opening of business/practice [+business]
開業医 (カイギョウイ) 〈N〉 medical practitioner [+business+doctor]
開催 (カイサイ) 〈Nv〉 holding 《of a meeting》 [+promote]
開始 (カイシ) 〈Nv〉 commencement, beginning [+begin]
開場 (カイジョウ) 〈Nv〉 opening, opening the doors 《of a theater, etc.》 [+place]
開設 (カイセツ) 〈Nv〉 establishment [+found]
開拓 (カイタク) 〈Nv〉 development, cultivation [+stretch]
開通 (カイツウ) 〈Nv〉 opening to traffic [+pass]
開店 (カイテン) 〈Nv〉 opening of a store [+shop]
開発 (カイハツ) 〈Nv〉 development, exploitation [+issue]
開放 (カイホウ) 〈Nv〉 opening, throwing/leaving open [+release]
開幕 (カイマク) 〈Nv〉 rise of the curtain [+curtain]

81 **家**	いえ; や; カ, -ガ; ケ, -ゲ ⇨[898]豪	家家家家家

house, home

家 (いえ) 〈N〉 house
家賃 (やチン) 〈N〉 rent [+fee]
家主 (やぬし) 〈N〉 house owner, landlord, landlady [+owner]
家屋 (カオク) 〈N〉 house, building [+house]
家具 (カグ) 〈N〉 furniture [+equipment]
家計 (カケイ) 〈N〉 household economy, housekeeping expenses [+measure]
家事 (カジ) 〈N〉 household tasks, housekeeping [+affair]
家族 (カゾク) 〈N〉 family [+clan]
家庭 (カテイ) 〈N〉 home [+garden]
▶我(が)家 (わがや) 〈N〉 one's home, home [my+]

***Suf* family**

…家 (…ケ) 〈N〉 the …s
▷小林家 (こばやし〜) the Kobayashi [*PN*+]
平家 (ヘイ〜) the Heike, the Taira family [*PN*+]

***Suf* specialist**

…家 (…カ) 〈N〉 the…specialist; …-er, …-or, …-ist
▷音楽家 (オンガク〜) musician [music+]
建築家 (ケンチク〜) architect [architecture+]
自信家 (ジシン〜) man of confidence [self-confidence+]
小説家 (ショウセツ〜) novelist [novel+]
政治家 (セイジ〜) politician [politics+]
専門家 (センモン〜) specialist [specialty+]
評論家 (ヒョウロン〜) critic, commentator [criticism+]
▶画家 (ガカ) 〈N〉 painter [picture+]
作家 (サッカ) 〈N〉 writer, author [make+]

82 **現**

あら-, **あらわ-**;
ゲン

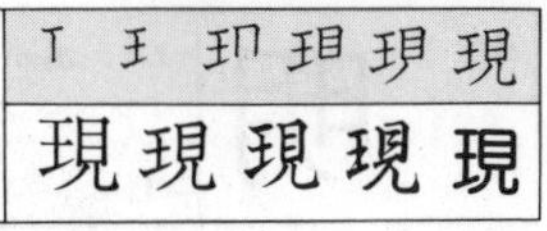

appearance, presence, current

現… (ゲン…) the present/current…
▷現段階 (～ダンカイ) 〈N〉 (at) this stage [+step]
現知事 (～チジ) 〈N〉 the present governor [+governor]
★ Compare the following; 現知事 (ゲンチジ) means the present governor and 前知事 (ゼンチジ) means the (immediately) preceding governor, while 元知事 (もとチジ) means a former governor.
現(わ)す (あらわす) 〈V〉 emerge (*vt.*)
現(わ)れる (あらわれる) 〈V〉 appear
現に (ゲンに) 〈Adv〉 actually
現金 (ゲンキン) 〈N〉 cash [+money]
現行 (ゲンコウ) 〈N〉 current [+go]
現在 (ゲンザイ) 〈T〉 the present [+exist]
現実 (ゲンジツ) 〈N〉 actuality, reality [+real]
現象 (ゲンショウ) 〈N〉 phenomenon [+image]
現状 (ゲンジョウ) 〈N〉 present condition, status quo [+state]
現職 (ゲンショク) 〈N〉 present post/office [+job]
現像 (ゲンゾウ) 〈Nv〉 development 《of film》 [+image]
現存 (ゲンソン/ゲンゾン) 〈Nv〉 being extant [+exist]
現代 (ゲンダイ) 〈T〉 present age, modern times [+period]
現地 (ゲンチ) 〈N〉 at the place, on-the-spot [+ground]
現場 (ゲンば) 〈N〉 scene, actual spot, locale [+place]
現物 (ゲンブツ) 〈N〉 (actual) thing, spot goods [+thing]

83 **度**

たび;
-タク; -ト; **ド**

⇨[349]席

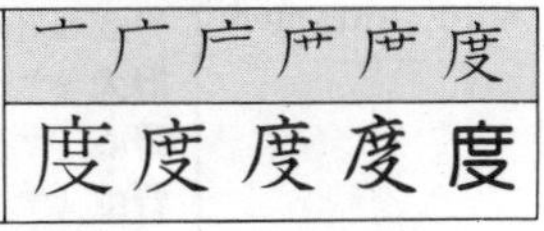

degree, step

…度 (…ド) 〈N〉 the degree of…, how far…
▷信頼度 (シンライ～) how much one is trusted [reliance+]
度合 (ドあい) 〈N〉 degree [+suit]
▶温度 (オンド) 〈N〉 temperature 《not of a body》 [warm+]
態度 (タイド) 〈N〉 attitude [attitude+]
程度 (テイド) 〈N〉 extent, degree [extend+]

frequency, time(s)

度 (たび) 〈T〉 time, occasion; whenever
▶今度 (コンド) 〈T〉 this time; next time [present+]
再度 (サイド) 〈T〉 again [again+]

ruling, measuring

度量衡 (ドリョウコウ) 〈N〉 weights and measures [+quantity+balance]
▶仕度 (シタク) 〈Nv〉 preparation [do+]
法度 (ハット) 〈N〉 ordinance 《Jap. hist.》; prohibition [law+]

***Cs* degrees**

…度 (…ド) 〈Q〉 …degrees
▷一度 (イチ～) 1°, 二度 (ニ～) 2°, 三度 (サン～) 3°

***Cs* frequency**

…度 (…ド/たび) 〈T〉 …times →[64]…回
▷一度 (イチド/ひとたび), 二度 (ニド), 三度 (サンド/みたび)
★ふたたび is usually written [360]再び.

84 明

あ-, **あか-**, **あき-**;
ミョウ; **メイ**
〈Ir〉: 〈PN〉あきら

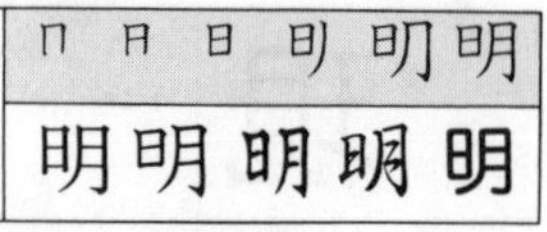

bright, light, clear

明けまして おめでとう(ございます) (あけまして〜) 〈Cph/CF〉 A Happy New Year [+(congratulate)]
明ける (あける) 〈V〉 dawn
明るい (あかるい) 〈A〉 bright, light
明るさ (あかるさ) 〈N〉 brightness, lightness
明らか (あきらか) 〈Na〉 clear, obvious
明確 (メイカク) 〈Na〉 clear, obvious [+certain]
明記 (メイキ) 〈Nv〉 describing clearly [+describe]
明治 (メイジ) 〈N〉 Meiji era 《Jap. hist.: 1868–1912》 [+govern]
明白 (メイハク) 〈Na〉 obvious, evident, clear, explicit [+white]

next

明… (ミョウ…) 〈T〉 ...of next year
▷明三月 (〜サンガツ) March of next year [+March]
明年 (ミョウネン) 〈T〉 next year [+year]
〈Ir〉 明日 (あす/ミョウニチ) 〈T〉 tomorrow [+day]

85 野

の;
ヤ

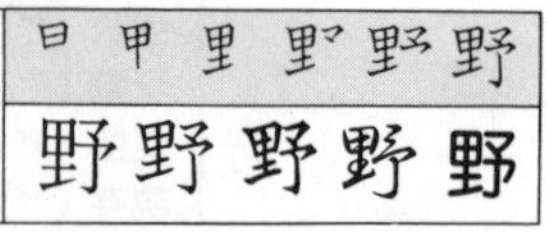

field

野 (の) 〈N〉 field
野原 (のはら) 〈N〉 field [+field]
野球 (ヤキュウ) 〈N〉 baseball [+ball]
野菜 (ヤサイ) 〈N〉 vegetable [+greens]

wild, untamed

野放し (のばなし) 〈N〉 left free [+let go]
野犬 (ヤケン) 〈N〉 masterless dog [+dog]
野心 (ヤシン) 〈N〉 ambition [+heart]
野生 (ヤセイ) 〈Nv〉 wildness, growing wild [+live]
野鳥 (ヤチョウ) 〈N〉 wild bird [+bird]
野党 (ヤトウ) 〈N〉 nongovernment party, opposition party [+party] ┌➡SN┐

86 動

うご-, うごく;
ドウ
⇨444 働

move

動かす (うごかす) 〈V〉 move (*vt.*), work, operate
動き (うごき) 〈N〉 movement, drift
動く (うごく) 〈V〉 move (*vi.*)
動員 (ドウイン) 〈Nv〉 mobilization 《of soldiers, etc.》 [+member]
動機 (ドウキ) 〈N〉 motive [+chance]
動向 (ドウコウ) 〈N〉 trend, movement [+direction]
動作 (ドウサ) 〈N〉 movement, behavior [+make]
動物 (ドウブツ) 〈N〉 animal [+thing]
動物園 (ドウブツエン) 〈N〉 zoological garden [+thing+garden]
動脈 (ドウミャク) 〈N〉 artery [+vein]
動揺 (ドウヨウ) 〈Nv〉 (feel) perturbation, agitation [+shake]

87 **連**	つ-, -づ-, つら-, つれ-; レン ⇒[179]運	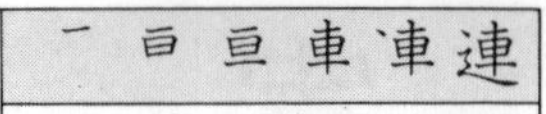 連連連連連

pair, link, together

連れ (つれ) 〈N〉 companion
…連れ (…づれ) 〈N〉 accompanied by…
▷子供連れ (こども～) (adult) accompanied by a child or children [child+]
連れる (つれる) 〈V〉 be accompanied by, take
連休 (レンキュウ) 〈T〉 consecutive holidays [+repose]
連行 (レンコウ) 〈Nv〉 hauling/taking a person in 《by police authorities》 [+go]
連合 (レンゴウ) 〈Nv〉 union, combination [+combine]
連載 (レンサイ) 〈Nv〉 serialization [+put on]
連日 (レンジツ) 〈T〉 every day, day after day [+day]
連想 (レンソウ) 〈Nv〉 association 《of ideas》, recall [+image]
連続 (レンゾク) 〈Nv〉 continuance, succession, series [+continue]
連帯 (レンタイ) 〈Nv〉 solidarity; joint and several [+belt]
連盟 (レンメイ) 〈N〉 league [+ally]
連邦 (レンポウ) 〈N〉 federation, union, commonwealth [+land]
連絡 (レンラク) 〈Nv〉 contact, connection, communication [+tangle]
連立 (レンリツ) 〈Nv〉 coalition, alliance [+stand]

group

…連れ (…づれ) 〈N〉 a group/combination of…
▷親子連れ (おやこ～) a family as a party [parent and child+]
二人連れ (ふたり～) a couple [two persons+]
連中 (レンチュウ) 〈N〉 guys, fellows [+*Suf* group]

88 **戦**	いくさ; たたか-; セン	 戦戦戦戦戦

battle, war

戦 (いくさ) 〈N〉 combat
戦い (たたかい) 〈N〉 battle; match, game
戦う (たたかう) 〈V〉 fight, battle, struggle
戦況 (センキョウ) 〈N〉 war situation [+state of things]
戦後 (センゴ) 〈T〉 postwar period [+after]
戦死 (センシ) 〈Nv〉 death in battle, being killed in a war [+death]
戦時 (センジ) 〈N〉 wartime [+time]
戦術 (センジュツ) 〈N〉 tactics, strategy [+skill]
戦場 (センジョウ) 〈N〉 battlefield [+place]
戦線 (センセン) 〈N〉 (war) front, battle line [+line]
戦前 (センゼン) 〈T〉 prewar period [+before]
戦争 (センソウ) 〈Nv〉 war, fight [+struggle]
戦闘 (セントウ) 〈N〉 battle, fight [+fight]
戦法 (センポウ) 〈N〉 tactics, campaign plan [+method]
戦没者 (センボツシャ) 〈N〉 fallen soldier, the war dead [+sink+person]
戦略 (センリャク) 〈N〉 strategy [+plot]
戦力 (センリョク) 〈N〉 war potential [+power]

match, game

…戦 (…セン) 〈N〉 …match, …game
▷名人戦 (メイジン～) championship match 《of *go*/*shogi*, etc.》 [master+]

89 実	み; みの-; ジツ, ジッ- 〈PN〉 みのる, さね ⇒[425]害	丶 ⺍ 宀 宣 宝 実 実 実 実 実 実

fruit
- 実 (み) 〈N〉 fruit
- 実る (みのる) 〈V〉 bear fruit

real
- 実に (ジツに) 〈Adv〉 really
- 実は (ジツは) 〈Adv〉 in fact
- 実演 (ジツエン) 〈Nv〉 (give) live show [+perform]
- 実現 (ジツゲン) 〈Nv〉 realization, actualization [+presence]
- 実在 (ジツザイ) 〈Nv〉 (have) real existence [+exist]
- 実情 (ジツジョウ) 〈N〉 real state of affairs [+state of affairs]
- 実物 (ジツブツ) 〈N〉 real thing, genuine article, original [+thing]
- 実務 (ジツム) 〈N〉 business, practical business [+service]
- 実用 (ジツヨウ) 〈N〉 utility, practical use [+use]
- 実力 (ジツリョク) 〈N〉 real ability, real power [+power]
- 実例 (ジツレイ) 〈N〉 concrete case, example [+example]
- 実家 (ジッカ) 〈N〉 one's parents' family/house [+home]
- 実感 (ジッカン) 〈Nv〉 (have) actual feelings, realization [+feel]
- 実験 (ジッケン) 〈Nv〉 experiment [+examine]
- 実行 (ジッコウ) 〈Nv〉 practice, carrying out [+exert]
- 実際 (ジッサイ) 〈S〉 truth, reality; practically [+occasion]
- 実子 (ジッシ) 〈N〉 one's real child [+child] →[605]養子
- 実施 (ジッシ) 〈Nv〉 enforcement, implementation [+execute]
- 実質 (ジッシツ) 〈N〉 substance, quality [+quality]
- 実習 (ジッシュウ) 〈Nv〉 practice, practical exercise [+learn]
- 実績 (ジッセキ) 〈N〉 actual results/achievements [+accumulate]
- 実践 (ジッセン) 〈Nv〉 putting (a theory) in practice [+exert]
- 実体 (ジッタイ) 〈N〉 substance, entity [+body]
- 実態 (ジッタイ) 〈N〉 actual condition, reality [+figure]
- 実地 (ジッチ) 〈N〉 practice, actuality [+ground]
- 実父 (ジップ) 〈N〉 one's real father [+father] →[287]義父

90 米	こめ, -ごめ; ベイ; -マイ 〈PN〉 -め, よね, よなご(米子) ⇒[113]来	丶 ⺍ 䒑 半 米 米 米 米 米 米 米

rice
- 米 (こめ) 〈N〉 raw rice
- …米 (…マイ) 〈N〉 …rice
  - ▷寿司米 (スシ〜) rice especially for *sushi* [*sushi*+]
- 米価 (ベイカ) 〈N〉 price of rice [+price]

meter
- ▶…平米 (…ヘイベイ) 〈N〉 …m^2 [square+]
  - ▷三・三平米 (サンテンサン〜) 3.3m^2

America
- 米軍 (ベイグン) 〈N〉 US military [+army]
- 米国 (ベイコク) 〈N〉 USA [+country]
- 米ソ (ベイソ) 〈N〉 American-Soviet [+(Soviet)]
- 米兵 (ベイヘイ) 〈N〉 American soldier, US GI [+soldier]
- ▶南米 (ナンベイ) 〈N〉 South America [south+]

91 **主**

おも; ぬし;
シュ, -ジュ; -ス, -ズ

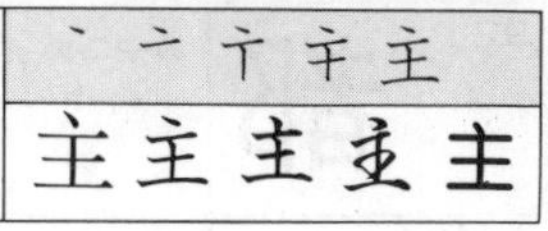

chief, main

主 (おも) 〈Na〉 chief, main
主 (シュ) 〈Nt〉 main
主… (シュ…) main...
▷主目的 (~モクテキ) 〈N〉 main purpose [+purpose]
主演 (シュエン) 〈Nv〉 starring, playing the leading role [+perform]
主義 (シュギ) 〈N〉 doctrine, principle, ism [+significance]
…主義 (…シュギ) 〈N〉 ...-ism
▷共産主義 (キョウサン~) communism [common property+]
享楽主義 (キョウラク~) Epicureanism [enjoy pleasure+]
禁欲主義 (キンヨク~) Stoicism [prohibit desire+]
軍国主義 (グンコク~) militarism [military country+]
形式主義 (ケイシキ~) formalism [form+]
権威主義 (ケンイ~) authoritarianism [authority+]
現実主義 (ゲンジツ~) realism [reality+]
合理主義 (ゴウリ~) rationalism [rational+]
個人主義 (コジン~) individualism [individual+]
自然主義 (シゼン~) naturalism [nature+]
実存主義 (ジツゾン~) existentialism [really exist+]
資本主義 (シホン~) capitalism [capital+]
社会主義 (シャカイ~) socialism [society+]
自由主義 (ジユウ~) liberalism [freedom+]
全体主義 (ゼンタイ~) totalitarianism [whole+]
帝国主義 (テイコク~) imperialism [empire+]
敗北主義 (ハイボク~) defeatism [defeat+]
無政府主義 (ムセイフ~) anarchism [non-+government+]
利己主義 (リコ~) egoism [benefit oneself+]
理想主義 (リソウ~) idealism [ideal+]
主催 (シュサイ) 〈Nv〉 sponsorship, auspices [+promote]
主人 (シュジン) 〈N〉 master, host; one's husband [+man]
主題 (シュダイ) 〈N〉 theme, main subject [+theme]
主張 (シュチョウ) 〈Nv〉 insistence, claim, one's point [+stretch]
主婦 (シュフ) 〈N〉 mistress, housewife [+woman]
主役 (シュヤク) 〈N〉 leading role; leading actor/actress [+role]
主要 (シュヨウ) 〈Na〉 principal, important, main [+essential]
主流 (シュリュウ) 〈N〉 main current, mainstream [+current]
主力 (シュリョク) 〈N〉 main force/body [+power]

lord, owner

主 (ぬし; シュ) 〈N〉 lord, owner; Lord《in Christianity》
…主 (…シュ/ぬし) 〈N〉 ...owner, ...holder
▷商店主 (ショウテンシュ) shopkeeper, owner of a shop [shop+]
注文主 (チュウモンぬし) person placing order [order+]
▶坊主 (ボウズ) 〈N〉 monk [lodge+]

subjective

主観的 (シュカンテキ) 〈Na〉 subjectivity, ego [+view+*Suf Na*]
主体的 (シュタイテキ) 〈Na〉 independent [+body+*Suf Na*]

92 **都**	みやこ; ツ-;**ト**	十 土 耂 者 者阝 都 都 都 都 都 都

capital, big city

都 (みやこ) 〈N〉 seat of the Imperial Court 《Jap. hist.》; metropolis
都会 (トカイ) 〈N〉 big city, urban area [+assembling]
都市 (トシ) 〈N〉 big city [+city]
都心 (トシン) 〈N〉 center of a big city [+heart]
▶東京都 (トウキョウト) 〈N〉 Tokyo Pref./City

Tokyo

都 (ト) 〈N〉 Tokyo administration
都営 (トエイ) 〈N〉 run by Tokyo Municipal Government [+operate]
都政 (トセイ) 〈N〉 Tokyo government/Administration [+administration]
都庁 (トチョウ) 〈N〉 Tokyo Municipal Government Office [+government office]
都内 (トナイ) 〈N〉 inside Tokyo [+inside]
都民 (トミン) 〈N〉 citizens of Tokyo [+people]
都立 (トリツ) 〈N〉 established by Tokyo [+establish]

wholeness

都合 (ツゴウ) 〈N〉 affairs, circumstances, conditions, convenience [+suit]

93 **当**	あ-, あた-, -あたり, あて; **トウ**, -ドウ	丨 丨丨 丨丨丶 当 当 当 当 当 当 当 当

hit

当(た)る (あたる) 〈V〉 hit (*vi.*)
…当((た)り) (…あたり) 〈Q〉 per…
 ▷キロ当((た)り) per kilogram/kilometer/kilowatt, etc. [(kilo)+]
 一時間当((た)り) (イチジカン〜) per hour [one hour+]
 一日当((た)り) (イチニチ〜) per day [one day+]
 一人当((た)り) (ひとり〜) per capita [one person+]
当てる (あてる) 〈V〉 hit (*vt.*), strike
当(た)り前 (あたりまえ) 〈N〉 just, of course, natural [+lot]
当選 (トウセン) 〈Nv〉 being elected [+elect]
当然 (トウゼン) 〈S〉 due, natural [+*Suf* state]
当面 (トウメン) 〈Nv〉 confronting; 〈T〉 for the present [+face]

concerned, in question

当の (トウの) 〈Adj〉 the mentioned…
当局 (トウキョク) 〈N〉 the authorities [+bureau]
当時 (トウジ) 〈T〉 those days [+time]
当日 (トウジツ) 〈T〉 that day, day in question [+day]
当社 (トウシャ) 〈N〉 this/our company [+company]
当初 (トウショ) 〈T〉 beginning of the matter in question [+begin]
当地 (トウチ) 〈N〉 this place [+ground]
当分 (トウブン) 〈T〉 for the time being [+portion]

> **当日 (トウジツ), 本日 (ホンジツ), 今日 (コンニチ/きょう)**
> 当日 means 'the day in question' either in the past or in the future. 本日 is the formal expression for 'today.' 今日 pronounced コンニチ means 'today' as in 'Japan of today,' while 今日 pronounced きょう simply means 'today' as opposed to yesterday.

94 決	き-, -ぎ-, きま-, -ぎま-; **ケツ**, ケッ- ⇨[882]快	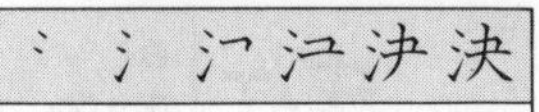 決決決決決

determine

- 決(ま)る (きまる) 〈V〉 be determined, be decided
- 決める (きめる) 〈V〉 fix, decide, determine
- 決して (ケッして) 〈Adv〉 never 《to be used with a negative》
- 決する (ケッする) 〈V〉 determine, settle
- 決め手 (きめて) 〈N〉 decisive factor [+hand]
- 決意 (ケツイ) 〈Nv〉 (come to) determination, resolution [+intention]
- 決議 (ケツギ) 〈Nv〉 (pass) resolution, vote [+debate]
- 決断 (ケツダン) 〈Nv〉 decision, determination [+decisive]
- 決裂 (ケツレツ) 〈Nv〉 breaking down, rupture [+rend]
- 決行 (ケッコウ) 〈Nv〉 carrying out determinedly [+conduct]
- 決済 (ケッサイ) 〈N〉 settlement 《of accounts》 [+settle]
- 決算 (ケッサン) 〈Nv〉 settlement of accounts [+count]
- 決勝 (ケッショウ) 〈N〉 decision 《of a contest》, final round [+win]
- 決心 (ケッシン) 〈Nv〉 (make) resolution, making up one's mind [+heart]
- 決着 (ケッチャク) 〈Nv〉 (come to) conclusion, settlement [+reach]
- 決定 (ケッテイ) 〈Nv〉 decision, settlement [+settle]

95 理	リ	 理理理理理

reason, ration, logic

- 理 (リ) 〈N〉 reason
- 理科 (リカ) 〈N〉 natural science [+division]
- 理解 (リカイ) 〈Nv〉 comprehension [+dissolve]
- 理学部 (リガクブ) 〈N〉 faculty of science [+...studies+department]
- 理屈 (リクツ) 〈N〉 reason, logic; chopped logic [+maze] ➜SN
- 理性 (リセイ) 〈N〉 reasoning power [+quality]
- 現想 (リソウ) 〈N〉 ideal [+image]
- 理由 (リユウ) 〈N〉 reason, cause [+course]
- 理論 (リロン) 〈N〉 theory [+argue]

manage

- 理事 (リジ) 〈N〉 director [+person in charge of]
- 理容 (リヨウ) 〈N〉 hairdressing 《especially of men》 [+appearance]

96 万	バン; **マン** 〈PN〉 マ ⇨[28]方	 万万万万万

ten thousand

- 万 (マン) 〈Nu〉 10,000
- 万歳 (バンザイ) 〈N/Cph〉 May...live long!, Viva...! [+year]
- 万一 (マンイチ/マンイツ) 〈N/Adv〉 by any chance [+one]
- 万年筆 (マンネンヒツ) 〈N〉 fountain pen [+year+pen]

all

- 万国 (バンコク) 〈N〉 all countries [+country]
- 万事 (バンジ) 〈Q〉 everything, all matters [+affair]
- 万全 (バンゼン) 〈N〉 perfect [+whole]
- 万能 (バンノウ) 〈N〉 almighty [+ability]

97		
教	おし-, おそ-; **キョウ**, -ギョウ 〈PN〉 のり	 教教教教教

educate, teach
教える (おしえる) 〈V〉 educate, teach, instruct
教育 (キョウイク) 〈Nv〉 education [+breed]
教員 (キョウイン) 〈N〉 teaching staff [+member]
教科 (キョウカ) 〈N〉 curriculum [+division]
教訓 (キョウクン) 〈N〉 lesson, teachings [+admonish]
教材 (キョウザイ) 〈N〉 teaching materials [+material]
教師 (キョウシ) 〈N〉 teacher [+master]
教室 (キョウシツ) 〈N〉 classroom [+room]
教授 (キョウジュ) 〈Nv〉 instruction, teaching; 〈N〉 professor [+bestow]
教諭 (キョウユ) 〈N〉 school teacher 《formal》 [+admonish]
教養 (キョウヨウ) 〈N〉 culture, refinement [+nourish]

religion
…教 (…キョウ) 〈N〉 …religion
▷キリスト教 Christianity [(Christ)+]
教会 (キョウカイ) 〈N〉 church [+meeting]

98		
午	うま; **ゴ** ⇨[909]牛	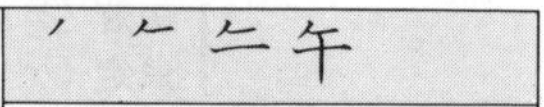 午午午午午

noon
午後 (ゴゴ) 〈T〉 p.m., afternoon [+after]
午前 (ゴゼン) 〈T〉 a.m., morning [+before]
▶正午 (ショウゴ) 〈T〉 high noon [just+]

uma
午 (うま) 〈N〉 *uma*; horse† →App.

99		
作	つく-, -づく-; サ; **サク**, サッ- ⇨[346]昨	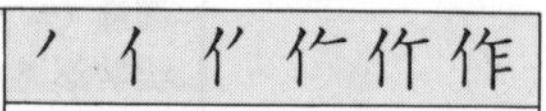 作作作作作

make, produce
…作 (…サク) 〈N〉 …work, …production; by…
▷ターナー作 by Turner [(Turner)+]
代表作 (ダイヒョウ〜) masterpiece [representative+]
…作り (…つくり/づくり) 〈N/Na〉 …make; made of/from/by…
▷手作り (てづくり) 〈N〉 hand-made [hand+]
作る (つくる) 〈V〉 make, produce
作り上げる (つくりあげる) 〈V〉 make up [+up]
作り出す (つくりだす) 〈V〉 produce [+put out]
作業 (サギョウ) 〈Nv〉 operation, activity [+job]
作用 (サヨウ) 〈Nv〉 action, function [+use]
作者 (サクシャ) 〈N〉 author (of a work) [+person]
作成 (サクセイ) 〈Nv〉 making [+form]
作戦 (サクセン) 〈N〉 strategy, operations [+war]
作品 (サクヒン) 〈N〉 (a piece of) work [+article]
作文 (サクブン) 〈Nv〉 composition, essay [+sentence]
作家 (サッカ) 〈N〉 writer, author [+*Suf* specialist]
作曲 (サッキョク) 〈Nv〉 (musical) composition [+melody]

100 **化**	ば-, ばけ-; カ; ケ, -ゲ	ノ 亻 亻' 化 化化化化化

change itself, metamorphose	化ける (ばける) 〈V〉 disguise, transform, assume the shape
	お化け (おばけ) 〈N〉 monster; apparition [(*Pref honorific*)+]
	化(け)物 (ばけもの) 〈N〉 monster [+thing]
	化石 (カセキ) 〈N〉 fossil [+stone]
	化学 (カガク) 〈N〉 chemistry [+...studies]
	化粧 (ケショウ) 〈Nv〉 (put on) makeup, toilet [+adorn]
***Suf* conversion**	…化 (…カ) 〈Nv〉 ...-ization
	▷一般化 (イッパン～) generalization [general+]
	機械化 (キカイ～) mechanization [machine+]
	近代化 (キンダイ～) modernization [modern times+]
	具体化 (グタイ～) materialization [concrete+]
	合理化 (ゴウリ～) rationalization [rational+]
	自由化 (ジユウ～) liberalization [freedom+]
***Abbr* 化学**	化繊 (カセン) 〈N〉 chemical/synthetic fiber [+fiber] ➔SN

101 **機**	はた, -ばた; キ	木 栏 樸 機 機 機 機機機機機

loom	機 (はた) 〈N〉 loom
machinery, mechanism	…機 (…キ) 〈N〉 ...machine
	▷計算機 (ケイサン～) calculator; computer [calculation+]
	洗濯機 (センタク～) washing machine [laundering+]
	掃除機 (ソウジ～) vacuum cleaner [sweep+]
	飛行機 (ヒコウ～) airplane [flight+]
	機械 (キカイ) 〈N〉 machine [+machine]
	機関 (キカン) 〈N〉 engine; organ; organization [+joint]
	機器 (キキ) 〈N〉 machinery and equipment [+tool]
	機構 (キコウ) 〈N〉 organization, structure [+construction]
	機動隊 (キドウタイ) 〈N〉 riot police [+move+troop]
	機能 (キノウ) 〈Nv〉 function [+ability]
aircraft	…機 (…キ) 〈N〉 ...airplane
	▷ジェット機 jet plane [(jet)+]
	軍用機 (グンヨウ～) military plane [army+use+]
	旅客機 (リョカク～) passenger plane [passenger+]
	機首 (キシュ) 〈N〉 nose of aircraft [+head]
	機体 (キタイ) 〈N〉 body of aircraft [+body]
	機長 (キチョウ) 〈N〉 captain of airplane [+chief]
***Cs* aircrafts**	…機 (…キ) 〈Q〉 ...planes
	▷一機 (イッ～), 二機 (ニ～), 三機 (サン～)
chance	機 (キ) 〈N〉 chance
	機運 (キウン) 〈N〉 readiness, good chance [+carry]
	機会 (キカイ) 〈N〉 opportunity [+meeting]
Ph	機嫌 (キゲン) 〈N〉 one's humor, mood [+hate]

102 **用**	もち-; ヨウ	丿 冂 月 月 用 用 用 用 用 用

use

…用（…ヨウ）〈N〉used for…, intended for…
▷女性用（ジョセイ～）for women [female+]
用いる（もちいる）〈V〉use, utilize
用意（ヨウイ）〈Nv〉preparation [+intention]
用具（ヨウグ）〈N〉appliances, goods [+instrument]
用語（ヨウゴ）〈N〉technical terms, jargon [+word]
用紙（ヨウシ）〈N〉blank, form, paper [+paper]
用立てる（ヨウだてる）〈V〉lend, advance《money》[+set up]
…用地（…ヨウチ）〈N〉lot/land to be used for… [+land]
▷建築用地（ケンチク～）construction site [construction+]
農業用地（ノウギョウ～）agricultural land, farmland [agriculture+]
…用品（…ヨウヒン）〈N〉…goods [+article]
▷ハイキング用品 hiker's outfit [(hiking)+]
家庭用品（カテイ～）household goods [home+]
台所用品（ダイどころ～）kitchen utensils [kitchen+]
用法（ヨウホウ）〈N〉usage, how to use [+method]
▶引用（インヨウ）〈Nv〉quotation; citation [draw+]
活用（カツヨウ）〈Nv〉application, (put to) practical use; inflection, conjugation [vivid+]

errand

用（ヨウ）〈N〉errand
用事（ヨウジ）〈N〉errand, something to do [+affair]
▶私用（シヨウ）〈N〉private business [private+]

103 **北**	きた; ホク, -ボク, ホッ- ⇨[557]比	一 ㅓ ㅋ ㅋ' 北 北 北 北 北 北

north

北（きた）〈N〉north
北…（きた…）north…
▷北アフリカ〈N〉North Africa [+(Africa)]
北半球（～ハンキュウ）〈N〉Northern Hemisphere [+half+ball]
北側（きたがわ）〈N〉north side [+side]
北向き（きたむき）〈N〉facing north [+direction, orientate]
北緯（ホクイ）〈N〉north latitude [+latitude line]
北欧（ホクオウ）〈N〉Northern Europe [+Europe]
北西（ホクセイ）〈N〉northwest [+west]
北東（ホクトウ）〈N〉northeast [+east]
北部（ホクブ）〈N〉northern part [+part]
北極（ホッキョク）〈N〉North Pole [+extreme]
北方（ホッポウ）〈N〉northern [+direction]

rout

▶敗北（ハイボク）〈Nv〉(suffer) defeat [be defeated+]

〈Place〉

北海道（ホッカイドウ）Hokkaido Island/District/Pref.
北陸（ホクリク）Hokuriku District
北京（ペキン）Beijing

104	関	せき, -ぜき; カン ⇒[80]開, [1645]閑	

fort, barrier
関 (せき) 〈N〉 barrier station, check point
関税 (カンゼイ) 〈N〉 tariff, duties [+tax]

relate, joint
関する (カンする) 〈V〉 relate to
関係 (カンケイ) 〈Nv〉 relation, being related [+connect]
関心 (カンシン) 〈N〉 concern, interest [+heart]
関節 (カンセツ) 〈N〉 joint《of bones》 [+joint]
関連 (カンレン) 〈Nv〉 correlation, associate, refer [+link]

〈Place〉
関西 (カンサイ) Kansai District [+west] ➔SN
関東 (カントウ) Kanto District [+east] ➔SN

105	選	えら-; セン	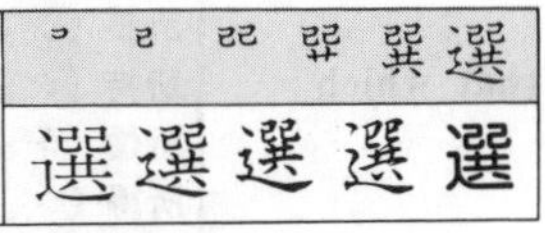

select, elect
選ぶ (えらぶ) 〈V〉 select, elect, choose
選挙 (センキョ) 〈Nv〉 (choose a person by) election [+raise]
選考 (センコウ) 〈Nv〉 screening, choice [+think]
選手 (センシュ) 〈N〉 regular player [+person]
選出 (センシュツ) 〈Nv〉 election, selection [+put out]
選択 (センタク) 〈Nv〉 selection, picking up [+select]
選抜 (センバツ) 〈Nv〉 sorting out, selection [+extract]

106	党	トウ	

party
党 (トウ) 〈N〉 political party
…党 (…トウ) 〈N〉 …party
▷共和党 (キョウワ～) G.O.P. [republic+]
公明党 (コウメイ～) Komeito [just and fair+]
自由党 (ジユウ～) Liberal Party [liberty+]
自由民主党 (ジユウミンシュ～) Liberal Democratic Party [liberty+democracy+]
日本共産党 (ニッポンキョウサン～) Japan Communist Party [Japan+common property+]
日本社会党 (ニッポンシャカイ～) Japan Socialist Party [Japan+society+]
保守党 (ホシュ～) Tories [conservative+]
民社党 (ミンシャ～) Democratic Socialist Party [people+assembling+]
民主党 (ミンシュ～) Democratic Party [democracy+]
労働党 (ロウドウ～) Labour Party [labor+]
▶悪党 (アクトウ) 〈N〉 villain [bad+]
甘党 (あまトウ) 〈N〉 person fond of sweets [sweet+]
辛党 (からトウ) 〈N〉 heavy drinker [bitter+]
野党 (ヤトウ) 〈N〉 opposition party [untamed+]
与党 (ヨトウ) 〈N〉 government party [engage+]

107 **所** とところ，-どころ；ショ，-ジョ

フ コ 戸 戸 所 所 / 所 所 所 所 所

place
所（ところ）〈N〉place
…所（…ショ/ジョ）〈N〉…place
▷研究所（ケンキュウジョ）laboratory, institute [research+]
裁判所（サイバンショ）court of justice [trial+]
停留所（テイリュウジョ）(bus) stop [stoppage+]
…か所/…カ所（…かショ）〈Q〉…places
▷一か所（イッ～），二か所（ニ～），三か所（サン～）
所在（ショザイ）〈N〉whereabouts, location [+exist]
所属（ショゾク）〈Nv〉affiliation, belonging [+belong]
所長（ショチョウ）〈N〉chief of an institute [+chief]

that which
所持（ショジ）〈Nv〉carrying, holding [+hold]
所信（ショシン）〈N〉belief, opinion, conviction [+believe]
所得（ショトク）〈N〉income [+obtain]
所有（ショユウ）〈Nv〉possession, possessing [+have]
所要（ショヨウ）〈N〉required [+indispensable]

108 **調** しら-，しらべ；ととの-；チョウ

言 言 訂 訶 訶 調 / 調 調 調 調 調

arrange, regulate
調える（ととのえる）〈V〉arrange, put in order
調う（ととのう）〈V〉be well-arranged →[452]整う
調印（チョウイン）〈Nv〉signing of a treaty [+stamp]
調整（チョウセイ）〈Nv〉arrangement, adjustment [+adjust]
調節（チョウセツ）〈Nv〉adjustment, tune-up [+tune]
調達（チョウタツ）〈Nv〉procurement, supply [+reach]
調停（チョウテイ）〈Nv〉mediation [+stop]
調味料（チョウミリョウ）〈N〉seasoning [+taste+ingredients]
調理（チョウリ）〈Nv〉cooking [+manage]
調和（チョウワ）〈Nv〉(be in) harmony, accord [+concord]

research, investigate
調べ（しらべ）〈N〉investigation
調べる（しらべる）〈V〉investigate, look into
調査（チョウサ）〈Nv〉investigation, research [+inspect]

tone, harmony
…調（…チョウ）〈N〉…tone
▷五七調（ゴシチ～）5-7-beat meter [five+seven+]
七五調（シチゴ～）7-5-beat meter [seven+five+]
復古調（フッコ～）revival style [revival+]
文語調（ブンゴ～）literary style [written language+]
調べ（しらべ）〈N〉harmony, music
調子（チョウシ）〈N〉tune; condition [+piece]
▶短調（タンチョウ）〈N〉minor key [short+]
長調（チョウチョウ）〈N〉major key [long+]
ハ調（ハチョウ）〈N〉C《key of music》
★The keys of A, B, C, D, E, F, and G are イ，ロ，ハ，ニ，ホ，ヘ，ト

109 **正**	ただ-; まさ; **ショウ**, -ジョウ; **セイ** 〈PN〉ただし ⇨[400]止	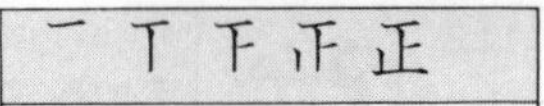 正 正 正 正 正

correct, right, just

正しい (ただしい) 〈A〉 correct, right, just
正す (ただす) 〈V〉 correct
正に (まさに) 〈Adv〉 indeed, exactly, as expected
正月 (ショウガツ) 〈T〉 New Year's Days [+month]
正午 (ショウゴ) 〈T〉 noon [+noon]
正直 (ショウジキ) 〈N/Na〉 honesty [+straight]
正体 (ショウタイ) 〈N〉 true character, unveiled shape [+body]
正面 (ショウメン) 〈N〉 front, façade [+face]
正解 (セイカイ) 〈N〉 correct answer [+dissolve]
正確 (セイカク) 〈Na〉 correct, exact, right [+certain, firm]
正規 (セイキ) 〈N〉 formal, regular, legitimate [+regulate]
正義 (セイギ) 〈N〉 justice [+righteous duty]
正式 (セイシキ) 〈N〉 formal [+formula]
正常 (セイジョウ) 〈N/Na〉 not abnormal [+usual]
正当 (セイトウ) 〈N/Na〉 justifiable, rightful [+hit]

plus

正 (セイ) 〈N〉 plus 《not minus》

110 **体**	からだ; **タイ**; テイ ⇨[583]休	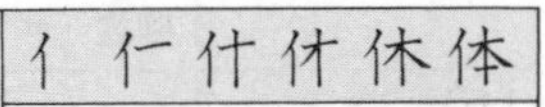 体 体 体 体 体

body

体 (からだ;タイ) 〈N〉 living body; figure, body
…体 (…タイ) 〈N〉 …body; …style
▷自治体 (ジチ～) self-governing body [self-governing+]
体当(た)り (タイあたり) 〈Nv〉 dashing oneself against, with all one's strength [+hit]
体育 (タイイク) 〈N〉 gymnastics [+breed]
体格 (タイカク) 〈N〉 physique [+structure]
体系 (タイケイ) 〈N〉 system [+lineage]
体験 (タイケン) 〈Nv〉 actual experience [+proof]
体質 (タイシツ) 〈N〉 predisposition [+quality]
体重 (タイジュウ) 〈N〉 body weight [+heavy]
体制 (タイセイ) 〈N〉 setup, order, structure [+system]
体操 (タイソウ) 〈Nv〉 physical exercise [+operate]
体力 (タイリョク) 〈N〉 physical stamina [+power]
体裁 (テイサイ) 〈N〉 format, appearance, style [+tailor]

111 **川**	かわ, -がわ; **セン** ⇨[63]小	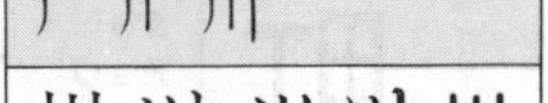 川 川 川 川 川

river

川 (かわ) 〈N〉 river
…川 (…かわ/がわ) 〈N〉 …River
▷大和川 (やまとがわ) Yamato River [*PN*+]
▶小川 (おがわ) 〈N〉 brook, stream [small+]
河川 (カセン) 〈N〉 rivers [large river+]

112 **強**

しｰ, ｰじｰ; **つよｰ**, ｰづよｰ;
キョウ; **ゴウｰ**
〈PN〉つよし

強強強強強

force, strong

強いる (しいる) 〈V〉 force, compel
強い (つよい) 〈A〉 forceful, strong
強さ (つよさ) 〈N〉 strength, vigor
強まる (つよまる) 〈V〉 be strengthened
強める (つよめる) 〈V〉 strengthen
強気 (つよキ) 〈N〉 bullish, aggressive [+spirit]
強味 (つよミ) 〈N〉 strong point [+*Ph*] ➔SN
強化 (キョウカ) 〈Nv〉 reinforcement, strengthening [+*Suf* conversion]
強行 (キョウコウ) 〈Nv〉 doing resolutely [+exert]
強硬 (キョウコウ) 〈Na〉 resolute, firm [+solid]
強制 (キョウセイ) 〈Nv〉 compulsion [+regulate]
強調 (キョウチョウ) 〈Nv〉 emphasis [+tone]
強敵 (キョウテキ) 〈N〉 strong enemy, rival [+enemy]
強力 (キョウリョク) 〈Na〉 powerful《of things》 [+power]
強烈 (キョウレツ) 〈Na〉 intense, vigorous [+furious]
強引 (ゴウイン) 〈Na〉 forceful, persuasive [+pull]
強盗 (ゴウトウ) 〈N〉 burglar, house breaker [+rob]

113 **来**

くｰ, **きｰ**, **きたｰ**, **こｰ**;
ライ

⇨[90]米

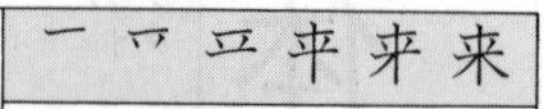

来来来来来

come

来… (ライ…) next..., coming...
▷来年度 (〜ネンド) 〈T〉 next fiscal year [+fiscal year]
…来 (…ライ) 〈T〉 since...; these...
▷昨年来 (サクネン〜) since last year [last year+]
来(た)る… (きたる…) 〈Adj〉 coming...《of date》 →[618]去る…
来る; 来ます (くる; きます) 〈V〉 come
来ない (こない) 〈V〉 not come
来月 (ライゲツ) 〈T〉 next month [+month]
来週 (ライシュウ) 〈T〉 next week [+week]
来春 (ライシュン) 〈T〉 next spring, coming spring [+spring]
来日 (ライニチ) 〈Nv〉 coming to Japan [+Japan]
来年 (ライネン) 〈T〉 next year [+year]
来賓 (ライヒン) 〈N〉 honorable guest [+honored guest]

114 **町**

まち;
チョウ

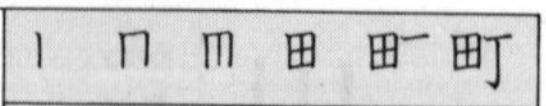

町町町町町

town

町 (まち) 〈N〉 town; sub-ward
…町 (…まち/チョウ) 〈N〉 ...town; ...Sub-ward, ...Street
▷大手町 (おおてまち) Ote-machi [*PN*+] ➔SN
城下町 (ジョウカまち) castle town [castle+under+] ➔SN
町長 (チョウチョウ) 〈N〉 town headman [+chief]

115 成	な-, なり; ジョウ; **セイ** 〈PN〉 しげ, よし ⇒[982]威	ノ 厂 万 成 成 成 成 成 成 成 成

form, emerge, bring out

成す (なす) 〈V〉 make, constitute
成る (なる) 〈V〉 be brought out, emerge
成(り)立つ (なりたつ) 〈V〉 consist, be formed [+stand]
成(り)行き (なりゆき) 〈N〉 outcome, course of events [+go]
成就 (ジョウジュ) 〈Nv〉 accomplishment 《of one's purpose, etc.》 [+be engaged]
成果 (セイカ) 〈N〉 achievement, result [+fruit]
成功 (セイコウ) 〈Nv〉 success [+merit]
成人 (セイジン) 〈N〉 adult [+man]
成績 (セイセキ) 〈N〉 achievement, score [+accumulate]
成長 (セイチョウ) 〈Nv〉 growth [+long]
成分 (セイブン) 〈N〉 constituent, component [+part]
成立 (セイリツ) 〈Nv〉 being established [+stand]

116 名	な; ミョウ; **メイ** ⇒[182]各	ノ ク タ タ 名 名 名 名 名 名 名

name

名 (な) 〈N〉 name
あだ名 (あだな) 〈N〉 nickname, dub [(futile)+]
名付ける (なづける) 〈V〉 name [+attach]
名乗る (なのる) 〈V〉 call oneself, declare [+ride] ➜SN
名前 (なまえ) 〈N〉 name [+front]
名刺 (メイシ) 〈N〉 name card, visiting card [+thrust] ➜SN
名称 (メイショウ) 〈N〉 name, title [+denominate]
名簿 (メイボ) 〈N〉 name list, directory [+notebook]
名目 (メイモク) 〈N〉 nominal, by name [+sight]
▶偽名 (ギメイ) 〈N〉 false name [false+]
匿名 (トクメイ) 〈N〉 anonymity [conceal+]
本名 (ホンミョウ) 〈N〉 real name 《not pseudonym》 [true+]

famous

名… (メイ…) famous…
▷名勝負 (～ショウブ) 〈N〉 good match [+match]
名画 (メイガ) 〈N〉 masterpiece of pictures/movies [+picture]
名曲 (メイキョク) 〈N〉 famons tune [+tune]
名作 (メイサク) 〈N〉 masterpiece [+produce]
名門 (メイモン) 〈N〉 illustrious family/school [+gate]
名所 (メイショ) 〈N〉 famous place [+place]
名人 (メイジン) 〈N〉 master, expert [+person]
名物 (メイブツ) 〈N〉 local speciality [+thing]
名誉 (メイヨ) 〈N〉 honor [+fame]

***Cs* members**

…名 (…メイ) 〈Q〉 …persons 《capacity of car, room, etc.》
▷一名 (イチ～), 二名 (ニ～), 三名 (サン～)

〈Place〉

名古屋 (なごや) Nagoya City

***Abbr* 名古屋**

名神高速道路 (メイシンコウソクドウロ) 〈N〉 Nagoya-Kobe Expressway [+Kobe+high-speed+road]

117 要	い-; ヨウ 〈PN〉かなめ	覀 西 西 要 要 要 要 要 要 要 要

indispensable, essential

要… (ヨウ…) needs… 《typically as a sign》
　▷要注意 (～チュウイ) 〈N〉 requiring care, caution [+care]
要る (いる) 〈V〉 be required/needed
要する (ヨウする) 〈V〉 require, need
要するに (ヨウするに) 〈Adv〉 in short, briefly
要は (ヨウは) 〈Adv〉 essentially; in brief
要因 (ヨウイン) 〈N〉 primary factor [+cause]
要求 (ヨウキュウ) 〈Nv〉 requirement, demand [+demand]
要旨 (ヨウシ) 〈N〉 point, gist, summary [+purport]
要請 (ヨウセイ) 〈Nv〉 request [+request]
要素 (ヨウソ) 〈N〉 element [+element]
要点 (ヨウテン) 〈N〉 gist, point [+point]
要望 (ヨウボウ) 〈Nv〉 expectation, cry (for) [+wish]
要約 (ヨウヤク) 〈Nv〉 summary, summarization [+abbreviate]
要領 (ヨウリョウ) 〈N〉 knack, gist, purport [+dominion] ➔SN

118 意	イ	亠 立 音 音 意 意 意 意 意 意 意

intention

意 (イ) 〈N〉 intention, mind
意外 (イガイ) 〈N/Na〉 unexpected [+out]
意気 (イキ) 〈N〉 spirit, morale [+spirit]
意見 (イケン) 〈N〉 opinion; 〈Nv〉 advise, admonition [+view]
意向 (イコウ) 〈N〉 intention, inclination [+direction]
意志/思 (イシ) 〈N〉 will, volition [+ambition/think]
意地 (イジ) 〈N〉 temper, disposition; will power; obstinacy [+base]
意識 (イシキ) 〈Nv〉 (have) consciousness [+recognition]
意図 (イト) 〈Nv〉 design [+devise]
意欲 (イヨク) 〈N〉 ambition [+desire]

meaning

意義 (イギ) 〈N〉 significance [+meaning]
意味 (イミ) 〈N〉 meaning [+taste]

119 期	キ; -ゴ	一 卄 甘 其 期 期 期 期 期 期 期

term, period

…期 (…キ) 〈N〉 …period
　▷青年期 (セイネン～) one's youth, adolescence [youth+]
期間 (キカン) 〈T〉 period, term [+period]
期限 (キゲン) 〈N〉 deadline [+limit]
期日 (キジツ) 〈N〉 appointed day [+day]
▶最期 (サイゴ) 〈N〉 one's last moments [most+]

expect

期す (キす) 〈V〉 expect
期待 (キタイ) 〈Nv〉 expectation [+wait]

120 外

そと; はず-; ほか;
ガイ; ゲ
〈PN〉 と, との-

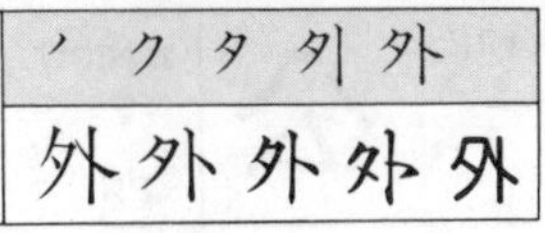

out, outer

外 (そと) 〈N〉 outside
…外 (…ガイ) 〈N〉 out of…, outside…
▷予想外 (ヨソウ～) unexpected [prospect+]
外す (はずす) 〈V〉 remove, detach, put out of place
外れる (はずれる) 〈V〉 come off, be disconnected
外観 (ガイカン) 〈N〉 external appearance 《of a thing》 [+observe]
外見 (ガイケン) 〈N〉 outward appearance 《of a thing/person》 [+see]
外出 (ガイシュツ) 〈Nv〉 going out [+go out]
外部 (ガイブ) 〈N〉 outside [+part]
外科 (ゲカ) 〈N〉 surgery [+division] →[51]内科

other, foreign

外 (ほか) 〈S〉 other
外貨 (ガイカ) 〈N〉 foreign currency [+currency]
外気 (ガイキ) 〈N〉 open air [+air]
外交 (ガイコウ) 〈N〉 diplomacy [+intercourse]
外国 (ガイコク) 〈N〉 foreign country [+country]
外国人 (ガイコクジン) 〈N〉 foreigner, alien [+country+person]
外資 (ガイシ) 〈N〉 foreign capital/funds [+capital]
外相 (ガイショウ) 〈N〉 Minister for Foreign Affairs [+minister]
外人 (ガイジン) 〈N〉 foreigner [+person]
外電 (ガイデン) 〈N〉 foreign dispatch [+telegram]
外務省 (ガイムショウ) 〈N〉 Ministry of Foreign Affairs [+duty+ministry]

121 最

もっと-;
サイ-
〈Ir〉 : 〈PN〉 も-

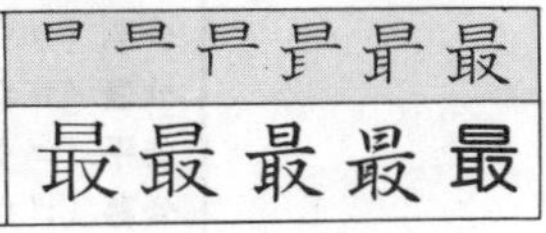

most

最… (サイ…) the most…
▷最高級 (～コウキュウ) 〈N〉 best quality [+high-grade]
最も (もっとも) 〈Adv〉 most
最悪 (サイアク) 〈N〉 worst [+bad]
最近 (サイキン) 〈T〉 recently [+recent]
最後 (サイゴ) 〈N〉 last [+later]
最期 (サイゴ) 〈N〉 one's last moments [+period]
最高 (サイコウ) 〈N〉 highest, supreme, paramount [+high]
最終 (サイシュウ) 〈N〉 last, final, end [+end]
最初 (サイショ) 〈T〉 first, beginning [+begin]
最小 (サイショウ) 〈N〉 smallest, minimum [+small]
最新 (サイシン) 〈N〉 up-to-dateness, newest [+new]
最大 (サイダイ) 〈N〉 greatest, biggest, maximum [+big, great]
最中 (サイチュウ) 〈T〉 in the midst of [+middle]
最低 (サイテイ) 〈N〉 lowest, lowermost [+low]
最適 (サイテキ) 〈N/Na〉 optimum, most suitable [+proper]
最良 (サイリョウ) 〈N〉 best, most excellent [+good]
〈Ir〉 最寄りの (もよりの) 〈Adj〉 closest, nearest [+edge]

122 公	おおやけ; コウ; ク 〈PN〉 きみ	ノ 八 公 公 公 公 公 公 公

public, not private, official

公 (おおやけ) 〈N〉 public, not private
公安 (コウアン) 〈N〉 public order [+safe]
公営 (コウエイ) 〈N〉 public management [+operate]
公園 (コウエン) 〈N〉 public park [+garden]
公演 (コウエン) 〈Nv〉 performance, concert [+perform]
公開 (コウカイ) 〈Nv〉 open to the public [+open]
公害 (コウガイ) 〈N〉 public nuisance, pollution [+hurt]
公会堂 (コウカイドウ) 〈N〉 town hall [+assembling+hall]
公共 (コウキョウ) 〈N〉 public, common [+common]
公使 (コウシ) 〈N〉 minister 《diplomat》 [+envoy]
公式 (コウシキ) 〈N〉 formality; formula [+formula]
公社 (コウシャ) 〈N〉 public corporation 《JNR, NTT, and Tobacco & Salt Monopoly》 [+company]
公衆 (コウシュウ) 〈N〉 the public [+crowd]
公正 (コウセイ) 〈Na〉 fair, just, impartial [+just]
公然 (コウゼン) 〈N/Nt〉 open, public [+*Suf* state]
公団 (コウダン) 〈N〉 public corporation 《broader term than 公社》 [+group]
公聴会 (コウチョウカイ) 〈N〉 public hearing [+listen+meeting]
公定 (コウテイ) 〈N〉 official fixture [+fix]
公的 (コウテキ) 〈N/Na〉 public, official [+*Suf Na*]
公認 (コウニン) 〈Nv〉 official recognition/approval [+approve]
公判 (コウハン) 〈N〉 public trial [+judge]
公表 (コウヒョウ) 〈Nv〉 official announcement; public disclosure [+display]
公平 (コウヘイ) 〈N/Na〉 fair, impartial [+even]
公募 (コウボ) 〈Nv〉 public offering 《of bonds, etc.》 [+collect]
公民館 (コウミンカン) 〈N〉 public hall [+people+mansion]
公務 (コウム) 〈N〉 official duty, public service [+duty]
公務員 (コウムイン) 〈N〉 civil servant [+duty+member]
公明 (コウメイ) 〈Na〉 just and fair, fair and square [+clear]
公約 (コウヤク) 〈Nv〉 (make) public pledge, campaign promise [+promise]
公用 (コウヨウ) 〈N〉 official business [+errand]
公立 (コウリツ) 〈N〉 public(ly established) [+establish]

duke, lord, guy

…公 (…コウ) 〈N〉 Duke/Lord of…; the guy…
▶主人公 (シュジンコウ) 〈N〉 hero/heroine of a novel, drama, etc. [main+person+]

123 題	ダイ	日 早 昰 是 題 題 題 題 題 題 題

title, theme

題 (ダイ) 〈Nv〉 title, theme
題名 (ダイメイ) 〈N〉 title 《of a drama, movie, etc.》 [+name]
▶話題 (ワダイ) 〈N〉 topic [talk+]

***Cs* questions**

…題 (…ダイ) 〈Q〉 …questions
▷一題 (イチ〜), 二題 (ニ〜), 三題 (サン〜)

124 **表**	あら-, **あらわ-**; **おもて**; **ヒョウ**, -ピョウ	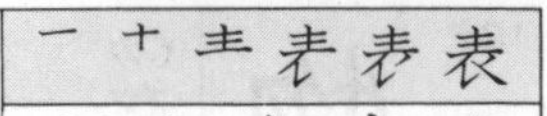 表表表表表

surface

表 (おもて) 〈N〉 surface, front
表紙 (ヒョウシ) 〈N〉 cover [+paper]
表情 (ヒョウジョウ) 〈N〉 facial expression [+emotion]
表面 (ヒョウメン) 〈N〉 surface [+face]

appear, display

表(わ)す (あらわす) 〈V〉 express, display
表決 (ヒョウケツ) 〈Nv〉 voting, calling the roll [+determine]
表現 (ヒョウゲン) 〈Nv〉 expression [+appearance]
表示 (ヒョウジ) 〈Nv〉 manifestation [+indicate]
表彰 (ヒョウショウ) 〈Nv〉 awarding [+publicize]
表明 (ヒョウメイ) 〈Nv〉 stating, declaration [+clear]
▶発表 (ハッピョウ) 〈Nv〉 announcement, publication [issue+]

table, tabular

表 (ヒョウ) 〈N〉 table, tabular
…表 (…ヒョウ) 〈N〉 table of…
▷時間表 (ジカン～) timetable, schedule 《of a school, etc.》 [time+]
時刻表 (ジコク～) timetable, schedule 《of an airline, train, etc.》 [time, hour+]
正誤表 (セイゴ～) list of corrections, errata [correct and error+]
乱数表 (ランスウ～) table of random numbers [random number+]

125 **電**	デン ⇨[1524]雷	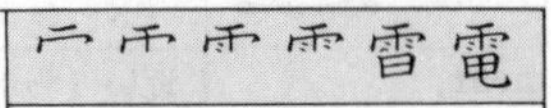 電電電電電

electricity

電化 (デンカ) 〈Nv〉 electrification [+*Suf* conversion]
電気 (デンキ) 〈N〉 electricity, electric light [+anima]
電器 (デンキ) 〈N〉 electric appliances [+tool]
電機 (デンキ) 〈N〉 electric machinery [+machine]
電球 (デンキュウ) 〈N〉 electric bulb [+bulb]
電子 (デンシ) 〈N〉 electron [+tiny thing]
電車 (デンシャ) 〈N〉 electric tram [+vehicle]
電送 (デンソウ) 〈Nv〉 teletransmission [+send]
電池 (デンチ) 〈N〉 electric cell, battery [+pool]
電柱 (デンチュウ) 〈N〉 electric pole, telegraph post [+pole]
電灯 (デントウ) 〈N〉 electric light [+light]
電波 (デンパ) 〈N〉 electric wave [+wave]
電報 (デンポウ) 〈N〉 telegram [+report]
電力 (デンリョク) 〈N〉 electric power [+power]
電話 (デンワ) 〈Nv〉 telephone [+talk]

tram

▶国電 (コクデン) 〈N〉 JNR lines 《in Tokyo》 [nation+]
市電 (シデン) 〈N〉 streetcar (line) [city+]

telegraph

▶ウナ電 〈N〉 urgent telegram [(*sign*)+]
外電 (ガイデン) 〈N〉 foreign dispatch [foreign+]
公電 (コウデン) 〈N〉 official cable [official+]
祝電 (シュクデン) 〈N〉 congratulatory telegram [celebration+]

126 物	もの； ブツ，ブッ-；-モツ，モッ-	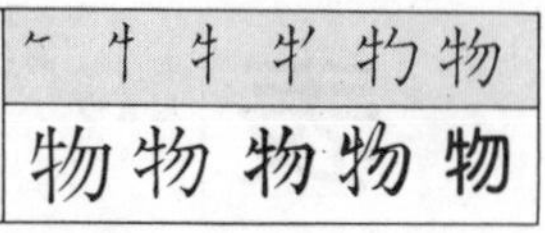

thing, figure
- 物（もの）〈N〉thing
- …物（…ブツ/もの）〈N〉…things, …matter
  - ▷印刷物（インサツブツ）printed matter [print+]
  - 洗濯物（センタクもの）laundry, washing [laundering+]
- 物語（ものがたり）〈N〉tale, story, legend [+word]
- 物語る（ものがたる）〈V〉narrate, tell [+word]
- 物理(学)（ブツリ(ガク)）〈N〉physics [+logic+(…studies)]
- 物価（ブッカ）〈N〉commodity prices [+price]
- 物産（ブッサン）〈N〉local product [+product]
- 物資（ブッシ）〈N〉goods, commodities, materials [+fundamental]
- 物質（ブッシツ）〈N〉substance, material [+quality]
- 物品（ブッピン）〈N〉goods, article [+article]
- ▶荷物（にモツ）〈N〉load, baggage, goods [load+]

sacrificed animal
- 物色（ブッショク）〈Nv〉casting about for, hunting up, looking for [+feature]

127 近	ちか-，-ぢか； キン 〈PN〉おうみ(近江)，このエ(近衛)，コン	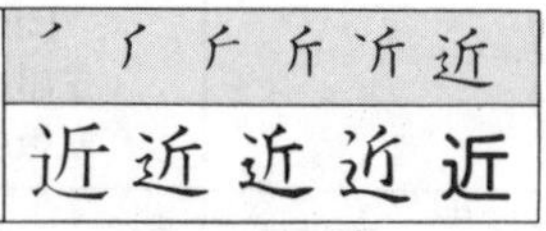

near, near in the future
- 近い（ちかい）〈A〉near, close
- 近く（ちかく）〈N〉close by; 〈T〉near in the future
- 近づく（ちかづく）〈V〉approach, get near
- 近郊（キンコウ）〈N〉environs《of a city》 [+suburb]
- 近視（キンシ）〈N〉shortsightedness, myopia [+sight]
- 近日（キンジツ）〈T〉soon, in a few days [+day]
- 近所（キンジョ）〈N〉vicinity, neighborhood [+place]

recent
- 近ごろ（ちかごろ）〈T〉recently, lately
- 近況（キンキョウ）〈N〉recent situation [+state of things]
- 近世（キンセイ）〈N〉recent ages; Edo era《Jap. hist.》 [+period]
- 近代（キンダイ）〈N〉modern ages; Meiji and Taisho eras《Jap. hist.》 [+period]
- 近年（キンネン）〈T〉recent years [+year]

〈Place〉
- 近畿（キンキ）Kinki District

128 安	やす； アン 〈PN〉あ	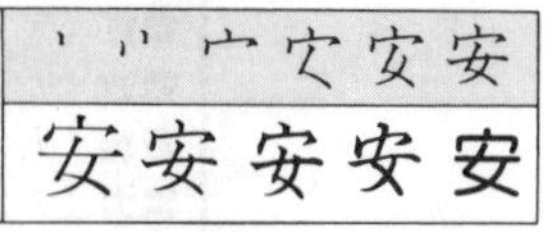

safe
- 安らか（やすらか）〈Na〉peaceful, calm
- 安易（アンイ）〈Na〉easygoing [+easy]
- 安心（アンシン）〈Nv〉peace of mind, relief, safety [+heart]
- 安全（アンゼン）〈Na〉safety, security [+whole]
- 安定（アンテイ）〈Nv〉(achieve) stability [+settle]

cheap
- 安い（やすい）〈A〉inexpensive
- 安売り（やすうり）〈Nv〉bargain sale [+sell]

129 道	みち； -トウ；ドウ	⺍ ⺌ 䒑 首 首 道 道 道 道 道 道

way, means
- 道（みち）〈N〉 way, means, road
- …道（…みち/ドウ）〈N〉 …way, …pass, …road
  - ▷散歩道（サンポみち） promenade [stroll+]
  - 並木道（なみきみち） tree-lined street [row of trees+]
  - 地下道（チカドウ） underpass [underground+]
  - 東海道（トウカイドウ） Tokaido highway《Jap. hist.》[east+sea+]
- 道具（ドウグ）〈N〉 tool [+instrument]
- 道路（ドウロ）〈N〉 road, street [+road]

moral, way of man
- 道（みち）〈N〉 moral, way of man
- …道（…ドウ）〈N〉 …teachings, …moral, …philosophy, …code
  - ▷武士道（ブシ～） *bushido*, Japanese chivalry [*samurai*+]
- 道義（ドウギ）〈N〉 morality, moral principles [+righteous duty]
- 道徳（ドウトク）〈N〉 morality, ethics [+virtue]
- ▶柔道（ジュウドウ）〈N〉 *judo* [flexible+]
- 神道（シントウ）〈N〉 Shintoism [god+]

tell
- ▶報道（ホウドウ）〈Nv〉 information《of news》, coverage [report+]

〈Place〉
- ▶北海道（ホッカイドウ） Hokkaido Island/Pref./District

***Abbr* 北海道**
- 道庁（ドウチョウ）〈N〉 Hokkaido Government Office [+government office]
- ▶都道府県（トドウフケン）〈N〉 (Japanese) prefectures《collectively》[Tokyo+～+Kyoto/Osaka+prefecture]

130 書	か-，-が-，かき，-がき； ショ，-ジョ	⺊ ⺕ ⺕ ⺕ 聿 書 書 書 書 書 書

write
- 書く（かく）〈V〉 write
- 書簡（ショカン）〈N〉 letter, epistle [+epistle]
- 書記（ショキ）〈N〉 scribe, secretary, clerk [+describe]
- 書物（ショモツ）〈N〉 books [+thing]
- 書道（ショドウ）〈N〉 calligraphy《with a brush》[+way]

book
- 書（ショ）〈N〉 book
- …書（…ショ）〈N〉 …book
  - ▷愛読書（アイドク～） one's favorite book [reading with pleasure+]
  - 専門書（センモン～） technical book [specialty+]
- 書籍（ショセキ）〈N〉 books [+tome]
- 書店（ショテン）〈N〉 book shop [+shop]
- 書名（ショメイ）〈N〉 title《of a book》[+name]

document
- …書（…ショ）〈N〉 …document, dossier of…
  - ▷契約書（ケイヤク～） contract paper [contract+]
  - 証明書（ショウメイ～） certificate [proof+]
  - 報告書（ホウコク～） (written) report [report+]
  - 履歴書（リレキ～） curriculum vitae [carry on+career+]
- 書類（ショルイ）〈N〉 documents, papers [+sort]

131 **売** うー, うりー; バイ

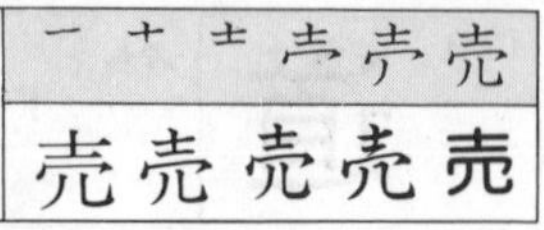

sell

売る (うる) 〈V〉 sell (*vt.*)
売(り)上げ (うりあげ) 〈N〉 proceeds, receipts [+up]
売(り)出す (うりだす) 〈V〉 offer for sale, place on market [+put out]
売(り)場 (うりば) 〈N〉 counter 《for sale of goods》, saleroom [+place]
売却 (バイキャク) 〈Nv〉 sale, sell-off [+throughout]
売春 (バイシュン) 〈Nv〉 prostitution [+amorous]
売店 (バイテン) 〈N〉 stand 《for sale of goods》, stall [+shop]
売買 (バイバイ) 〈Nv〉 buying and selling, trade [+buy]

132 **原** はら, -ばら; ゲン 〈Ir〉

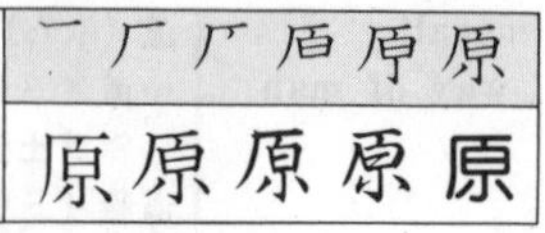

field

原(っぱ) (はら(っぱ)) 〈N〉 field, grasses
〈Ir〉 ▶河/川原 (かわら) 〈N〉 river bank [large river/river+]

origin, basic

原… (ゲン…) original…; primitive…
▷原資料 (～シリョウ) 〈N〉 original materials, primitive data [+materials]
原案 (ゲンアン) 〈N〉 original plan, original proposal [+idea]
原因 (ゲンイン) 〈Nv〉 cause, factor [+cause]
原稿 (ゲンコウ) 〈N〉 manuscript, draft [+draft]
原作 (ゲンサク) 〈N〉 original work 《on which a translation, movie, etc. is based》 [+make]
原始 (ゲンシ) 〈N〉 primitive, primary [+begin]
原子 (ゲンシ) 〈N〉 atom [+tiny thing]
原色 (ゲンショク) 〈N〉 primary color [+color]
原子力 (ゲンシリョク) 〈N〉 atomic/nuclear energy [+tiny thing+power]
原則 (ゲンソク) 〈N〉 principle, fundamental rule [+rule]
原動力 (ゲンドウリョク) 〈N〉 motive power, prime mover [+move+power]
原油 (ゲンユ) 〈N〉 crude oil [+oil]
原理 (ゲンリ) 〈N〉 principle, fundamental truth [+logic]
原料 (ゲンリョウ) 〈N〉 raw material [+material]

Abbr **原子(力)**

原爆 (ゲンバク) 〈N〉 atomic bomb [+bomb] ➔SN
原発 (ゲンパツ) 〈N〉 nuclear power station [+issue] ➔SN

133 **話** はなー, はなし, -ばなし; ワ ⇨[274]語

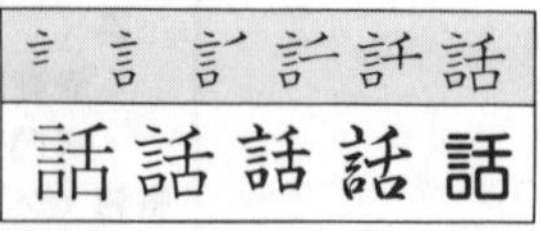

talk, tale

話 (はなし) 〈N〉 talk, speech, statement, lecture
…話 (…ばなし) 〈N〉 …tale
▷思い出話 (おもいで～) reminiscences [reminiscences+]
世間話 (セケン～) gossip [society+]
話す (はなす) 〈V〉 talk, speak
話(し)合い (はなしあい) 〈N〉 consultation, discussion, negotiations [+meet]
話(し)合う (はなしあう) 〈V〉 talk with, discuss with [+meet]
話題 (ワダイ) 〈N〉 topic, subject of conversation [+theme]

134 不	フ-; ブ- ⇨[148]木	一 ブ イ 不 / 不 不 不 不 不

un-

不… (フ…/ブ…) un-…, non-… →[491]非…
▷不完全 (フカンゼン) 〈N/Na〉 imperfect [+perfect]
不景気 (フケイキ) 〈N/Na〉 depression, inactive [+prosperity]
不作法 (ブサホウ) 〈N/Na〉 lack of manner [+manner]
不安 (フアン) 〈N/Na〉 anxiety, worry [+safe]
不運 (フウン) 〈N/Na〉 misfortune [+destiny]
不快 (フカイ) 〈N/Na〉 unpleasantness, discomfort [+pleasant]
不可解 (フカカイ) 〈Na〉 mystery, inexplicability [+passable+dissolve]
不可欠 (フカケツ) 〈Na〉 indispensability [+passable+lack]
不可抗力 (フカコウリョク) 〈N〉 irresistible force [+passable+protest+power]
不可侵 (フカシン) 〈N〉 inviolability, nonaggression [+passable+invade]
不可避 (フカヒ) 〈N〉 inevitability [+passable+avoid]
不可分 (フカブン) 〈N/Na〉 indivisibility [+passable+division]
不吉 (フキツ) 〈Na〉 ill-omened, sinister [+good omen]
不況 (フキョウ) 〈N〉 depression [+state of things]
不潔 (フケツ) 〈Na〉 impure, uncleanly [+clean]
不幸 (フコウ) 〈N/Na〉 misfortune, unhappiness [+happy]
不在 (フザイ) 〈N〉 absence [+exist]
不思議 (フシギ) 〈N/Na〉 wonder, marvelousness [+fancy+debate]
不祥事 (フショウジ) 〈N〉 accursed event [+omen+happening]
不信 (フシン) 〈N〉 insincerity, distrust [+trust]
不振 (フシン) 〈N〉 inactivity, slump [+thrive]
不審 (フシン) 〈N/Na〉 doubt, suspicious [+ascertain]
不正 (フセイ) 〈N/Na〉 injustice [+just]
不足 (フソク) 〈Nv〉 insufficiency, shortage [+suffice]
不調 (フチョウ) 〈N/Na〉 bad condition; discord [+arrange; tone]
不通 (フツウ) 〈N〉 suspension, impassability [+pass]
不定 (フテイ) 〈N〉 indefiniteness, unfixedness [+fix]
不当 (フトウ) 〈Na〉 improper, unfair, unreasonable [+hit]
不動産 (フドウサン) 〈N〉 real estate [+move+property]
不能 (フノウ) 〈N〉 impossibility, impotence [+ability]
不敗 (フハイ) 〈N〉 invincibility [+be defeated]
不備 (フビ) 〈N/Na〉 defect, deficiency [+provide]
不服 (フフク) 〈N/Na〉 dissatisfaction, disapproval [+obey]
不便 (フベン) 〈N/Na〉 inconvenience [+convenience]
不法 (フホウ) 〈N/Na〉 illegality [+law]
不満 (フマン) 〈N/Na〉 dissatisfaction, complaint [+fill]
不明 (フメイ) 〈N/Na〉 obscurity, uncertainty [+clear]
不要/用 (フヨウ) 〈N/Na〉 unnecessity; desuetude [+indispensable/use]
不利 (フリ) 〈N/Na〉 disadvantage, unfavorable [+profit]
不良 (フリョウ) 〈N〉 badness, defectiveness; delinquent [+good]
不細工 (ブサイク) 〈Na〉 awkward, plain [+fine+craft]

135 **経**	へ-; キョウ, -ギョウ; **ケイ** 〈PN〉 つね ⇨[1451]径	く 幺 幺 糸 糸ス 経 経 経 経 経 経

longitude line	経緯 (ケイイ) 〈N〉 course of matters, circumstances [+latitude line]
	経度 (ケイド) 〈N〉 longitude [+degree]
	▶東経 (トウケイ) 〈N〉 east longitude [east+]
	西経 (セイケイ) 〈N〉 west longitude [west+]
pass through, passage, elapse	経る (へる) 〈V〉 pass through, via
	経過 (ケイカ) 〈N〉 progress, course; 〈Nv〉 lapse《of time》 [+pass]
	経験 (ケイケン) 〈Nv〉 experience [+proof]
	経費 (ケイヒ) 〈N〉 expenses, expenditure [+expense]
	経由 (ケイユ) 〈Nv〉 via, (going) by way of [+course]
sutra	(お)経 ((お)キョウ) 〈N〉 Buddhist sutra [(*Pref honorific*+)]
control	経営 (ケイエイ) 〈Nv〉 management, conduct《in business》 [+carry on]
	経済 (ケイザイ) 〈N〉 economy [+save] ➜SN
	経済学 (ケイザイガク) 〈N〉 economics [+relieve+...studies]
	経済的 (ケイザイテキ) 〈Na〉 economical; economic [+relieve+*Suf Na*]

136 **文**	ふみ, -ぶみ; **ブン**; モン 〈Ir〉; 〈PN〉 あや ⇨[1317]丈	` 亠 ナ 文 文 文 文 文 文

pattern	文様 (モンヨウ) 〈N〉 pattern, design [+appearance]
literal, letter	文 (ふみ) 〈N〉 letter, epistle
	文化 (ブンカ) 〈N〉 culture [+*Suf* conversion]
	文学 (ブンガク) 〈N〉 literature [+...studies]
	文芸 (ブンゲイ) 〈N〉 literary art, art and literature [+art]
	文献 (ブンケン) 〈N〉 text《in philology》; literature (cited) [+contribute]
	文豪 (ブンゴウ) 〈N〉 literary magnate [+stout]
	文書 (ブンショ/モンジョ) 〈N〉 document, notes, missive [+document]
	文章 (ブンショウ) 〈N〉 composition, sentences [+chapter]
	文明 (ブンメイ) 〈N〉 civilization [+bright]
〈Ir〉	文字 (モンジ/モジ) 〈N〉 letter, character [+character]
	文部省 (モンブショウ) 〈N〉 Ministry of Education [+part+ministry]
sentence	文 (ブン) 〈N〉 writings, sentence
	文句 (モンク) 〈N〉 phrase, expression; objection, complaint [+phrase]
mon 《=penny》	▶無一文 (ムイチモン) 〈N〉 penniless [non-+one+]

137 **約**	**ヤク**, ヤッ-	く 幺 幺 糸 約 約 約 約 約 約 約

promise	約束 (ヤクソク) 〈Nv〉 promise, appointment [+bundle]
	▶解約 (カイヤク) 〈Nv〉 cancellation of a contract/reservation [dissolve+]
approximate	約… (ヤク…) 〈Q〉 about..., approximately...
	▷約三日 (~みっか) about three days [+three days]
abbreviate	▶節約 (セツヤク) 〈Nv〉 saving, economization [moderate+]
	要約 (ヨウヤク) 〈Nv〉 summarization [essential+]

138 品	しな, -じな; ヒン, -ピン ⇒[1698]晶

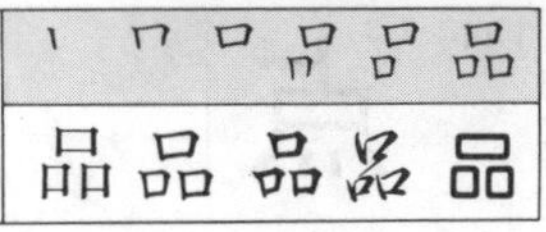

article, goods

品 (しな) 〈N〉 article, goods
…品 (…ヒン) 〈N〉 …goods
▷高級品 (コウキュウ~) exclusive goods [high-quality+]
食料品 (ショクリョウ~) foodstuffs [food+]
品物 (しなもの) 〈N〉 goods, articles [+thing]
品質 (ヒンシツ) 〈N〉 quality of goods [+quality]
品種 (ヒンシュ) 〈N〉 sort, grade, variety, breed [+species]
品目 (ヒンモク) 〈N〉 list of articles/items [+item]

human quality

品 (ヒン) 〈N〉 human quality, grace
品位 (ヒンイ) 〈N〉 dignity, grace [+rank]
品性 (ヒンセイ) 〈N〉 character, nobility [+character]

139 心	こころ, -ごころ; シン, -ジン 〈Ir〉 ⇒[292]必

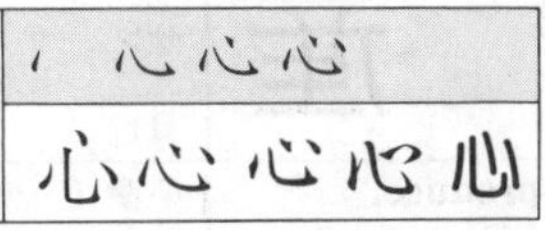

heart

心 (こころ) 〈N〉 heart, mind
…心 (…シン) 〈N〉 …spirit, …mind, …heart
▷虚栄心 (キョエイ~) vanity [vainglory+]
心がけ (こころがけ) 〈N〉 intention, care
心がける (こころがける) 〈V〉 bear in mind, aim at
心構え (こころがまえ) 〈N〉 mental attitude, readiness [+construction]
心境 (シンキョウ) 〈N〉 state of mind [+boundary]
心情 (シンジョウ) 〈N〉 one's heart, one's feelings [+emotion]
心身 (シンシン) 〈N〉 mind and body [+body]
心臓 (シンゾウ) 〈N〉 heart《organ》 [+internal organ]
心配 (シンパイ) 〈Nv〉 anxiety, uneasiness, worry [+deliver]
心理 (シンリ) 〈N〉 mentality, mental state [+reason]
心理学 (シンリガク) 〈N〉 psychology, science of mind [+reason+-logy]
〈Ir〉 心地 (ここチ) 〈N〉 feeling, sensation, mood [+ground]
〈Ir〉 …心地 (…ごこチ) 〈N〉 …feeling
▷居心地 (い~) comfort, snugness [stay+]
着心地 (き~) comfort of clothes [wear+]
住み心地 (すみ~) cosiness of dwelling place [dwell+]
乗り心地 (のり~) riding comfort《of a vehicle, ship, etc.》 [ride+]
夢心地 (ゆめ~) dreamy/ecstatic state [dream+]

140 務	つと-, -づと-; -ム 〈PN〉 つとむ

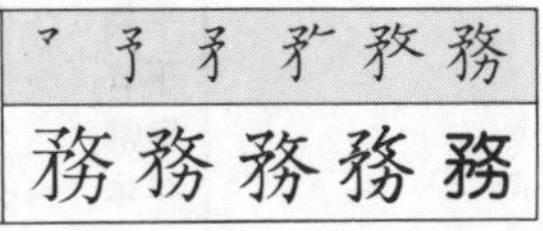

duty, service

務める (つとめる) 〈V〉 serve, be on duty
▶勤務 (キンム) 〈Nv〉 service, duty [work for+]
公務 (コウム) 〈N〉 official duty, public service [official+]
事務 (ジム) 〈N〉 clerical work [charge+]

141 点

テン

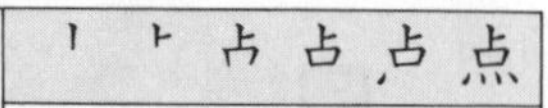

点点点点点

point, mark

点 (テン) 〈N〉 point, marks, score
…点 (…テン) 〈N〉 …point, …mark
▷交差点 (コウサ〜) crossing; junction [intersect+]
問題点 (モンダイ〜) point at issue [problem+]
点検 (テンケン) 〈Nv〉 overhauling, inspection [+investigate]

lighting

点火 (テンカ) 〈Nv〉 ignition [+fire]

***Cs* score**

…点 (…テン) 〈Q〉 …points
▷一点 (イッ〜), 二点 (ニ〜), 三点 (サン〜)

***Cs* articles**

…点 (…テン) 〈Q〉 …pieces 《works of arts, furniture, etc.》
▷一点 (イッ〜), 二点 (ニ〜), 三点 (サン〜)

142 産

う-; うぶ-;
サン, -ザン
〈Ir〉 ⇒ [1076]彦

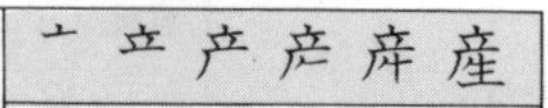

産産産産産

produce, give birth

…産 (…サン) 〈N〉 product of/in…
▷フランス産 product of France [(France)+]
外国産 (ガイコク〜) foreign product [foreign+]
産む (うむ) 〈V〉 give birth
お産 (おサン) 〈N〉 delivery of a baby [(*Pref honorific*)+]
産湯 (うぶゆ) 〈N〉 first bathing of a baby [+hot water]
産業 (サンギョウ) 〈N〉 industry [+business]
産地 (サンチ) 〈N〉 producing area, breeding center [+ground]
〈Ir〉 ▶土産 (みやげ) 〈N〉 souvenir [land+]

property

▶遺産 (イサン) 〈N〉 property left, legacy [left behind+]
財産 (ザイサン) 〈N〉 estate, fortune [treasure+]

143 平

ひら, -びら, -ぴら; たい-;
ビョウ; ヘイ, -ペイ
〈PN〉 たいら, -だいら

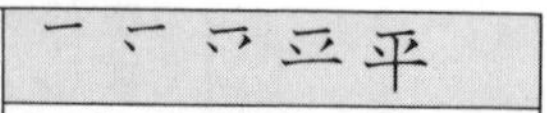

平平平平平

plain, flat, even, ordinary

平 (ひら) 〈N〉 common, lay, not yet promoted
平ら (たいら) 〈Na〉 flat, even
平屋 (ひらや) 〈N〉 one-story house [+roof]
平等 (ビョウドウ) 〈N/Na〉 equality, impartiality [+equal]
平穏 (ヘイオン) 〈N/Na〉 quiet, tranquil, pacific [+placid]
平気 (ヘイキ) 〈N/Na〉 calm, unmoved, unconcerned [+spirit]
平均 (ヘイキン) 〈Nv〉 average [+level]
平日 (ヘイジツ) 〈T〉 weekday [+day]
平常 (ヘイジョウ) 〈S〉 normal, usual, ordinary [+ordinary]
平年 (ヘイネン) 〈N〉 normal/common year [+year]
平凡 (ヘイボン) 〈N/Na〉 common, ordinary, unremarkable [+mediocre]
平野 (ヘイヤ) 〈N〉 plains, open field [+field]
平和 (ヘイワ) 〈N/Na〉 peace [+concord]

square

平方 (ヘイホウ) 〈N〉 square [+square]

144 水	みず; スイ, -ズイ 〈PN〉 み, みな- ⇨[148]木	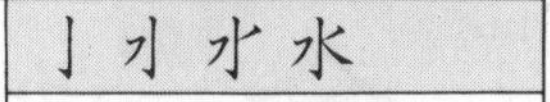 水 水 水 水 水

water, liquid
水 (みず) 〈N〉 water
…水 (…スイ) 〈N〉 …water
▷地下水 (チカ～) underground water [underground+]
水虫 (みずむし) 〈N〉 athlete's foot [+worm]
水域 (スイイキ) 〈N〉 water area, waters [+sphere]
水泳 (スイエイ) 〈Nv〉 swimming [+swim]
水害 (スイガイ) 〈N〉 flood damage [+hurt]
水銀 (スイギン) 〈N〉 mercury [+silver]
水産学 (スイサンガク) 〈N〉 fisheries science [+produce+…studies]
水準 (スイジュン) 〈N〉 water level, standard [+level]
水上 (スイジョウ) 〈N〉 water-surface; aquatic [+on]
水洗 (スイセン) 〈N〉 flush (toilet) [+wash]
水素 (スイソ) 〈N〉 hydrogen [+element]
水中 (スイチュウ) 〈N〉 underwater, subaqueous [+inside]
水田 (スイデン) 〈N〉 wet rice paddy [+rice field]
水道 (スイドウ) 〈N〉 water supply; gut, canal [+way]
水曜(日) (スイヨウ(び)) 〈T〉 Wednesday [+day of the week(+day)]

〈Place〉
水戸 (みと) Mito City

145 法	ハッ; **ホウ**; -ポウ, ホッ- 〈PN〉 のり	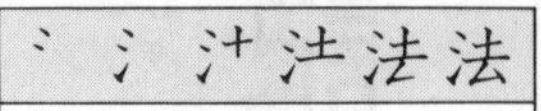 法 法 法 法 法

law, regulations
法 (ホウ) 〈N〉 law
…法 (…ホウ) 〈N〉 …law, …regulations
▷慣習法 (カンシュウ～) customary law [custom+]
国際法 (コクサイ～) international law [international+]
十進法 (ジッシン～) decimal system [ten+proceed+]
法度 (ハット) 〈N〉 law, ordinance《Jap. hist.》; ban [+ruling]
法案 (ホウアン) 〈N〉 bill, draft of proposed law [+idea]
法学 (ホウガク) 〈N〉 study of law, jurisprudence [+…studies]
法人 (ホウジン) 〈N〉 juridical person, corporation [+person]
法廷 (ホウテイ) 〈N〉 law court, court of justice [+court]
法的 (ホウテキ) 〈Na〉 legal, legalistic [+*Suf Na*]
法務省 (ホウムショウ) 〈N〉 Ministry of Justice [+duty+ministry]
法律 (ホウリツ) 〈N〉 law, legislation [+rule]

dharma
法王 (ホウオウ) 〈N〉 Pope [+king]
法話 (ホウワ) 〈N〉 Buddhist sermon/homily [+tale]
▶仏法 (ブッポウ) 〈N〉 Buddhist dharma [Buddha+]

method
法 (ホウ) 〈N〉 method
…法 (…ホウ) 〈N〉 …method, how to…
▷使用法 (ショウ～) how to use [use+]
正攻法 (セイコウ～) authodoxy, regular tactics [right+attack+]
避妊法 (ヒニン～) contraceptive method [contraception+]

146 **今**

いま;
キン; **コン**
〈Ir〉 ⇒[12]会

ノ 人 亼 今

今 今 今 今 今

now, present

今（いま）〈T〉 now, present time
今…（コン…） this present…
　▷今世紀（〜セイキ）〈T〉 this century [+century]
今上（キンジョウ）〈N〉 reigning (Emperor) [+up]
今回（コンカイ）〈T〉 this time [+turn]
今期（コンキ）〈T〉 this term [+term]
今月（コンゲツ）〈T〉 this month [+month]
今後（コンゴ）〈T〉 hereafter, from now on [+after]
今秋（コンシュウ）〈T〉 this autumn [+autumn]
今週（コンシュウ）〈T〉 this week [+week]
今春（コンシュン）〈T〉 this spring [+spring]
今度（コンド）〈T〉 this time; next time [+time]
〈Ir〉 今日（コンニチ/きょう）〈T〉 today [+day] →[93]当
〈Ir〉 今年（コンネン/ことし）〈T〉 this year [+year]
今晩（コンバン）〈T〉 this evening [+late hours]
今夜（コンヤ）〈T〉 tonight [+night]
〈Ir〉 今朝（けさ）〈T〉 this morning [+morning]

147 **記**

しる-;
キ
〈PN〉 のり

亠 言 言 訂 訂 記

記 記 記 記 記

describe, inscribe, record

…記（…キ）〈N〉 …account, …record, …history
　▷旅行記（リョコウ〜） itinerary, travel log [travel+]
記す（しるす）〈V〉 inscribe, write down, mention
記憶（キオク）〈Nv〉 memory, remembrance [+memory]
記載（キサイ）〈Nv〉 description, mention [+put on]
記事（キジ）〈N〉 article《in a newspaper/magazine》 [+fact]
記者（キシャ）〈N〉 newspaperman, reporter [+person]
記入（キニュウ）〈Nv〉 entry, filling in, write in [+put in]
記念（キネン）〈Nv〉 commemoration [+sense]
記名（キメイ）〈Nv〉 register, inscription, signature [+name]
記録（キロク）〈Nv〉 record, document [+record]

148 **木**

き, -ぎ, こ;
ボク, ボッ-; **モク**, モッ-
〈Ir〉;〈PN〉きのした(木下) ⇒[15]本, [134]不, [144]水

一 十 オ 木

木 木 木 木 木

tree, wood, plant

木（き）〈N〉 tree, wood
木陰（こかげ）〈N〉 shade of a tree [+shade]
木材（モクザイ）〈N〉 wood, lumber [+material]
木製（モクセイ）〈N〉 wooden, made of wood [+production]
木造（モクゾウ）〈N〉 wooden, built of wood [+build]
木曜(日)（モクヨウ(び)）〈T〉 Thursday [+day of the week(+day)]
〈Ir〉 木綿（モメン）〈N〉 cotton [+cotton]

149 **思**

おも-;
シ

⇨[875]恵, [1353]恩

冂 冊 田 田 思 思
思 思 思 思 思

think, fancy
- 思い (おもい) 〈N〉 one's heart, emotion, idea, thought
- 思う (おもう) 〈V〉 think, figure, imagine, feel
- 思わず (おもわず) 〈Adv〉 unintentionally, unconsciously [+(not)]
- 思い切り (おもいきり) 〈S〉 determination, resolutely [+cut]
- 思い切る (おもいきる) 〈V〉 resign [+cut]
- 思い出す (おもいだす) 〈V〉 recall, recollect [+put out]
- 思い付く (おもいつく) 〈V〉 hit upon, think of [+attach]
- 思い出 (おもいで) 〈N〉 reminiscences [+come out]
- 思惑 (おもワク) 〈N〉 fancy, speculation [+*Ph*]
- 思考 (シコウ) 〈Nv〉 thought, reflection [+think]
- 思想 (シソウ) 〈N〉 thought, ideology [+image]

150 **画**

ガ; カク, カッ-

一 冂 而 亜 画 画
画 画 画 画 画

draw a line
- 画一的 (カクイツテキ) 〈Na〉 uniform, standardized [+one+*Suf Na*]
- 画期的 (カッキテキ) 〈Na〉 epoch-making [+period+*Suf Na*]

picture
- …画 (…ガ) 〈N〉 …picture
  - ▷肖像画 (ショウゾウ～) portrait [portrait+]
  - 日本画 (ニホン～) Japanese painting [Japan+]
- 画家 (ガカ) 〈N〉 painter, artist [+*Suf* specialist]
- 画面 (ガメン) 〈N〉 picture, scene [+surface]
- 画廊 (ガロウ) 〈N〉 picture gallery [+corridor]

***Cs kanji* strokes**
- …画 (…カク) 〈Q〉 …strokes
  - ▷一画 (イッ～), 二画 (ニ～), 三画 (サン～)

151 **和**

なご-; やわ-;
オ-; ワ

〈Ir〉: 〈PN〉いずみ(和泉), かず ⇨[207]知, [221]私

ノ 二 千 禾 和 和
和 和 和 和 和

peace, concord
- 和 (ワ) 〈N〉 peace; harmony, concord
- 和む (なごむ) 〈V〉 calm down
- 和らげる (やわらげる) 〈V〉 lessen, lighten, mitigate, appease
- 和解 (ワカイ) 〈Nv〉 reconciliation, compromise [+dissolve]
- 和平 (ワヘイ) 〈N〉 peace [+ordinary]
- 〈Ir〉 ▶日和 (ひより) 〈N〉 (good) weather for [day+]

sum
- 和 (ワ) 〈N〉 sum, total

Japanese, Japan
- 和歌 (ワカ) 〈N〉 31-syllable Japanese ode [+song] →[789]短歌
- 和室 (ワシツ) 〈N〉 Japanese-style room [+room]
- 和食 (ワショク) 〈N〉 Japanese food [+food]
- 和風 (ワフウ) 〈N〉 Japanese style [+style]
- 和服 (ワフク) 〈N〉 Japanese clothes [+clothes]
- 〈Ir〉 ▶大和 (やまと) 〈N〉 Japan 《classical name》 [great+]

〈Place〉
- 和歌山 (ワカやま) Wakayama Pref./City

152 世	よ; セ, -ゼ; セイ	一 十 廾 卄 世 世 世 世 世 世

generation, period

…世 (…セイ) 〈N〉 …generation
▷エリザベスII世 (エリザベス・ニ〜) Elizabeth II [(Elizabeth)+]
二世 (ニ〜) second generation
…二世 (…ニ〜) …Jr.
世襲 (セシュウ) 〈Nv〉 hereditary transmission [+inherit]
世代 (セダイ) 〈N〉 generation [+generation]
世紀 (セイキ) 〈N〉 century [+period, era]

world

世 (よ) 〈N〉 world
世の中 (よのなか) 〈N〉 world [+inside]
世界 (セカイ) 〈N〉 world, earth [+world]
世間 (セケン) 〈N〉 world, society, public [+between]
お世辞 (おセジ) 〈N〉 compliment, flattery [(*Pref honorific*)+〜+word]
世相 (セソウ) 〈N〉 aspect of life [+figure]
世論 (セロン) 〈N〉 public opinion, consensus of opinion [+discuss]
★世論 is sometimes incorrectly pronounced よろん. よろん should be the reading for 与論 (same meaning as 世論).
世話 (セワ) 〈Nv〉 care, help [+talk] ➜SN

Ph

世帯 (セタイ) 〈N〉 family unit [+belt] ➜SN

153 特	トク, トッ- ⇒ [184]持	ノ 牛 牜 牪 特 特 特 特 特 特 特

special

特に (トクに) 〈Adv〉 specially, in particular
特異 (トクイ) 〈Na〉 singular, peculiar, unique [+difference]
特技 (トクギ) 〈N〉 special ability [+skill]
特使 (トクシ) 〈N〉 special envoy, express messenger [+envoy]
特質 (トクシツ) 〈N〉 special quality/character [+quality]
特殊 (トクシュ) 〈Na〉 special, specific, distinct [+distinctive]
特集 (トクシュウ) 〈Nv〉 (constitute) special edition [+collect]
特色 (トクショク) 〈N〉 specific character, feature [+feature]
特製 (トクセイ) 〈N〉 special make, custom-made [+production]
特大 (トクダイ) 〈N〉 outsize, extra-large [+big]
特徴 (トクチョウ) 〈N〉 feature, characteristic [+feature]
特定 (トクテイ) 〈Nv〉 specifying, placing definitely [+fix]
特派 (トクハ) 〈Nv〉 dispatch, sending (a person) specially [+derive]
特売 (トクバイ) 〈Nv〉 special/bargain sale [+sell]
特別 (トクベツ) 〈N/Na〉 special [+separately classified]
特有 (トクユウ) 〈N〉 characteristic, peculiar [+have]
特例 (トクレイ) 〈N〉 special case/example, exception [+example]
特価 (トッカ) 〈N〉 special (reduced) price [+price]
特急 (トッキュウ) 〈N〉 special express [+quick]
特許 (トッキョ) 〈Nv〉 (give) patent, license [+permit]
特権 (トッケン) 〈N〉 privilege [+right]

154 **総**

ソウ

〈PN〉 ふさ

whole

総… (ソウ…) whole…, all…, total…, complete…

▷総決算 (～ケッサン) 〈N〉 final settlement of accounts [+settlement of accounts]

総選挙 (～センキョ) 〈N〉 general election [+election]

総会 (ソウカイ) 〈N〉 general meeting [+meeting]

総額 (ソウガク) 〈N〉 total amount, sum total [+amount]

総計 (ソウケイ) 〈Nv〉 total, summing up [+measure]

総合 (ソウゴウ) 〈Nv〉 synthesis, integration [+gather]

総裁 (ソウサイ) 〈N〉 president 《not of a nation/univ./company》 [+judge]

総数 (ソウスウ) 〈N〉 total number, aggregate [+number]

総長 (ソウチョウ) 〈N〉 president 《of a university》 [+chief]

総務 (ソウム) 〈N〉 general affairs [+duty]

総理(大臣) (ソウリ(ダイジン)) 〈N〉 Prime Minister [+manage(+minister)]

155 **重**

え; **おも**; **かさ-**, -がさ-;

ジュウ; **チョウ**

〈PN〉 しげ ⇨544 量

heavy

重… (ジュウ…) heavy…

▷重工業 (～コウギョウ) 〈N〉 heavy industry [+industry]

重労働 (～ロウドウ) 〈Nv〉 (perform) hard labor [+labor]

重い (おもい) 〈A〉 heavy

重さ (おもさ) 〈N〉 weight

重荷 (おもに) 〈N〉 burden, load [+load]

重油 (ジュウユ) 〈N〉 heavy oil [+oil]

重量 (ジュウリョウ) 〈N〉 weight 《not of a person》 [+measure]

重力 (ジュウリョク) 〈N〉 gravity [+power]

important, grave

重んじる (おもんじる) 〈V〉 honor, think much of

重々しい (おもおもしい) 〈A〉 grave, serious [+*Rep*]

重厚 (ジュウコウ) 〈Na〉 grave and serious [+bulky]

重視 (ジュウシ) 〈Nv〉 attaching importance to [+sight]

重大 (ジュウダイ) 〈Na〉 important, serious, grave [+great]

重点 (ジュウテン) 〈N〉 important point, stress [+point]

重要 (ジュウヨウ) 〈Na〉 important [+essential]

pile

重なる (かさなる) 〈V〉 be piled up

重ねる (かさねる) 〈V〉 pile up

seriously bad

重い (おもい) 〈A〉 seriously ill

重症 (ジュウショウ) 〈N〉 serious disease [+disease]

重傷 (ジュウショウ) 〈N〉 serious injury [+wound]

重体 (ジュウタイ) 〈N〉 critical stage/condition [+body]

重役 (ジュウヤク) 〈N〉 director, high executive 《of a company》 [+role]

重複 (チョウフク) 〈Nv〉 being duplicated, overlap [+duplicate]

***Cs* layers, piles**

…重 (…ジュウ/…え) 〈Q〉 …folds

▷二重 (ニジュウ) double

二重まぶた (ふたえまぶた) 〈N〉 creased eyelid [double+～+(eyelid)]

156 府	フ, -プ ⇒[459]庁	亠 广 广 庁 府 府 / 府 府 府 府 府

administrative district/agency — ▶政府（セイフ）〈N〉government [administration+]
幕府（バクフ）〈N〉Shogunate regime《Jap. hist.》 [curtain+]

prefecture — …府（…フ）〈N〉…prefecture
▷大阪府（おおさか～）Osaka Prefecture [Osaka+]
京都府（キョウト～）Kyoto Prefecture [Kyoto+]

Abbr 大阪府/京都府 — 府警（フケイ）〈N〉Osaka/Kyoto Prefectural Police [+police]
府庁（フチョウ）〈N〉Osaka/Kyoto Prefectural Office [+government office]

157 以	イ ⇒[1219]似	丨 レ レ 以 以 / 以 以 以 以 以

from, than — 以下（イカ）〈Q〉…or less; 〈S〉mentioned below [+under]
…以外（…イガイ）〈S〉other than…, except… [+other]
以後（イゴ）〈T〉after that/this, from now on [+later]
以降（イコウ）〈T〉since…, from then on [+descend]
以上（イジョウ）〈Q〉…or more; 〈S〉the above; the end [+above]
以前（イゼン）〈T〉previously, some time ago [+before]
…以内（…イナイ）〈Q〉within… [+inner]
以来（イライ）〈T〉since then, after that [+come]

158 海	うみ; カイ 〈Ir〉: 〈PN〉-うん-, み	氵 氵 汇 汇 海 海 / 海 海 海 海 海

sea — 海（うみ）〈N〉sea
…海（…カイ）〈N〉…Sea
▷カリブ海 Caribbean Sea [(Caribbean)+]
地中海（チチュウ～）Mediterranean Sea [ground+middle+]
〈Ir〉 海原（うなばら）〈N〉ocean, waves [+field]
海域（カイイキ）〈N〉sea area, waters [+sphere]
海運（カイウン）〈N〉sea transportation [+carry]
海外（カイガイ）〈N〉abroad, oversea [+outer]
海岸（カイガン）〈N〉seashore, seaside [+coast]
海軍（カイグン）〈N〉navy [+military]
海水（カイスイ）〈N〉sea water [+water]
海上（カイジョウ）〈N〉on the sea [+on]
海草（カイソウ）〈N〉seaweeds [+grass]
海中（カイチュウ）〈N〉in the sea, undersea [+inside]
海底（カイテイ）〈N〉bottom of the sea, seabed [+bottom]
海兵隊（カイヘイタイ）〈N〉marines [+soldier+troop]
海洋（カイヨウ）〈N〉seas, oceans [+ocean]
〈Ir〉 海女（あま）〈N〉woman diver [+woman]
〈Ir〉 海老（えび）〈N〉lobster, prawn, shrimp [+aged] ➔SN

159 共	とも, -ども; キョウ	一 十 廾 廾 共 共 共 共 共 共 共

common, together, share

…共 (…とも) 〈S〉 including…
▷送料共 (ソウリョウ～) including shipping [postage+]
共に (ともに) 〈Adv〉 both, together, in company with
共稼ぎ (ともかせぎ) 〈Nv〉 (run) household in which both husband and wife hold down jobs [+earn one's living]
共演 (キョウエン) 〈Nv〉 costarring, coacting [+perform]
共感 (キョウカン) 〈Nv〉 sympathy, response《to an appeal》 [+feel]
共産主義 (キョウサンシュギ) 〈N〉 communism [+property+ism]
共存 (キョウゾン/キョウソン) 〈Nv〉 coexistence [+exist]
共著 (キョウチョ) 〈N〉 coauthorship [+authorship]
共通 (キョウツウ) 〈Nv〉 commonality [+pass]
共同 (キョウドウ) 〈Nv〉 collaboration, cooperation [+sharing]
共和国 (キョウワコク) 〈N〉 republic [+concord+country]

160 予	あらかじ-; ヨ ⇒1672 矛	フ マ 予 予 予 予 予 予 予

previous, preparatory

予期 (ヨキ) 〈Nv〉 expectation, anticipation [+expect]
予告 (ヨコク) 〈Nv〉 (give) previous notice [+announce]
予算 (ヨサン) 〈N〉 budget [+calculate]
予選 (ヨセン) 〈Nv〉 (hold) preliminary match; preliminary election [+select]
予想 (ヨソウ) 〈Nv〉 forecast [+image]
予測 (ヨソク) 〈Nv〉 perspective, foresight [+measure]
予断 (ヨダン) 〈Nv〉 prediction, foregone conclusion [+decisive]
予定 (ヨテイ) 〈Nv〉 schedule, prearrangement [+fix]
予備 (ヨビ) 〈N〉 preparative, reserve [+provide]
予報 (ヨホウ) 〈Nv〉 forecast《of weather, etc.》 [+report]
予防 (ヨボウ) 〈Nv〉 prevention, check [+defend]
予約 (ヨヤク) 〈Nv〉 reservation, subscription, booking [+promise]

161 多	おお-; タ	ノ ク タ タ 多 多 多 多 多 多 多

plenty, many, much

多い (おおい) 〈A〉 plentiful, abundant, many, much
多く (おおく) 〈Q〉 in plenty, mostly
多角的 (タカクテキ) 〈Na〉 multifaceted, diversified [+corner+*Suf Na*]
多額 (タガク) 〈N〉 large sum [+amount]
多少 (タショウ) 〈Q〉 more or less; quantity [+few]
多数 (タスウ) 〈Q〉 a large number, multiplicity [+number]
多分 (タブン) 〈S〉 probably; much [+portion]
多忙 (タボウ) 〈N/Na〉 very busy [+busy]
多様 (タヨウ) 〈Na〉 diverse, various [+state]
多量 (タリョウ) 〈N〉 large quantity [+quantity]

162 **車**

くるま，-ぐるま；
シャ
〈Ir〉 ⇒ 11東，193軍

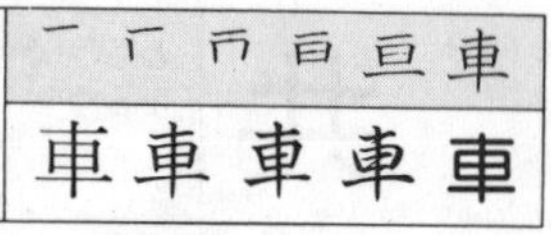

wheel
車（くるま）〈N〉 wheel
車両（シャリョウ）〈N〉 vehicle; rolling stock [+rolling stock]
車輪（シャリン）〈N〉 wheel [+hoop]
▶水車（みずぐるま/スイシャ）〈N〉 waterwheel [water+]

car, vehicle, automobile
車（くるま）〈N〉 car
…車（…シャ/ぐるま）〈N〉 …car
▷グリーン車（〜シャ） Green-Car, 1st class《of JNR》 [(green)+]
サイクリング車（〜シャ） bicycle for sports cycling [(cycling)+]
乳母車（うばぐるま） baby carriage [nursemaid+]
機関車（キカンシャ） locomotive [engine+]
公用車（コウヨウシャ） official vehicle [official+use+]
自家用車（ジカヨウシャ） private car [private+]
消防車（ショウボウシャ） fire engine [fire fighting+]
食堂車（ショクドウシャ） restaurant car [restaurant+]
車庫（シャコ）〈N〉 car shed, garage [+storehouse]
車種（シャシュ）〈N〉 kind of a vehicle [+sort]
車掌（シャショウ）〈N〉 conductor [+conduct]
車道（シャドウ）〈N〉 roadway, carriage way [+way]
車内（シャナイ）〈N〉 in the car [+inside]
〈Ir〉 ▶山車（だし）〈N〉 festival float [mountain+]

163 **結**

むす-，むすび；ゆ-，ゆい；
ケツ，ケッ-
〈PN〉 ゆう

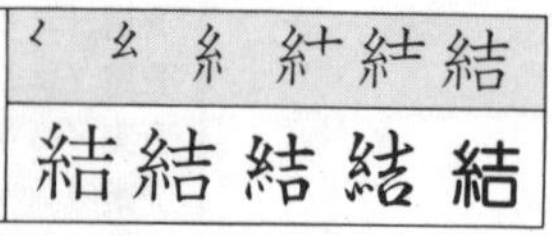

bind, connect
結ぶ（むすぶ）〈V〉 bind, connect, tie, fasten
結び付き（むすびつき）〈N〉 relation, connection [+attach]
結び付く（むすびつく）〈V〉 link to… [+attach]
結び付ける（むすびつける）〈V〉 tie up, bind [+attach]
結納（ゆいノウ）〈N〉 betrothal present [+put in]
結合（ケツゴウ）〈Nv〉 union, combination [+suit]
結婚（ケッコン）〈Nv〉 marriage [+wedding]
結集（ケッシュウ）〈Nv〉 concentration [+gather]
結束（ケッソク）〈Nv〉 unity [+bundle]

close, conclude
結び（むすび）〈N〉 conclusion
結ぶ（むすぶ）〈V〉 conclude
結末（ケツマツ）〈N〉 end, conclusion [+end]
結論（ケツロン）〈N〉 concluding remark, conclusion [+discuss]
結局（ケッキョク）〈T〉 after all [+game of *go*] ➔SN

formation
結果（ケッカ）〈S〉 result, consequence [+result]
結核（ケッカク）〈N〉 tuberculosis [+core]
結構（ケッコウ）〈Na〉 well-designed, satisfying; 〈Adv〉 fairly well [+structure]
結晶（ケッショウ）〈Nv〉 (become) crystalline object [+crystal]
結成（ケッセイ）〈Nv〉 formation, establishing [+form]

164 **設**

もう-;
セツ, セッ-

亠 言 言 訁 訁 設
設 設 設 設 設

found, establish

設ける（もうける）〈V〉 establish, set up
設備（セツビ）〈N〉 equipment, facilities [+provide]
設立（セツリツ）〈Nv〉 establishment, institution [+stand]
設計（セッケイ）〈Nv〉 plan, design [+scheme]
設置（セッチ）〈Nv〉 foundation, establishment [+place]
設定（セッテイ）〈Nv〉 fixation [+fix]

165 **面**

おも; おもて; つら, -づら;
メン

一 丆 丙 而 面 面
面 面 面 面 面

face

面（おもて/つら/メン）〈N〉 face
面する（メンする）〈V〉 face
面影（おもかげ）〈N〉 visage; vestiges, shadow [+image]
面白い（おもしろい）〈A〉 interesting, amusing [+white]
面魂（つらだましい）〈N〉 countenance, visage [+spirit]
面会（メンカイ）〈Nv〉 (obtain) interview [+meeting]
面識（メンシキ）〈N〉 acquaintance [+recognition]
面接（メンセツ）〈Nv〉 (grant) interview [+attach]
面目（メンボク/メンモク）〈N〉 dignity, face [+sight]

mask

面（メン; おもて）〈N〉 mask; *noh* mask

surface

面積（メンセキ）〈N〉 area, square measure [+measure]

aspect

面（メン）〈N〉 aspect, respect, field
…面（…メン）〈N〉 …aspect, …phase
▷財政面（ザイセイ～）financial aspect [finances+]

Ph

面倒（メンドウ）〈N/Na〉 trouble, complication [+*Ph*]

166 **保**

たも-;
ホ, -ポ

〈PN〉 たもつ, ホ, やす

亻 亻 亻 亻 仔 保
保 保 保 保 保

maintain, keep, sustain

保つ（たもつ）〈V〉 keep, preserve, maintain
保安（ホアン）〈N〉 maintenance of security [+safe]
保育（ホイク）〈Nv〉 nurture, upbringing [+breed]
保健（ホケン）〈N〉 health, hygiene [+healthy]
保険（ホケン）〈N〉 insurance, assurance [+risky]
保護（ホゴ）〈Nv〉 protection, safeguard [+guard]
保持（ホジ）〈Nv〉 maintenance, holding [+hold]
保守（ホシュ）〈Nv〉 keeping, maintenance; 〈N〉 conservative [+protect]
保証（ホショウ）〈Nv〉 guarantee [+proof]
保障（ホショウ）〈Nv〉 security [+obstacle]
保存（ホゾン）〈Nv〉 preservation [+exist]
保母（ホボ）〈N〉 nurse, kindergarten teacher [+mother] ➔SN
保有（ホユウ）〈Nv〉 possession, holding [+possess]
保留（ホリュウ）〈Nv〉 reservation, delay [+detain]

167 **西**

にし；
サイ，-ザイ；**セイ**，-ゼイ

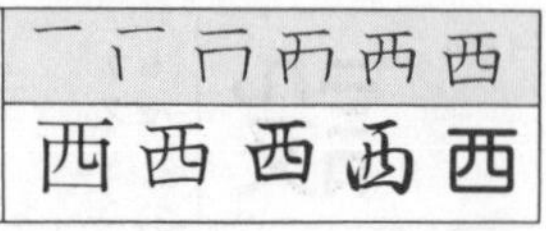

west

西（にし）〈N〉 west
西…（にし…） west...
▷西日本（～ニッポン/ニホン）〈N〉 western part of Japan [+Japan]
西側（にしがわ）〈N〉 western side; Western Europe; Free world [+side]
西口（にしぐち）〈N〉 west entrance/exit [+mouth]
西欧（セイオウ）〈N〉 Western Europe [+Europe]
西部（セイブ）〈N〉 western part; the West《in USA》 [+part]
西洋（セイヨウ）〈N〉 West, Occident [+overseas]
西暦（セイレキ）〈N〉 anno Domini [+calendar] 「《in show》[east+]
▶東西（トウザイ）〈N〉 East and West; 〈Cph〉 Ladies and Gentlemen!

168 **集**

あつ-，あつま-；つど-；
シュウ

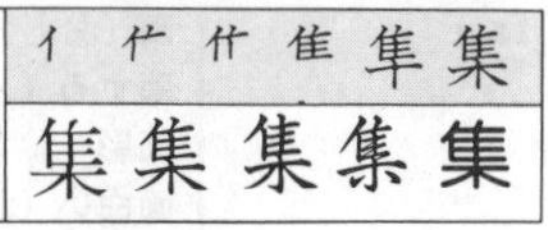

collect, assemble, concentrate, gather

…集（…シュウ）〈N〉 collection of...
▷詩集（シ～） collection of poems, anthology [poem+]
集(ま)り（あつまり）〈N〉 assembly, gathering, collecting
集まる（あつまる）〈V〉 assemble (*vi.*), gather, collect, accumulate
集める（あつめる）〈V〉 assemble (*vt.*), gather, collect
集い（つどい）〈N〉 gathering, get-together
集会（シュウカイ）〈Nv〉 meeting, assembly, congregation [+meeting]
集金（シュウキン）〈Nv〉 bill-collecting, collecting money [+money]
集計（シュウケイ）〈Nv〉 totalization, aggregate [+measure]
集団（シュウダン）〈N〉 group, mass [+group]
集中（シュウチュウ）〈Nv〉 concentration, focussing [+center] 「viate]
集約（シュウヤク）〈Nv〉 convergence; collective《agriculture》 [+abbre-

169 **工**

ク；**コウ**

⇨[316]土

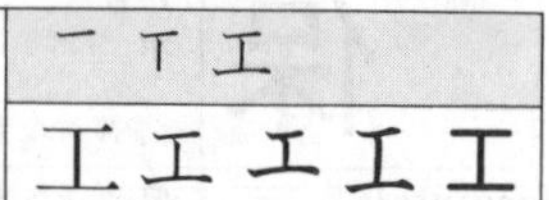

craft, skill, construction

工夫（クフウ；コウフ）〈Nv〉 (invent) device, contrivance ingenuity; 〈N〉 laborer, repairman [+aid; man]
工員（コウイン）〈N〉 industrial worker [+member]
工学（コウガク）〈N〉 engineering, technology [+-logy]
工業（コウギョウ）〈N〉 industry, manufacturing industry [+work]
工具（コウグ）〈N〉 tool [+instrument]
工芸（コウゲイ）〈N〉 craft, art [+art]
工作（コウサク）〈Nv〉 construction, making [+make]
工事（コウジ）〈Nv〉 construction [+affair]
工場（コウジョウ/コウば）〈N〉 factory [+place]
工務店（コウムテン）〈N〉 construction company, developer [+duty+shop]

Suf **craftsman**

…工（…コウ）〈N〉 ...man, ...worker
▷修理工（シュウリ～） repairman, mechanic [mend+]

170 **界** カイ, -ガイ

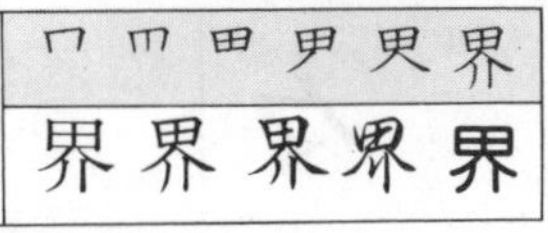

border, boundary
▶境界 (キョウカイ) 〈N〉 boundary, border [boundary+]
限界 (ゲンカイ) 〈N〉 bounds, limitation [limit+]

world, area
…界 (…カイ) 〈N〉 …world, …society
▷経済界 (ケイザイ～) business world [economy+]
芸能界 (ゲイノウ～) entertainment world [entertainments+]
自然界 (シゼン～) world of nature [nature+]
社交界 (シャコウ～) society circle [social intercourse+]
▶学界 (ガッカイ) 〈N〉 learned society [study+]
視界 (シカイ) 〈N〉 field/range of vision [sight+]

171 **委** イ

⇒871 季

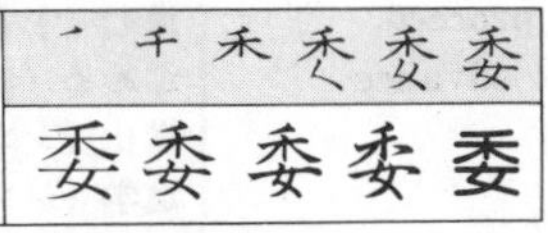

commit
委員 (イイン) 〈N〉 member of a committee [+member]
委員会 (イインカイ) 〈N〉 committee [+member+meeting]
委託 (イタク) 〈Nv〉 trust, charge [+entrust]
委任 (イニン) 〈Nv〉 trust, commission [+appoint]

172 **団** トン, -ドン; ダン

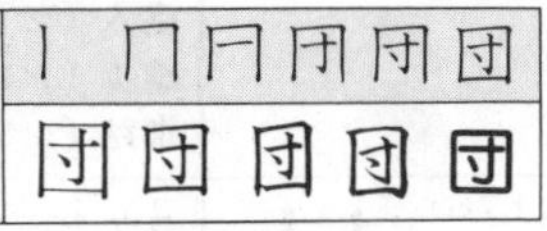

group
…団 (…ダン) 〈N〉 …group
▷応援団 (オウエン～) cheering party, cheer leaders [backing+]
記者団 (キシャ～) press corps [journalist+]
代表団 (ダイヒョウ～) delegation [representation+]
暴力団 (ボウリョク～) gangsters, mobsters [violence+]
団結 (ダンケツ) 〈Nv〉 (make) solidarity [+bind]
団体 (ダンタイ) 〈N〉 party, group, body [+body]
団地 (ダンチ) 〈N〉 housing complex [+ground]
団長 (ダンチョウ) 〈N〉 group leader [+chief]
▶布団 (フトン) 〈N〉 *futon*, quilted bedmat/coverlet [cloth+]

173 **島** しま, -じま; トウ

⇒932 鳥

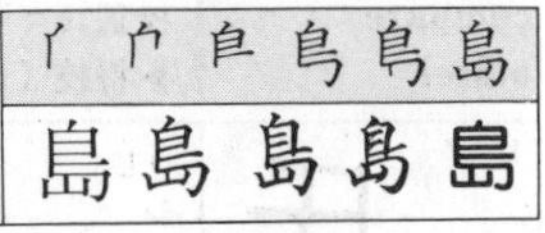

island
島 (しま) 〈N〉 isle, island
…島 (…トウ/しま/じま) 〈N〉 …island; …Island
▷淡路島 (あわじしま) Awaji Island [*PN*+]
無人島 (ムジントウ) uninhabited island [uninhabited+]
島国 (しまぐに) 〈N〉 island nation [+country]
島国根性 (しまぐにコンジョウ) 〈N〉 insularity [+country+disposition]
島民 (トウミン) 〈N〉 islanders [+people]

〈Place〉
島根 (しまね) Shimane Pref.

174		
々		ノ ク 々
		々 々 々 々 々

Rep 《symbol of repetition of a *kanji*》

▶国々（くにぐに）〈N〉 countries [nation+]
人々（ひとびと）〈N〉 people [man+]
山々（やまやま）〈N〉 mountains [mountain+]
騒々しい（ソウゾウしい）〈A〉 noisy [noisy+]
★々 repeats the reading of the preceding *kanji*, sometimes voiced.

175		
進	すす-; シン, -ジン 〈PN〉 すすむ	亻 ⺅ 仹 隹 ⻌隹 進
		進 進 進 進 進

proceed, advance

進む（すすむ）〈V〉 advance (*vi.*), proceed, move on
進める（すすめる）〈V〉 advance (*vt.*), move forward
進化（シンカ）〈Nv〉 evolution, being evolved [+metamorphose]
進学（シンガク）〈Nv〉 going on to a school of a higher level [+school]
進行（シンコウ）〈Nv〉 proceeding, going forward [+go]
進出（シンシュツ）〈Nv〉 advancing, marching out [+come out]
進呈（シンテイ）〈Nv〉 presentation, giving [+present]
進展（シンテン）〈Nv〉 (make) development, progress [+widespread]
進入（シンニュウ）〈Nv〉 entering [+enter]
進歩（シンポ）〈Nv〉 (make) progress, advance [+walk]
進路（シンロ）〈N〉 course, route [+route]

176		
校	コウ	十 木 木' 杧 校 校
		校 校 校 校 校

school

…校（…コウ）〈N〉 …school
▷有名校（ユウメイ～） famous school [famous+]
予備校（ヨビ～） preparatory school [preparative+]
校舎（コウシャ）〈N〉 school building [+house]
校長（コウチョウ）〈N〉 principal, schoolmaster [+chief]
校庭（コウテイ）〈N〉 schoolyard, schoolground [+court, garden]
校門（コウモン）〈N〉 school gate [+gate]

compare

校正（コウセイ）〈Nv〉 proofreading [+correct]

officer

▶将校（ショウコウ）〈N〉 commissioned officer [general+]

177		
氏	うじ; シ 〈PN〉 -ジ ⇒[70]民	ノ 𠂆 巳 氏
		氏 氏 氏 氏 氏

clan

氏（うじ）〈N〉 clan, lineage, blood
氏（シ）〈N〉 he, she 《formal》
…氏（…シ）〈N〉 Mr.… 《formal》; the…family
▷小林氏（こばやし～） Mr. Kobayashi; the Kobayashi family [*PN*+]
氏神（うじがみ）〈N〉 tutelary god 《of a family/village》 [+god]
氏名（シメイ）〈N〉 full name [+name]

178 **女**	おんな; め; ジョ; ニョ, ニョウ- ⟨Ir⟩	く女女 女女女女女

woman, female

女 (おんな) ⟨N⟩ woman, female
女… (おんな/ジョ…) female..., lady...
▷女社長 (おんなシャチョウ) ⟨N⟩ lady president of a company [+president]
女学生(ジョガクセイ)⟨N⟩girl student 《up to high school》 [+student]
⟨Ir⟩ 女形 (おんながた/おやま) ⟨N⟩ male actor in female role 《in *kabuki*》 [+shape] ➔SN
女神 (めがみ) ⟨N⟩ goddess [+god]
女々しい (めめしい) ⟨A⟩ effeminate, unmanly, sissy [+*Rep*]
女王 (ジョオウ) ⟨N⟩ queen [+king]
女史 (ジョシ) ⟨N⟩ Ms.; ranking female [+scribe]
女子 (ジョシ) ⟨N⟩ girl [+child]
女子大 (ジョシダイ) ⟨N⟩ women's college [+child+university]
女性 (ジョセイ) ⟨N⟩ womanhood; woman, lady; feminine gender [+sex]
女優 (ジョユウ) ⟨N⟩ actress [+actor]
女流 (ジョリュウ) ⟨N⟩ lady 《artist, etc.》 [+class]
女体 (ニョタイ) ⟨N⟩ female body [+body]
女房 (ニョウボウ) ⟨N⟩ one's wife [+chamber] ➔SN
⟨Ir⟩ ▶海女 (あま) ⟨N⟩ woman diver [sea+]

daughter

女婿 (ジョセイ) ⟨N⟩ one's son-in-law [+groom]
▶長女 (チョウジョ) ⟨N⟩ eldest daughter [eldest+]
次女 (ジジョ) ⟨N⟩ second daughter [next+]

***Cs* daughters**

…女 (…ジョ) ⟨Q⟩ ...daughters
▷一女 (イチ～), 二女 (ニ～), 三女 (サン～)

179 **運**	はこ-; ウン ⇒[87]連	冖冖冒軍軍運 運運運運運

carry, bear

運び (はこび) ⟨N⟩ arrangements, development; stage; pace
運ぶ (はこぶ) ⟨V⟩ carry, convey, transport, go on
運営 (ウンエイ) ⟨Nv⟩ management, operation, running [+run]
運河 (ウンガ) ⟨N⟩ canal [+large river]
運行 (ウンコウ) ⟨Nv⟩ operation 《of transportation》 [+go]
運航 (ウンコウ) ⟨Nv⟩ operation 《of sea/air traffic》 [+sailing]
運送 (ウンソウ) ⟨Nv⟩ conveyance, shipping [+send]
運賃 (ウンチン) ⟨N⟩ fare, charge [+fee]
運転 (ウンテン) ⟨Nv⟩ driving, operation, running [+roll]
運転手 (ウンテンシュ) ⟨N⟩ driver; chauffeur [+roll+person]
運動 (ウンドウ) ⟨Nv⟩ motion; movement; exercise [+move]
運搬 (ウンパン) ⟨Nv⟩ carriage transportation [+convey]
運輸 (ウンユ) ⟨N⟩ transportation [+transport]
運用 (ウンヨウ) ⟨Nv⟩ use, putting into practice [+use]

fate, destiny

運 (ウン) ⟨N⟩ luck
運勢 (ウンセイ) ⟨N⟩ one's fortune [+state]
運命 (ウンメイ) ⟨N⟩ fate [+assign] ➔SN

180 **打**

うつ, うち;
ダ

打打打打打

strike, hit

打つ（うつ）〈V〉strike, hit, beat
打(ち)上げ（うちあげ）〈N〉letting off; close (of a theater run) [+up]
打(ち)上げる（うちあげる）〈V〉shoot up; finish, close [+up]
打(ち)込む（うちこむ）〈V〉strike into; devote oneself to [+into]
打開（ダカイ）〈Nv〉breaking《of a deadlock》 [+open]
打楽器（ダガッキ）〈N〉percussion instrument [+musical instrument]
打撃（ダゲキ）〈N〉blow, hit [+shoot, attack]
打診（ダシン）〈Nv〉sounding, feeling out [+diagnosis]
打倒（ダトウ）〈Nv〉overthrow [+lean and fall]
打破（ダハ）〈Nv〉breaking down, overthrow [+break]
打撲（ダボク）〈N〉blow, stroke [+beat]

Verbal Pref
emphasis/ completeness

打(ち)合(わ)せ（うちあわせ）〈N〉previous arrangement [+meet]
打(ち)合(わ)せる（うちあわせる）〈V〉arrange preliminarily [+meet]
打(ち)切り（うちきり）〈N〉close, end, discontinuance [+cut]
打(ち)切る（うちきる）〈V〉cut off, discontinue [+cut]
打(ち)出す（うちだす）〈V〉strike out, let go, set out [+put out]
打(ち)立てる（うちたてる）〈V〉establish [+establish]
打算（ダサン）〈Nv〉calculation of self-interest [+calculate]

181 **治**

おさ-; なお-;
ジ; チ

〈PN〉おさむ, はり, -ばり, はる ⇨[1379]沿

治治治治治

put in order, govern

治まる（おさまる）〈V〉be in peace, be put down, be governed
治める（おさめる）〈V〉rule over, govern, suppress
治安（チアン）〈N〉public peace and order [+safe]
▶政治（セイジ）〈N〉politics, administration [administration+]

remedy

治す（なおす）〈V〉cure (*vt.*), remedy, heal
治る（なおる）〈V〉recover, be cured, heal up
治療（チリョウ）〈Nv〉remedy, cure [+cure]

182 **各**

おの, おのおの;
カク-, カッ-

⇨[116]名

各各各各各

each

各…（カク…）each..., every...
▷各大学（～ダイガク）〈N〉each/every university [+university]
各分野（～ブンヤ）〈N〉every/each field [+field]
各方面（～ホウメン）〈N〉every district; every aspect [+direction]
各(々)（おのおの）〈Q〉each, respective [(+*Rep*)]
各位（カクイ）〈CF〉Dear sirs; 〈Cph〉gentlemen《formal》 [+rank, position]
各種（カクシュ）〈Q〉every kind; all sorts [+species]
各地（カクチ）〈N〉every place [+ground]
各国（カッコク）〈N〉every country [+country]

183 **反**

そ-, -ぞ-;
タン; **ハン**; -ホン
〈PN〉 そり ⇨ 543友, 748及

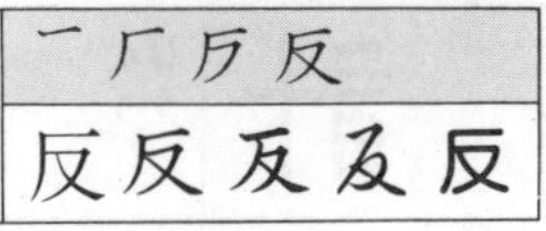

opposite, against, anti-
- 反… (ハン…) anti-…, against…
  - ▷反社会的 (～シャカイテキ) 〈Na〉 anti-social [+social+*Suf Na*]
- 反撃 (ハンゲキ) 〈Nv〉 counterattack [+attack]
- 反戦 (ハンセン) 〈N〉 anti-war [+war]
- 反対 (ハンタイ) 〈Nv〉 opposition, objection [+opposing]
- 反発 (ハンパツ) 〈Nv〉 repulsion, repelling; resistance [+issue]
- 反乱 (ハンラン) 〈N〉 rebellion, revolt, mutiny [+disorder]
- 反論 (ハンロン) 〈Nv〉 (build up) counterargument [+argue]
- ▶謀反 (ムホン) 〈N〉 rebellion, treason [device+]

reverse, retro-
- 反る (そる) 〈V〉 warp, bend
- 反映 (ハンエイ) 〈Nv〉 reflection [+reflect]
- 反響 (ハンキョウ) 〈Nv〉 echo; 〈N〉 response [+echo]
- 反射 (ハンシャ) 〈Nv〉 reflection, reflex [+shoot]
- 反省 (ハンセイ) 〈Nv〉 reconsideration, introspection [+look back]
- 反応 (ハンノウ) 〈Nv〉 reaction [+react]

***tan* 《≒10m/10a》**
- …反 (…タン) 〈Q〉 …*tan*
  - ▷一反 (イッ～), 二反 (ニ～), 三反 (サン～)
- 反物 (タンもの) 〈N〉 dry goods, piece goods [+thing] ➜SN

184 **持**

も-, もち;
ジ
⇨ 153特

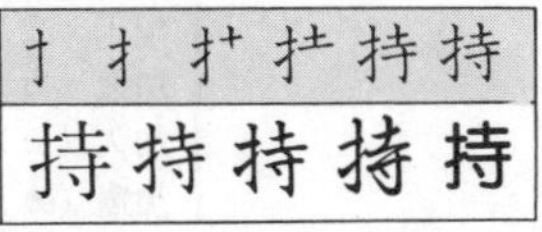

hold
- 持つ (もつ) 〈V〉 hold; own
- 持(ち)越す (もちこす) 〈V〉 carry over, defer [+go beyond]
- 持(ち)込む (もちこむ) 〈V〉 bring in [+into]
- 持(ち)出す (もちだす) 〈V〉 take out [+put out]
- 持(ち)主 (もちぬし) 〈N〉 owner [+lord]
- 持(ち)物 (もちもの) 〈N〉 one's baggage; one's belongings [+thing]
- 持参 (ジサン) 〈Nv〉 carrying/bringing/taking with one [+go, come]
- 持続 (ジゾク) 〈Nv〉 maintenance, continuance [+continue]

185 **式**

シキ
⇨ 448武, 1981弐

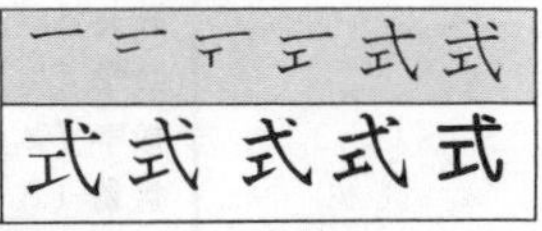

ceremony
- 式 (シキ) 〈N〉 ceremony
- …式 (…シキ) 〈N〉 …ceremony, …celebration
  - ▷結婚式 (ケッコン～) wedding [marriage+]
- 式場 (シキジョウ) 〈N〉 ceremonial site/hall [+place]

formula
- 式 (シキ) 〈N〉 formula
- …式 (…シキ) 〈N〉 …formula
  - ▷化学式 (カガク～) chemical formula [chemistry+]

style
- …式 (…シキ) 〈N〉 …style, …fashion
  - ▷スパルタ式 Spartan mode/style [(Sparta)+]

186 **計**	はか-, -ばか-, はから-; ケイ ⇒[466]計	ニ 三 言 言一 計 計 計 計 計 計

measure, scheme	計…（ケイ…）total…, all together…
	▷計二千円（～ニセンエン）〈Q〉 ¥2,000 all together [+¥2,000]
	…計（…ケイ）〈N〉 …meter
	▷温度計（オンド～）thermometer [temperature+]
	計る（はかる）〈V〉 measure; plan
	計画（ケイカク）〈Nv〉 plan, program [+draw a line]
	計器（ケイキ）〈N〉 meter, gauge [+tool]
	計算（ケイサン）〈Nv〉 calculation, reckoning [+calculate]
	計上（ケイジョウ）〈Nv〉 reckoning, budget [+up]
	計量（ケイリョウ）〈Nv〉 weighing, measure [+quantity]

187 **加**	くわ-; カ	フ カ カ 加 加 加 加 加 加 加

add	加える（くわえる）〈V〉 add, include
	加わる（くわわる）〈V〉 join, participate in
	加減（カゲン）〈N〉 addition and subtraction; extent, degree; state of health; 〈Nv〉 adjustment, fixing, control [+decrease]
	加工（カコウ）〈Nv〉 processing, treatment [+craft]
	加速（カソク）〈Nv〉 acceleration [+speedy]
	加入（カニュウ）〈Nv〉 entry, subscription [+enter]
	加盟（カメイ）〈Nv〉 participation, affiliation [+ally]
Canada	▶日加（ニッカ）〈N〉 Japan and Canada [Japan+]

188 **数**	かず, かぞ-; ス, -ズ; **スウ**, -ズウ 〈Ir〉	ヽ 半 米 娄 娄 数 数 数 数 数 数

number	数（かず）〈N〉 number
	…数（…スウ）〈N〉 number of…
	▷学生数（ガクセイ～）number of students [student+]
	数える（かぞえる）〈V〉 count, reckon
	数学（スウガク）〈N〉 mathematics [+…studies]
	数字（スウジ）〈N〉 figure, numeral [+letter, character]
	数量（スウリョウ）〈N〉 quantity [+quantity]
〈Ir〉	数珠（ジュズ）〈N〉 rosary, string of beads [+bead] ➜SN
some, several	数…（スウ…）several…
	▷数時間（～ジカン）〈Q〉 several hours [+hour]
	数千（～セン）〈Q〉 thousands [+thousand]
	数々（かずかず）〈Q〉 numerous, many [+*Rep*]
	数回（スウカイ）〈Q〉 several times [+turn]
	数日（スウジツ）〈Q〉 several days [+day]
	数人（スウニン）〈Q〉 several persons [+person]
	数年（スウネン）〈Q〉 several years [+year]

▲数珠

189 **組**	く-, -ぐ-, くみ, -ぐみ; ソ	く 幺 糸 糹 組 組 組 組 組 組 組

unite, assemble

組 (くみ) 〈N〉 group, class
…組 (…ぐみ) 〈N〉 …group, …class
▷赤組 (あか~) red team; Red [red+]
三人組 (サンニン~) trio, triad [3 persons+]
組む (くむ) 〈V〉 unite, join, assemble
組(み)合(わ)せ (くみあわせ) 〈N〉 combination, matching [+combine]
組(み)合(わ)せる (くみあわせる) 〈V〉 assort, combine [+combine]
組(み)立(て) (くみたて) 〈N〉 construction, framework [+raise]
組(み)立てる (くみたてる) 〈V〉 construct, assemble [+raise]
組合 (くみあい) 〈N〉 union [+gather]
組織 (ソシキ) 〈N〉 organization [+weave]

***Cs* sets**

…組 (…くみ) 〈Q〉 …sets; …pairs
▷一組 (ひと~), 二組 (ふた~), 三組 (み~/サン~)

190 **取**	と-, -ど-, とり, -どり; シュ	一 丆 F 耳 取 取 取 取 取 取 取

get, hold, acquire

取る (とる) 〈V〉 get, take, seize, obtain
取(り)上げる (とりあげる) 〈V〉 take up, take away [+up]
取(り)入れる (とりいれる) 〈V〉 take in, introduce [+put in]
取(り)引(き) (とりひき) 〈Nv〉 transactions, trade [+draw]
取(り)戻す (とりもどす) 〈V〉 take back, restore [+return]
取材 (シュザイ) 〈Nv〉 collecting materials, coverage [+material]
取得 (シュトク) 〈Nv〉 acquisition, gaining [+gain]

Verbal Pref

取(り)扱(い) (とりあつかい) 〈N〉 treatment, handling [+treat]
取(り)扱う (とりあつかう) 〈V〉 treat, handle, manage [+treat]
取(り)決め (とりきめ) 〈N〉 arrangement, settlement [+determine]
取(り)組む (とりくむ) 〈V〉 wrestle [+unite]
取(り)締((ま)り) (とりしまり) 〈N〉 control, management [+tighten]
取(り)調(べ) (とりしらべ) 〈N〉 interrogation《of a suspect》 [+investigate]
取(り)揃える (とりそろえる) 〈V〉 gather (*vt.*), assort [+sort]
取締役 (とりしまりやく) 〈N〉 director《of a company》 [+tighten+role]

191 **考**	かんが-; コウ ⇒ 1249 孝	一 + 土 耂 耂 考 考 考 考 考 考

think

考え (かんがえ) 〈N〉 thinking, thought, view, idea, judgment
考える (かんがえる) 〈V〉 think, consider, ponder
考え直す (かんがえなおす) 〈V〉 reconsider, think again [+just]
考案 (コウアン) 〈Nv〉 design, conception, contrivance [+idea]
考古学 (コウコガク) 〈N〉 archaeology [+old+-logy]
考察 (コウサツ) 〈Nv〉 examination, inquiry [+discern]
考慮 (コウリョ) 〈Nv〉 consideration, deliberation [+consider]

192 **解**

と-, -ど-;
カイ; ゲ

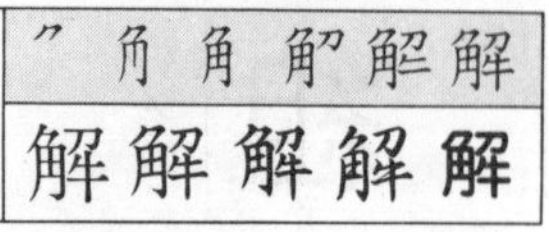

dissolve
- 解く (とく) 〈V〉 dissolve; solve
- 解する (カイする) 〈V〉 understand
- 解せない (ゲせない) 〈A〉 beyond understanding
- 解決 (カイケツ) 〈Nv〉 solution, settlement [+determine]
- 解雇 (カイコ) 〈Nv〉 discharge, dismissal [+employ]
- 解散 (カイサン) 〈Nv〉 dismissal, disbandment, dissolution [+disperse]
- 解釈 (カイシャク) 〈Nv〉 interpretation, construction [+disentangle]
- 解除 (カイジョ) 〈Nv〉 cancellation, release [+exclude]
- 解消 (カイショウ) 〈Nv〉 dissolution, annulment [+diminish]
- 解説 (カイセツ) 〈Nv〉 explanation, comment [+explain]
- 解答 (カイトウ) 〈Nv〉 solution, answer [+answer]
- 解任 (カイニン) 〈Nv〉 removal from office [+appoint]
- 解放 (カイホウ) 〈Nv〉 liberation, emancipation [+release]
- 解明 (カイメイ) 〈Nv〉 elucidation, explication [+clear]
- 解約 (カイヤク) 〈Nv〉 cancellation 《of a contract》 [+promise]
- 解毒 (ゲドク) 〈Nv〉 detoxication [+poison]

193 **軍**

グン

⇒162 車

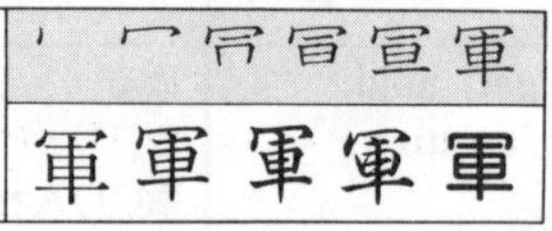

army, military
- 軍 (グン) 〈N〉 army, force
- …軍 (…グン) 〈N〉 ...army, ...force
  - ▷連合軍 (レンゴウ〜) allied forces [union+]
- 軍国主義 (グンコクシュギ) 〈N〉 militarism [+nation+-ism]
- 軍事 (グンジ) 〈N〉 military affairs [+affair]
- 軍人 (グンジン) 〈N〉 military/army man [+man]
- 軍隊 (グンタイ) 〈N〉 troops, military [+troop]
- 軍団 (グンダン) 〈N〉 corps [+group]
- 軍部 (グンブ) 〈N〉 military administration [+part]

194 **局**

キョク

〈PN〉 つぼね

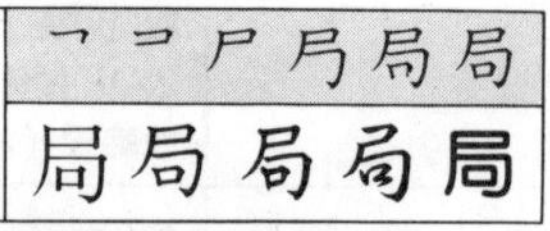

segment
- 局地的 (キョクチテキ) 〈Na〉 local, limited [+ground+*Suf Na*]
- 局部 (キョクブ) 〈N〉 limited part; affected part; private parts [+part]

bureau
- 局 (キョク) 〈N〉 bureau
- …局 (…キョク) 〈N〉 ...bureau, ...office, ...station
  - ▷テレビ局 TV station [(television)+]
  - 放送局 (ホウソウ〜) broadcasting station [broadcasting+]
- 局長 (キョクチョウ) 〈N〉 chief of a bureau [+chief]

game of *go*
- 局面 (キョクメン) 〈N〉 aspect, stage, situation [+surface] ➔SN
- ▶結局 (ケッキョク) 〈T〉 after all [close+]

195 県	ケン 〈PN〉 あがた，-がた	冂 月 目 𠂤 県 県 県 県 県 県 県

prefecture
- 県（ケン）〈N〉 prefecture
- …県（…ケン）〈N〉 …Prefecture, …prefecture
  - ▷青森県（あおもり〜） Aomori Prefecture [Aomori+]
  - 農業県（ノウギョウ〜） farming prefecture [agriculture+]
- 県警（ケンケイ）〈N〉 prefectural police [+police]
- 県庁（ケンチョウ）〈N〉 prefectural office [+government office]

196 制	セイ	𠂉 ⺧ 牛 𠂤 㡀 制 制 制 制 制 制

control, regulate
- 制御（セイギョ）〈Nv〉 control, suppression [+control]
- 制限（セイゲン）〈Nv〉 restriction, limitation [+limit]
- 制裁（セイサイ）〈Nv〉 sanction, punishment [+judge]
- 制作（セイサク）〈Nv〉 production《in arts》 [+make] →[318]製作
- 制定（セイテイ）〈Nv〉 establishment《of rules/laws》, enactment [+settle]
- 制度（セイド）〈N〉 system, institution [+ruling]
- 制服（セイフク）〈N〉 uniform [+clothes]

system
- …制（…セイ）〈N〉 …system
  - ▷会員制（カイイン〜） membership system [member+]

197 勝	か-，-が-，かち，かっ-；まさ-； ショウ 〈PN〉 かつ，すぐる，まさる	刀 月 月' 月䒑 朕 勝 勝 勝 勝 勝 勝

win
- 勝つ（かつ）〈V〉 win
- 勝敗（ショウハイ）〈N〉 win or lose [+be defeated]
- 勝負（ショウブ）〈Nv〉 match, play [+defeated]
- 勝利（ショウリ）〈N〉 victory [+profit]

excel
- 勝る（まさる）〈V〉 surpass

Ph
- 勝手（かって）〈N〉 one's own convenience, arrogance [+hand] ➜SN
- 勝手口（かってぐち）〈N〉 kitchen door, backdoor [+hand+mouth]

198 信	シン 〈PN〉 シ-，しのブ（信夫），しなの（信濃），のぶ，まこと	亻 亻' 仁 信 信 信 信 信 信 信 信

trust, believe
- 信じる（シンじる）〈V〉 believe, trust
- 信仰（シンコウ）〈Nv〉 belief; religious faith [+look up to]
- 信託（シンタク）〈Nv〉 trust, entrusting [+entrust]
- 信任（シンニン）〈Nv〉 (repose) confidence, credence [+entrust]
- 信念（シンネン）〈N〉 conviction, faith [+sense]
- 信用（シンヨウ）〈Nv〉 trust, credit [+use]
- 信頼（シンライ）〈Nv〉 (place) reliance, trust [+rely]

message
- 信号（シンゴウ）〈N〉 signal; (traffic) light [+call]
- ▶私信（シシン）〈N〉 private letter [private+]

199 性

ショウ, -ジョウ; **セイ**

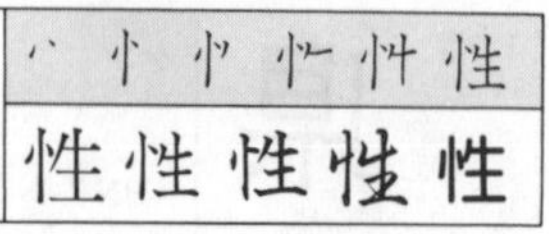

sex

性 (セイ) 〈N〉 sex
性… (セイ…) sexual...
▷性生活 (～セイカツ) 〈N〉 sex life [+life]
性欲 (～ヨク) 〈N〉 sexual desire [+desire]
性交 (セイコウ) 〈Nv〉 (have) sexual intercourse [+intercourse]
性的 (セイテキ) 〈Na〉 sexual [+*Suf Na*]
性病 (セイビョウ) 〈N〉 venereal disease [+sick]

character, quality

性格 (セイカク) 〈N〉 character, personality [+structure]
性質 (セイシツ) 〈N〉 nature, disposition [+quality]
性能 (セイノウ) 〈N〉 capacity, efficiency 《of a machine, etc.》 [+ability]
性分 (ショウブン) 〈N〉 one's nature/temperament [+portion]
▶根性 (コンジョウ) 〈N〉 disposition, mind [root+]
本性 (ホンショウ) 〈N〉 one's true character [real+]

***Suf* abstract nouns**

…性 (…セイ) 〈N〉 ...quality, ...-ity 《state, quality》
▷アルカリ性 alkalinity [(alkali)+]
可能性 (カノウ～) probability [possible+]
現実性 (ゲンジツ～) actuality [actuality+]
酸性 (サン～) acidity [acid+]
将来性 (ショウライ～) prospects [future+]
生産性 (セイサン～) productivity [production+]
人間性 (ニンゲン～) humanity [human+]
普遍性 (フヘン～) universality [universal+]
放射性 (ホウシャ～) radioactive [radiation+]

200 交

か-, かわ-; **ま**-, まじ-;
コウ
〈PN〉 かた

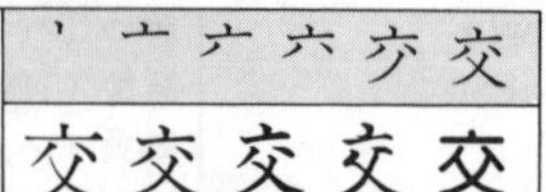

cross, intercourse, exchange

交(わ)す (かわす) 〈V〉 exchange, interchange
交える (まじえる) 〈V〉 mix, cross, exchange
交わる (まじわる) 〈V〉 get entangled, get mixed, intercourse
交換 (コウカン) 〈Nv〉 exchange, give-and-take [+exchange]
交響曲 (コウキョウキョク) 〈N〉 symphony [+echo+tune]
交互 (コウゴ) 〈N〉 alternation [+mutual]
交差 (コウサ) 〈Nv〉 intersection, cross [+*Ph*] ➜SN
交際 (コウサイ) 〈Nv〉 social intercourse; dating [+inter-]
交渉 (コウショウ) 〈Nv〉 negotiation, connection [+cross]
交代/替 (コウタイ) 〈Nv〉 alternation, taking turns [+substitution/replace]
交通 (コウツウ) 〈N〉 traffic [+pass]
交番 (コウバン) 〈N〉 police box [+watch]
交付 (コウフ) 〈Nv〉 delivery, formal handing over [+attach]
交流 (コウリュウ) 〈Nv〉 exchange, interchange, intercourse; 〈N〉 alternating current [+flow]

LEVEL 2

201 先

さき，-ざき；ま-；
セン

previous, foregoing

先（さき）〈N〉 previous; ahead
先立つ（さきだつ）〈V〉 go ahead, go first; die leaving someone behind [+stand, rise]
先駆者（センクシャ）〈N〉 pioneer, forerunner [+drive+person]
先決（センケツ）〈Nv〉 prior settlement [+determine]
先月（センゲツ）〈T〉 last month [+month]
先行（センコウ）〈Nv〉 precedence, going ahead [+go]
先日（センジツ）〈T〉 the other day [+day]
先週（センシュウ）〈T〉 last week [+week]
先進国（センシンコク）〈N〉 advanced nation [+advance+country]
先生（センセイ）〈N〉 teacher, instructor [+birth]
先着（センチャク）〈Nv〉 first arrival [+reach]
先手（センて）〈N〉 first move, forestalling [+hand]
先輩（センパイ）〈N〉 one's senior 《at school or work》 [+fellows]
先発（センパツ）〈Nv〉 starting in advance; precedence [+departure]

point, nip, tip

先（さき）〈N〉 point, tip
先端（センタン）〈N〉 point, tip [+edge]
先頭（セントウ）〈N〉 forefront, the front [+head]

the other party, objective

…先（…さき）〈N〉 ...address, ...place
▷勤務先（キンム～）one's office, company where one works [duty+]
連絡先（レンラク～）where one can be contacted [contact+]
先方（センポウ）〈N〉 the other party/side [+direction]

202 価

あたい；
カ

price

価（あたい）〈N〉 price →[345]値
価格（カカク）〈N〉 price, cost [+grade]
価値（カチ）〈N〉 value, worth [+value]
▶高価（コウカ）〈Na〉 expensive, high price [high+]
評価（ヒョウカ）〈Nv〉 evaluation, appraisal [criticism+]
物価（ブッカ）〈N〉 commodity prices [thing+]

203 活

い-，いき；
カツ，カッ-

vivid, vigor

活（いき）〈N〉 freshness, not frozen 《of fish》
活（カツ）〈N〉 life, energy, vigor
活字（カツジ）〈N〉 printing type [+letter, character]
活動（カツドウ）〈Nv〉 being active, activity [+move]
活躍（カツヤク）〈Nv〉 activity, vitality, vigor [+leap]
活気（カッキ）〈N〉 vigor, liveliness [+spirit]
活発（カッパツ）〈Na〉 lively, vivacious [+issue]

204 切	き-, -ぎ-, きっ-, きり, -ぎり; -サイ; **セツ**, セッ-	一 七 切 切 切 切 切 切 切

cut

…切り (…きり/ぎり) 〈N〉 …cut
▷みじん切り (～ぎり) mincing [(tiny pieces)+]
封切(り) (フウきり) cutting the seal; first run 《of film》 [seal+]
四つ切り (よつぎり) quartering [four+]
切る (きる) 〈V〉 cut; slice; chop
切れ (きれ) 〈N〉 piece, slice; cloth; cutting; sharpness
…切れ (…ぎれ) 〈N〉 out of…
▷期限切れ (キゲン～) overdue, invalid [deadline+]
時間切れ (ジカン～) termination, being out of time [time+]
資金切れ (シキン～) out of funds [funds+]
切れる (きれる) 〈V〉 cut well; expire
切(り)替える (きりかえる) 〈V〉 renew, switch, exchange [+replace]
切(り)離す (きりはなす) 〈V〉 detach, cut off, separate [+separate]
切(り)札 (きりふだ) 〈N〉 trump [+card]
切手 (きって) 〈N〉 postage stamp [+hand] ➜SN
切符 (きっぷ) 〈N〉 ticket [+tally]
切断 (セツダン) 〈Nv〉 cutting off [+cut off]
切腹 (セップク) 〈Nv〉 (commit) *harakiri* [+abdomen]
▶裏切る (うらぎる) 〈V〉 betray [the other side+]
区切る (くぎる) 〈V〉 partition [division+]
首切り (くびきり) 〈N〉 dismissal [head+]
断ち切る (たちきる) 〈V〉 cut off [cut off+]
千切る (ちぎる) 〈V〉 tear to pieces, shred [thousand+]
値切る (ねぎる) 〈V〉 bargain, haggle [value+]
踏切 (ふみきり) 〈N〉 train crossing [tread on+]
踏(み)切る (ふみきる) 〈V〉 step out [tread on+]
振(り)切る (ふりきる) 〈V〉 part by force [swing+]
見切る (みきる) 〈V〉 abandon, forsake; sell at a bargain [see+]
横切る (よこぎる) 〈V〉 cross, traverse [side+]

limit, extremely

切に (セツに) 〈Adv〉 keenly; extremely; by all means
切実 (セツジツ) 〈Na〉 acute, keen, urgent [+real]

finish ～ing, end

▶言い切る (いいきる) 〈V〉 say definitely, state explicitly [say+]
売(り)切れ (うりきれ) 〈N〉 sold out [sell+]
澄み切る (すみきる) 〈V〉 clear perfectly [limpid+]
払(い)切る (はらいきる) 〈V〉 pay completely [pay+]
弱り切る (よわりきる) 〈V〉 be utterly exhausted [weak+]
割(り)切る (わりきる) 〈V〉 give a clear-cut solution [divide+]
一切 (イッサイ) 〈Q〉 all, entire, everything [one+]

moderate, reasonable

▶親切 (シンセツ) 〈N/Na〉 kindness, friendship [friendly+]
大切 (タイセツ) 〈Na〉 important, precious [great+]
適切 (テキセツ) 〈Na〉 appropriate, pertinent [proper+]

***Cs* pieces**

…切れ (…きれ) 〈Q〉 …cuts, …pieces, …bits, …slices
▷一切れ (ひと～), 二切れ (ふた～), 三切れ (み～)

205 **南**

みなみ;
ナ-, ナン

一 十 冂 内 南 南 南

南 南 南 南 南

south

南 (みなみ) 〈N〉 south
南… (みなみ…) south…
▷南アメリカ 〈N〉 South America [+(America)]
南十字星 (～ジュウジセイ) 〈N〉 Southern Cross [+cross+star]
南太平洋 (～タイヘイヨウ) 〈N〉 South Pacific [+Pacific Ocean]
南半球 (～ハンキュウ) 〈N〉 Southern Hemisphere [+half+ball]
南下 (ナンカ) 〈Nv〉 going south [+down]
南岸 (ナンガン) 〈N〉 south coast [+shore]
南西 (ナンセイ) 〈N〉 southwest [+west]
南東 (ナントウ) 〈N〉 southeast [+east]
南部 (ナンブ) 〈N〉 southern part [+part]
南方 (ナンポウ) 〈N〉 southerly direction [+direction]
南北 (ナンボク) 〈N〉 north-south [+north]
▶指南 (シナン) 〈Nv〉 direction, instruction [point at+] ➔SN

Ph

南無 (ナム) 〈Int〉 Namo! 《Buddhist》 [+*Ph*] ➔SN

206 **藤**

ふじ;
トウ, -ドウ

一 艹 芦 萨 蔝 藤

藤 藤 藤 藤 藤

wisteria

藤 (ふじ) 〈N〉 wisteria
★藤 is commonly seen in surnames.
e.g. 藤井 (ふじい), 藤沢 (ふじさわ), 藤田 (ふじた), 藤村 (ふじむら), 藤本 (ふじもと), 藤山 (ふじやま), 藤原 (ふじわら); 安藤 (アンドウ), 伊藤 (イトウ), 江藤 (えトウ), 遠藤 (エンドウ), 加藤 (カトウ), 後藤 (ゴトウ), 近藤 (コンドウ), 斎藤 (サイトウ), 佐藤 (サトウ), 内藤 (ナイトウ)

207 **知**

し-, しり-;
チ

⇨ [151]和

𠂉 𠂇 チ 矢 知 知

知 知 知 知 知

aware, know, intelligence

知らせ (しらせ) 〈N〉 information, notice, news
知らせる (しらせる) 〈V〉 let know, inform
知る (しる) 〈V〉 become aware of, learn, come to know
知れる (しれる) 〈V〉 get known
知(り)合い (しりあい) 〈N〉 one's acquaintance [+meet]
知恵 (チエ) 〈N〉 wisdom [+bless]
知識 (チシキ) 〈N〉 knowledge [+knowledge]
知人 (チジン) 〈N〉 one's acquaintance [+man]
知性 (チセイ) 〈N〉 intellect, intelligence [+quality]
知的 (チテキ) 〈Na〉 intelligent, intellectual [+*Suf Na*]
知能 (チノウ) 〈N〉 intellectual faculties [+ability]
知名人 (チメイジン) 〈N〉 well-known person [+name+person]

govern

知事 (チジ) 〈N〉 governor 《of a prefecture / state, etc.》 [+person in charge of]

208 **首**	くび; シュ	

head
首（くび）〈N〉head →[386]頭
首つり（くびつり）〈N〉hanging [+(hang)]
首切り（くびきり）〈N〉dismissal [+cut]
首相（シュショウ）〈N〉Prime Minister [+minister]
首席（シュセキ）〈N〉top rank [+seat]
首都（シュト）〈N〉capital [+capital]
首脳（シュノウ）〈N〉leader, brains [+brain]

neck
首（くび）〈N〉neck
首飾り（くびかざり）〈N〉necklace [+decorate]
首輪（くびわ）〈N〉collar《for a dog/cat, etc.》[+ring]
▶足首（あしくび）〈N〉ankle [leg+]
手首（てくび）〈N〉wrist [hand+]

Cs waka
…首（…シュ）〈Q〉…pieces
▷一首（イッ～）, 二首（ニ～）, 三首（サン～）
▶百人一首（ヒャクニンイッシュ）〈N〉Hundred Poems by One Hundred Poets《name of a famous anthology/playing cards》[hundred +person+one+]

209 **協**	キョウ	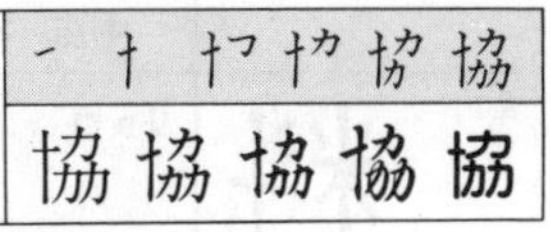

cooperate
協会（キョウカイ）〈N〉association [+meeting]
協議（キョウギ）〈Nv〉conference, council [+debate]
協議会（キョウギカイ）〈N〉conference [+debate+meeting]
協賛（キョウサン）〈Nv〉cosponsorship [+approve]
協調（キョウチョウ）〈Nv〉cooperation, harmony [+harmony]
協定（キョウテイ）〈Nv〉agreement [+settle]
協同（キョウドウ）〈Nv〉collaboration, partnership [+accompanying]
協同組合（キョウドウくみあい）〈N〉cooperative association [+accompanying+association]
協力（キョウリョク）〈Nv〉cooperation, collaboration [+power]

210 **村**	むら; ソン ⇨[590]材	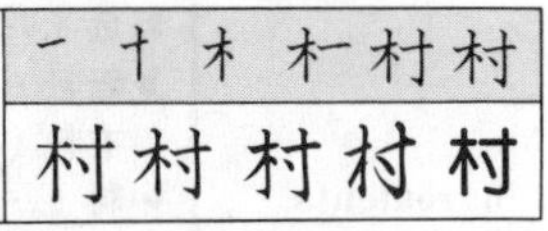

village
村（むら）〈N〉village
…村（…むら）〈N〉…Village, …village
▷キャンプ村 camping village [(camp)+]
十津川村（とつかわ～）Totsukawa Village [*PN*+]
村長（ソンチョウ）〈N〉village headman [+chief]
▶漁村（ギョソン）〈N〉fishing village [fishing+]
市町村（シチョウソン）〈N〉cities, towns, and villages [city+town+]
農村（ノウソン）〈N〉farm village [agriculture+]

211 店

たな；**みせ**；
テン

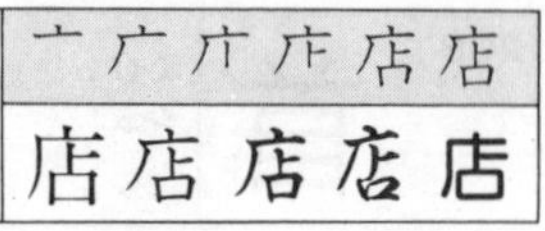

shop

店 (みせ) 〈N〉 shop
…店 (…みせ/テン) 〈N〉 …shop →[270]屋
▷カメラ店 (～テン) camera shop [(camera)+]
喫茶店 (キッサテン) coffee house, tea salon [drinking tea+]
書店 (ショテン) book shop [book+]
代理店 (ダイリテン) agent, dealer [procuration+]
特約店 (トクヤクテン) special agent; chain store [special contract+]
百貨店 (ヒャッカテン) department store [hundred+goods+]
夜店 (よみせ) night stall《at a fair》 [night+]
理髪店 (リハツテン) barber shop [manage+hair+]
店員 (テンイン) 〈N〉 (store) clerk [+member]
店頭 (テントウ) 〈N〉 shop front, counter [+head]
店内 (テンナイ) 〈N〉 inside a shop [+inside]
店舗 (テンポ) 〈N〉 shop [+store]
▶開店 (カイテン) 〈Nv〉 store opening [open+]
支店 (シテン) 〈N〉 branch shop/office [branch+]
閉店 (ヘイテン) 〈Nv〉 shop closing [close+]
本店 (ホンテン) 〈N〉 main shop [base+]

212 料

リョウ

⇨[350]科

fee, fare

…料 (…リョウ) 〈N〉 …fee, …fare, …charge →[68]代
▷サービス料 service charge [(service)+]
原稿料 (ゲンコウ～) author's fee, payment for a manuscript [manuscript+]
授業料 (ジュギョウ～) tuition [lessons+]
手数料 (てスウ～) commission, fee [trouble+]
通行料 (ツウコウ～) toll [passing+]
入場料 (ニュウジョウ～) admission fee [entrance+]
保険料 (ホケン～) insurance premium [insurance+]
料金 (リョウキン) 〈N〉 charge, fare [+money]
▶無料 (ムリョウ) 〈N〉 free of charge, gratis [nil+]
有料 (ユウリョウ) 〈N〉 for consideration, costing money [have+]

ingredients, material

…料 (…リョウ) 〈N〉 …material
▷香辛料 (コウシン～) spice [fragrance+acrid+]
調味料 (チョウミ～) seasonings [arrange+taste+]
料亭 (リョウテイ) 〈N〉 exclusive Japanese restaurant [+pavilion]
料理 (リョウリ) 〈Nv〉 cooking [+manage]
▶飲料 (インリョウ) 〈N〉 drinks [drink+]
原料 (ゲンリョウ) 〈N〉 raw material [origin+]
材料 (ザイリョウ) 〈N〉 material, stuff [material+]
食料 (ショクリョウ) 〈N〉 foodstuff [food+]

213 **口**

くち, -ぐち;
ク; **コウ**

mouth

口 (くち) 〈N〉 mouth
…口 (…ぐち/コウ) 〈N〉 …mouth, …outlet
▷改札口 (カイサツぐち) (station) wicket [reform+card+]
突破口 (トッパコウ) breach [breakthrough+]
排水口 (ハイスイコウ) overflow [drain+]
非常口 (ヒジョウぐち) emergency exit [extraordinary+]
東口 (ひがしぐち) east gate [east+]
西口 (にしぐち) west gate [west+]
南口 (みなみぐち) south gate [south+]
北口 (きたぐち) north gate [north+]
口調 (クチョウ) 〈N〉 tone; expression [+tone]
▶入(り)口 (いりぐち) 〈N〉 entrance [enter+]
出口 (でぐち) 〈N〉 exit [come out+]

lot

口 (くち) 〈N〉 lot; job
▶小口 (こぐち) 〈N〉 small lot [small+]
人口 (ジンコウ) 〈N〉 population [human+]

Cs **mouthfuls, shares**

…口 (…くち) 〈Q〉 …lots
▷一口 (ひと～) one mouthful; one share 《of contribution》
二口 (ふた～) two shares, 三口 (み～)

214 **続**

つづ-, つづき;
ゾク, ゾッ-

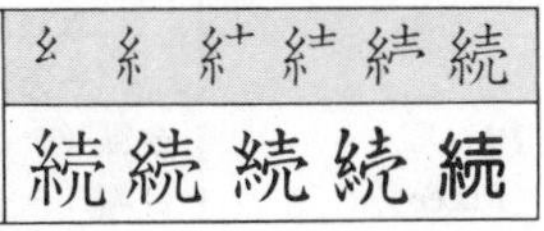

continue

続… (ゾク…) sequel to… 《novel, movie, etc.》
▷続太平記 (～タイヘイキ) 〈N〉 *Taihei-ki, Part II* [+*PN*]
続き (つづき) 〈N〉 next part, following installment
…続き (…つづき) 〈N〉 sequence/series of…; …connection
▷雨続き (あめ～) constant rain [rain+]
不幸続き (フコウ～) series of misfortunes [misfortune+]
陸続き (リク～) connected by land [land+]
続く (つづく) 〈V〉 continue (*vi.*); be continued
続ける (つづける) 〈V〉 continue to do (*vt.*)
続出 (ゾクシュツ) 〈Nv〉 successive occurrence [+come out]
続々 (ゾクゾク) 〈Adv〉 successively, one after another [+*Rep*]
続行 (ゾッコウ) 〈Nv〉 continuation, proceeding [+go]

215 **松**

まつ;
ショウ

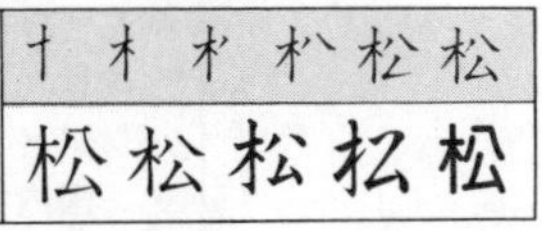

pine

松 (まつ) 〈N〉 pine

〈Place〉

松江 (まつえ) Matsue City
★松 pronounced まつ is often seen in surnames.
e.g. 松井 (まつい), 松下 (まつした), 松原 (まつばら), 小松 (こまつ)

216 台	タイ; ダイ	ㄥ ム 台 台 台 台 台 台 台 台

board, table, platform, base

台（ダイ）〈N〉 table, platform →[908]盤
…台（…ダイ）〈N〉 …platform, …flat, …hill
▷気象台（キショウ～）meteorological observatory [weather+]
実験台（ジッケン～）testing bench; subject experimented on [experiment+]
展望台（テンボウ～）observation platform [view+]
天文台（テンモン～）observatory [heaven+pattern+]
時計台（とケイ～）clock tower [clock+]
台所（ダイどころ）〈N〉 kitchen [+place]
台本（ダイホン）〈N〉 script, playbook [+book]
▶舞台（ブタイ）〈N〉 stage [dance+]

Cs **machines**

…台（…ダイ）〈Q〉 …machines
▷一台（イチ～），二台（ニ～），三台（サン～）

Suf **digit**

…台（…ダイ）〈N〉 …-age
▷十台（ジュウ～）(in) one's teens, teen-age [ten+]
二十台（ニジュウ～）(in) one's twenties [twenty+]
★In this meaning, [68]代 is preferred to 台.
…円台（…エンダイ）〈N〉 the …yen level
▷百円台（ヒャク～）¥100–199 [one hundred+]
五百円台（ゴヒャク～）¥500–599 [five hundred+]
一万円台（イチマン～）¥10,000–19,999 [ten thousand+]

Ph

台風（タイフウ）〈N〉 typhoon [+wind] ➜SN

〈Place〉

台湾（タイワン）Taiwan

217 向	む-, むか-, むこ-; コウ ⇨[471]何	ノ ｲ 冂 向 向 向 向 向 向 向 向

direction, orientate

向(か)い（むかい）〈N〉 opposite side
向かう（むかう）〈V〉 face/go toward…
向き（むき）〈N〉 direction
…向き（…むき）〈N〉 good/suited for…
▷一般向き（イッパン～）attuned to the popular taste, of general interest [general+]
家庭向き（カテイ～）for the household, for domestic use [home+]
子供向き（こども～）for children [child+]
向く（むく）〈V〉 turn toward
…向け（…むけ）〈N〉 directed/intended for…
▷アメリカ向け directed especially for USA [(America)+]
国内向け（コクナイ～）for domestic consumption [domestic+]
向ける(むける)〈V〉 direct something toward…
向(こ)う（むこう）〈N〉 other side/party
向(こ)う側（むこうがわ）〈N〉 opposite side [+side]
向上（コウジョウ）〈Nv〉 (undergo) improvement, advancement [+up]

218 案

アン

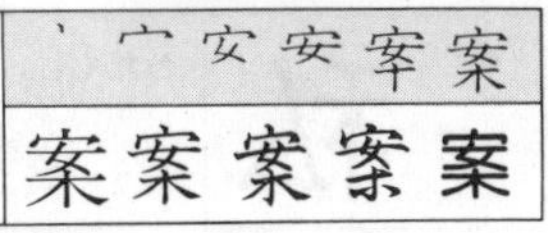

idea, proposal

案（アン）〈N〉 idea, thought; proposal
…案（…アン）〈N〉 …proposal, …bill
▷改正案（カイセイ～）proposed revisions [amendment＋]
具体案（グタイ～）concrete proposal [concrete＋]
決議案（ケツギ～）(draft) resolution [(pass) resolution＋]
修正案（シュウセイ～）(draft) amendment [amendment＋]
▶私案（シアン）〈N〉 one's private/personal plan [private＋]
新案（シンアン）〈N〉 new idea/design [new＋]

well-informed

案外（アンガイ）〈S〉 unexpected [＋out]
案内（アンナイ）〈N〉 information; 〈Nv〉 showing around [＋inner]

219 利

き-, -ぎ-, きき-;
リ

〈PN〉と，とし，あしかが（足利） ⇒954 刺

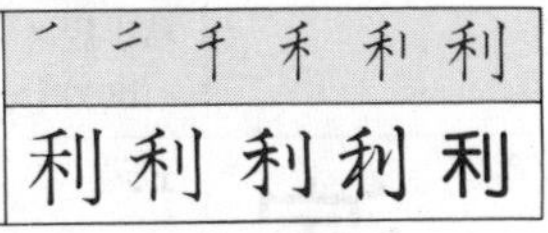

profit

利（リ）〈N〉 profit
利益（リエキ）〈N〉 profit, gain [＋benefit]
利害（リガイ）〈N〉 advantages and disadvantages, interests [＋damage]
利己的（リコテキ）〈Na〉 egoistic [＋self＋*Suf Na*]
利子（リシ）〈N〉 interest [＋child]
利息（リソク）〈N〉 interest [＋born]
利回り（リまわり）〈N〉 yield, return《on investment》 [＋turn]
利用（リヨウ）〈Nv〉 utilization, making use of [＋use]

effective, proficient

利く（きく）〈V〉 work, be effective
利器（リキ）〈N〉 useful tool [＋tool]
▶口利き（くちきき）〈N〉 mediation, acting as go-between [mouth＋]
左利き（ひだりきき）〈N〉 left-handed [left＋]

Ph

▶砂利（じゃリ）〈N〉 gravel, small pebbles, ballast [sand＋]

220 送

おく-, おくり-;
ソウ

send

送る（おくる）〈V〉 send
送(り)仮名（おくりガな）〈N〉 conjugational *kana* ending [＋*kana*]
送り先（おくりさき）〈N〉 addressee, receiver [＋the other party]
送り主（おくりぬし）〈N〉 sender [＋lord]
送還（ソウカン）〈Nv〉 sending back, repatriation [＋circulate]
送検（ソウケン）〈Nv〉 committing for trial; referring to the prosecutor's office [＋investigate]
送呈（ソウテイ）〈Nv〉 sending as a gift [＋present]
送電（ソウデン）〈Nv〉 transmission of electricity, electric supply [＋electricity]
送付（ソウフ）〈Nv〉 sending, forwarding [＋attach]
送別会（ソウベツカイ）〈N〉 farewell party [＋part with＋meeting]
送料（ソウリョウ）〈N〉 postage, shipping costs [＋fee]

221 **私**	わたくし; わたし; シ ⇒151和, 664払	一 ニ 千 禾 私 私 私 私 私 私 私

private
私 (わたくし) 〈N〉 private; 〈Nv〉 arrogating...to oneself
私学 (シガク) 〈N〉 private school [+school]
私語 (シゴ) 〈Nv〉 whispering, secret talk [+word]
私書箱 (シショばこ) 〈N〉 post-office box [+document+box]
私生活 (シセイカツ) 〈N〉 one's private life [+life]
私大 (シダイ) 〈N〉 private university/college [+university]
私的 (シテキ) 〈Na〉 private, personal [+*Suf Na*]
私鉄 (シテツ) 〈N〉 private-sector railroad [+railway]
私立 (シリツ/わたくしリツ) 〈N〉 privately established, non-public [+establish]

I, me
私 (わたくし/わたし) 〈N〉 I, me
私小説 (シショウセツ/わたくしショウセツ) 〈N〉 "I" story, first-person novel [+novel]

222 **演**	エン	氵 汸 涥 演 演 演 演 演 演 演 演

perform
演じる (エンじる) 〈V〉 play, perform
演繹 (エンエキ) 〈Nv〉 deduction [+deduce]
演芸 (エンゲイ) 〈N〉 entertainment, vaudeville [+art]
演劇 (エンゲキ) 〈N〉 play, drama [+drama]
演説 (エンゼツ) 〈Nv〉 speech [+persuade]
演奏 (エンソウ) 〈Nv〉 musical performance [+play music]

practice
演習 (エンシュウ) 〈N〉 practice; seminar [+learn]

223 **受**	う-, うけ; ジュ	一 〃 爫 爫 学 受 受 受 受 受 受

receive
受ける (うける) 〈V〉 receive
受(け)入れ (うけいれ) 〈N〉 acceptance, reception [+put in]
受(け)入れる (うけいれる) 〈V〉 accept [+put in]
受(け)付ける (うけつける) 〈V〉 receive, accept [+attach]
受(け)取る (うけとる) 〈V〉 accept, take [+get]
受(け)身 (うけみ) 〈N〉 passive/defensive position [+body]
受(け)持つ (うけもつ) 〈V〉 take charge of [+hold]
受付 (うけつけ) 〈N〉 reception (office); receipt [+attach]
受取 (うけとり) 〈N〉 receipt, acknowledgment [+get]
受験 (ジュケン) 〈Nv〉 taking an examination [+test]
受講 (ジュコウ) 〈Nv〉 taking/attending lectures [+lecture]
受賞 (ジュショウ) 〈Nv〉 receiving a prize/reward [+prize]
受信 (ジュシン) 〈Nv〉 receiving a message [+message]
受諾 (ジュダク) 〈Nv〉 acceptance, consent [+assent]
受注 (ジュチュウ) 〈Nv〉 receiving an order [+order]
受理 (ジュリ) 〈Nv〉 acceptance《of a report, application, etc.》 [+manage]

224 **半**

なか-;
ハン，-パン

⇨1703羊

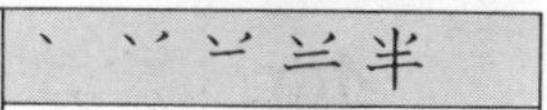

半半半半半

half

半… (ハン…) half…
　▷半時間 (～ジカン) 〈Q〉 half an hour　[+hour]
　半世紀 (～セイキ) 〈Q〉 half a century　[+century]
…半 (…ハン) 〈Q〉 …and a half; 〈T〉 half past…
　▷一時間半 (イチジカン～) 〈Q〉 one hour and a half　[an hour+]
　三時半 (サンジ～) 〈T〉 half past three　[three o'clock+]
半ば (なかば) 〈Q〉 half, partly
半額 (ハンガク) 〈Q〉 half amount/price　[+amount]
半期 (ハンキ) 〈T〉 semester, a half year　[+term]
半径 (ハンケイ) 〈N〉 radius　[+path]
半数 (ハンスウ) 〈Q〉 half the number　[+number]
半生 (ハンセイ) 〈N〉 half one's life　[+life]
半島 (ハントウ) 〈N〉 peninsula　[+island]
半年 (ハンとし/ハンネン) 〈Q〉 half a year　[+year]
半日 (ハンニチ) 〈Q〉 half a day　[+day]
半分 (ハンブン) 〈Q〉 half　[+part]
半面 (ハンメン) 〈Q〉 half, other side　[+aspect]

225 **官**

カン，-ガン

⇨419宮，348営

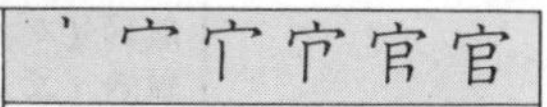

官官官官官

official, officer

…官 (…カン) 〈N〉 …officer
　▷外交官 (ガイコウ～) diplomat　[diplomacy+]
　警察官 (ケイサツ～) police officer　[police force+]
　検察官 (ケンサツ～) public prosecutor　[criminal investigation+]
　司令官 (シレイ～) commander　[commandant+]
官公庁 (カンコウチョウ) 〈N〉 government offices《at all levels》 [+public+government office]
官庁 (カンチョウ) 〈N〉 government office　[+government office]
官邸 (カンテイ) 〈N〉 official residence　[+residence]
官房 (カンボウ) 〈N〉 secretariat　[+chamber]
官僚 (カンリョウ) 〈N〉 bureaucrat　[+officer]

226 **使**

つか-，-づか-，つかい，-づかい；
シ

⇨578便

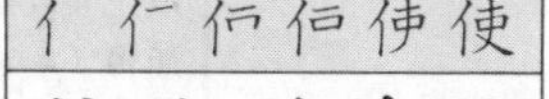

使使使使使

use

使う (つかう) 〈V〉 use, employ
使用 (シヨウ) 〈Nv〉 use, employment　[+use]

envoy

使者 (シシャ) 〈N〉 messenger　[+person]
使節 (シセツ) 〈N〉 envoy, mission　[+banner†]
使命 (シメイ) 〈N〉 mission, errand　[+order]
▶公使 (コウシ) 〈N〉 minister《diplomat》 [official+]
　大使 (タイシ) 〈N〉 ambassador　[big+]

227 **無**

なー;
ム; ブ

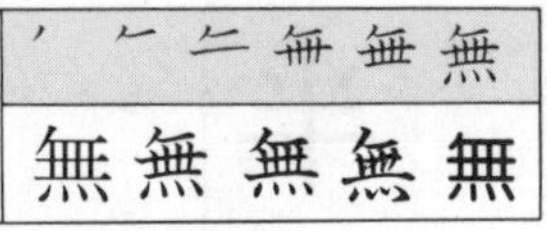

non-, nil

無 (ム) 〈N〉 naught, nil, nothing
無… (ム/ブ…) non-, un-, dis- →[491]非…
▷無気味 (ブキミ) 〈Na〉 uncanny, weird [+feeling]
無器用 (ブキヨウ) 〈Na〉 awkward, clumsy [+skillful]
無意味 (ムイミ) 〈Na〉 insignificant [+meaning]
無一文 (ムイチモン) 〈N〉 penniless [+one *mon*]
無関係 (ムカンケイ) 〈N/Na〉 irrelevance [+relation]
無期限 (ムキゲン) 〈N〉 indefinite, open-end [+deadline]
無気力 (ムキリョク) 〈N/Na〉 vapid [+vigor]
無慈悲 (ムジヒ) 〈N/Na〉 merciless [+mercy]
無邪気 (ムジャキ) 〈N/Na〉 innocence, naïvety [+evil+mind]
無重力 (ムジュウリョク) 〈N〉 weightlessness [+gravity]
無責任 (ムセキニン) 〈N/Na〉 irresponsibility [+responsibility]
無鉄砲 (ムテッポウ) 〈N/Na〉 reckless [+gun]
無理解 (ムリカイ) 〈N/Na〉 incomprehension [+comprehension]
無い (ない) 〈A〉 non-existing
無事 (ブジ) 〈Na/S〉 safety, secure [+affair]
無縁 (ムエン) 〈N/Na〉 unrelated [+relation]
無我 (ムガ) 〈N〉 self-renunciation; selflessness [+I]
無害 (ムガイ) 〈N/Na〉 harmlessness [+hurt]
無学 (ムガク) 〈N/Na〉 uneducated, no knowledge [+study]
無傷 (ムきず) 〈N〉 unhurt, spotless [+wound]
無給 (ムキュウ) 〈N〉 unpaid, unsalaried [+wages]
無口 (ムくち) 〈N/Na〉 taciturnity, silent [+mouth]
無形 (ムケイ) 〈N〉 formless; immaterial, intangible [+shape]
無限 (ムゲン) 〈N〉 infinity, endlessness [+limit]
無言 (ムゴン) 〈N〉 silence, muteness [+say]
無罪 (ムザイ) 〈N〉 not guilty, innocence [+crime]
無視 (ムシ) 〈Nv〉 neglect, ignore [+sight]
無実 (ムジツ) 〈N〉 falsehood, groundless [+real]
無臭 (ムシュウ) 〈N〉 odorless, scentless [+smell]
無償 (ムショウ) 〈N〉 gratuitousness, free of charge [+compensate]
無上 (ムジョウ) 〈N〉 supreme [+excellent]
無情 (ムジョウ) 〈N/Na〉 heartless, cruel [+emotion]
無常 (ムジョウ) 〈N〉 transitoriness, impermanence [+always]
無職 (ムショク) 〈N〉 unemployment, jobless [+job]
無人 (ムジン) 〈N〉 uninhabited, unmanned [+person]
無神論 (ムシンロン) 〈N〉 atheism [+god+argue]
無線 (ムセン) 〈N〉 wireless [+line]
無断 (ムダン) 〈N〉 without notice/leave [+excuse]
無知 (ムチ) 〈N/Na〉 ignorant, unknowledgeable [+know]
無恥 (ムチ) 〈N/Na〉 shameless [+shame]
無敵 (ムテキ) 〈N/Na〉 invincibility [+enemy]

無能 (ムノウ) 〈N/Na〉 incompetency, inability [+ability]
無比 (ムヒ) 〈N〉 incomparableness, unequalled [+compare]
無病 (ムビョウ) 〈N〉 healthy [+sick]
無風 (ムフウ) 〈N〉 windless [+wind]
無法 (ムホウ) 〈N/Na〉 lawless, outrageous [+law]
無謀 (ムボウ) 〈N/Na〉 reckless, inconsiderate [+scheme]
無名 (ムメイ) 〈N〉 anonymity; nameless [+name]
無用 (ムヨウ) 〈N/Na〉 useless [+use]
無欲 (ムヨク) 〈N/Na〉 disinterested [+desire]
無理 (ムリ) 〈Nv/Na〉 unreasonable; overstrain [+reason]
無料 (ムリョウ) 〈N〉 free of charge, gratis [+fee]
無力 (ムリョク) 〈N/Na〉 powerless [+power]
無類 (ムルイ) 〈N/Na〉 unparalleled, unique [+sort]
無論 (ムロン) 〈S〉 of course [+argue]

void

無残 (ムザン) 〈N/Na〉 cruel, pitiless [+merciless]
無地 (ムジ) 〈N〉 solid color, plain [+ground]
無色 (ムショク) 〈N〉 tintless [+color]
無心 (ムシン) 〈N〉 innocence [+heart]
無数 (ムスウ) 〈N〉 numberless [+number]
無駄 (ムダ) 〈N/Na〉 useless, waste [+useless] ➜SN
無念 (ムネン) 〈N/Na〉 regret, grudge [+sense]
無味 (ムミ) 〈N/Na〉 tasteless, vapid [+taste]

Ph

無茶 (ムチャ) 〈N/Na〉 unreasonable, reckless [+*Ph*]

228 **男**

おとこ;
ダン; ナン
〈PN〉お

man, male

男 (…おとこ) 〈N〉 man, male
…男 (…おとこ) 〈N〉 …man, …fellow, …guy
▷中年男 (チュウネン～) middle-aged guy [middle age+]
男っぽい (おとこっぽい) 〈A〉 manly《man》; boyish《girl》
男らしい (おとこらしい) 〈A〉 manly
男の子 (おとこのこ) 〈N〉 boy, lad [+child]
男好き (おとこずき) 〈N〉 wanton; a favorite with the men [+favorable]
男前 (おとこまえ) 〈N〉 handsome《boy》 [+deserve]
男勝り (おとこまさり) 〈N〉 manly《woman》 [+excel]
男物 (おとこもの) 〈N〉 (goods) made for gentlemen [+thing]
男子 (ダンシ) 〈N〉 boy, lad [+child]
男児 (ダンジ) 〈N〉 boy [+child]
男女 (ダンジョ) 〈N〉 man and woman [+woman]
男性 (ダンセイ) 〈N〉 male, man; masculine gender [+sex]
▶美男 (ビナン) 〈N〉 handsome man [beauty+]

son

▶長男 (チョウナン) 〈N〉 eldest son [eldest+]
次男 (ジナン) 〈N〉 second son [next+]
三男 (サンナン) 〈N〉 third son [three+]

***Cs* sons**

…男 (…ナン) 〈Q〉 …sons
▷一男二女 (イチ～ニジョ) one son and two daughters [+daughter]

229 **神** かみ, -がみ; かん-; こう-, -ごう-; シン; ジン 〈Ir〉

ラ ネ ネ 初 相 神

神 神 神 神 神

god, divine
神（かみ）〈N〉 god
神様（かみさま）〈N〉 Dear Lord [+Dear]
神業（かみわざ）〈N〉 divine work [+act]
神主（かんぬし）〈N〉 Shinto priest [+owner]
神々しい（こうごうしい）〈A〉 divine; sublime [+*Rep*]
神聖（シンセイ）〈N/Na〉 sacredness [+holy]
神道（シントウ）〈N〉 Shinto, Shintoism [+way]
神父（シンプ）〈N〉 Christian priest [+father]
神話（シンワ）〈N〉 myth, mythology [+tale]
神宮（ジングウ）〈N〉 Shinto shrine [+shrine] ➜SN
神社（ジンジャ）〈N〉 Shinto shrine [+shrine] ➜SN
神通力（ジンツウリキ）〈N〉 occult power [+transmit+power]
〈Ir〉 神楽（かぐら）〈N〉 *Kagura*, Shinto music and dance [+music]
〈Ir〉 お神酒（おみき）〈N〉 votive *sake* [(*Pref honorific*)+～+*sake*]

▼神楽 (Takachiho *Kagura* in Kyushu)

spirit, soul
神経（シンケイ）〈N〉 nerves [+passage]
神経質（シンケイシツ）〈N/Na〉 nervous [+passage+quality]

〈Place〉 神戸（こうべ）Kobe City 神奈川（かながわ）Kanagawa Pref.

Abbr 神戸
▶阪神（ハンシン）〈N〉 Osaka-Kobe area [Osaka+]
京阪神（ケイハンシン）〈N〉 Kyoto-Osaka-Kobe area [Kyoto+Osaka+]

230 **資** シ

⇨369 質

冫 冫 次 济 沓 資

資 資 資 資 資

fund, capital
資金（シキン）〈N〉 fund, capital [+money]
資源（シゲン）〈N〉 resources [+source]
資材（シザイ）〈N〉 material《for construction, etc.》 [+material]
資産（シサン）〈N〉 property, fortune [+property]
資本（シホン）〈N〉 capital, fund [+base]
資料（シリョウ）〈N〉 data, material [+material]
▶投資（トウシ）〈Nv〉 investment [throw+]

fundamental
資格（シカク）〈N〉 qualification [+frame]

inborn
資質（シシツ）〈N〉 nature, temperament; gift, talent [+quality]

231 **少** すく-, -ずく-, すくな-; すこ-; ショウ

⇨63 小

亅 小 小 少

少 少 少 少 少

few, little
少ない（すくない）〈A〉 few, little
少なくとも（すくなくとも）〈Adv〉 at least
少し（すこし）〈Q〉 a few, a little
少々（ショウショウ）〈Q〉 a little, a few [+*Rep*]
少数（ショウスウ）〈N〉 small number, minority [+number]

young
少女（ショウジョ）〈N〉 girl, lass [+girl]
少年（ショウネン）〈N〉 boy, lad [+age]

232 楽	たのｰ; ガク, ガッｰ; ラク, ラッｰ 〈Ir〉 ⇨[541]薬	′ 白 白 泊 楽 楽 / 楽楽楽楽楽

amuse, pleasant, comfort

楽 (ラク) 〈N/Na〉 ease; comfort
楽しい (たのしい) 〈A〉 merry, delightful, joyful
楽しさ (たのしさ) 〈N〉 merriness, delightfulness
楽しみ (たのしみ) 〈N〉 amusement, delight, pleasure
楽園 (ラクエン) 〈N〉 paradise [+garden]
楽観 (ラッカン) 〈Nv〉 (have) optimistic view, optimism [+view]
楽観的 (ラッカンテキ) 〈Na〉 optimistic [+view+*Suf Na*]

music

楽団 (ガクダン) 〈N〉 orchestra; band [+group]
楽器 (ガッキ) 〈N〉 musical instrument [+tool]
▶音楽 (オンガク) 〈N〉 music [sound+]
〈Ir〉 神楽 (かぐら) 〈N〉 *Kagura*, Shinto music and dance [god+]

233 空	あｰ, あき; から; そら, ｰぞら; むなｰ; クウ ⇨[427]究	′ ′′ 宀 穴 空 空 / 空空空空空

sky, air

空 (そら) 〈N〉 sky, air
空間 (クウカン) 〈N〉 space; room [+space]
空気 (クウキ) 〈N〉 air [+air]
空軍 (クウグン) 〈N〉 air force [+army]
空港 (クウコウ) 〈N〉 airport [+port]
空中 (クウチュウ) 〈N〉 in the air [+inside]
空輸 (クウユ) 〈Nv〉 air transport [+transport]
空路 (クウロ) 〈N〉 air route; 〈Adv〉 by air [+route]

empty, vacant

空 (から) 〈N〉 empty
空く (あく) 〈V〉 be vacated
空(き)家 (あきや) 〈N〉 vacant house [+house]
空々しい (そらぞらしい) 〈A〉 false, feigned; hollow, empty [+*Rep*]
空車 (クウシャ) 〈N〉 disengaged, empty 《of a taxi》 [+car]
空席 (クウセキ) 〈N〉 vacant seat [+seat]
空前 (クウゼン) 〈N〉 unprecedented; epoch-making [+before]
空想 (クウソウ) 〈Nv〉 fancy; imagination [+image]
空白 (クウハク) 〈N〉 blank, vacuum [+white]
空腹 (クウフク) 〈N/Na〉 hunger [+abdomen]

234 映	うつｰ; はｰ, ｰばｰ; エイ	冂 日 日′ 日ㄇ 映 映 / 映映映映映

reflect

映す (うつす) 〈V〉 reflect, project
映る (うつる) 〈V〉 be reflected, be imaged
映画 (エイガ) 〈N〉 movie [+picture]
映像 (エイゾウ) 〈N〉 projected image [+image]

contrast, glow

映える (はえる) 〈V〉 contrast with (*vi.*), shine, glow, look better
▶夕映え (ゆうばえ) 〈N〉 evening glow [evening+]

235 **次**

つ-, つぎ;
シ; ジ

⇨[973]吹

次次次次次

next, following

次 (つぎ) 〈N〉 next, following
次いで (ついで) 〈Adv〉 secondly; after that
次から次へ (つぎからつぎへ) 〈Adv〉 one after the other [+next]
次々 (つぎつぎ) 〈Adv〉 in succession; one after another [+*Rep*]
次回 (ジカイ) 〈T〉 next time [+turn]
次官 (ジカン) 〈N〉 vice-minister; undersecretary [+official]
次元 (ジゲン) 〈N〉 dimension, aspect [+base]
次男 (ジナン) 〈N〉 second son [+son]
次発 (ジハツ) 〈N〉 second, next 《train》 [+departure]
次第 (シダイ) 〈N〉 process, program [+rank]
次第に (シダイに) 〈Adv〉 gradually [+rank]

***Suf* sequence**

(第)…次 ((ダイ)…ジ) 〈N〉 the …-th [(rank+)]
▷第二次世界大戦 (ダイニ～セカイタイセン) World War Ⅱ [No. 2+～+ World War]

236 **院**

イン

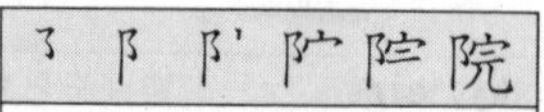

院院院院院

hall, house, institute

▶医院 (イイン) 〈N〉 private hospital [medical+]
下院 (カイン) 〈N〉 Lower House [lower+]
参議院 (サンギイン) 〈N〉 House of Councilors 《Jap.》 [attend+debate+]
寺院 (ジイン) 〈N〉 temple [temple+]
衆議院 (シュウギイン) 〈N〉 House of Representatives 《Jap.》 [crowd+debate+]
修道院 (シュウドウイン) 〈N〉 monastery [master+way of man+]
上院 (ジョウイン) 〈N〉 Upper House [up+]
大学院 (ダイガクイン) 〈N〉 graduate school [university+]
美容院 (ビヨウイン) 〈N〉 beauty parlor [beauty+appearance+]
病院 (ビョウイン) 〈N〉 hospital [sick+]

public building, *Abbr* …院

院生 (インセイ) 〈N〉 student of graduate school [+pupil] ➡SN
院長 (インチョウ) 〈N〉 director of a hospital; president of an academy [+chief] ➡SN
院内 (インナイ) 〈N〉 inside the Diet [+inside] ➡SN
▶退院 (タイイン) 〈Nv〉 leaving hospital [retreat+]
入院 (ニュウイン) 〈Nv〉 being hospitalized [enter+]

237 **郎**

ロウ

〈PN〉 -お

⇨[1450]朗

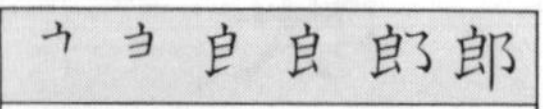

郎郎郎郎郎

young man

▶新郎 (シンロウ) 〈N〉 bridegroom [new+]
★Usually seen in male given names.
e.g. 一郎 (イチロウ), 次郎 (ジロウ), 三郎 (サブロウ), 太郎 (タロウ), 俊郎 (としロウ/としお)

238 **引**

ひ-, -び-, ひき, -びき, -ぴき;
イン

ㇷ コ 弓 引
引 引 引 引 引

pull, draw

…引(き) (…びき) 〈N〉 …discount
　▷三割引(き) (サンわり～) 30% discount [3 tenths+]
引きずる (ひきずる) 〈V〉 drag, draw
引く (ひく) 〈V〉 pull, draw, withdraw; discount
引っぱる (ひっぱる) 〈V〉 pull
引(き)上げる (ひきあげる) 〈V〉 withdraw; salvage [+up]
引(き)揚げる (ひきあげる) 〈V〉 repatriate, return home [+raise]
引(き)受ける (ひきうける) 〈V〉 accept; guarantee; undertake [+receive]
引(き)返す (ひきかえす) 〈V〉 turn back [+return]
引(き)下げる (ひきさげる) 〈V〉 draw down, lower, reduce [+down]
引(き)締める (ひきしめる) 〈V〉 tighten, squeeze [+tighten]
引(き)出し (ひきだし) 〈N〉 withdrawal; drawer [+put out]
引(き)出す (ひきだす) 〈V〉 withdraw [+put out]
引(き)継ぐ (ひきつぐ) 〈V〉 succeed to, take over [+succeed to]
引(き)続く (ひきつづく) 〈V〉 continue, occur in succession [+continue]
引(き)取る (ひきとる) 〈V〉 take back/over [+get]
引(き)抜く (ひきぬく) 〈V〉 pick/pull out [+pull out]
引(き)分(け) (ひきわけ) 〈N〉 draw, tie [+division]
引火 (インカ) 〈Nv〉 ignition [+fire]
引退 (インタイ) 〈Nv〉 retirement; withdrawal from public life [+retreat]
引用 (インヨウ) 〈Nv〉 quotation [+use]
引力 (インリョク) 〈N〉 gravity, attraction [+power]

239 **統**

す-;
トウ

幺 糸 糸 紅 紅 統
統 統 統 統 統

ruling, govern

統べる (すべる) 〈V〉 govern, rule; supervise
統一 (トウイツ) 〈Nv〉 unity, unification [+one]
統計 (トウケイ) 〈N〉 statistics [+measure]
統合 (トウゴウ) 〈Nv〉 integration, unification [+combine]
統制 (トウセイ) 〈Nv〉 control [+control]

lineage, strain

▶正統 (セイトウ) 〈N/Na〉 legitimacy; orthodoxy [right+]
　伝統 (デントウ) 〈N〉 tradition [hand over+]

240 **側**

かわ, **がわ**; そば;
ソク, ソッ-

⇨ 862 測

亻 仴 但 俱 側 側
側 側 側 側 側

side

側 (がわ) 〈N〉 side
…側 (…がわ) 〈N〉 …side
　▷内側 (うち～) inside, inner part [inside+]
　　右側 (みぎ～) right side [right+]
側面 (ソクメン) 〈N〉 aspect, phase, side [+aspect]
側近 (ソッキン) 〈N〉 one's staff members, people close to a VIP [+near]

241 **指**
さ-, -ざ-, さし, -ざし; **ゆび**;
シ

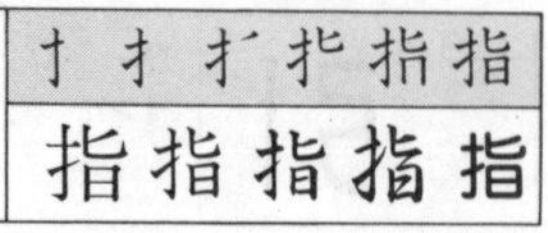

finger
指 (ゆび) 〈N〉 finger; toe
指輪 (ゆびわ) 〈N〉 (finger) ring [+ring]
指紋 (シモン) 〈N〉 fingerprint [+crest]
▶親指 (おやゆび) 〈N〉 thumb; big toe [parent+]
人指(し)指 (ひとさしゆび) 〈N〉 forefinger [pointing to a person+]
中指 (なかゆび) 〈N〉 middle finger [middle+]
薬指 (くすりゆび) 〈N〉 third finger [drug+] ➔SN
小指 (こゆび) 〈N〉 little finger; little toe [small+]

point at, aim
指す (さす) 〈V〉 point at
指(し)図 (さしズ) 〈Nv〉 directions, instructions [+plot]
指揮 (シキ) 〈Nv〉 command; conduct [+enliven]
指示 (シジ) 〈Nv〉 indication, denotation [+indicate]
指針 (シシン) 〈N〉 guide, guideline [+needle]
指数 (シスウ) 〈N〉 index (number) [+number]
指定 (シテイ) 〈Nv〉 appointment, designation [+fix]
指摘 (シテキ) 〈Nv〉 pointing out [+pick]
指導 (シドウ) 〈Nv〉 (give) guidance, leadership [+lead]
指標 (シヒョウ) 〈N〉 indicator, barometer [+sign]
指名 (シメイ) 〈Nv〉 nomination, designation [+name]
指令 (シレイ) 〈Nv〉 order, injunction [+command]

242 **株**
かぶ;
シュ

stock
株 (かぶ) 〈N〉 stock
…株 (…かぶ) 〈N〉 …stock
▷成長株 (セイチョウ～) growth stock; promising man [growth+]
優良株 (ユウリョウ～) blue-chip stock [excellence+]
株価 (かぶカ) 〈N〉 stock price [+price]
株式会社 (かぶシキガイシャ) 〈N〉 joint-stock company [+style+company]
株主 (かぶぬし) 〈N〉 shareholder [+owner]

***Cs* stocks**
…株 (…かぶ) 〈Q〉 …stock(s)
▷一株 (ひと～), 二株 (ふた～), 千株 (セン～)

243 **在**
あ-;
ザイ
⇨724存

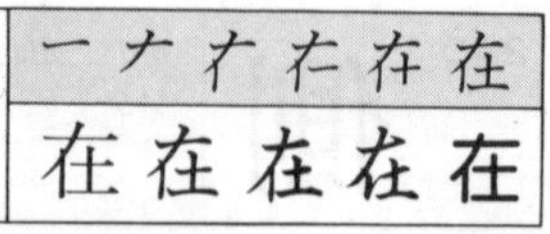

exist, stay
在る (ある) 〈V〉 exist
在外 (ザイガイ) 〈N〉 abroad [+foreign]
在学 (ザイガク) 〈Nv〉 being in school [+school]
在庫 (ザイコ) 〈N〉 stock, inventory [+storehouse]
在住 (ザイジュウ) 〈Nv〉 residing, dwelling [+dwell]
在日 (ザイニチ) 〈Nv〉 staying in Japan [+Japan]

244 **建**

た-, -だ-, たて-, -だて;
ケン; コン

〈PN〉 たけ, たけし ⇒[568]健

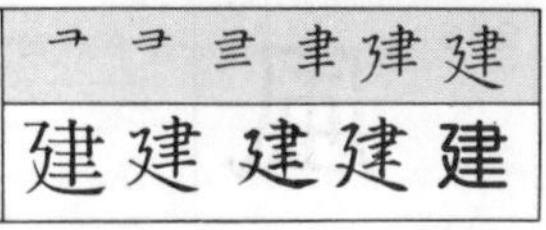

build, construct, settle

建つ (たつ) 〈V〉 be built
…建(て) (…だて) 〈N〉 …build
▷**バラック建(て)** barrack (shed) [(barrack)+]
一戸建(て) (イッコ〜) single-standing house [one+house+]
二階建(て) (ニカイ〜) two-story (house) [two+story+]
建てる (たてる) 〈V〉 build
建(て)前 (たてまえ) 〈N〉 raising the frame of a house; façade, principle, policy, system, official stance [+lot]

> ***'tatemae' vs. 'honne'* 建前と本音**
> These two terms are used to distinguish between what a person says (*tatemae*) and what he means (*honne*). *Tatemae* is the façade governed by the speaker's official role or social expectations while *honne* is a more personal expression or "true sound." Very often, this *honne* can be glimpsed between the lines of formalistic *tatemae* pieties.

建(て)売(り) (たてうり) 〈Nv〉 (sell) a ready-built house [+sell]
建物 (たてもの) 〈N〉 building, architecture [+thing]
建国 (ケンコク) 〈Nv〉 founding of a country [+country]
建設 (ケンセツ) 〈Nv〉 construction [+establish]
建造 (ケンゾウ) 〈Nv〉 making a building [+build]
建築 (ケンチク) 〈Nv〉 architecture, building [+construct]
建築家 (ケンチクカ) 〈N〉 architect [+construct+*Suf* specialist]
建立 (コンリュウ) 〈Nv〉 erecting, raising [+set up]

245 **省**

かえり-; はぶ-;
ショウ; セイ

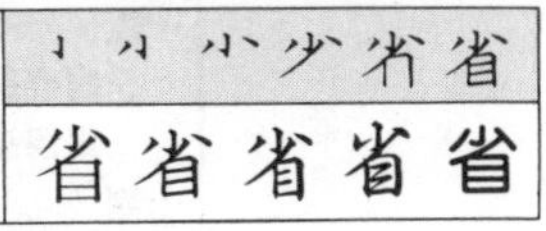

omit

省く (はぶく) 〈V〉 exclude, omit
省略 (ショウリャク) 〈Nv〉 omission; abbreviation [+abbreviate]

reflect, look back

省みる (かえりみる) 〈V〉 look back, reflect upon
▶**反省** (ハンセイ) 〈Nv〉 introspection, reconsideration [retro-+]

ministry

…省 (…ショウ) 〈N〉 Ministry of…
▷**運輸省** (ウンユ〜) Ministry of Transport [transport+]
大蔵省 (おおくら〜) Ministry of Finance [big+finance+]
外務省 (ガイム〜) Ministry of Foreign Affairs [foreign+duty+]
建設省 (ケンセツ〜) Ministry of Construction [construction+]
厚生省 (コウセイ〜) Ministry of Health and Welfare [welfare+]
通商産業省(ツウショウサンギョウ〜)Ministry of International Trade and Industry [trade+industry+] ➜SN
文部省 (モンブ〜) Ministry of Education [literal+part+]
自治省 (ジチ〜) Ministry of Home Affairs [self-government+]
省庁 (ショウチョウ) 〈N〉 ministries and agencies [+government office]

246 **風**

かざ-, **かぜ**;
フ, -ブ, **フウ**, -プウ
〈Ir〉

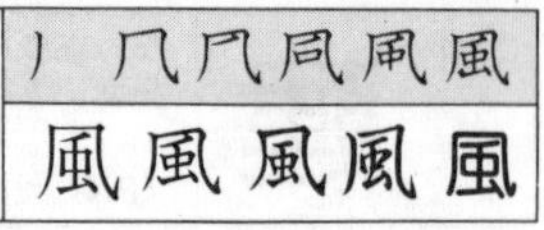

wind, air
風 (かぜ) 〈N〉 wind
風上 (かざかみ) 〈N〉 windward [+above]
風速 (フウソク) 〈N〉 wind velocity [+speedy]
風潮 (フウチョウ) 〈N〉 trend, current [+tide]
風土 (フウド) 〈N〉 climate [+soil]
風味 (フウミ) 〈N〉 taste, aroma [+taste]
風呂 (フロ) 〈N〉 bath [+*Ph*] ➔SN
〈Ir〉 風邪 (かぜ) 〈N〉 a cold [+evil] ➔SN
▶扇風機 (センプウキ) 〈N〉 electric fan [fan+～+machinery]
中風 (チュウフウ/チュウブウ/チュウブ) 〈N〉 palsy [hit+] ➔SN

atmosphere, style
…風 (…フウ) 〈N〉 …style, looking like…
▷現代風 (ゲンダイ～) modern, up-to-date [modern times+]
紳士風 (シンシ～) gentlemanly《but not a gentleman》 [gentleman+]
風格 (フウカク) 〈N〉 dignified character [+structure]
風景 (フウケイ) 〈N〉 landscape [+scene]
風習 (フウシュウ) 〈N〉 customs, public morals [+learn]
風俗 (フウゾク) 〈N〉 manners, customs [+custom]
風物 (フウブツ) 〈N〉 scenes and manners, things [+thing]

hint
風刺 (フウシ) 〈Nv〉 satire, sarcasm [+thrust]

247 **線**

セン
⇨[854]綿

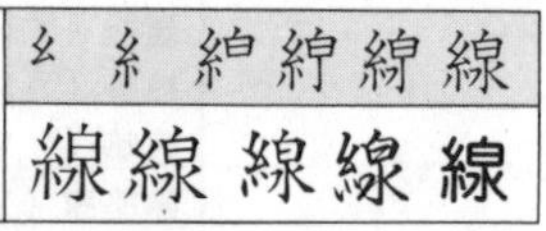

line
線 (セン) 〈N〉 line
…線 (…セン) 〈N〉 …line《of railroad/airline, etc.》
▷国際線 (コクサイ～) international airline [international+]
東海道線 (トウカイドウ～) Tokaido Line《JNR》 [*PN*+]
…線 (…セン) 〈N〉 …line, …rank, …ray
▷水平線 (スイヘイ～) horizon [level+]
第一線 (ダイイッ～) the front rank, forefront [No. 1+]
地平線 (チヘイ～) skyline, horizon [ground+plain+]
放射線 (ホウシャ～) radioactive rays [radiation+]
線路 (センロ) 〈N〉 railroad tracks [+road]

248 **住**

す-, -ず-, すま-, -ずま-;
ジュウ
〈PN〉 すみ
⇨[1283]往, [1606]佳

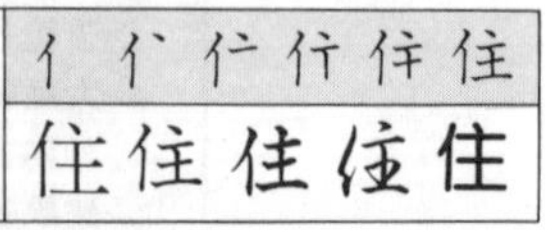

dwell, inhabit
住(ま)い (すまい) 〈N〉 dwelling; one's (home) address
住む (すむ) 〈V〉 live, dwell
住居 (ジュウキョ) 〈N〉 residence, abode [+reside]
住所 (ジュウショ) 〈N〉 one's dwelling place, address [+place]
住宅 (ジュウタク) 〈N〉 dwelling house, residence [+house]
住民 (ジュウミン) 〈N〉 residents, inhabitants [+people]

249 谷	たに, -だに; コク 〈PN〉 や	丶 八 八 仌 仌 谷 谷 谷 谷 谷 谷 谷

valley

谷 (たに) 〈N〉 valley
谷間 (たにあい/たにま) 〈N〉 ravine [+room]
▶渓谷 (ケイコク) 〈N〉 gorge [ravine+]
★When used as a part of proper names, 谷 is occasionally pronounced や. e.g. 渋谷 (しぶや), 日比谷 (ヒビや), 谷中 (やなか), 大谷 (おおや/おおたに)

250 育	そだ-; イク	' 亠 亠 云 云 育 育 育 育 育 育 育

breed, raise

育つ (そだつ) 〈V〉 grow (*vi.*)
育てる (そだてる) 〈V〉 bring up, raise
育児 (イクジ) 〈N〉 childcare, raising infants [+child]
育成 (イクセイ) 〈Nv〉 rearing, foster [+form]

251 付	つ-, -づ-, つき, -づき, つけ, -づけ; フ, -プ	ノ イ 仁 付 付 付 付 付 付 付

attach, stick, put on

…付 (…つき) 〈N〉 coming with…, accompanied by…
▷期限付 (キゲン〜) with a time limit [deadline+]
保証付 (ホショウ〜) guaranteed [guarantee+]
…付 (…づけ) 〈N〉 dated…
▷十二月二十四日付 (ジュウニガツニジュウよっか〜) dated Dec. 24 [December 24+]
付く (つく) 〈V〉 stick, accompany
付ける (つける) 〈V〉 attach, put on
付(き)合う (つきあう) 〈V〉 accompany, associate with [+meet]
付(き)添い (つきそい) 〈N〉 attendant, escort [+append]
付(き)添う (つきそう) 〈V〉 accompany [+append]
付近 (フキン) 〈N〉 vicinity, neighborhood [+near]
付属 (フゾク) 〈Nv〉 being attached/affiliated to [+belong] →1898附属
付着 (フチャク) 〈Nv〉 adhesion [+contact]
付録 (フロク) 〈N〉 supplement [+record]
▶気付く (キづく) 〈V〉 notice, find out [mind+]
寄付 (キフ) 〈Nv〉 contribution, donation [draw to+]
添付 (テンプ) 〈Nv〉 appending [append+]

252 井	い; ショウ, -ジョウ; セイ	一 二 ヰ 井 井 井 井 井 井

well (*n.*)

井戸 (いど) 〈N〉 well [+*Ph*] ➜SN
▶油井 (ユセイ) 〈N〉 oil well [oil+]

parallel crosses

▶市井 (シセイ) 〈N〉 in the street, vulgar world [city+]
天井 (テンジョウ) 〈N〉 ceiling [heaven+]

253 階

カイ, -ガイ

〈PN〉 しな ⇨ 1484 陛

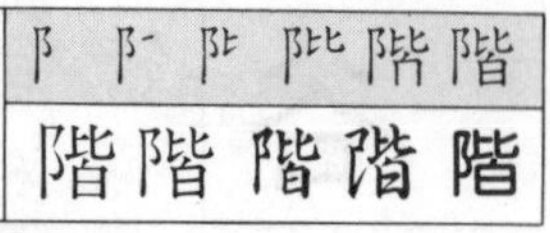

step
- 階級（カイキュウ）〈N〉 class, rank [+class]
- 階層（カイソウ）〈N〉 class, stratum [+layer]
- 階段（カイダン）〈N〉 stairs, staircase [+step]

story, floor
- 階下（カイカ）〈N〉 downstairs [+down]
- ▶地階（チカイ）〈N〉 basement [ground+]

***Cs* floors**
- …階（…カイ/ガイ）〈Q〉 …floors; 〈N〉 …-th floor
  - ▷一階（イッカイ）, 二階（ニカイ）, 三階（サンガイ）

254 死

し-, -じ-, しに, -じに;
シ, -ジ

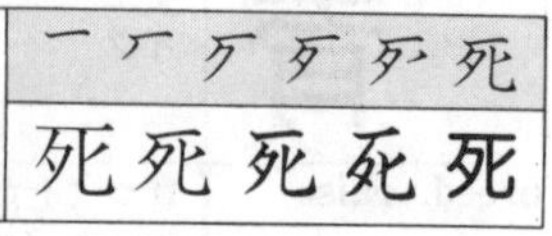

death
- 死（シ）〈N〉 death
- …死（…シ）〈N〉 death caused by…
  - ▷事故死（ジコ～）〈Nv〉 being killed in an accident [accident+]
  - 中毒死（チュウドク～）〈Nv〉 death from poison [poisoning+]
- 死ぬ（しぬ）〈V〉 die
- 死神（しにがみ）〈N〉 Death, the Grim Reaper [+god]
- 死因（シイン）〈N〉 cause of death [+cause]
- 死去（シキョ）〈Nv〉 death, passing away [+pass away]
- 死刑（シケイ）〈N〉 death penalty, capital punishment [+penalty]
- 死後（シゴ）〈T〉 after one's death, posthumous [+after]
- 死者（シシャ）〈N〉 the dead, dead person [+person]
- 死傷者（シショウシャ）〈N〉 casualties [+injury+person]
- 死体（シタイ）〈N〉 dead body, corpse [+body]
- 死別（シベツ）〈Nv〉 separation by death, being bereaved [+separate]
- 死亡（シボウ）〈Nv〉 death, decease [+dead]
- ▶犬死に（いぬじに）〈Nv〉 death in vain [dog+]

255 別

わか-;
ベツ, ベッ-

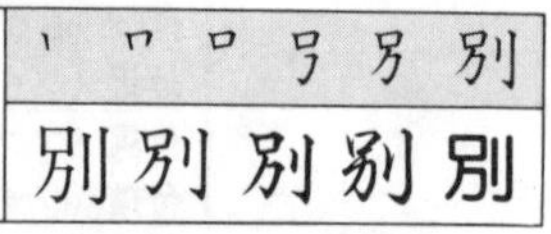

separate, part with
- 別れ（わかれ）〈N〉 separation, farewell
- 別れる（わかれる）〈V〉 part from, separate
- 別離（ベツリ）〈N〉 parting, separation [+separate]

different, separately classified
- 別（ベツ）〈N〉 difference
- …別（…ベツ）〈N〉 classified by…
  - ▷職業別電話帳（ショクギョウ～デンワチョウ）telephone directory listings by trade, Yellow Pages [profession+～+telephone directory]
  - 年齢別（ネンレイ～）classified by age [one's age+]
- 別々（ベツベツ）〈N〉 separation [+*Rep*]
- 別館（ベッカン）〈N〉 annex [+mansion]
- 別荘（ベッソウ）〈N〉 villa, resort house [+country house]

256 策	サク	策策策策策

plot, stratagem | 策（サク）〈N〉measure, step, policy
…策（…サク）〈N〉…plan, …measure
▷具体策（グタイ～）concrete measure [concrete＋]
策謀（サクボウ）〈Nv〉stratagem, scheme [＋device]
策略（サクリャク）〈N〉strategy, tactics [＋plot]

257 朝	あさ； チョウ 〈Ir〉	朝朝朝朝朝

morning | 朝（あさ）〈T〉morning
朝方（あさがた）〈T〉toward morning [＋direction]
朝晩（あさバン）〈T〉day and night [＋late hours]
朝日（あさひ）〈N〉morning sun [＋sun]
朝夕（あさゆう）〈T〉morning and evening [＋evening]
朝食（チョウショク）〈N〉breakfast [＋food]
〈Ir〉 | ▶今朝（けさ）〈T〉this morning [present＋]
dynasty, court | …朝（…チョウ）〈N〉…Dynasty
▷アケメネス朝 the Achaemenian [(Achaemenid)＋]
平安朝（ヘイアン～）Heian Dynasty/period [*PN*＋]
朝廷（チョウテイ）〈N〉(Imperial) Court《Jap. hist.》 [＋court]
Japan | ▶帰朝（キチョウ）〈Nv〉coming back to Japan [return＋]
来朝（ライチョウ）〈Nv〉coming to Japan [come＋]
〈Place〉 | 朝鮮（チョウセン）Korea

258 夜	よ；よる； ヤ	夜夜夜夜夜

night | 夜（よる）〈T〉night
夜中（よなか）〈T〉midnight [＋middle]
夜間（ヤカン）〈T〉nighttime [＋between]
夜食（ヤショク）〈N〉midnight/late-night snack [＋food]
夜半（ヤハン）〈T〉midnight [＋half]

259 早	はや，-ばや； サッ-；ソウ 〈Ir〉	早早早早早

early | 早い（はやい）〈A〉early
早く（はやく）〈Adv〉early; soon
早々（はやばや；ソウソウ）〈Adv〉very early;〈T〉very soon [＋*Rep*]
早速（サッソク）〈S〉immediately [＋speedy]
早急（ソウキュウ/サッキュウ）〈Na〉urgent [＋hurry]
早朝（ソウチョウ）〈T〉early morning [＋morning]
young 〈Ir〉 | 早乙女（さおとめ）〈N〉rice-planting young girl; young girl [＋maid]

260 **権** ケン; ゴン-

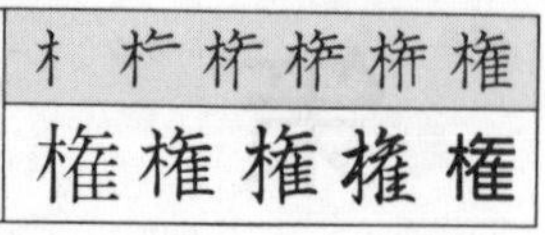

right, claim, privilege

…権 (…ケン) 〈N〉 …right
▷選手権 (センシュ～) championship [regular player+]
代表権 (ダイヒョウ～) power to represent [representation+]
著作権 (チョサク～) copyright [authorship+]
権威 (ケンイ) 〈N〉 authority [+aggression]
権限 (ケンゲン) 〈N〉 authority, competence [+limit]
権利 (ケンリ) 〈N〉 right, claim [+profit]
権力 (ケンリョク) 〈N〉 power [+power]
▶政権 (セイケン) 〈N〉 political/administrative power [administration+]

provisional

権化 (ゴンゲ) 〈N〉 incarnation [+metamorphose]

261 **初** うい; そ-, -ぞ-, -ぞめ; はじ-; はつ; ショ

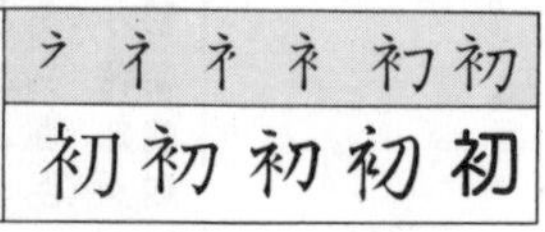

begin, first

初 (はつ) 〈N〉 first occasion
初… (はつ/ショ…) first…
▷初体験 (ショ/はつタイケン) 〈Nv〉 (gain) first experience 《usually sexual》 [+actual experience]
初対面 (ショタイメン) 〈N〉 first encounter/acquaintance [+encounter]
初優勝 (はつユウショウ) 〈Nv〉 first championship [+victory]
初め (はじめ) 〈T〉 beginning →[465]始
初めて (はじめて) 〈T〉 for the first time
初産 (ういザン) 〈N〉 birth of first baby [+give birth]
初夏 (ショカ) 〈N〉 early summer [+summer]
初期 (ショキ) 〈N〉 early days; early stage [+term]
初級 (ショキュウ) 〈N〉 beginner's class [+grade]
初心 (ショシン) 〈N〉 one's original intention, inexperienced [+heart]
初代 (ショダイ) 〈N〉 first generation [+generation]
初任給 (ショニンキュウ) 〈N〉 starting salary [+appoint+salary]
初版 (ショハン) 〈N〉 first edition [+print]
初歩 (ショホ) 〈N〉 rudiments, ABCs [+walk]
▶書(き)初め (かきぞめ) 〈N〉 New Year's calligraphy [write+]

262 **聞** き-, -ぎ-, きき, -ぎき, きこ-; ブン; モン

⇨[27]間

hear

聞かせる (きかせる) 〈V〉 let a person hear
聞く (きく) 〈V〉 hear →[1051]聴く
聞こえる (きこえる) 〈V〉 be audible, can hear
▶新聞 (シンブン) 〈N〉 newspaper [new+]
聴聞 (チョウモン) 〈Nv〉 (give) hearings [listen+]
前代未聞 (ゼンダイミモン) 〈N〉 unprecedented, unheard-of [previous period+not yet+]

263 係	**かか-**, -がか-, **かかり**, -がかり, かかわ-; **ケイ** ⇨[1356]孫	亻 亻 亻 係 係 係 係 係 係 係 係

in charge
…係 (…がかり) 〈N〉 …(person in) section
▷進行係 (シンコウ～) master of ceremonies [progress+]
係(り) (かかり) 〈N〉 (person in) charge
係員 (かかりイン) 〈N〉 personnel, man in charge [+member]
係長 (かかりチョウ) 〈N〉 chief clerk [+chief]

connect
係留 (ケイリュウ) 〈Nv〉 mooring [+detain]

264 銀	**ギン**	金 金 釒 釗 鉬 銀 銀 銀 銀 銀 銀

silver
銀 (ギン) 〈N〉 silver
銀河 (ギンガ) 〈N〉 galaxy [+large river] →[364]天の川

money
銀行 (ギンコウ) 〈N〉 bank [+row] ➜SN

bank, *Abbr* 銀行
▶世銀 (セギン) 〈N〉 World Bank [world+]
日銀 (ニチギン) 〈N〉 Bank of Japan [Japan+]

265 夫	**おっと**; **フ**, -ブ, -プ; フウ 〈PN〉-お ⇨[364]天	一 二 チ 夫 夫 夫 夫 夫 夫

husband
夫 (おっと) 〈N〉 husband
夫妻 (フサイ) 〈N〉 husband and wife, Mr. and Mrs. [+wife]
夫人 (フジン) 〈N〉 madam, madame [+person]
夫婦 (フウフ) 〈N〉 man and wife, married couple [+wife]

man
…夫 (…フ) 〈N〉 …worker, …man
▷清掃夫 (セイソウ～) dustman, scavenger [cleaning+]
炭坑夫 (タンコウ～) coal miner [coal mine+]

assist, aid
▶工夫 (クフウ) 〈Nv〉 (invent) device [craft+]

266 白	しら-, -じら, **しろ**, -じろ; **ハク**, -パク; ビャク ⇨[53]自, [73]百	ノ 亻 白 白 白 白 白 白 白 白

white
白 (しろ) 〈N〉 white color
白い (しろい) 〈A〉 white
白髪 (しらが/ハクハツ) 〈N〉 gray hair [+hair]
白々しい (しらじらしい) 〈A〉 bare-faced [+*Rep*]
白黒 (しろくろ) 〈N〉 black and white, monochrome [+black]
白紙 (ハクシ) 〈N〉 blank sheet/paper [+paper]
白書 (ハクショ) 〈N〉 white paper [+document]
白人 (ハクジン) 〈N〉 Caucasian [+man]
白鳥 (ハクチョウ) 〈N〉 swan [+bird]
白熱 (ハクネツ) 〈Nv〉 (be at) white heat [+heat]
▶黒白 (コクビャク/くろしろ) 〈N〉 black and white; good and bad [black+]

confess
白状 (ハクジョウ) 〈Nv〉 (make) confession, avowal [+state]

267 論	ロン ⇨[1545]論	言 言 訡 論 論 論 論 論 論 論 論

discuss, debate, argue

論 (ロン) 〈N〉 opinion, argument
…論 (…ロン) 〈N〉 …theory, …argument
▷意味論 (イミ～) semantics [meaning＋]
運命論 (ウンメイ～) fatalism [fate＋]
懐疑論 (カイギ～) scepticism [embrace＋doubt＋]
観念論 (カンネン～) idealism [idea＋]
結果論 (ケッカ～) criticism based on hindsight [result＋]
詩論 (シ～) poetics [poem＋]
進化論 (シンカ～) theory of evolution [evolution＋]
反対論 (ハンタイ～) opposition argument [opposition＋]
悲観論 (ヒカン～) pessimism [pessimism＋]
方法論 (ホウホウ～) methodology [way＋]
無神論 (ムシン～) atheism [nil＋god＋]
唯物論 (ユイブツ～) materialism [only＋thing＋]
論じる (ロンじる) 〈V〉 debate, argue
論議 (ロンギ) 〈Nv〉 debate [＋debate]
論争 (ロンソウ) 〈Nv〉 dispute [＋struggle]
論評 (ロンピョウ) 〈Nv〉 comment, review [＋criticism]
論文 (ロンブン) 〈N〉 treatise, dissertation [＋sentence]
論理 (ロンリ) 〈N〉 logic [＋reason]
▶概論 (ガイロン) 〈N〉 general remarks, outline [approximate＋]
口論 (コウロン) 〈Nv〉 dispute, quarrel [mouth＋]

268 有	あ-, あり; ウ; ユウ	ノ ナ 有 有 有 有 有 有 有 有 有

have, possess

有する (ユウする) 〈V〉 have, possess
有害 (ユウガイ) 〈Na〉 harmfulness [＋harm]
有権者 (ユウケンシャ) 〈N〉 elector, voter [＋right＋person]
有効 (ユウコウ) 〈Na〉 effectiveness [＋effect]
有罪 (ユウザイ) 〈N〉 guilty [＋crime]
有志 (ユウシ) 〈N〉 sympathizers, volunteers [＋ambition]
有能 (ユウノウ) 〈Na〉 able, talented [＋ability]
有望 (ユウボウ) 〈Na〉 promising [＋aspire]
有名 (ユウメイ) 〈Na〉 famous, well-known [＋name]
有利 (ユウリ) 〈Na〉 profitable, advantageous [＋profit]
有料 (ユウリョウ) 〈N〉 for consideration, costing money [＋fee]
有力 (ユウリョク) 〈Na〉 powerful, influential [＋power]

exist

有る (ある) 〈V〉 exist
有難い (ありがたい) 〈A〉 precious [＋difficult]
有難う (ありがとう) 〈Cph〉 Thank you. [＋difficult]
有無 (ウム) 〈N〉 existence, presence (or lack of it); yes or no [＋nil]
有限 (ユウゲン) 〈N〉 limitedness, finiteness [＋limit]

269 **食**

く-, -ぐ-; た-;
ジキ; **ショク**, ショッ-

eat, food

…食 (…ショク) 〈N〉 …food
▷宇宙食 (ウチュウ～) space food [outer space+]
機内食 (キナイ～) food served on an airplane [aircraft+inner+]
自然食 (シゼン～) natural food [nature+]
保存食 (ホゾン～) preserved food [preservation+]
離乳食 (リニュウ～) baby food [separate+milk+]
食う (くう) 〈V〉 eat, feed on
食べる (たべる) 〈V〉 eat, take
食生活 (ショクセイカツ) 〈N〉 dietary habits [+life]
食中毒 (ショクチュウドク) 〈N〉 food poisoning [+poisoning]
食堂 (ショクドウ) 〈N〉 dining hall; restaurant [+hall]
食費 (ショクヒ) 〈N〉 food costs [+expense]
食品 (ショクヒン) 〈N〉 food [+goods]
食欲 (ショクヨク) 〈N〉 appetite [+desire]
食料 (ショクリョウ) 〈N〉 foodstuff [+ingredients]
食糧 (ショクリョウ) 〈N〉 provisions, food [+provisions]
食器 (ショッキ) 〈N〉 utensils, tableware [+tool]
▶乞食 (コジキ) 〈N〉 beggar [beg+]
断食 (ダンジキ) 〈Nv〉 fast [reject+]

270 **屋**

や;
オク

roof

屋根 (やね) 〈N〉 roof [+*Ph*] ➔SN
屋上 (オクジョウ) 〈N〉 roof, top of a building [+up]

house

屋敷 (やしき) 〈N〉 estate [+lay]
屋外 (オクガイ) 〈N〉 outdoors [+out]
屋内 (オクナイ) 〈N〉 indoors [+inside]

shop

…屋 (…や) 〈N〉 …shop, …store; shop owner →211店

▼魚屋

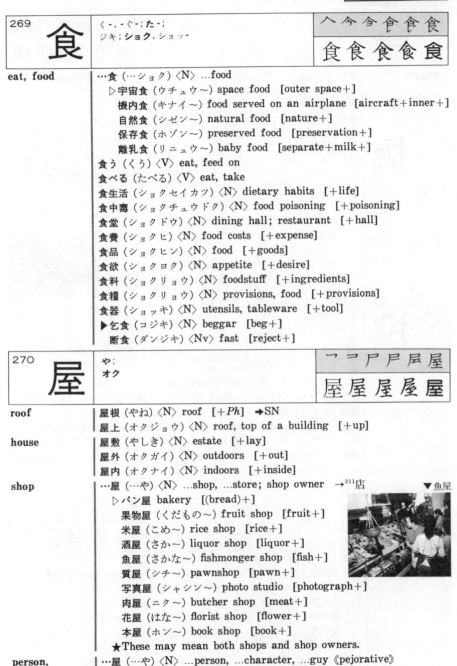

▷パン屋 bakery [(bread)+]
果物屋 (くだもの～) fruit shop [fruit+]
米屋 (こめ～) rice shop [rice+]
酒屋 (さか～) liquor shop [liquor+]
魚屋 (さかな～) fishmonger shop [fish+]
質屋 (シチ～) pawnshop [pawn+]
写真屋 (シャシン～) photo studio [photograph+]
肉屋 (ニク～) butcher shop [meat+]
花屋 (はな～) florist shop [flower+]
本屋 (ホン～) book shop [book+]
★These may mean both shops and shop owners.

person, character

…屋 (…や) 〈N〉 …person, …character, …guy 《pejorative》
▷なんでも屋 Jack-of-all-trades [(everything)+]
分(か)らず屋 (わからず～) blockhead [not understand+]

271 **争**	あらそ-; ソウ	ノ ク 乌 刍 刍 争 争 争 争 争 争

struggle

争い（あらそい）〈N〉 competition, argument, conflict, struggle
争う（あらそう）〈V〉 dispute, argue, compete
争議（ソウギ）〈N〉 struggle, dispute [＋debate]
争点（ソウテン）〈N〉 point in dispute, issue [＋point]

272 **橋**	はし, -ばし; キョウ ⇨[1340]稿	木 杧 桥 桥 橋 橋 橋 橋 橋 橋 橋

bridge

橋（はし）〈N〉 bridge
…橋（…はし/ばし/キョウ）〈N〉 …bridge; …Bridge
▷石橋（いしばし）stone bridge [stone＋]
歩道橋（ホドウキョウ）foot bridge [pavement＋]
丸木橋（まるきばし）log bridge [round＋tree＋]
眼鏡橋（めがねばし）double-arch bridge [glasses＋]

▼眼鏡橋

273 **投**	な-, なげ; トウ ⇨[315]役, [340]段	扌 扌 扌 扣 投 投 投 投 投 投 投

throw, cast

投げる（なげる）〈V〉 throw, cast
投じる（トウじる）〈V〉 cast, throw into
投下（トウカ）〈Nv〉 drop from the air; throwing down [＋down]
投機（トウキ）〈N〉 speculation, stockjobbery [＋chance]
投稿（トウコウ）〈Nv〉 contribution《to a publication》 [＋draft]
投資（トウシ）〈Nv〉 investment [＋capital]
投書（トウショ）〈Nv〉 writing a letter to an editor; anonymous notice [＋write]
投入（トウニュウ）〈Nv〉 input [＋put in]
投票（トウヒョウ）〈Nv〉 (cast) vote [＋vote]

274 **語**	かた-, -がた-, かたり, -がたり; ゴ ⇨[133]話	言 言 訂 語 語 語 語 語 語 語 語

word, language

…語（…ゴ）〈N〉 …language
▷外国語（ガイコク～）foreign language [foreign country＋]
外来語（ガイライ～）imported word [outer＋come＋]
中国語（チュウゴク～）Chinese [China＋]
日本語（ニッポン/ニホン～）Japanese [Japan＋]
流行語（リュウコウ～）fad word [fashion＋]
語る（かたる）〈V〉 talk
語源（ゴゲン）〈N〉 etymon, origin of a word [＋origin]
語調（ゴチョウ）〈N〉 tone of speech [＋tone]
▶物語（ものがたり）〈N〉 tale, story, legend [thing＋]

275 急	いそ-; キュウ	急急急急急

quick, sudden, immediate, hurry

急（キュウ）⟨N/Na⟩ emergent, sudden
急ぐ（いそぐ）⟨V⟩ hurry
急激（キュウゲキ）⟨Na⟩ sudden, abrupt [+fierce]
急行（キュウコウ）⟨N⟩ express (train); ⟨Nv⟩ hastening [+go]
急伸（キュウシン）⟨Nv⟩ rapid growth [+extend]
急増（キュウゾウ）⟨Nv⟩ rapid increase [+increase]
急速（キュウソク）⟨Na⟩ rapidity, swift, prompt [+speedy]
急務（キュウム）⟨N⟩ immediate need, urgent business [+duty]
▶至急（シキュウ）⟨S⟩ urgent, prompt [extreme+]

Abbr 急行

▶準急（ジュンキュウ）⟨N⟩ local express [semi-+]
特急（トッキュウ）⟨N⟩ special express [special+]

276 石	いし; コク, -ゴク; シャク, -ジャク, シャッ-; セキ, セッ- ⇨[503]右	石石石石石

stone

石（いし）⟨N⟩ stone, pebble, rock
…石（…いし/セキ）⟨N⟩ …stone
▷誕生石（タンジョウセキ）birthstone [birth+]
猫目石（ねこめいし）cat's eye stone [cat+eye+]
墓石（はかいし）grave stone [grave+]
石炭（セキタン）⟨N⟩ coal [+charcoal]
石油（セキユ）⟨N⟩ petroleum, oil [+oil]
石鹸（セッケン）⟨N⟩ soap [+lye]
▶一石二鳥（イッセキニチョウ）⟨N⟩ (kill) two birds with one stone [one+～+two birds]
試金石（シキンセキ）⟨N⟩ touchstone [test+metal+]
磁石（ジシャク）⟨N⟩ magnet; compass [magnet+]

▼墓石

koku 《=180ℓ》

…石（…コク/ゴク）⟨Q⟩ …*koku* 《archaic measure for grains》 ➔SN
▷一石（イッコク）1 *koku* [one+]
百万石（ヒャクマンゴク）one million *koku* [a million+]

⟨Place⟩ 石川（いしかわ）Ishikawa Pref.

277 果	は-, はた-; カ, -ガ ⟨Ir⟩	果果果果果

fruit

果実（カジツ）⟨N⟩ fruit [+fruit]
果汁（カジュウ）⟨N⟩ fruit juice [+juice]
⟨Ir⟩ 果物（くだもの）⟨N⟩ fruit [+thing]

result, end

果たして（はたして）⟨Adv⟩ after all, as is/was expected
果(た)す（はたす）⟨V⟩ complete, fulfill, accomplish
果て（はて）⟨S⟩ extreme end
果てる（はてる）⟨V⟩ come to an end, terminate
▶結果（ケッカ）⟨N⟩ result, consequence [conclude+]

278 **真**

ま;
シン

〈PN〉まこと，さなだ(真田)　⇒329直

true, genuine

真 (シン) 〈N〉 truth
真に受ける (まにうける) 〈V〉 take something at face value [+receive]
真顔 (まがお) 〈N〉 serious look [+face]
真心 (まごころ) 〈N〉 sincerity [+heart]
真意 (シンイ) 〈N〉 one's real intention, true meaning [+intention]
真剣 (シンケン) 〈Na〉 earnest, serious; 〈N〉 real sword [+sword]
真実 (シンジツ) 〈N〉 truth [+real]
真珠 (シンジュ) 〈N〉 pearl [+bijou]
真相 (シンソウ) 〈N〉 true state of affairs, actual facts [+figure]

just, exact

真… (ま…) very..., just...; mid-...
▷真新しい (〜あたらしい) 〈A〉 brand-new [+new]
真上 (〜うえ) 〈N〉 exactly above [+up]
真下 (〜した) 〈N〉 exactly below [+under]
真夏 (〜なつ) 〈N〉 midsummer [+summer]
真昼 (〜ひる) 〈N〉 midday [+daytime]
真冬 (〜ふゆ) 〈N〉 the dead of winter, midwinter [+winter]
真夜中 (〜よなか) 〈N〉 midnight [+midnight]
真(っ)… (まっ…) very..., just...
▷真(っ)赤 (〜か) 〈Na〉 crimson; downright (lie) [+red; absolute]
真(っ)裸 (〜ぱだか) 〈N〉 stark-nudity [+naked]
真(っ)昼間 (〜ぴるま) 〈N〉 in broad daytime [+daytime]
真ん… (まん…) just...
▷真ん中 (〜なか) 〈N〉 exactly in the center [+center]
真ん前 (〜まえ) 〈N〉 exactly in front [+front]
真ん丸 (〜まる) 〈N/Na〉 round, circle [+round]

279 **言**

い-, いい-; こと, -ごと;
ゲン; ゴン

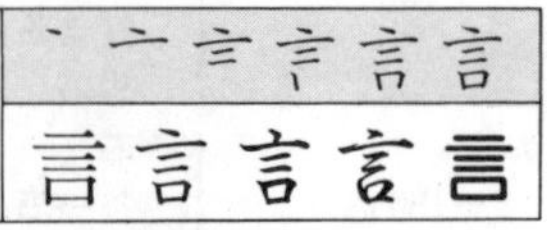

say

言う (いう) 〈V〉 say
言い分 (いいブン) 〈N〉 one's say, claim [+portion]
言い訳 (いいわけ) 〈Nv〉 (make) excuse, justification [+reason]
言(い)渡す (いいわたす) 〈V〉 sentence, announce [+cross]
言葉 (ことば) 〈N〉 word, language, speech [+*Ph*] ➔SN
言語 (ゲンゴ) 〈N〉 language [+word]
言語学 (ゲンゴガク) 〈N〉 linguistics [+word+-logy]
言明 (ゲンメイ) 〈Nv〉 statement, declaration [+clear]
言論 (ゲンロン) 〈N〉 speech, views [+argue]
言語道断 (ゴンゴドウダン) 〈N/Na〉 unspeakable, unmentionable; inexcusable, outrageous; preposterous [+word+way+cut off]
▶伝言 (デンゴン) 〈Nv〉 (give) message [transmit+]
一言 (ひとこと/イチゴン) 〈Q〉 just one word [one+]
遺言 (ユイゴン/イゴン) 〈Nv〉 (leave) will [left behind+]

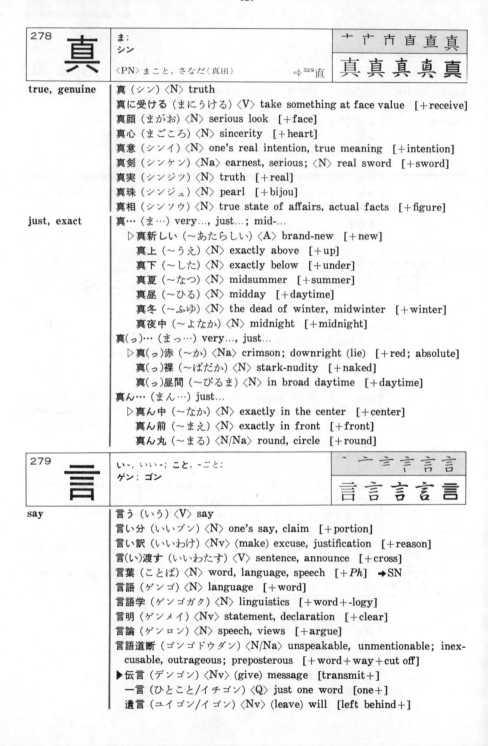

280 込	こ-, -ご-, こみ	ノ 入 入 込 込 込

into

…込む (…こむ) 〈V〉 …in, …into《verbal suffix》
▷打(ち)込む (うち〜) strike into; devote oneself to [strike+]
追(い)込む (おい〜) chase/drive into [chase+]
送り込む (おくり〜) usher into [send+]
落(ち)込む (おち〜) fall in; sink [fall+]
織(り)込む (おり〜) interweave [weave+]
突(っ)込む (つっ〜) plunge into, thrust in [poke+]
飛(び)込む (とび〜) jump in [fly+]
流れ込む (ながれ〜) flow into [flow+]
話(し)込む (はなし〜) have a long talk [talk+]
巻(き)込む (まき〜) involve [roll+]
見込む (み〜) anticipate, estimate; put trust in [see+]
申(し)込む (もうし〜) apply/subscribe for [appeal+]
持(ち)込む (もち〜) bring in [hold+]
盛(り)込む (もり〜) incorporate, include [thrive+]
込める (こめる) 〈V〉 put into; load
▶見込(み) (みこみ) 〈N〉 prospect [see+]
申込書 (もうしこみショ) 〈N〉 application/subscription form [appeal +〜+document]

281 両	リョウ	一 丅 冂 币 両 両

both, two

両… (リョウ…) both…, …pair
▷両陣営 (〜ジンエイ) 〈N〉 both camps/sides [+camp]
両手 (〜て) 〈N〉 both hands [+hand]
両手足 (〜てあし) 〈N〉 all limbs [+limbs]
両面 (〜メン) 〈N〉 both faces/sides [+face]
両国 (リョウコク) 〈N〉 both countries/nations [+country]
両三年 (リョウサンネン) 〈Q〉 a few of years [+three+year]
両者 (リョウシャ) 〈N〉 both of them [+person]
両親 (リョウシン) 〈N〉 parents [+parent]
両方 (リョウホウ) 〈N〉 both of them [+direction]

money

両替(え) (リョウがえ) 〈Nv〉 exchange of money [+replace]

ryo

…両 (…リョウ) 〈Q〉 …*ryo*《gold coin unit: Jap. hist.》
▷一両 (イチ〜), 二両 (ニ〜), 三両 (サン〜)
▶千両箱 (センリョウばこ) 〈N〉 chest holding 1,000 pieces of gold [thousand+〜+box]

rolling stock

…両 (…リョウ) 〈Q〉 …cars
▷一両 (イチ〜), 二両 (ニ〜)
八両連結 (ハチ〜レンケツ) 〈N〉 eight-car train [eight +〜+coupled]
▶車両 (シャリョウ) 〈N〉 vehicle, rolling stock [wheel+]

▲one *ryo* gold coin

282	はな-, -ばな-, -ぱな-; ホウ, -ポウ	亠 方 方 方 放 放
放		放放放放放

release, let go

放す (はなす) 〈V〉 let free
放つ (はなつ) 〈V〉 let go
放る (ホウる) 〈V〉 discard
放火 (ホウカ) 〈Nv〉 (commit) arson, setting on fire [+fire]
放棄 (ホウキ) 〈Nv〉 abandonment, giving up [+discard]
放射 (ホウシャ) 〈Nv〉 radiation, emission [+shoot]
放出 (ホウシュツ) 〈Nv〉 discharge [+put out]
放送 (ホウソウ) 〈Nv〉 broadcasting [+send]
放置 (ホウチ) 〈Nv〉 leaving as is; neglect [+place]

283	カン	丿 后 咸 咸 咸 感
感	⇒[1160]惑	感感感感感

feel, sense

感 (カン) 〈N〉 feeling, emotion
感じ (カンじ) 〈N〉 feeling, impression, touch
感じる (カンじる) 〈V〉 feel, sense
感覚 (カンカク) 〈N〉 perception; sense [+sense]
感激 (カンゲキ) 〈Nv〉 (gain) deep impression [+fierce]
感謝 (カンシャ) 〈Nv〉 (express) gratitude [+thank]
感情 (カンジョウ) 〈N〉 feeling, emotion [+emotion]
感心 (カンシン) 〈Nv〉 admiration, being impressed; 〈Na〉 admirable [+heart]
感想 (カンソウ) 〈N〉 one's impressions [+image]
感動 (カンドウ) 〈Nv〉 being moved [+move]
感銘 (カンメイ) 〈Nv〉 being touched/impressed [+inscribe]

284	サ	十 木 木 杏 査 査
査		査査査査査

inspect

査察 (ササツ) 〈Nv〉 inspection [+discern]
▶監査 (カンサ) 〈Nv〉 audit, inspection [supervise+]
検査 (ケンサ) 〈Nv〉 inspection, checkup [investigate+]
巡査 (ジュンサ) 〈N〉 policeman, patrolman [patrol+]
審査 (シンサ) 〈Nv〉 judgment, inspection [ascertain+]
捜査 (ソウサ) 〈Nv〉 (criminal) investigation [search+]
調査 (チョウサ) 〈Nv〉 investigation, research [research+]

285	サ	亻 仁 仕 佐 佐 佐
佐		佐佐佐佐佐

support

▶補佐 (ホサ) 〈Nv〉 aid, assistant [compensate+]

colonel

▶大佐 (タイサ) 〈N〉 colonel; captain [great+]
中佐 (チュウサ) 〈N〉 lieutenant colonel; commander [middle+]
少佐 (ショウサ) 〈N〉 major; lieutenant commander [young+]

286 情

なさ-;
ジョウ; セイ, -ゼイ

⇒ 509 清, 672 精

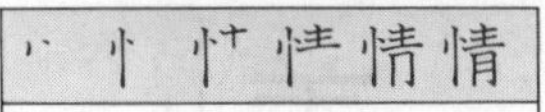

情情情情情

emotion, pathos

情け (なさけ) 〈N〉 emotion; mercy; pity
情けない (なさけない) 〈A〉 wretched, miserable
情緒 (ジョウショ/ジョウチョ) 〈N〉 emotion, sentiment [+string]
情熱 (ジョウネツ) 〈N〉 passion, affection [+heat]
情婦 (ジョウフ) 〈N〉 mistress [+woman]
▶強情 (ゴウジョウ) 〈N/Na〉 obstinacy, stubbornness [strong+]
純情 (ジュンジョウ) 〈N/Na〉 naivety, innocence [pure+]
人情 (ニンジョウ) 〈N〉 humaneness, human nature [human+]
薄情 (ハクジョウ) 〈N/Na〉 cold-heartedness, heartlessness [thin+]

state of affairs

情況 (ジョウキョウ) 〈N〉 state of affairs [+state of things]
情勢 (ジョウセイ) 〈N〉 power balance; situation [+state]
情報 (ジョウホウ) 〈N〉 information, intelligence [+report]
▶風情 (フゼイ) 〈N〉 taste, flavor; appearance, air [atmosphere+]

287 義

ギ

〈PN〉よし

義義義義義

righteous, duty

義 (ギ) 〈N〉 righteousness, duty, sense of honor
義務 (ギム) 〈N〉 obligation [+duty]
義理 (ギリ) 〈N〉 *giri*, debt of gratitude; in-law [+reason]
▶信義 (シンギ) 〈N〉 faith, fidelity [trust+]

in-law

義兄 (ギケイ) 〈N〉 (elder) brother-in-law [+elder brother]
義弟 (ギテイ) 〈N〉 (younger) brother-in-law [+younger brother]
義父 (ギフ) 〈N〉 father-in-law [+father]
義母 (ギボ) 〈N〉 mother-in-law [+mother]

significance, meaning

▶意義 (イギ) 〈N〉 significance [meaning+]
狭義 (キョウギ) 〈N〉 narrow sense [narrow+]
広義 (コウギ) 〈N〉 broad sense [wide+]
主義 (シュギ) 〈N〉 doctrine, principle, ism [chief+]
定義 (テイギ) 〈Nv〉 (make) definition [fix+]

288 済

す-, -ず-, すみ, -ずみ;
サイ, -ザイ

⇒ 949 剤

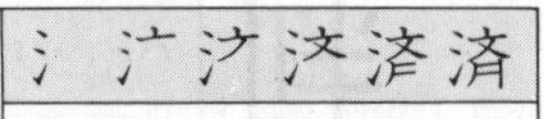

済済済済済

finish, settle

済ます (すます) 〈V〉 finish, conclude, settle
…済み (…ずみ) 〈N〉 completion of…, passed…
▷検査済み (ケンサ～) inspection passed [inspection+]
登録済み (トウロク～) registered [registration+]
済む (すむ) 〈V〉 be finished/settled
▶決済 (ケッサイ) 〈Nv〉 liquidation, settlement 《of accounts》 [determine+]
返済 (ヘンサイ) 〈Nv〉 repayment, refundment [return+]

save

▶救済 (キュウサイ) 〈Nv〉 (give) relief (to) [rescue+]
経済 (ケイザイ) 〈N〉 economy [control+]

289 美	うつく-; ビ 〈PN〉ミ，よし	丷 䒑 䒑 羊 羊 美 美美美美美

beauty
美（ビ）〈N〉beauty
…美（…ビ）〈N〉…beauty
▷脚線美（キャクセン～）beauty of leg line [leg+line+]
知性美（チセイ～）intellectual glow [intelligence+]
肉体美（ニクタイ～）physical beauty [body+]
美しい（うつくしい）〈A〉beautiful
美化（ビカ）〈Nv〉beautification [+*Suf* conversion]
美学（ビガク）〈N〉aesthetics [+…studies]
美観（ビカン）〈N〉beautiful sight, beauty [+view]
美術（ビジュツ）〈N〉fine arts [+art]
美女（ビジョ）〈N〉beauty, beautiful woman [+woman] ➜SN
美人（ビジン）〈N〉beauty [+person] ➜SN
美談（ビダン）〈N〉tale of a good deed done [+talk]
美点（ビテン）〈N〉merit, good point [+point]
美徳（ビトク）〈N〉virtue [+virtue]
美貌（ビボウ）〈N〉good looks, beautiful face [+look]
美容（ビヨウ）〈N〉beauty (treatment) [+appearance]
美容院（ビヨウイン）〈N〉beauty salon [+appearance+hall]

290 件	ケン ⇨1115件	ノ イ 化 仁 仁 件 件件件件件

case, matter
件数（ケンスウ）〈N〉number of cases [+number]
▶案件（アンケン）〈N〉matter [idea+]
事件（ジケン）〈N〉incident, event; case [affair+]
条件（ジョウケン）〈N〉condition [item+]
人件費（ジンケンヒ）〈N〉personnel expenditures [human+～+expense]

Cs **cases**
…件（…ケン）〈Q〉…cases
▷一件（イッ～），二件（ニ～），三件（サン～）

291 判	わか-; ハン，-バン，-パン ⇨848刑	丶 丷 丷 兰 半 判 判判判判判

judge
判る（わかる）〈V〉judge
判決（ハンケツ）〈N〉judgment, judicial decision [+determine]
判事（ハンジ）〈N〉a judge [+person in charge of]
判断（ハンダン）〈Nv〉judgment, judge [+decisive]
判定（ハンテイ）〈Nv〉judgment, decision [+settle]
判明（ハンメイ）〈Nv〉becoming clear, being identified [+clear]

stamp
判（ハン）〈N〉stamp, seal, signet

Suf **size of folio**
…判（…ハン/バン/パン）〈N〉…size《of a book/photo》
▷A 5 判（エーゴハン）A-5 size《book; 148 mm×210 mm》
四六判（シロクバン）4′×6′ size《photo》

292 必	かなら-; ヒツ, ヒッ- ⇒[139]心	必必必必必

necessity

- 必ず (かならず) 〈Adv〉 necessarily, at any cost
- 必需品 (ヒツジュヒン) 〈N〉 necessaries [+demand+goods]
- 必然 (ヒツゼン) 〈N〉 inevitability, necessity [+*Suf* state]
- 必要 (ヒツヨウ) 〈N/Na〉 necessity [+indispensable]
- 必死 (ヒッシ) 〈N〉 desperate [+death]
- 必至 (ヒッシ) 〈N〉 inevitable [+reach the limit]

293 派	ハ, -パ	派派派派派

derive

- 派遣 (ハケン) 〈Nv〉 dispatch, sending [+mission]
- 派出所 (ハシュツジョ/ショ) 〈N〉 police box [+go out+place]
- 派生 (ハセイ) 〈Nv〉 being derived [+birth]
- 派兵 (ハヘイ) 〈Nv〉 dispatch of troops [+soldier]
- ▶特派 (トクハ) 〈Nv〉 dispatch, sending (a person) specially [special+]
- 立派 (リッパ) 〈Na〉 superb, outstanding, lofty [set up+]

sect

- …派 (…ハ) 〈N〉 …sect, …faction
  - ▷タカ派 hard-liners [(hawk)+]
  - ハト派 soft-liners [(dove)+]
  - 印象派 (インショウ～) impressionists [impression+]
  - 過激派 (カゲキ～) extremists, radicals [radical+]
  - 正統派 (セイトウ～) orthodox school [orthodox+]
  - 前衛派 (ゼンエイ～) avant-garde [avant-garde+]
  - 戦中派 (センチュウ～) wartime generation [wartime+]
- 派閥 (ハバツ) 〈N〉 political faction/section, clique [+clique]
- ▶右派 (ウハ) 〈N〉 right wing, rightist [right+]
- 左派 (サハ) 〈N〉 left wing, leftist [left+]

Ph

- 派手 (はで) 〈N/Na〉 showy, flashy [+hand] →[40]地味

294 改	あらた-; カイ	改改改改改

alter, modify, reform, update

- 改めて (あらためて) 〈Adv〉 on the next occasion; formally
- 改める (あらためる) 〈V〉 reform, mend, rectify
- 改悪 (カイアク) 〈Nv〉 change for the worse [+bad]
- 改革 (カイカク) 〈Nv〉 reformation, reform [+innovate]
- 改札口 (カイサツぐち) 〈N〉 (station) wicket [+card+mouth]
- 改正 (カイセイ) 〈Nv〉 amendment, revise [+correct]
- 改選 (カイセン) 〈Nv〉 election [+elect]
- 改善 (カイゼン) 〈Nv〉 improvement, amelioration [+good]
- 改造 (カイゾウ) 〈Nv〉 remodeling, reorganization [+construct]
- 改定 (カイテイ) 〈Nv〉 reformation, revise [+settle]
- 改良 (カイリョウ) 〈Nv〉 amelioration, improvement [+good]

295 味	あじ; ミ	丨 口 口 口二 口干 味 味味味味味

taste

味（あじ）〈N〉 taste, flavor
味わい（あじわい）〈N〉 tastefulness, savoriness
味わう（あじわう）〈V〉 relish, enjoy the taste, savor
味付け（あじつけ）〈Nv〉 seasoning [+attach]
味覚（ミカク）〈N〉 sense of taste, palate [+sense]
▶加味（カミ）〈Nv〉 flavoring, seasoning; adding [add+]

Ph

味方（ミかた）〈Nv〉 (be) friend, ally [+direction] ➜SN

296 流	なが-, ながれ-; リュウ; ル	氵 氵 汴 浐 浐 流 流流流流流

current, stream, flow

…流（…リュウ）〈N〉 ...school; ...way, ...manner
▷アメリカ流 American manner [(America)+]
自己流（ジコ～）one's own style, self-taught manner [self+]
★In Japanese fine arts, martial arts, games, theatrical arts, etc., "…流" is used to name different sects/schools. e.g. 草月流（ソウゲツリュウ）(*ikebana*), 観世流（カンゼリュウ）(*nohgaku*), 新陰流（シンかげリュウ）(*kendo*)
流す（ながす）〈V〉 dash, flush, let flow
流れ（ながれ）〈N〉 flow, current
流れる（ながれる）〈V〉 stream, run
流行（リュウコウ）〈Nv〉 (come into) fashion, prevalence [+go]
流出（リュウシュツ）〈Nv〉 outflow, effluence [+go out]
流通（リュウツウ）〈Nv〉 (have) currency, circulation [+pass]
流動的（リュウドウテキ）〈Na〉 fluid, unsettled [+move+*Suf Na*]
流布（ルフ）〈Nv〉 (obtain) circulation, diffusion [+expand]

rank, class

▶一流（イチリュウ）〈N〉 top-ranking, elite [one+]
二流（ニリュウ）〈N〉 lesser, inferior [two+]
三流（サンリュウ）〈N〉 third-rate [three+]
上流（ジョウリュウ）〈N〉 high society [up+]

297 横	よこ; オウ	木 木ᅵ 栟 栟 横 横 横横横横横

horizontal, wide, side

横（よこ）〈N〉 side, width
横たわる（よこたわる）〈V〉 lie down
横ばい（よこばい）〈N〉 sideways crawl; at the same level as before [+(creep)]
横顔（よこがお）〈N〉 profile [+face]
横断（オウダン）〈Nv〉 crosscut, traverse [+cut off]

perverse

横車（よこぐるま）〈N〉 perversity [+car]
横行（オウコウ）〈Nv〉 swagger; rampage [+go]
横暴（オウボウ）〈N/Na〉 tyranny, despotism [+violent]
横領（オウリョウ）〈Nv〉 usurpation [+receive]

298 **増**	ふ-; ま-, -まし; **ゾウ** 〈PN〉 ます	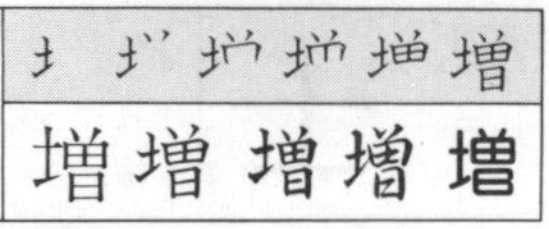

add, increase

…増 (…ゾウ)/…増(し) (…まし) 〈N〉 …increased
▷5%増 (ゴパーセントゾウ) 5% more [5 hundredths+]
定員増 (テイインゾウ) increased capacity/staff [fixed number of personnel+]
二割増(し) (ニわりまし) 20% added [2 tenths+]
増える (ふえる) 〈V〉 become more, increase
増す (ます) 〈V〉 increase
増員 (ゾウイン) 〈Nv〉 increase of the staff [+member]
増加 (ゾウカ) 〈Nv〉 increase [+add]
増額 (ゾウガク) 〈Nv〉 increase 《of monetary amount》 [+amount]
増強 (ゾウキョウ) 〈Nv〉 reinforcement [+strong]
増産 (ゾウサン) 〈Nv〉 increase in production [+produce]
増資 (ゾウシ) 〈Nv〉 increase of capital [+capital]
増収 (ゾウシュウ) 〈N〉 increased yield, increased receipts [+income]
増進 (ゾウシン) 〈Nv〉 advance, promotion [+advance]
増税 (ゾウゼイ) 〈Nv〉 increase of tax [+tax]
増設 (ゾウセツ) 〈Nv〉 extension 《of building size》 [+found]
増大 (ゾウダイ) 〈Nv〉 augmentation, (being) enlarged [+big]
増築 (ゾウチク) 〈Nv〉 adding onto a building [+construct]

299 **術**	すべ; **ジュツ**, ジュッ- ⇒394衛, 790街	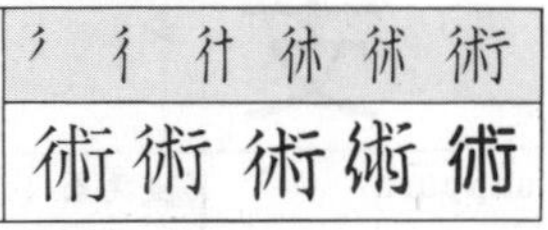

art, skill, tactics

術 (ジュツ) 〈N〉 art, tactics
…術 (…ジュツ) 〈N〉 …art
▷催眠術 (サイミン〜) hypnotism [provoke+sleep+]
処世術 (ショセイ〜) secret of success in life [settle+world+]
神霊術 (シンレイ〜) psychics [divine+spirit+]
占星術 (センセイ〜) astrology [divination+star+]
保身術 (ホシン〜) art of self-protection [maintain+body+]
錬金術 (レンキン〜) alchemy [alchemize+]
▶技術 (ギジュツ) 〈N〉 technique, technology [skill+]
美術 (ビジュツ) 〈N〉 fine arts [beauty+]

300 **際**	**きわ**, -ぎわ; **サイ**, -ザイ	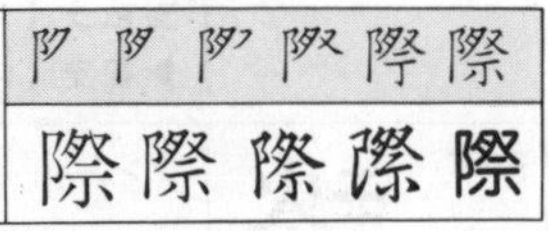

hem

際 (きわ) 〈N〉 hem, edge, margin
際限 (サイゲン) 〈N〉 limit, end [+limit]

occasion

際 (サイ) 〈T〉 occasion
…に際し(て) (…にサイし(て)) 〈Adv〉 on the occasion of…

inter-

▶学際的 (ガクサイテキ) 〈Na〉 interdisciplinary [study+〜+*Suf Na*]
交際 (コウサイ) 〈Nv〉 social intercourse; dating [cross+]
国際 (コクサイ) 〈N〉 international [nation+]

301 士	シ, -ジ 〈Ir〉 ⇒[316]土	一十士 士士士士士

expert
…士 (…シ) 〈N〉 …specialist, …expert →[81]…家
▷栄養士 (エイヨウ～) dietitian [nourishment+]
会計士 (カイケイ～) accountant [account+]
航海士 (コウカイ～) navigation officer [navigation+]
税理士 (ゼイリ～) tax accountant [tax+manage+]
測量士 (ソクリョウ～) surveyor [measurement+]
代議士 (ダイギ～) member of the Diet [substitution+debate+]
飛行士 (ヒコウ～) aviator [flight+]
弁護士 (ベンゴ～) lawyer, attorney [pleading for+]
▶学士 (ガクシ) 〈N〉 bachelor《of arts/sciences》 [study+]
修士 (シュウシ) 〈N〉 master《of arts/sciences》 [master+]
〈Ir〉 博士 (はかせ/ハクシ) 〈N〉 doctor《of philosophy》 [extensive+]

brave man
士気 (シキ) 〈N〉 morale [+spirit]
▶同士 (ドウシ) 〈N〉 comrade [accompanying+]
武士 (ブシ) 〈N〉 *samurai*, warrior [brave+]
兵士 (ヘイシ) 〈N〉 soldier [soldier+]
力士 (リキシ) 〈N〉 *sumo* wrestler [power+]

302 支	ささ-, -ざさ-; シ	一十㔾支 支支支支支

support
支える (ささえる) 〈V〉 support
支援 (シエン) 〈Nv〉 sponsorship; aid [+aid]
支給 (シキュウ) 〈Nv〉 provision, supply [+supply]
支持 (シジ) 〈Nv〉 support, backing [+hold]

branch
支社 (シシャ) 〈N〉 branch《of a company》 [+company] →[15]本社
支店 (シテン) 〈N〉 branch shop/office [+shop] →[15]本店
支配 (シハイ) 〈Nv〉 domination, control [+allot]
支部 (シブ) 〈N〉 branch, subdivision [+part]

obstacle
支障 (シショウ) 〈N〉 hindrance, obstacle [+obstacle]

pay
支出 (シシュツ) 〈N〉 expenditure, outgoings [+go out]
支払(い) (シはらい) 〈N〉 payment [+pay]
支払う (シはらう) 〈V〉 pay [+pay]
▶収支 (シュウシ) 〈N〉 income and outgo [take in+]

303 談	ダン	言 言 言' 談 談 談 談談談談談

talk
…談 (…ダン) 〈N〉 …talk, …anecdote, …story
▷苦心談 (クシン～) talk of one's hardship [pains+]
後日談 (ゴジツ～) reminiscences, follow-up story [following days+]
失敗談 (シッパイ～) talk of one's failure/blunders [failure+]
談話 (ダンワ) 〈Nv〉 talk, conversation [+tale]

304 配	くば -; ハイ, -パイ	配配配配配

allot, supply, deliver
配る (くばる) 〈V〉 distribute, deliver, allocate
配給 (ハイキュウ) 〈Nv〉 supply, distribution, ration [+supply]
配水 (ハイスイ) 〈Nv〉 supply of water [+water]
配線 (ハイセン) 〈Nv〉 wiring [+line]
配達 (ハイタツ) 〈Nv〉 delivery《of goods/mails, etc.》 [+reach]
配置 (ハイチ) 〈Nv〉 arrangement, deployment [+place]
配当 (ハイトウ) 〈Nv〉 apportionment, dividend [+hit]
配布 (ハイフ) 〈Nv〉 wide distribution [+expand]
配分 (ハイブン) 〈Nv〉 allotment, apportionment [+portion]
配役 (ハイヤク) 〈N〉 cast《of a play》 [+role]
配慮 (ハイリョ) 〈Nv〉 (give) consideration, concern [+consider]

mate, match
配偶者 (ハイグウシャ) 〈N〉 spouse [+twin+person]
配合 (ハイゴウ) 〈Nv〉 mixture, blending; combination [+combine]

305 足	あし; た-; ソク, -ゾク 〈Ir〉: 〈PN〉 あだち (足立) ⇨ 62定, 1404是	足足足足足

foot, leg
足 (あし) 〈N〉 foot, leg
足跡 (あしあと/ソクセキ) 〈N〉 footprint, trace [+trace]
足腰 (あしこし) 〈N〉 legs and loins [+waist]
足取り (あしどり) 〈N〉 manner of walking; trace [+get]
足並(み) (あしなみ) 〈N〉 pace, steps [+line up]
足場 (あしば) 〈N〉 scaffolding, staging, footing [+place]
〈Ir〉 足袋 (たび) 〈N〉 *tabi*, Japanese mitten socks [+sack]

***Cs* pairs**
…足 (…ソク/ゾク) 〈Q〉 …pairs《of shoes/socks/pants, etc.》
▷一足 (イッソク), 二足 (ニソク), 三足 (サンゾク)
★…本 is also used for counting trousers.

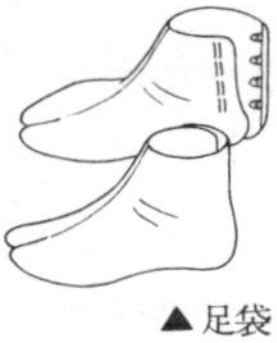
▲足袋

add
足す (たす) 〈V〉 add
足し算 (たしザン) 〈Nv〉 addition [+calculate]

suffice
足りる (たりる) 〈V〉 suffice, be enough
足る (たる) 〈V〉 suffice, be enough
▶充足 (ジュウソク) 〈Nv〉 sufficing, filling up [fill+]
不足 (フソク) 〈Nv〉 shortage, want, lack [un-+]

306 報	むく-; ホウ, -ポウ	報報報報報

reward
報いる (むくいる) 〈V〉 reward, recompense; revenge
報復 (ホウフク) 〈Nv〉 revenge [+retrieve]

report
報じる (ホウじる) 〈V〉 inform, report
報告 (ホウコク) 〈Nv〉 report, statement [+announce]
報道 (ホウドウ) 〈Nv〉 information《of news》, coverage [+tell]

307 説

と-;
セツ, セッ-, -ゼツ; ゼイ

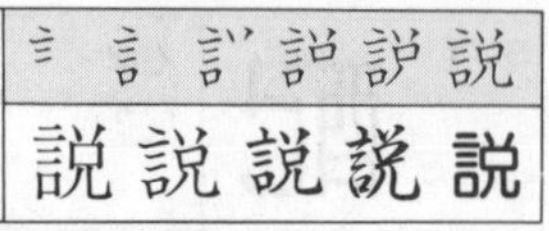

explain, elucidate

説（セツ）〈N〉 interpretation, explanation, doxy
…説（…セツ）〈N〉 …view; …story; …report
　▷性悪説（セイアク～）doctrine of original sin [character+bad+]
　　性善説（セイゼン～）philosophical position that human nature is basically good [character+good+]
　　地動説（チドウ～）heliocentric theory [earth+move+]
説明（セツメイ）〈Nv〉 explanation [+clear]
説話（セツワ）〈N〉 narrative, tale; fable [+tale]
▶伝説（デンセツ）〈N〉 legend [transmit+]

persuade

説く（とく）〈V〉 persuade, convince
説教（セッキョウ）〈Nv〉 preachment [+religion]
説得（セットク）〈Nv〉 persuasion [+satisfy]
▶演説（エンゼツ）〈Nv〉 (make) oration, speech [perform+]
　遊説（ユウゼイ）〈Nv〉 (make) speaking tour [wander+]

308 好

この-, -ごの-; す-, -ず-;
コウ, -ゴウ
〈PN〉 よし

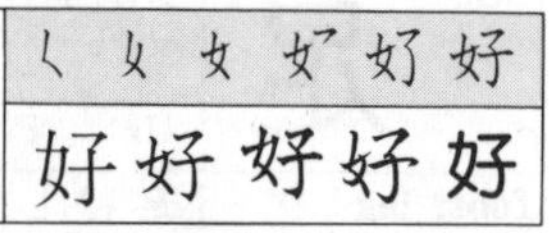

fond

好き（すき）〈Na〉 fond, favorite
…好き（…ずき）〈N/Na〉 very fond of…, …fan
　▷女好き（おんな～）〈N〉 philogynous; being women's favorite [woman+]
　　奇麗好き（キレイ～）〈N/Na〉 fond of cleanliness [clean+]
　　世話好き（セワ～）〈N/Na〉 obliging, meddlesome [care+]
好み（このみ）〈N〉 taste, preference
好む（このむ）〈V〉 like, favor
好き好き（すきずき）〈N〉 free choice, to each his own [+*Rep*]
好き者（すきもの）〈N〉 dilettante; lecherous person [+person]
好色（コウショク）〈N/Na〉 amorousness, lust [+eros]

favorable, good

好…（コウ…）fine…, good…
　▷好記録（～キロク）〈N〉 good record [+record]
好ましい（このましい）〈A〉 desirable, preferable
好意（コウイ）〈N〉 good will [+intention]
好機（コウキ）〈N〉 good opportunity [+chance]
好転（コウテン）〈Nv〉 (take) favorable turn, improvement [+turn]
好評（コウヒョウ）〈N/Na〉 acclaim, good repute [+criticism]

309 労

ロウ

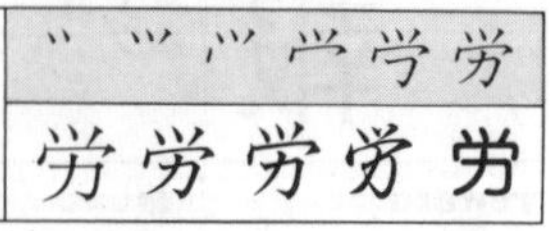

labor

労（ロウ）〈N〉 labor, toil
労働（ロウドウ）〈Nv〉 labor, work [+work]
労働組合（ロウドウくみあい）〈N〉 labor union [+work+union]
労働者（ロウドウシャ）〈N〉 laborer, wage earner [+work+person]

310 任

まか-;
ニン

⇨ 397 仕

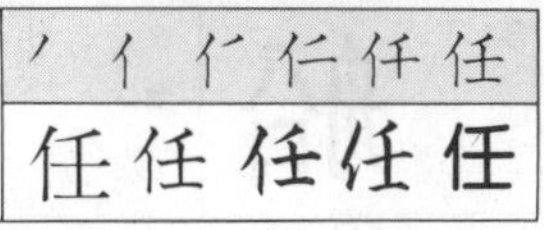

entrust
任す（まかす）〈V〉entrust
任せる（まかせる）〈V〉entrust
任意（ニンイ）〈N〉option, free choice [+intention]

commission, appoint
任じる（ニンじる）〈V〉commission, appoint
任期（ニンキ）〈N〉one's term of office [+term]
任務（ニンム）〈N〉duty, commission [+duty]
任命（ニンメイ）〈Nv〉appointment, designation [+order]
▶責任（セキニン）〈N〉responsibility [burden+]
辞任（ジニン）〈Nv〉resignation [resign+]

311 広

ひろ, -びろ;
コウ
〈PN〉ひろし

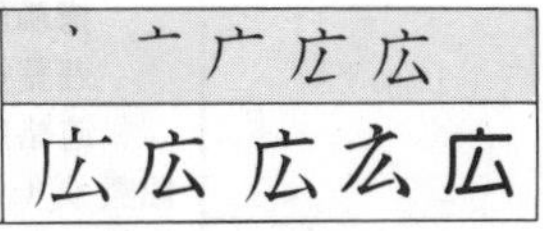

wide, spacious
広い（ひろい）〈A〉broad, wide, vast
広がる（ひろがる）〈V〉spread
広げる（ひろげる）〈V〉widen, extend, unfold
広さ（ひろさ）〈N〉area, extent
広場（ひろば）〈N〉open space; plaza, square [+place]
広々（ひろびろ）〈Nt〉broad, spacious [+*Rep*]
広域（コウイキ）〈N〉wide area [+sphere]
広義（コウギ）〈N〉broad sense [+meaning]
広告（コウコク）〈Nv〉advertisement [+announce]
広範（コウハン）〈Na〉wide-ranging, far-reaching [+range]
広報（コウホウ）〈N〉publicity, public relations [+report]

〈Place〉
広島（ひろしま）Hiroshima Pref./City

312 歩

あゆ-; ある-;
フ; ブ; ホ, -ポ
〈PN〉あゆみ

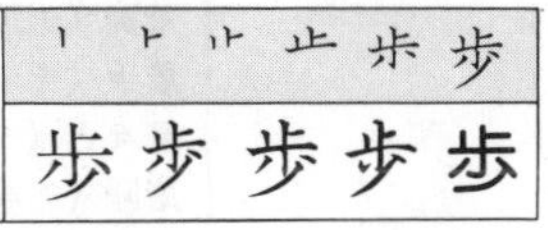

walk
歩く（あるく）〈V〉walk, pace
歩み（あゆみ）〈N〉step, walking, course
歩む（あゆむ）〈V〉step, tread
歩み寄る（あゆみよる）〈V〉step up; compromise [+draw to]
歩行（ホコウ）〈N〉walking, pedestrian [+go]
歩調（ホチョウ）〈N〉pace [+tone]
歩道（ホドウ）〈N〉pavement, sidewalk [+way]
歩兵（ホヘイ）〈N〉infantry, foot soldier [+soldier]
▶散歩（サンポ）〈Nv〉stroll, walk [free+]

***Cs* steps**
…歩（…ホ/ポ）〈Q〉…steps
▷一歩（イッポ）, 二歩（ニホ）, 三歩（サンポ）
五十歩百歩（ゴジッポヒャッポ）〈N〉little difference [50+～+100+] ➔SN

rate
歩（ブ）〈N〉rate, advantage
歩合（ブあい）〈N〉percentage [+suit]

313 船	ふな-, **ふね**, -ぶね; **セン** ⇨[559]般	丿 月 舟 舟 舟八 船 船 船 船 船 船

boat, ship

船 (ふね) 〈N〉 boat, ship
…船 (…セン) 〈N〉 …ship, …boat
▷宇宙船 (ウチュウ～) spaceship [outer space+]
貨物船 (カモツ～) cargo ship, freighter [freight+]
客船 (キャク～) passenger ship, liner [guest+]
原子力船 (ゲンシリョク～) nuclear-powered vessel [nuclear energy+]
蒸気船 (ジョウキ～) steamboat [steam+]
水中翼船 (スイチュウヨク～) hydrofoil [underwater+wing+]
飛行船 (ヒコウ～) airship [flight+]
捕鯨船 (ホゲイ～) whaling boat [whaling+]
遊覧船 (ユウラン～) excursion ship [sightseeing+]
連絡船 (レンラク～) ferryboat [contact+]
船乗り (ふなのり) 〈N〉 sailor, seaman [+ride]
船員 (センイン) 〈N〉 sailor [+member]
船体 (センタイ) 〈N〉 hull [+body]
船長 (センチョウ) 〈N〉 captain [+chief]
船舶 (センパク) 〈N〉 shipping, vessels [+vessel]

314 着	き-, -ぎ; **つ-**, つき; -ジャク; **チャク**, チャッ- ⇨[1015]看	丷 䒑 羊 差 着 着 着 着 着 着 着

reach, contact

…着 (…チャク) 〈N〉 arriving at…; arrival time…
▷大阪着 (おおさか～) arriving at Osaka [Osaka+]
18時23分着 (ジュウハチジニジュウサンプン～) arriving at 18 : 23 [[…hour+…minute]]
着く (つく) 〈V〉 arrive
着実 (チャクジツ) 〈Na〉 steadiness, stable [+real]
着手 (チャクシュ) 〈Nv〉 start work [+hand]
着々と (チャクチャクと) 〈Adv〉 steadily, step by step [+*Rep*]
着陸 (チャクリク) 〈Nv〉 landing [+land]
着工 (チャッコウ) 〈Nv〉 start of construction work [+construction]
▶愛着 (アイチャク/アイジャク) 〈N〉 attachment, affection [affection+]
決着 (ケッチャク) 〈Nv〉 (come to) conclusion, settlement [determine+]

-th place

…着 (…チャク) 〈N〉 coming in …-th 《in a race》
▷一着 (イッ～), 二着 (ニ～), 三着 (サン～)

wear

…着 (…ギ) 〈N〉 …clothes
▷海水着 (カイスイ～) swimming suit [sea+water+]
普段着 (フダン～) everyday clothes [usual+]
訪問着 (ホウモン～) semiformal *kimono* 《for ladies》 [(make) a visit+]
着る (きる) 〈V〉 wear, put on
着替える (きがえる) 〈V〉 change clothes [+replace]
着物 (きもの) 〈N〉 *kimono* [+thing]

***Cs* clothes**

…着 (…チャク) 〈Q〉 …pieces
▷一着 (イッ～), 二着 (ニ～), 三着 (サン～)

315 役	エキ; **ヤク** ⇒[273]投, [340]段	丿 彳 彳 彸 役 役 役 役 役 役 役

role

- 役 (ヤク) 〈N〉 role
- …役 (…ヤク) 〈N〉 …role, …part
  - ▷男役 (おとこ～) (actress) playing a man's part [man+]
  - 聞き役 (きき～) interviewer [hear+]
  - 世話役 (セワ～) detail man, manager [care+]
  - 相談役 (ソウダン～) counselor [consultation+]
  - 取締役 (とりしまり～) director《of a company》 [management+]
  - 女房役 (ニョウボウ～) helpmate, right-hand man [one's wife+]
- 役員 (ヤクイン) 〈N〉 executive, member of the board《of directors》 [+member]
- 役者 (ヤクシャ) 〈N〉 player, actor, actress [+person]
- 役目 (ヤクめ) 〈N〉 role, duty, function [+item]
- 役割 (ヤクわり) 〈N〉 assigned role, duty [+divide]

duty, service

- 役所 (ヤクショ) 〈N〉 public office [+place]
- 役立つ (ヤクだつ) 〈V〉 be useful [+stand]
- 役人 (ヤクニン) 〈N〉 government official [+person]
- 役場 (ヤクば) 〈N〉 (town/village) office [+place]
- ▶現役 (ゲンエキ) 〈N〉 active service [current+]
  - 懲役 (チョウエキ) 〈N〉 penal servitude [chastise+]
  - 兵役 (ヘイエキ) 〈N〉 military service [soldier+]

316 土	つち; ト; ド 〈Ir〉 ⇒[169]工, [301]士	一 十 土 土 土 土 土 土

soil

- 土 (つち) 〈N〉 earth, soil
- 土砂 (ドシャ) 〈N〉 earth and sand [+sand]
- 土木工学 (ドボクコウガク) 〈N〉 civil engineering [+wood+technology]
- 土曜(日) (ドヨウ(び)) 〈T〉 Saturday [+day of the week (+day)]

land, ground

- 土地 (トチ) 〈N〉 land, lot [+ground]
- 土台 (ドダイ) 〈N〉 foundation, base [+platform]
- 〈Ir〉 土産 (みやげ) 〈N〉 souvenir [+produce]
- ▶国土 (コクド) 〈N〉 land area of a country [nation+]
  - 本土 (ホンド) 〈N〉 mainland [main body+]
  - 領土 (リョウド) 〈N〉 territory, dominion [domain+]

317 黒	くろ, -ぐろ; コク, コッ-	丶 冂 曰 甲 里 黒 黒 黒 黒 黒 黒

black

- 黒 (くろ) 〈N〉 black color
- 黒い (くろい) 〈A〉 black
- 黒字 (くろジ) 〈N〉 profit, surplus, black-ink figures [+letter] →[476]赤字
- 黒人 (コクジン) 〈N〉 Negro [+man]
- 黒板 (コクバン) 〈N〉 blackboard [+board]
- 黒白 (コクビャク/くろしろ) 〈N〉 black and white; good and bad [+white]

318 **製** セイ

manufacture, production

…製 (…セイ) ⟨N⟩ made from/by/in…, …make
▷プラスチック製 plastic [(plastic)+]
フランス製 made in France [(France)+]
自家製 (ジカ～) homemade [one's own home+]
手製 (て～) handmade [hand+]
製作 (セイサク) ⟨Nv⟩ production《of small-lot goods or of movies》 [[+make] →196制作]
製紙 (セイシ) ⟨N⟩ paper manufacture [+paper]
製造 (セイゾウ) ⟨Nv⟩ production, manufacture [+make]
製品 (セイヒン) ⟨N⟩ product《by manufacture》 [+goods]
製法 (セイホウ) ⟨N⟩ manufacturing method/process [+means]
製薬 (セイヤク) ⟨N⟩ medicine manufacture [+medicine]

319 **館** やかた; カン
⟨PN⟩ たて, -だて

mansion, hall

館 (やかた) ⟨N⟩ mansion
…館 (…カン) ⟨N⟩ …hall
▷映画館 (エイガ～) movie theater [movie+]
公民館 (コウミン～) public/town hall [public+people+]
水族館 (スイゾク～) aquarium [water+tribe+]
体育館 (タイイク～) gymnasium [gymnastics+]
大使館 (タイシ～) embassy [ambassador+]
図書館 (トショ～) library [books+]
博物館 (ハクブツ～) museum [extensive+thing+]
美術館 (ビジュツ～) art museum [fine arts+]
館長 (カンチョウ) ⟨N⟩ chief/master of the hall [+chief]

320 **告** つ-; コク
⇒464吉

tell, announce

告げる (つげる) ⟨V⟩ tell, proclaim
告げ口 (つげぐち) ⟨N⟩ taletelling [+mouth]
告示 (コクジ) ⟨Nv⟩ (give) official notice [+indicate]
告訴 (コクソ) ⟨Nv⟩ charge, (formal) indictment [+appeal]
告白 (コクハク) ⟨Nv⟩ confession [+confess]
告別式 (コクベツシキ) ⟨N⟩ farewell/funeral service [+separate+ceremony]

321 **備** そな-, -ぞな-, そなえ-; ビ

provide

備える (そなえる) ⟨V⟩ provide
備蓄 (ビチク) ⟨Nv⟩ store/stockpile for emergency [+stock]
備品 (ビヒン) ⟨N⟩ fixtures, furnishings [+goods]

322 **置**

お-, おき;
チ

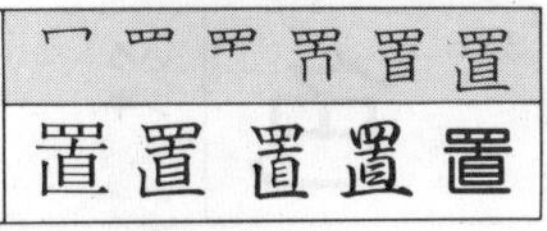

put, place
置く（おく）〈V〉 set, lay, put
置(き)時計（おきどケイ）〈N〉 table clock [＋watch]
置(き)忘れる（おきわすれる）〈V〉 mislay, leave (behind) [＋forget]
▶位置（イチ）〈N〉 place [position＋]

323 **番**

バン

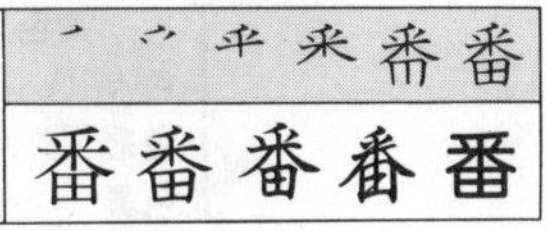

number, order
…番（…バン）〈N〉 No....
▷一番（イチ〜）, 二番（ニ〜）, 三番（サン〜）
番組（バンぐみ）〈N〉 program, bill [＋assemble]
番狂わせ（バンくるわせ）〈N〉 disturbing an established order [＋crazy]
番号（バンゴウ）〈N〉 number [＋call]
番地（バンチ）〈N〉 lot number [＋ground]
…番目（…バンめ）〈N〉 the ....-th
▷一番目（イチ〜）, 二番目（ニ〜）, 三番目（サン〜）

watch
番犬（バンケン）〈N〉 watchdog [＋dog]
番人（バンニン）〈N〉 watch, guard, keeper [＋person]

324 **変**

か-, **-が-**, かわ-;
ヘン, **-ペン**

⇨ 1123 恋

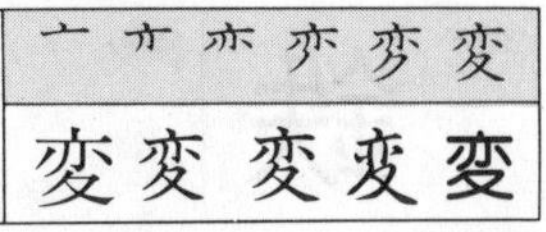

change
変える（かえる）〈V〉 change (*vt.*), convert
変わる（かわる）〈V〉 change (*vi.*), alter, vary
変化（ヘンカ）〈Nv〉 (undergo) change, variation [＋metamorphose]
変形（ヘンケイ）〈Nv〉 (undergo) transformation, metamorphosis [＋shape]
変型（ヘンケイ）〈N〉 variation [＋model]
変更（ヘンコウ）〈Nv〉 (make) alteration, modification [＋shift]
変人（ヘンジン）〈N〉 eccentric person [＋person]
変動（ヘンドウ）〈Nv〉 (undergo) change, fluctuation [＋move]

commotion
…の変（…のヘン）〈N〉 the...incident/...mishap

325 **防**

ふせ-;
ボウ

⇨ 1508 妨

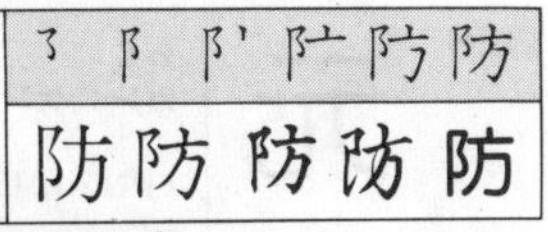

defend
防衛（ボウエイ）〈Nv〉 defense, protection [＋guard]
▶国防（コクボウ）〈N〉 national defense [nation＋]

prevent
防ぐ（ふせぐ）〈V〉 defend, protect, avert
防火（ボウカ）〈N〉 fire prevention [＋fire]
防止（ボウシ）〈Nv〉 prevention, check [＋stop]
防虫剤（ボウチュウザイ）〈N〉 insect repellent [＋insect＋drug]
防犯（ボウハン）〈N〉 crime prevention [＋violate]
▶予防（ヨボウ）〈Nv〉 prevention《of disasters/diseases, etc.》 [previous＋]

326 色	いろ; シキ, -ジキ; ショク ⇨[1084]免	ノ ク 㐅 𠂊 刍 色 色 色 色 色 色

color
色 (いろ) ⟨N⟩ color
…色 (…いろ/…ショク) ⟨N⟩ …color
▷赤色 (あかいろ/セキショク) red color [red+]
顔色 (かおいろ/ガンショク) complexion [face+]
黄色 (きいろ/オウショク) yellow color [yellow+]
色々 (いろいろ) ⟨Na/Adv⟩ various [+*Rep*]
色彩 (シキサイ) ⟨N⟩ color, hue, tint [+hue]
色素 (シキソ) ⟨N⟩ pigment [+element]

feature
…色 (…ショク) ⟨N⟩ …style, of…feature
▷国際色 (コクサイ～) internationality [international+]
地方色 (チホウ～) local color [locality+]
▶異色 (イショク) ⟨N⟩ novelty, uniqueness [difference+]
特色 (トクショク) ⟨N⟩ specific character, feature [special+]

eros, desire
色 (いろ) ⟨N⟩ eros
色男 (いろおとこ) ⟨N⟩ lady-killer [+man]
色気 (いろケ) ⟨N⟩ amorousness, coquetry [+atmosphere]
色情 (シキジョウ) ⟨N⟩ lust, sexual appetite [+emotion]
色欲 (シキヨク) ⟨N⟩ carnal appetite [+desire]

327 鉄	テツ, テッ-	ノ 亼 牟 金 鈩 鉄 鉄 鉄 鉄 鉄 鉄

iron
鉄 (テツ) ⟨N⟩ iron
鉄道 (テツドウ) ⟨N⟩ railroad [+way]
鉄筋 (テッキン) ⟨N⟩ steel reinforcing rod [+sinew]
鉄鋼 (テッコウ) ⟨N⟩ steel [+steel]
鉄板 (テッパン) ⟨N⟩ iron plate [+board]
鉄砲 (テッポウ) ⟨N⟩ gun [+gun]

railroad
▶国鉄 (コクテツ) ⟨N⟩ national railroad [nation+]
私鉄 (シテツ) ⟨N⟩ private-sector railroad [private+]
地下鉄 (チカテツ) ⟨N⟩ subway, underground railroad [underground+]

328 元	もと; ガン; ゲン ⟨PN⟩ はじめ ⇨[364]天	一 二 テ 元 元 元 元 元 元

origin, source, base
元 (もと) ⟨N⟩ origin
元金 (ガンキン/もとキン) ⟨N⟩ principal [+money]
元日 (ガンジツ) ⟨N⟩ New Year's Day [+day]
元旦 (ガンタン) ⟨N⟩ dawn of the year; New Year's Day [+dawn]
➜SN
元気 (ゲンキ) ⟨Na⟩ vigor, health [+anima]
▶次元 (ジゲン) ⟨N⟩ dimension, aspect [following+]

head
元帥 (ゲンスイ) ⟨N⟩ marshal [+general]

329 **直**

ただ-; なお;
ジキ; チョク, チョッ-

〈PN〉 ただし ⇨[278]真

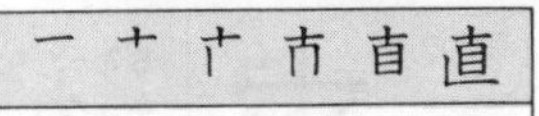

直 直 直 直 直

direct, just, straight

直ちに (ただちに) 〈Adv〉 immediately, right now
直す (なおす) 〈V〉 straighten out, mend
直々 (ジキジキ) 〈S〉 in person [+*Rep*]
直後 (チョクゴ) 〈T〉 immediately after [+after]
直接 (チョクセツ) 〈S〉 direct [+attach]
直線 (チョクセン) 〈N〉 straight line [+line]
直前 (チョクゼン) 〈T〉 immediately before [+before]
直通 (チョクツウ) 〈N〉 direct communication [+pass]
直面 (チョクメン) 〈Nv〉 confrontment [+face]
直流 (チョクリュウ) 〈N〉 direct current [+flow]
直径 (チョッケイ) 〈N〉 diameter [+lane]
直結 (チョッケツ) 〈Nv〉 direct connection [+bind]
▶正直 (ショウジキ) 〈N/Na〉 honesty [correct+]
素直 (スなお) 〈Na〉 gentle; obedient [natural+]

330 **買**

か-, -が-, かい, -がい;
バイ

⇨[47]貝

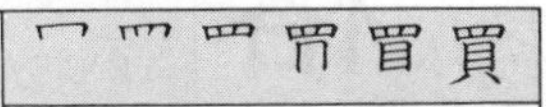

買 買 買 買 買

buy

買う (かう) 〈V〉 purchase, buy
買(い)上げる (かいあげる) 〈V〉 buy up/out [+up]
買(い)入れ (かいいれ) 〈N〉 purchase, laying-in [+put in]
買(い)得 (かいドク) 〈N〉 good buy, bargain [+obtain]
買(い)物 (かいもの) 〈Nv〉 shopping; 〈N〉 purchase, thing bought [+thing]
買収 (バイシュウ) 〈Nv〉 buying; bribe [+take in]

331 **身**

み;
シン

〈Ir〉

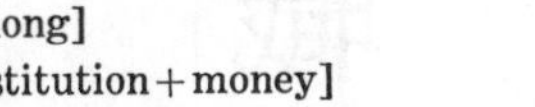

身 身 身 身 身

body

身 (み) 〈N〉 body
身近 (みぢか) 〈N/Na〉 near oneself, familiar [+near]
〈Ir〉 身体 (シンタイ/からだ) 〈N〉 body [+body]
身長 (シンチョウ) 〈N〉 stature, height [+long]
〈Ir〉 身代金 (みのしろキン) 〈N〉 ransom [+substitution+money]

self, ego

身 (み) 〈N〉 self, ego
身の上 (みのうえ) 〈N〉 one's future; one's condition [+outer]
身分 (みブン) 〈N〉 one's status [+portion]
身元 (みもと) 〈N〉 one's identity [+origin]
身辺 (シンペン) 〈N〉 personal surroundings [+side]

flesh, meat

身 (み) 〈N〉 flesh, meat
▶あぶら身 (あぶらみ) 〈N〉 fatty meat [(fat)+]
赤身 (あかみ) 〈N〉 lean meat [red+]
切り身 (きりみ) 〈N〉 slice 《of fish/meat》 [cut+]
刺身 (さしみ) 〈N〉 *sashimi*, raw fish food [thrust+]

332 求	もと-, もとむ; キュウ; グ	一 寸 寸 才 求 求 求 求 求 求 求

request, seek, demand
- 求め (もとめ) 〈N〉 request
- 求める (もとめる) 〈V〉 ask for, request
- 求刑 (キュウケイ) 〈Nv〉 (prosecutor's) proposal (on sentencing) [+punishment]
- 求人 (キュウジン) 〈N〉 job offer [+person]

333 算	サン, -ザン	⺮ 竹 笴 笪 筫 算 算 算 算 算 算

count, calculate
- 算数 (サンスウ) 〈N〉 calculation, arithmetic [+number]
- ▶計算 (ケイサン) 〈Nv〉 calculation, reckoning [measure+]
- 試算 (シサン) 〈Nv〉 trial calculation [test+]
- 予算 (ヨサン) 〈N〉 budget, estimate [previous+]

334 格	カク, カッ-; コウ- 〈PN〉いたる	十 木 木' 杪 枚 格 格 格 格 格 格

structure, frame
- 格子 (コウシ) 〈N〉 lattice [+piece]
- ▶骨格 (コッカク) 〈N〉 skeleton [bone+]

grade, rank
- 格 (カク) 〈N〉 grade, rank, status
- …格 (…カク) 〈N〉…rank; acting…
  - ▷リーダー格 leadership [(leader)+]
- 格差 (カクサ) 〈N〉 difference《in quality》 [+difference]
- 格調 (カクチョウ) 〈N〉 sonorous tone [+tone]
- 格別 (カクベツ) 〈Na〉 extra, exceptional [+separately classified]
- 格好 (カッコウ) 〈N〉 suitably; style, appearance [+favorite] ➔SN

case
- 格 (カク) 〈N〉 case《in grammar》
- ▶主格 (シュカク) 〈N〉 nominative case [subjective+]
- 所有格 (ショユウカク) 〈N〉 possessive case [possession+]
- 目的格 (モクテキカク) 〈N〉 objective case [purpose+]

335 職	ショク, ショッ- ⇨ 617 識, 753 織	耳 耳 耶 聕 職 職 職 職 職 職 職

profession, job
- 職 (ショク) 〈N〉 job, duty, profession
- …職 (…ショク) 〈N〉 …position, …job
  - ▷管理職 (カンリ〜) executive position [administration+]
  - 専門職 (センモン〜) specialist job [specialty+]
- 職員 (ショクイン) 〈N〉 staff, clerk [+member]
- 職業 (ショクギョウ) 〈N〉 occupation, profession [+work]
- 職種 (ショクシュ) 〈N〉 type of occupation [+kind]
- 職人 (ショクニン) 〈N〉 craftsman, artisan [+person]
- 職場 (ショクば) 〈N〉 one's place of work, one's post [+place]
- 職務 (ショクム) 〈N〉 duty, function, job [+duty]

336 **消**

き-, -ぎ-; け-, けし;
ショウ

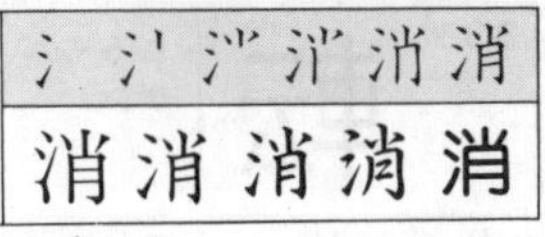

diminish, erase

消える (きえる) 〈V〉 go out, be put out, die out
消す (けす) 〈V〉 extinguish, erase
消印 (けしイン) 〈N〉 postmark [+stamp]
消火 (ショウカ) 〈Nv〉 fire extinguishing [+fire]
消化 (ショウカ) 〈Nv〉 digestion [+change itself]
消極的 (ショウキョクテキ) 〈Na〉 negative, passive [+extreme+*Suf Na*]
消息 (ショウソク) 〈N〉 how things stand [+born]
消毒 (ショウドク) 〈Nv〉 disinfection, sterilization [+poison]
消費 (ショウヒ) 〈Nv〉 consumption, expenditure [+expense]
消防 (ショウボウ) 〈N〉 fire fighting [+defend]
消防署 (ショウボウショ) 〈N〉 fire station [+defend+government office]
消耗 (ショウモウ/ショウコウ) 〈Nv〉 consumption [+lessen]

337 **費**

つい-, ついや-;
ヒ, -ピ

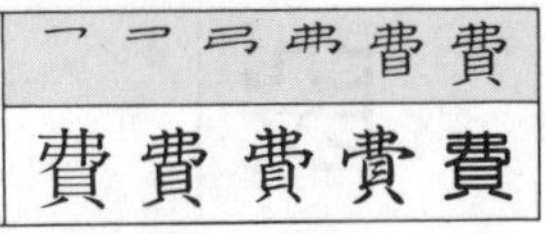

spend, expense

…費 (…ヒ) 〈N〉 …expenses
▷研究費 (ケンキュウ゛〜) research expenditure [research+]
交際費 (コウサイ〜) social expenses [intercourse+]
光熱費 (コウネツ〜) utility costs [light+heat+]
生活費 (セイカツ〜) living expenses [life+]
費やす (ついやす) 〈V〉 spend
費用 (ヒヨウ) 〈N〉 expense [+use]
▶経費 (ケイヒ) 〈N〉 expenditure, expenses [elapse+]
消費 (ショウヒ) 〈Nv〉 consumption, expenditure [diminish+]
食費 (ショクヒ) 〈N〉 food costs [eat+]
旅費 (リョヒ) 〈N〉 traveling expenses [travel+]

338 **領**

リョウ

⇨ 1992 頒

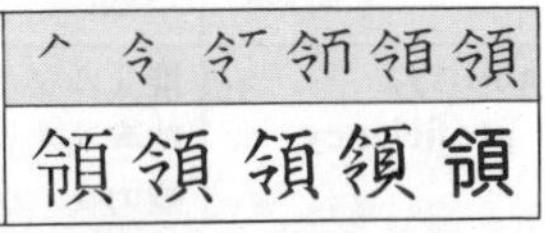

dominion, dominant

…領 (…リョウ) 〈N〉 …territory, …domain, …colony
▷イギリス領クリスマス島 (〜トウ) Christmas Island belonging to Great Britain [(England)+〜+(Christmas)+island]
領域 (リョウイキ) 〈N〉 territory, province [+sphere]
領海 (リョウカイ) 〈N〉 territorial waters [+sea]
領空 (リョウクウ) 〈N〉 territorial skies [+sky]
領事 (リョウジ) 〈N〉 consul [+person in charge of]
領事館 (リョウジカン) 〈N〉 consulate [+person in charge of+hall]
領土 (リョウド) 〈N〉 territory, dominion [+land]
▶大統領 (ダイトウリョウ) 〈N〉 president 《of a nation》 [big+govern+]
要領 (ヨウリョウ) 〈N〉 gist, purport, knack [essential+]

receive

領収 (リョウシュウ) 〈Nv〉 receipt [+take in]

339 **転**	ころ-, ころび; テン	亘 車 転 転転転転転

roll, revolt
- 転がる（ころがる）〈V〉 roll (over) (*vi.*), tumble
- 転ぶ（ころぶ）〈V〉 roll (over) (*vi.*), fall down/over
- 転々と（テンテンと）〈Adv〉 (pass) from hand to hand, place to place [+*Rep*]
- 転覆（テンプク）〈Nv〉 overturn, overthrow [+upset]
- ▶運転（ウンテン）〈Nv〉 driving [carry+]
- 回転（カイテン）〈Nv〉 (make) revolution, rotation [revolve+]
- 自転車（ジテンシャ）〈N〉 bicycle [self+～+car]

turn, change
- 転じる（テンじる）〈V〉 turn round, change
- 転換（テンカン）〈Nv〉 conversion, diversion [+exchange]
- 転機（テンキ）〈N〉 turning point [+chance]
- 転向（テンコウ）〈Nv〉 (undergo) conversion, (take) turn [+direction]
- 転用（テンヨウ）〈Nv〉 diversion, appropriation [+use]

340 **段**	ダン ⇨[273]投, [315]役	段 段段段段段

step
- 段階（ダンカイ）〈N〉 step, grade [+step]
- 段取り（ダンどり）〈N〉 design, arrangements [+get]

***Cs* steps**
- …段（…ダン）〈Q〉 …steps; …columns
  ▷一段（イチ～）, 二段（ニ～）, 三段（サン～）

dan
- 段（ダン）〈N〉 *dan* class, proficiency grade in *go, judo, karate*, etc. →[505]級
- …段（…ダン）〈N〉 …-th grade in *go, judo, karate*, etc.
  ▷初段（ショ～）[first+], 二段（ニ～）, 三段（サン～）

341 **能**	ノウ 〈PN〉ノ, よし	能 能能能能能

ability, proficiency
- 能（ノウ）〈N〉 proficiency, ability
- 能率（ノウリツ）〈N〉 efficiency [+ratio]
- 能力（ノウリョク）〈N〉 ability, faculty [+power]

***noh* play**
- 能（ノウ）〈N〉 *noh*
- 能楽（ノウガク）〈N〉 *nohgaku, noh* play [+music]
- 能面（ノウメン）〈N〉 *noh* mask [+mask]

▶能面

342 **戸**	と, -ど; コ 〈PN〉-へ, -べ	一 ラ ヨ 戸 戸戸戸戸戸

door
- 戸（と）〈N〉 door

house
- 戸数（コスウ）〈N〉 number of houses [+number]

***Cs* houses**
- …戸（…コ）〈Q〉 …houses
  ▷一戸（イッ～）, 二戸（ニ～）, 三戸（サン～）

Ph
- ▶井戸（いど）〈N〉 well [well+] ➔SN

343 **太**	ふと-, -ぶと; タ; タイ ⟨PN⟩ ふとし ⇨[7]大, [1295]犬	一 ナ 大 太 / 太 太 太 太 太

fat | 太い (ふとい) ⟨A⟩ fat, thick
| 太る (ふとる) ⟨V⟩ get fat
big | 太陽 (タイヨウ) ⟨N⟩ the sun [+sunshine]
| 太刀 (タち) ⟨N⟩ sword [+blade] ➜SN
eldest | 太子 (タイシ) ⟨N⟩ eldest son of a royal family 《Jap. hist.》 [+child]
⟨Place⟩ | 太平洋 (タイヘイヨウ) Pacific Ocean [+even+ocean]

344 **終**	お-, おわ-, おわり; つい; シュウ, -ジュウ ⇨[958]絡	く 幺 糸 紀 終 終 / 終 終 終 終 終

end | 終える (おえる) ⟨V⟩ finish with…, bring to an end
| 終((わ)り) (おわり) ⟨N⟩ the end
| 終(わ)る (おわる) ⟨V⟩ end
| 終結 (シュウケツ) ⟨Nv⟩ (come to) conclusion, termination [+conclude]
| 終始 (シュウシ) ⟨Nv/Adv⟩ (remain) from beginning to end [+begin]
| 終戦 (シュウセン) ⟨N⟩ end of the war [+war]
| 終了 (シュウリョウ) ⟨Nv⟩ end; completion [+perfect]
all through | 終日 (シュウジツ) ⟨Q⟩ all day long [+day]
| 終夜 (シュウヤ) ⟨Q⟩ all night long [+night]

345 **値**	あたい; ね; チ	イ 仁 什 佶 值 値 / 値 値 値 値 値

value | 値 (あたい) ⟨N⟩ value →[202]価
| ▶価値 (カチ) ⟨N⟩ worth, value [price+]
price, cost | 値 (ね) ⟨N⟩ price
| …値 (…ね) ⟨N⟩ …price
| ▷小売値 (こうり〜) retail price [retail+]
| 値上(が)り (ねあがり) ⟨Nv⟩ rise in price [+up]
| 値上げ (ねあげ) ⟨Nv⟩ price hike; raise in fees [+up]
| 値打(ち) (ねうち) ⟨N⟩ price; value, merit [+hit]
| 値下(が)り (ねさがり) ⟨Nv⟩ fall in price [+down]
| 値下げ (ねさげ) ⟨Nv⟩ cut in price/fees [+down]
| 値段 (ねダン) ⟨N⟩ price [+step]

346 **昨**	サク, サッ- ⟨Ir⟩ ⇨[99]作	冂 日 日' 日' 昨 昨 / 昨 昨 昨 昨 昨

last, past ⟨Ir⟩ | 昨日 (サクジツ/きのう) ⟨T⟩ yesterday [+day]
| 昨年 (サクネン) ⟨T⟩ last year [+year]
| 昨今 (サッコン) ⟨T⟩ these days [+now]
| ▶一昨日 (イッサクジツ) ⟨T⟩ the day before yesterday [one more+〜+day]

347 **申**

さる; **もう**-, もうし-;
シン

⇨ 24田, 376由, 1071甲

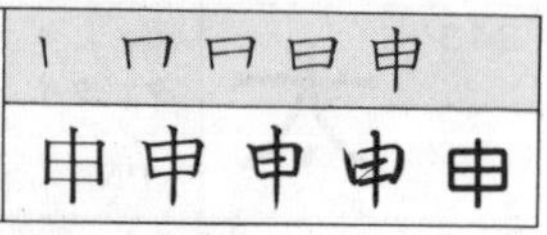

call, appeal
申す (もうす) 〈V〉 appeal, tell, call, do
申(し)上げる (もうしあげる) 〈V〉 tell humbly 《honorific》 [+up]
申(し)合わせ (もうしあわせ) 〈N〉 agreement [+meet]
申(し)入れる (もうしいれる) 〈V〉 propose [+put in]
申(し)込(み) (もうしこみ) 〈N〉 application, subscription [+into]
申(し)込む (もうしこむ) 〈V〉 apply/subscribe for [+into]
申(し)立(て) (もうしたて) 〈N〉 allegation [+erect]
申(し)出る (もうしでる) 〈V〉 offer, propose, ask for [+go out]
申し訳 (もうしわけ) 〈N〉 apology, excuse [+interpret]
申告 (シンコク) 〈Nv〉 report 《to the authorities》 [+tell]
申請 (シンセイ) 〈Nv〉 application, petition [+request]

saru
申 (さる) 〈N〉 *saru*; monkey† →App.

348 **営**

いとな-;
エイ

⇨ 225官, 419宮

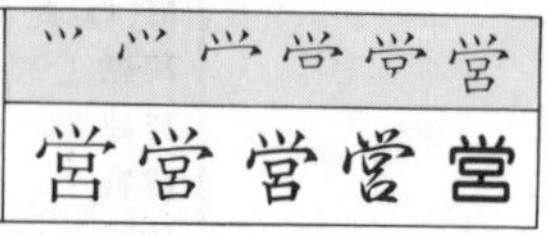

carry on, run, operate
…営 (…エイ) 〈N〉 run/operated by…
▷国営 (コク～) government management [nation+]
東京都営 (トウキョウト～) managed by Tokyo [Tokyo+]
営む (いとなむ) 〈V〉 perform, carry on, operate
営業 (エイギョウ) 〈Nv〉 trade, business, sales [+business]
▶経営 (ケイエイ) 〈Nv〉 management, conduct 《business》 [control+]

camp
▶陣営 (ジンエイ) 〈N〉 camp, bloc [base camp+]
兵営 (ヘイエイ) 〈N〉 barracks [soldier+]

349 **席**

セキ

〈Ir〉

⇨ 83度

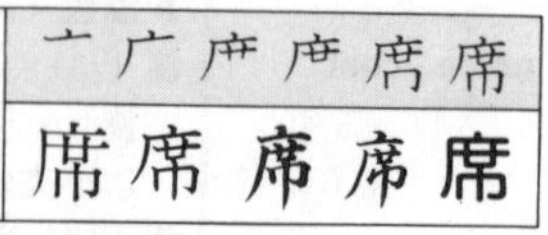

seat
席 (セキ) 〈N〉 seat
席上 (セキジョウ) 〈N〉 at the meeting [+on]
〈Ir〉 ▶寄席 (よせ) 〈N〉 vaudeville theater, variety hall [gather+]

350 **科**

カ

〈PN〉 -しな

⇨ 212料

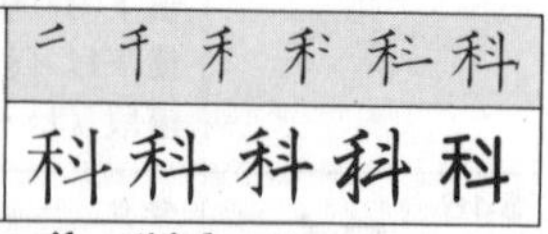

branch, division
…科 (…カ) 〈N〉 …division; …subject; …family 《biology》
▷デザイン科 design training course [(design)+]
ネコ科 feline, cat family [(cat)+]
社会科 (シャカイ～) social studies [society+]
小児科 (ショウニ～) pediatrics [children+]
科学 (カガク) 〈N〉 science [+…studies]
科目 (カモク) 〈N〉 subject [+class]

penalty
▶前科 (ゼンカ) 〈N〉 previous conviction, criminal record [previous+]

351 **検**

ケン

⇒616険, 1949倹

十 木 木' 木^ 枱 検

検 検 検 検 検

investigate, censor

検挙（ケンキョ）〈Nv〉 arrest [+hold]
検査（ケンサ）〈Nv〉 inspection, checkup [+inspect]
検察（ケンサツ）〈Nv〉 criminal investigation, prosecution [+discern]
検察庁（ケンサツチョウ）〈N〉 Public Prosecutors Office [+discern+government office]
検事（ケンジ）〈N〉 public prosecutor [+person in charge of]
検出（ケンシュツ）〈Nv〉 detection [+put out]
検証（ケンショウ）〈Nv〉 verification, inspection [+evidence]
検診（ケンシン）〈Nv〉 medical examination-checkup [+diagnosis]
検定（ケンテイ）〈Nv〉 official approval, authorization [+fix]
検討（ケントウ）〈Nv〉 examination, investigation [+correct]

352 **想**

-ソ；ソウ

木 札 相 相 想 想

想 想 想 想 想

image

想像（ソウゾウ）〈Nv〉 imagination, fancy [+image]
▶愛想（アイソ/アイソウ）〈N〉 sociability, amiability [affection+]
構想（コウソウ）〈Nv〉 conception; plot [structure+]
理想（リソウ）〈N〉 ideal [logic+]

353 **商**

あきな-；
ショウ

亠 产 产 产 商 商

商 商 商 商 商

commerce, merchandize

…商（…ショウ）〈N〉 …merchant, …business, …shop
▷貴金属商（キキンゾク～）jeweler [precious metals+]
小売商（こうり～）retail merchant [retail+]
貿易商（ボウエキ～）trader, import-export dealer [trade+]
商い（あきない）〈N〉 business, merchandizing
商業（ショウギョウ）〈N〉 commerce, trade [+business]
商事会社（ショウジガイシャ）〈N〉 commercial firm [+affair+company]
商社（ショウシャ）〈N〉 trading company [+company]
商店（ショウテン）〈N〉 store [+shop]
商売（ショウバイ）〈Nv〉 trade, business [+sell]
商標（ショウヒョウ）〈N〉 trademark [+mark]
商品（ショウヒン）〈N〉 goods, merchandise [+goods]
商法（ショウホウ）〈N〉 commercial law; way of doing business [+law; method]

354 **態**

わざ；
タイ

⇒1148熊

厶 台 育 育 能 態

態 態 態 態 態

attitude, figure

態勢（タイセイ）〈N〉 attitude, condition [+state]
態度（タイド）〈N〉 attitude, posture [+degree]

355 **他**

ほか；
タ

⇨[40]地, [548]池

ノ イ 仃 仲 他

他 他 他 他 他

other, else

他 (ほか/タ) 〈N〉 other
他… (タ…) other…
▷他府県 (～フケン) 〈N〉 other prefectures [+prefecture]
他大学 (～ダイガク) 〈N〉 other colleges [+university]
…他 (…ほか) 〈Adv〉 …and others; besides…
他に (ほかに/タに) 〈Adv〉 besides
その他 (そのほか/そのタ) 〈S〉 in addition, besides [(that)+]
他界 (タカイ) 〈Nv〉 passing away, dying [+world]
他国 (タコク) 〈N〉 foreign country [+country]
他社 (タシャ) 〈N〉 other company [+company]
他人 (タニン) 〈N〉 others, stranger [+person]
他方 (タホウ) 〈S〉 on the other hand [+direction]

356 **常**

つね, -づね；とこ；
ジョウ

⇨[662]堂

丨 丷 宀 尚 尚 常

常 常 常 常 常

ordinary, usual, always

常 (つね) 〈N〉 usualness
常に (つねに) 〈Adv〉 always; ordinarily
常々 (つねづね) 〈Adv〉 always, constantly [+*Rep*]
常夏 (とこなつ) 〈N〉 everlasting summer [+summer]
常時 (ジョウジ) 〈T〉 all the time, ordinary times [+time]
常識 (ジョウシキ) 〈N〉 common sense [+knowledge]
常任 (ジョウニン) 〈N〉 standing…; permanent post [+appoint]
▶日常 (ニチジョウ) 〈T〉 every day, daily [day+]
非常 (ヒジョウ) 〈N/Na〉 extraordinariness [not+]
非常口 (ヒジョウぐち) 〈N〉 emergency exit [not+～+mouth]

357 **割**

さ-；わ-, わり；
カツ, カッ-

宀 宀 宇 宔 害 割

割 割 割 割 割

divide, cut

割く (さく) 〈V〉 tear, break
割(り) (わり) 〈N〉 proportion, ratio; gain
割る (わる) 〈V〉 cut, break, crack
割れる (われる) 〈V〉 be broken
割(り)当(て) (わりあて) 〈N〉 allotted portion [+hit]
割(り)切る (わりきる) 〈V〉 take a businesslike/cut-and-dried attitude [[+cut]]
割合 (わりあい) 〈N〉 proportion; 〈Adv〉 considerably [+suit]
割引 (わりびき) 〈Nv〉 discount, price-cut [+draw]
割愛 (カツアイ) 〈Nv〉 sparing part of; reluctant omission [+affection]

1/10

…割 (…わり) 〈Q〉 …tenths
▷一割 (イチ～) 10% [one+]
九割九分 (キュウ～キュウブ) 〈Q〉 99% [nine+～+nine+portion]
二割引(き) (ニ～びき) 〈Nv〉 20% discount [two+～+pull]

358 得

う, え;
トク, -ドク

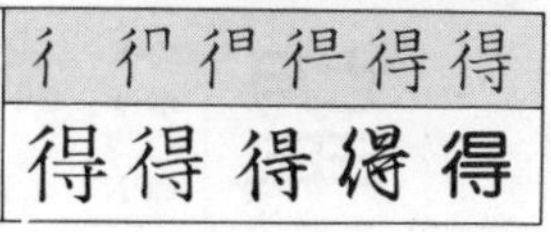

gain, obtain

得 (トク) 〈Nv/Na〉 (gain) profit
得る (える) 〈V〉 get, gain
得意 (トクイ) 〈N/Na〉 one's strong point; elation; 〈N〉 customer [+intention]
得点 (トクテン) 〈Nv〉 score, point [+point]
▶獲得 (カクトク) 〈Nv〉 obtaining, acquirement [seize+]
所得 (ショトク) 〈N〉 income [that which+]

satisfy

得心 (トクシン) 〈Nv〉 consent, satisfaction [+heart]

capable

…得る (…うる/える) 〈V〉 …-able, can…
▷あり得る (ありうる/ありえる) be possible [(exist)+]
禁じ得ない (キンじえない) cannot forbid [prohibit+]

359 乗

の-, のり;
ジョウ

⇨1716 垂

ride

乗せる (のせる) 〈V〉 carry, load
乗る (のる) 〈V〉 ride
乗っ取る (のっとる) 〈V〉 take over, hijack [+get]
…に乗じて (…にジョウじて) 〈Adv〉 taking advantage of…
乗(り)換(え) (のりかえ) 〈N〉 change《of vehicles》 [+exchange]
乗(り)出す (のりだす) 〈V〉 push oneself onward; venture [+go out]
乗(り)気 (のりキ) 〈N〉 eagerness, enthusiasm, zeal [+mind]
乗組員 (のりくみイン) 〈N〉 crew [+assemble+member]
乗客 (ジョウキャク) 〈N〉 passenger [+customer]
乗車 (ジョウシャ) 〈Nv〉 taking a train/car, getting on [+car]
乗用車 (ジョウヨウシャ) 〈N〉 passenger car [+use+car]
▶…人乗り (…ニンのり) 〈N〉 …-seater, …-passenger
▷二人乗り (ふたりのり) →6二人, 五百人乗り (ゴヒャクニンのり)

360 再

ふたた-;
サ-; サイ

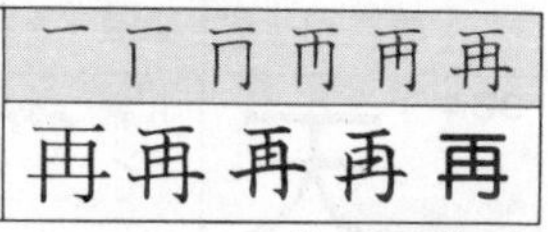

again

再… (サイ…) re-…, …again
▷再検討 (～ケントウ) 〈Nv〉 reexamination, reconsideration [+examination]
再出発 (～シュッパツ) 〈Nv〉 restart [+start]
再編成 (～ヘンセイ) 〈Nv〉 reorganization [+organization]
再放送 (～ホウソウ) 〈Nv〉 rebroadcasting, rerun [+broadcasting]
再び (ふたたび) 〈Adv〉 again, second time
再会 (サイカイ) 〈Nv〉 meeting again [+meeting]
再開 (サイカイ) 〈Nv〉 reopening [+open]
再建 (サイケン) 〈Nv〉 reconstruction [+construct]
再婚 (サイコン) 〈Nv〉 remarriage [+wedding]
再三再四 (サイサンサイシ) 〈Q〉 repeatedly, again and again [+three+～+four]

still another

再来年 (サライネン) 〈T〉 the year after next [+next year]

361 **望**	のぞ-; ボウ; モウ 〈PN〉 のぞみ, もち	望望望望望

wish, aspire
望ましい (のぞましい) 〈A〉 desirable
望み (のぞみ) 〈N〉 wish, desire
望む (のぞむ) 〈V〉 wish, aspire, hope
望郷 (ボウキョウ) 〈N〉 nostalgia, homesickness [+country]
▶本望 (ホンモウ) 〈N〉 one's long-cherished desire; satisfaction [origin+]

view
望む (のぞむ) 〈V〉 command a view
望遠鏡 (ボウエンキョウ) 〈N〉 telescope [+far+scope]

362 **農**	ノウ	農農農農農

agriculture
農家 (ノウカ) 〈N〉 farm house, farm family [+home]
農協 (ノウキョウ) 〈N〉 agricultural cooperative [+cooperate] ➜SN
農業 (ノウギョウ) 〈N〉 agriculture [+job]
農村 (ノウソン) 〈N〉 farm village [+village]
農地 (ノウチ) 〈N〉 agricultural land [+ground]
農民 (ノウミン) 〈N〉 peasant, farmer [+folk]
農林水産省 (ノウリンスイサンショウ) 〈N〉 Ministry of Agriculture, Forestry and Fisheries [+woods+water+produce+ministry]

363 **認**	みと-, みとめ-; ニン	認認認認認

approve, recognize
認める (みとめる) 〈V〉 recognize, approve, judge
認(め)印 (みとめイン) 〈N〉 unregistered private seal [+stamp] ➜SN
認可 (ニンカ) 〈Nv〉 approval, authorization [+affirmative]
認識 (ニンシキ) 〈Nv〉 cognition, perception [+recognition]
認定 (ニンテイ) 〈Nv〉 recognition, authorization [+settle]

364 **天**	あま, あめ; テン ⇒[265]夫, [328]元	天天天天天

heaven
天 (テン) 〈N〉 sky, heaven
天の川 (あまのがわ) 〈N〉 Milky Way [+river] ➜SN
天下り (あまくだり) 〈N〉 private-sector employment of a retiring government official [+down] ➜SN
天下 (テンカ) 〈N〉 whole country, world [+under]
天気 (テンキ) 〈N〉 weather 《of a day》; fine weather [+anima]
天候 (テンコウ) 〈N〉 weather 《for several days》 [+feature]
天国 (テンゴク) 〈N〉 Heaven, Paradise [+country]
天井 (テンジョウ) 〈N〉 ceiling [+parallel crosses] ➜SN
天然 (テンネン) 〈N〉 nature 《not artificial》 [+*Suf* state]
天皇 (テンノウ) 〈N〉 Emperor of Japan [+emperor]

365 **勢**

いきお-;
セイ, -ゼイ
〈PN〉 セ

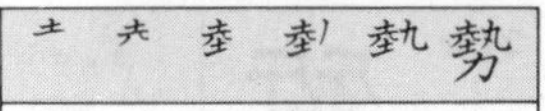

勢勢勢勢勢

force
勢い (いきおい) 〈N〉 force, vigor, impetus
勢力 (セイリョク) 〈N〉 power, might [+power]
▶大勢 (おおゼイ; タイセイ) 〈Q〉 crowd of people; 〈N〉 general tendency [big+]

state
▶形勢 (ケイセイ) 〈N〉 situation, trend of events [shape+]
姿勢 (シセイ) 〈N〉 posture; attitude [figure+]

366 **洋**

ヨウ
〈PN〉 ひろ, ひろし

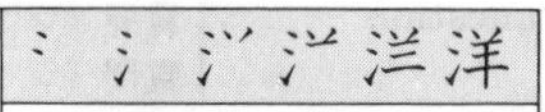

洋洋洋洋洋

ocean
…洋 (…ヨウ) 〈N〉 …Ocean
▷インド洋 Indian Ocean [(India)+]
大西洋 (タイセイ〜) Atlantic Ocean [big+west+]
太平洋 (タイヘイ〜) Pacific Ocean [big+even+]
洋上 (ヨウジョウ) 〈N〉 on the ocean [+on]
▶海洋 (カイヨウ) 〈N〉 seas and oceans [sea+]
北洋 (ホクヨウ) 〈N〉 northern oceans [north+]

overseas
▶西洋 (セイヨウ) 〈N〉 the West, the Occident [west+]
東洋 (トウヨウ) 〈N〉 the East, the Orient [east+]

Occidental
洋裁 (ヨウサイ) 〈N〉 Western tailoring/sewing [+tailor]
洋食 (ヨウショク) 〈N〉 Western food [+food]
洋品 (ヨウヒン) 〈N〉 hosiery and haberdashery [+goods]
洋風 (ヨウフウ) 〈N〉 Western style [+style]
洋服 (ヨウフク) 〈N〉 Western clothes [+clothes]

367 **路**

-じ;
ロ
〈PN〉 みち

路路路路路

road, route
路上 (ロジョウ) 〈N〉 on the road [+on]
路線 (ロセン) 〈N〉 route; principle [+line]
▶家路 (いえじ) 〈N〉 the way home [home+]
旅路 (たびじ) 〈N〉 journey [travel+]

368 **号**

ゴウ

号号号号号

call, shout
号泣 (ゴウキュウ) 〈Nv〉 wailing, weeping bitterly [+weep]
号令 (ゴウレイ) 〈Nv〉 word of command, order [+command]
▶信号 (シンゴウ) 〈N〉 signal; (traffic) light [message+]
番号 (バンゴウ) 〈N〉 number [number+]

naming
…号 (…ゴウ) 〈N〉 the… 《proper names of vehicles, animal fighters》
▷タイタニック号 the *Titanic* [(Titanic)+]

***Suf* order**
…号 (…ゴウ) 〈N〉 No.…
▷一号 (イチ〜) No. 1　二号 (ニ〜) No. 2; mistress

369 質

シチ, -ジチ; **シツ**, シッ-; -チ

⇒230 資

quality	**質 (シツ) 〈N〉 quality**
	…質 (…シツ) 〈N/Na〉 …quality, …temperament; 〈N〉 …matter
	▷たんぱく質 〈N〉 protein, albumen [(proteid)+]
	神経質 (シンケイ〜) 〈N/Na〉 nervous temperament [nerves+]
	動物質 (ドウブツ〜) 〈N〉 animal matter [animal+]
question	**質疑 (シツギ) 〈N〉 question, interrogation [+doubt]**
	質問 (シツモン) 〈N〉 question [+inquire]
pawn, pledge	**質 (シチ) 〈N〉 pawn, pledge**
	質屋 (シチや) 〈N〉 pawnshop; pawnbroker [+shop]
	▶言質 (ゲンチ/ゲンシツ) 〈N〉 pledge, promise [say+]
	人質 (ひとジチ) 〈N〉 hostage [person+]

370 岡

おか;
コウ†

hill	**岡 (おか) 〈N〉 hill**
〈Place〉	**岡山 (おかやま) Okayama Pref./City**
	★岡 is often seen in surnames. e.g. 岡田 (おかだ), 岡本 (おかもと)

371 宅

タク

〈PN〉 やけ ⇒757 宇

home, house	**宅 (タク) 〈N〉 home, house; my husband**
	お宅 (おタク) 〈N〉 your/his/her house; you《honorific》 [(*Pref honorific*)+]
	…宅 (…タク) 〈N〉 …'s house
	▷木村宅 (きむら〜) the Kimuras' house [*PN*+]
	社長宅 (シャチョウ〜) president's house [president of a company+]
	宅地 (タクチ) 〈N〉 residential land/lot [+ground]

372 若

も-; **わか**;
ジャク, ジャッ-; ニャク

〈Ir〉 ⇒597 苦

young	**若い (わかい) 〈A〉 young, juvenile**
	若さ (わかさ) 〈N〉 youth, youthfulness
	若手 (わかて) 〈N〉 younger member/generation [+hand]
	若者 (わかもの) 〈N〉 young man, lad [+person]
	若々しい (わかわかしい) 〈A〉 young-looking [+*Rep*]
	若輩 (ジャクハイ) 〈N〉 youngster, greenhorn [+fellows]
〈Ir〉	**若人 (わこうど) 〈N〉 the young [+person]**
	▶老若男女 (ロウニャクナンニョ) 〈N〉 people, young and old, men and women [aged+〜+man+woman]
a few	**若干 (ジャッカン) 〈Q〉 a few, a little [+*Ph*]**
or	**若しくは (もしくは) 〈Conj〉 either…or; otherwise**

373 **古**

ふる, -ぶる;
コ

⇨[464]吉, [851]占, [1711]舌

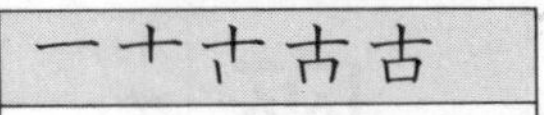

古古古古古

old

古い (ふるい) 〈A〉 old, aged, ancient, antique

古今東西 (ココントウザイ) 〈S〉 all ages and all places [+now+east+west]

古代 (コダイ) 〈N〉 ancient times [+period]

古典 (コテン) 〈N〉 classics [+classical book]

374 **待**

ま-, まち;
タイ

⇨[1823]侍

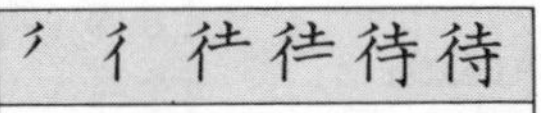

待待待待待

wait

待つ (まつ) 〈V〉 wait

待(ち)合(わ)せ (まちあわせ) 〈N〉 meeting each other [+meet]

待機 (タイキ) 〈Nv〉 standing by [+chance]

待望 (タイボウ) 〈Nv〉 long hoping for [+aspire]

hospitality

待遇 (タイグウ) 〈Nv〉 treatment, entertain, service [+treat]

▶招待 (ショウタイ) 〈Nv〉 invitation [invite+]

375 **然**

-ゼン; -ネン

然然然然然

***Suf* state**

▶依然 (イゼン) 〈Nt/Adv〉 still now, as before [intact+]

偶然 (グウゼン) 〈S〉 fortuity, by chance [fortuity+]

公然 (コウゼン) 〈N/Nt〉 open, public [public+]

雑然 (ザツゼン) 〈Nt〉 disorder [rough+]

自然 (シゼン) 〈S/Na〉 nature, natural [self+]

全然 (ゼンゼン) 〈Adv〉 (not) at all [whole+]

騒然 (ソウゼン) 〈Nt〉 agitated [noisy+]

断然 (ダンゼン) 〈Adv〉 absolutely, definitely [decisive+]

超然 (チョウゼン) 〈Nt〉 standing aloof [super+]

天然 (テンネン) 〈N〉 nature 《not artificial》 [heaven+]

当然 (トウゼン) 〈S〉 due, natural [hit+]

突然 (トツゼン) 〈S〉 sudden, unexpected [sudden+]

漠然 (バクゼン) 〈Nt〉 vague, indefinable [boundless+]

必然 (ヒツゼン) 〈N〉 necessity, inevitability [necessity+]

平然 (ヘイゼン) 〈Nt〉 calmly [plain+]

未然 (ミゼン) 〈N〉 yet to come [not yet+]

376 **由**

よし;
ユ; ユイ-; -ユウ

⇨[24]田, [347]申, [1071]甲

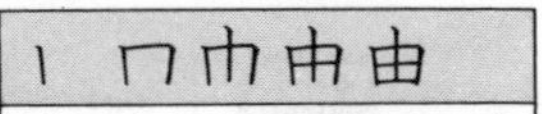

由由由由由

course, line

由 (よし) 〈N〉 to the effect

由来 (ユライ) 〈N〉 origin, derivation, history [+come]

由緒 (ユイショ) 〈N〉 lineage, history [+string]

▶経由 (ケイユ) 〈Nv〉 via, by way of [pass through+]

理由 (リユウ) 〈N〉 reason, cause [reason+]

377 座

すわ-; ザ

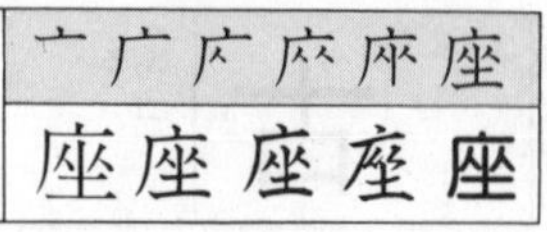

seat
座 (ザ) 〈N〉 seat; party 《social gathering》
座る (すわる) 〈V〉 sit
座席 (ザセキ) 〈N〉 seat [+seat]
座談会 (ザダンカイ) 〈N〉 discussion meeting, symposium [+talk+meeting]
座標 (ザヒョウ) 〈N〉 coordinates [+mark]

theater
…座 (…ザ) 〈N〉 the…Theater; the…Troupe
▷歌舞伎座 (カブキ～) Kabukiza Theater [*kabuki*+]
文学座 (ブンガク～) Bungaku Troupe

constellation
…座 (…ザ) 〈N〉 the constellation of…
▷大熊座 (おおぐま～) Ursa Major [big+bear+]

378 提

さ-, さげ; テイ

⇨1555堤

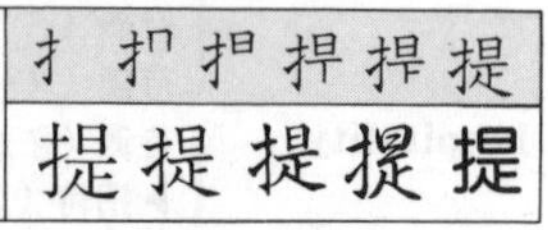

carry
提げる (さげる) 〈V〉 carry in hand
▶手提(げ) (てさげ) 〈N〉 carrying in hand, portable [hand+]

raise, propose
提案 (テイアン) 〈Nv〉 proposition, proposal [+idea]
提起 (テイキ) 〈Nv〉 institution, posing 《of a problem》 [+rise]
提供 (テイキョウ) 〈Nv〉 offer [+offer]
提携 (テイケイ) 〈Nv〉 cooperation, tie-up [+carry]
提言 (テイゲン) 〈Nv〉 proposal, overtures [+say]
提示 (テイジ) 〈Nv〉 presentation, suggestion [+indicate]
提出 (テイシュツ) 〈Nv〉 submission, presentation [+put out]
提唱 (テイショウ) 〈Nv〉 advocacy [+recite]

379 球

たま, -だま; キュウ

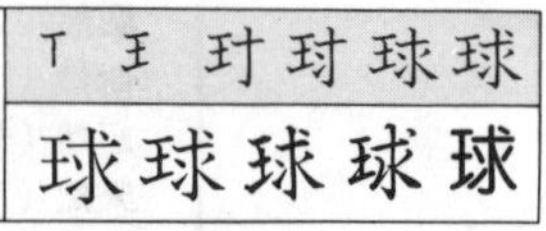

ball, bulb
球 (たま/キュウ) 〈N〉 ball
球技 (キュウギ) 〈N〉 ball-using game 《baseball, basketball, soccer, etc.》 [+skill]
球根 (キュウコン) 〈N〉 bulb [+root]
球場 (キュウジョウ) 〈N〉 baseball stadium [+place]
▶電球 (デンキュウ) 〈N〉 electric bulb [electricity+]

380 審

シン

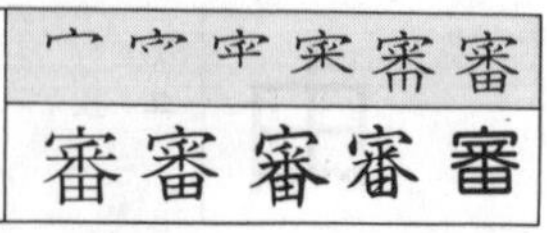

ascertain
…審 (…シン) 〈N〉 …hearing, …trial
▷第一審 (ダイイッ～) first hearing [first+]
審議 (シンギ) 〈Nv〉 deliberation, discussion [+debate]
審査 (シンサ) 〈Nv〉 judgment, inspection [+inspect]
審判 (シンパン) 〈Nv〉 referee, judge [+judge]

381 **親**	おや; した-; シン 〈PN〉ちか ⇒[36]新	 親親親親親

parent
- 親（おや）〈N〉parent, father, mother
- 親子（おやこ）〈N〉parent and child [+child]
- 親孝行（おやコウコウ）〈Na/Nv〉dutiful (to one's parents) [+filial piety+exert]
- 親不孝（おやフコウ）〈Na/Nv〉undutiful (to one's parents) [+un-+filial piety]
- 親分（おやブン）〈N〉boss [+part]
- 親類（シンルイ）〈N〉relative, kindred [+genus]

kinship, familiar, friendly
- 親しい（したしい）〈A〉intimate, friendly
- 親しむ（したしむ）〈V〉get closer acquainted, make steady use of
- 親切（シンセツ）〈N/Na〉kindness, kindliness [+moderate]
- 親善（シンゼン）〈N〉goodwill, friendship [+good]
- 親日（シンニチ）〈N〉pro-Japanism, Japanophilism [+Japan]
- 親身（シンみ）〈N〉blood relation; kind, cordial [+self]

382 **基**	もと, もとづ-; もとい; キ	 基基基基基

base, foundation
- 基（もと/もとい）〈N〉basis, foundation, origin
- 基(づ)く（もとづく）〈V〉be based on
- 基金（キキン）〈N〉fund [+money]
- 基準（キジュン）〈N〉criterion, standard [+level]
- 基礎（キソ）〈N〉foundation, base [+footstone]
- 基地（キチ）〈N〉base, home [+ground]
- 基調（キチョウ）〈N〉keynote, base [+tone]
- 基盤（キバン）〈N〉groundwork, basis [+base]
- 基本（キホン）〈N〉fundamentals, basis [+origin]

***Cs* placed things**
- …基（…キ）〈N〉…machines, …elevators, …gravestones
  - ▷一基（イッ～）, 二基（ニ～）, 三基（サン～）

383 **税**	ゼイ ⇒[1690]悦	 税税税税税

tax
- 税（ゼイ）〈N〉tax
- …税（…ゼイ）〈N〉…tax
  - ▷固定資産税（コテイシサン～）property tax [fixation+property+]
  - 住民税（ジュウミン～）residence tax [inhabitants+]
  - 所得税（ショトク～）income tax [income+]
  - 相続税（ソウゾク～）inheritance tax [inheriting+]
- 税関（ゼイカン）〈N〉customs house [+fort]
- 税金（ゼイキン）〈N〉tax [+money]
- 税制（ゼイセイ）〈N〉taxation system [+system]
- 税務署（ゼイムショ）〈N〉tax office [+duty+government office]
- 税理士（ゼイリシ）〈N〉tax accountant [+manage+expert]
- 税率（ゼイリツ）〈N〉tax rate [+ratio]

384 **駅** エキ

駅駅駅駅駅

station | 駅 (エキ) ⟨N⟩ station
…駅 (…エキ) ⟨N⟩ …Station; …station
▷東京駅 (トウキョウ～) Tokyo Station [Tokyo+]
駅長 (エキチョウ) ⟨N⟩ stationmaster [+chief]
駅弁 (エキベン) ⟨N⟩ (boxed) lunches to go 《bought at stations or in trains》 [+*Ph*] ➜SN
駅前 (エキまえ) ⟨N⟩ station front [+before]

385 **門** かど; モン

門門門門門

gate | 門 (モン/かど) ⟨N⟩ gate
門出 (かどで) ⟨N⟩ departure to the front, the first setout [+go out]
門松 (かどまつ) ⟨N⟩ *kadomatsu*, New Year's decoration pines [+pine]

school, sect | 門下 (モンカ) ⟨N⟩ one's pupil/following [+under]
▶入門書 (ニュウモンショ) ⟨N⟩ primer, guide [enter+～+book]

genus | 門 (モン) ⟨N⟩ phylum 《zoology》; division 《botany》

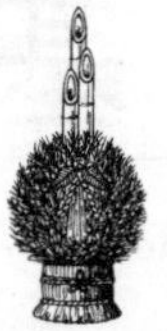

◀門松

386 **頭** あたま; かしら, -がしら; ズ; ト, -ド; **トウ**, -ドウ

頭頭頭頭頭

head | 頭 (あたま; かしら) ⟨N⟩ brains; head
頭金 (あたまキン) ⟨N⟩ down payment [+money] →219利子
頭文字 (かしらモジ) ⟨N⟩ initial letter; capital letter [+letter]
頭痛 (ズツウ) ⟨N⟩ headache [+pain]
頭脳 (ズノウ) ⟨N⟩ brain [+brain]
頭取 (トウどり) ⟨N⟩ president 《of a bank》 [+get]
▶音頭 (オンド) ⟨N⟩ leading 《of a chorus》; *ondo*, Japanese folk song [sound+]
船頭 (センドウ) ⟨N⟩ boatman [ship+]
店頭 (テントウ) ⟨N⟩ shop front, counter [shop+]

***Cs* animals** | …頭 (…トウ) ⟨Q⟩ …animals
▷一頭 (イッ～), 二頭 (ニ～), 三頭 (サン～)

387 **技** わざ; ギ

⇨1154枝

技技技技技

art, skill | 技 (わざ) ⟨N⟩ skill
技師 (ギシ) ⟨N⟩ engineer, technician [+master]
技術 (ギジュツ) ⟨N⟩ technique, technology [+skill]
技能 (ギノウ) ⟨N⟩ skill [+proficiency]

388 命	いのち; -ミョウ; **メイ**	ノ 𠆢 亼 合 合 命 命 命 命 命 命

order | 命 (メイ) 〈N〉 order, command
命じる (メイじる) 〈V〉 command, order
命令 (メイレイ) 〈Nv〉 injunction, order, command [+command]

assign | 命名 (メイメイ) 〈Nv〉 naming [+name]
▶運命 (ウンメイ) 〈N〉 fate [destiny+]

life | 命 (いのち) 〈N〉 life 《not death》
▶人命 (ジンメイ) 〈N〉 human life [human+]

389 億	**オク**	亻 亻 亻 亻 億 億 億 億 億 億 億

hundred million | …億 (…オク) 〈Nu/Q〉 …hundred million
▷一億 (イチ～), 二億 (ニ～), 三億 (サン～)
億万長者 (オクマンチョウジャ) 〈N〉 millionaire [+ten thousand+rich person]

390 青	あお; -ショウ, -ジョウ; **セイ** 〈Ir〉 ⇒759 責	一 十 キ 主 青 青 青 青 青 青 青

blue, green | 青 (あお) 〈N〉 blue, green ➜SN
青… (あお…) blue…; green…
▷青写真 (～ジャシン) 〈N〉 blueprint [+photograph]
青信号 (～シンゴウ) 〈N〉 green light, go-ahead [+traffic light]
青い (あおい) 〈A〉 blue, green; pale 《face》
青果 (セイカ) 〈N〉 fruit and vegetables [+fruit]
青春 (セイシュン) 〈N〉 springtime of life, youth [+spring]
青少年 (セイショウネン) 〈N〉 youth, juveniles [+lad]
青年 (セイネン) 〈N〉 young man [+age]
▶緑青 (ロクショウ) 〈N〉 verdigris [green+]
〈Ir〉 真(っ)青 (まっさお) 〈N/Na〉 deep blue; deadly pale [just, exact+]

〈Place〉 | 青森 (あおもり) Aomori Pref./City

391 条	**ジョウ**	ノ ク 夂 夂 夂 条 条 条 条 条 条

stripe, strip | ▶星条旗 (セイジョウキ) 〈N〉 Stars and Stripes [star+～+flag]
鉄条網 (テツジョウモウ) 〈N〉 barbed wire enclosure [iron+～+net]

item, act | 条件 (ジョウケン) 〈N〉 condition [+case]
条項 (ジョウコウ) 〈N〉 article, provision [+item]
条約 (ジョウヤク) 〈N〉 treaty [+promise]
条例 (ジョウレイ) 〈N〉 regulations, act, rules [+example]
▶第…条 (ダイ…ジョウ) 〈N〉 Article… [rank+]
▷憲法第九条 (ケンポウダイキュウ～) Article 9 of the (Japanese) Constitution [constitution+]

392 参
まい-;
サン, -ザン
参参参参参

attend, join	参加（サンカ）〈Nv〉 participation, joining [+add]
	参議院（サンギイン）〈N〉 House of Councilors [+debate+hall]
	参考（サンコウ）〈Nv〉 reference [+think]
go to pray	参る（まいる）〈V〉 go to pray
	参拝（サンパイ）〈Nv〉 going to worship [+pray]
go, come	参る（まいる）〈V〉 go, come, arrive《polite or humble》
be defeated	参る（まいる）〈V〉 be beaten/defeated
three 《archaic》	参（サン）〈Nu〉 three《used in indications of monetary amounts on checks, etc.》 →[1938]壱=1, [1981]弐=2

393 落
お-, おち, おと-;
ラク, ラッ-
落落落落落

fall, drop	落ちる（おちる）〈V〉 drop (*vi.*), fall
	落とす（おとす）〈V〉 drop (*vt.*), fall
	落(ち)着き（おちつき）〈N〉 composure [+contact]
	落(ち)着く（おちつく）〈V〉 settle down, become composed, calm down [+contact]
	落(ち)葉（おちば）〈N〉 fallen leaves [+leaf]
	落語（ラクゴ）〈N〉 *rakugo*, comical monologue [+word] ➜SN
	落第（ラクダイ）〈Nv〉 failure《in an examination》 [+rank]
	落下（ラッカ）〈Nv〉 descent, fall, come down [+down]
hamlet	▶村落（ソンラク）〈N〉 village, hamlet, settlement [village+]

394 衛
エイ
〈PN〉 エ, まもる ⇨[299]術, [790]街
衛衛衛衛衛

guard, defense	衛生（エイセイ）〈N〉 hygiene, sanitation [+life]
	▶守衛（シュエイ）〈N〉 guard, caretaker [maintain+]
	防衛（ボウエイ）〈Nv〉 defense, protection [defend+]
circumference	衛星（エイセイ）〈N〉 satellite [+star]
	衛星都市（エイセイトシ）〈N〉 satellite town [+star+city]

395 確
たし-, たしか-;
カク, カッ-
確確確確確

certain, firm	確か（たしか）〈Na〉 certain, no doubt
	確かめる（たしかめる）〈V〉 confirm
	確実（カクジツ）〈Na〉 certain, sure [+real]
	確信（カクシン）〈Nv〉 conviction, certainty [+trust]
	確定（カクテイ）〈Nv〉 decision, settlement [+settle]
	確認（カクニン）〈Nv〉 confirmation [+recognize]
	確保（カクホ）〈Nv〉 ensuring [+maintain]
	確立（カクリツ）〈Nv〉 establishment [+set up]

396 **毎**

-ごと;
マイ

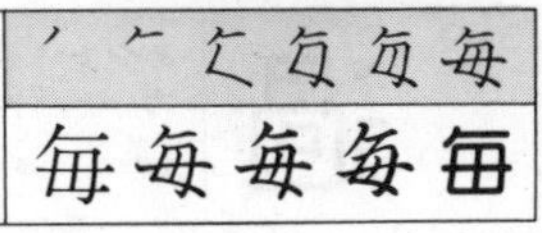

every

毎… (マイ…) every…
▷毎土曜日 (～ドヨウび) 〈T〉 every Saturday [+Saturday]
毎朝 (マイあさ) 〈T〉 every morning [+morning]
毎回 (マイカイ) 〈T〉 every time [+turn]
毎週 (マイシュウ) 〈T〉 every week [+week]
毎月 (マイつき) 〈T〉 every month [+month]
毎度 (マイド) 〈T〉 every occasion; 〈Cph〉 Thank you for your constant patronage. 《greeting》 [+time]
毎日 (マイニチ) 〈T〉 every day [+day]
毎年 (マイネン/マイとし) 〈T〉 every year [+year]

397 **仕**

つか-, -づか-;
シ; ジ

⇒310任

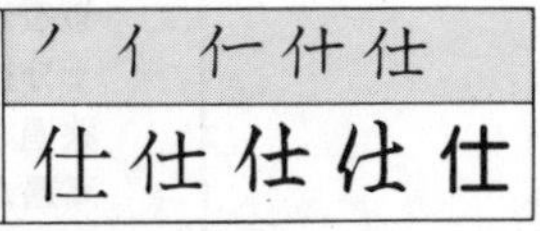

serve

仕える (つかえる) 〈V〉 serve, attend on
▶給仕 (キュウジ) 〈Nv〉 waiting on, serving; waiter [supply+]

do

仕上げ (シあげ) 〈N〉 finishing, finish [+up]
仕方 (シかた) 〈N〉 way, means, how to [+way]
仕方がない (シかたがない) 〈Cph〉 can't be helped, unavoidable; of no use [+way+(not)]
仕組(み) (シくみ) 〈N〉 contrivance [+unite]
仕事 (シごと) 〈Nv〉 job, work [+affair]
仕立(て) (シたて) 〈N〉 sewing, tailoring [+set up]
仕様がない (ショウがない) 〈Cph〉 can't be helped, unavoidable; of no use [+state+(not)]

398 **追**

お-, おい;
ツイ

⇒842迫

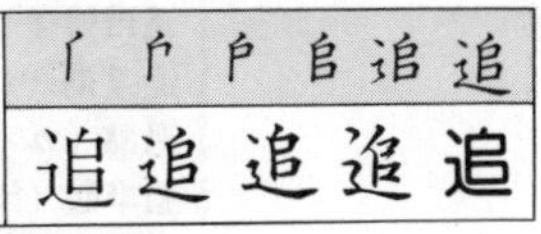

follow, chase

追う (おう) 〈V〉 pursue, give chase to, follow
追(い)返す (おいかえす) 〈V〉 repel, drive back [+back]
追(い)掛ける (おいかける) 〈V〉 chase, run after [+begin]
追(い)越す (おいこす) 〈V〉 outrun, pass, outdistance [+go beyond]
追(い)込み (おいこみ) 〈N〉 last spurt [+into]
追(い)込む (おいこむ) 〈V〉 chase into [+into]
追(い)付く (おいつく) 〈V〉 catch up with [+attach]
追(い)詰める (おいつめる) 〈V〉 corner, drive to the wall [+stuff up]
追加 (ツイカ) 〈Nv〉 addition, supplement [+add]
追求 (ツイキュウ) 〈Nv〉 pursuit, seeking after [+demand]
追及 (ツイキュウ) 〈Nv〉 persistent investigation [+reach]
追随 (ツイズイ) 〈Nv〉 following (the example of) [+accompany]
追跡 (ツイセキ) 〈Nv〉 pursuit, chase [+trace]
追突 (ツイトツ) 〈Nv〉 dashing/crashing from behind [+poke]
追放 (ツイホウ) 〈Nv〉 banishment, deportation [+let go]

399 過	あやま-; す-; カ	冂 冎 冎 冎 咼 過 過 過 過 過 過

exceed, pass, too…

…過ぎ (…すぎ) 〈N〉 past…; beyond…; too…
▷言い過ぎ (いい～) overstatement, too much to say [say+]
三時過ぎ (サンジ～) shortly after 3:00 [three o'clock+]
三十過ぎ (サンジュウ～) over thirty years old [thirty+]
正午過ぎ (ショウゴ～) shortly after 12:00 [noon+]
食べ過ぎ (たべ～) overeating [eat+]
飲み過ぎ (のみ～) excess drinking [drink+]
過ぎる (すぎる) 〈V〉 exceed, pass, go beyond
…過ぎる (…すぎる) 〈V〉 …too much
▷なさ過ぎる be lacking too much [(nil)+]
遊び過ぎる (あそび～) overindulge in pleasures [play+]
十分過ぎる (ジュウブン～) be more than enough [sufficient+]
狭過ぎる (せま～) be too small/narrow [narrow+]
高過ぎる (たか～) be too high; be too expensive [high+]
出過ぎる (で～) obtrude [come out+]
過ごす (すごす) 〈V〉 pass away; spend time
過激 (カゲキ) 〈Na〉 extreme, radical, drastic [+fierce]
過激派 (カゲキハ) 〈N〉 extremists, radicals [+fierce+sect]
過去 (カコ) 〈N〉 past [+pass away]
過剰 (カジョウ) 〈N/Na〉 excess, surplus [+excess]
過疎 (カソ) 〈N〉 depopulation [+estrange]
過多 (カタ) 〈N〉 excess, surplus 《literary》 [+plenty]
過程 (カテイ) 〈N〉 process, course [+span]
過度 (カド) 〈N〉 immoderation, excess [+degree]
過当競争 (カトウキョウソウ) 〈N〉 excessive competition [+hit+competition]
過渡期 (カトキ) 〈N〉 transition period [+wade+term]
過熱 (カネツ) 〈Nv〉 overheating [+heat]
過半数 (カハンスウ) 〈N〉 more than half, majority [+half+number]
過保護 (カホゴ) 〈N〉 overprotectiveness [+protection]
過密 (カミツ) 〈N〉 overcrowding, overpopulation [+density]
過労 (カロウ) 〈N〉 overwork, strain [+labor]

mistake

過ち (あやまち) 〈N〉 fault, error
過失 (カシツ) 〈N〉 error, mistake [+loose]

400 止	と-, -ど-; とど-; や-; シ ⇨[21]上, [109]正	丨 ⺊ 𠃌 止 止 止 止 止 止

stop

止まる (とまる) 〈V〉 stop (*vi.*), halt
止める (とめる) 〈V〉 stop (*vt.*)
止血 (シケツ) 〈Nv〉 stanching, stop bleeding [+blood]
▶禁止 (キンシ) 〈Nv〉 prohibition [prohibit+]
中止 (チュウシ) 〈Nv〉 discontinuance; calling off [middle+]
停止 (テイシ) 〈Nv〉 halt, stop [stop+]

LEVEL 3

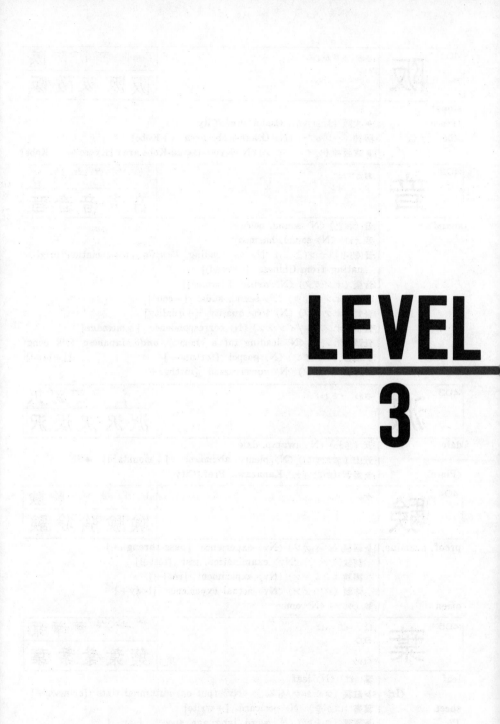

401 阪

さか, -ざか;
ハン

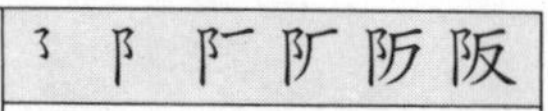

阪阪阪阪阪

⇨[595]坂

slope†

〈Place〉 ▶大阪 (おおさか) Osaka Pref./City

Abbr 大阪 — 阪神 (ハンシン) 〈N〉 Osaka-Kobe area [+Kobe]

▶京阪神 (ケイハンシン) 〈N〉 Kyoto-Osaka-Kobe area [Kyoto+～+Kobe]

402 音

おと; ね;
イン; **オン**

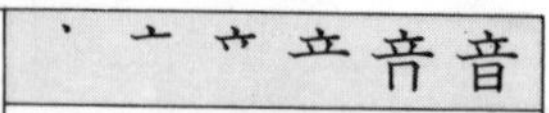

音音音音音

sound

- 音 (おと) 〈N〉 sound, noise
- 音 (ね) 〈N〉 sound, harmony
- 音(読み) (オン(よみ)) 〈N〉 *on* reading, *kanji*'s pronunciation originating from Chinese [(+read)]
- 音楽 (オンガク) 〈N〉 music [+amuse]
- 音響 (オンキョウ) 〈N〉 sound, audio [+echo]
- 音質 (オンシツ) 〈N〉 tone quality [+quality]
- 音信 (オンシン/インシン) 〈N〉 correspondence [+message]
- 音頭 (オンド) 〈N〉 leading 《of a chorus》; *ondo*, Japanese folk song [+head]
- ▶福音 (フクイン) 〈N〉 gospel [fortune+]
- 母音 (ボイン) 〈N〉 vowel sound [mother+]

403 沢

さわ, -ざわ;
タク

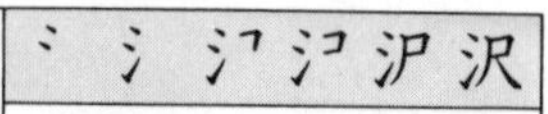

沢沢沢沢沢

dale

- 沢 (さわ) 〈N〉 swamp, dale
- 沢山 (タクサン) 〈N〉 plenty, abundance [+mountain] ➜SN

〈Place〉 ▶金沢 (かなざわ) Kanazawa Pref./City

404 験

ケン; ゲン

験験験験験

proof, examine

- ▶経験 (ケイケン) 〈Nv〉 experience [pass through+]
- 試験(シケン) 〈Nv〉 examination, test [test+]
- 実験 (ジッケン) 〈Nv〉 experiment [real+]
- 体験 (タイケン) 〈Nv〉 actual experience [body+]

omen — 験 (ゲン) 〈N〉 omen

405 葉

は, -ば, -ぱ;
ヨウ

〈Ir〉

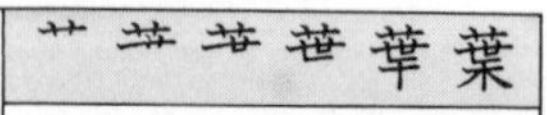

葉葉葉葉葉

⇨[1103]棄

leaf — 葉 (は) 〈N〉 leaf

〈Ir〉 ▶紅葉 (コウヨウ/もみじ) 〈Nv〉 (put on) autumnal tints [crimson+]

sheet — 葉書 (はがき) 〈N〉 postcard [+write]

Ph ▶言葉 (ことば) 〈N〉 word, language, speech [say+]

406 宿	やど; シュク, -ジュク	宀 宀 宀 宀 宿 宿 宿 宿 宿 宿 宿

lodging, dwelling

宿（やど）〈N〉 lodging, inn
宿す（やどす）〈V〉 shelter, conceive
宿る（やどる）〈V〉 lodge, dwell
宿舎（シュクシャ）〈N〉 lodgings, quarters [+hall]
宿題（シュクダイ）〈N〉 hometask, homework [+theme]
宿泊（シュクハク）〈Nv〉 lodging in, staying at [+lodge]
宿命（シュクメイ）〈N〉 fate, destiny [+life]

407 助	すけ; たす-, -だす-; ジョ	丨 冂 月 且 助 助 助 助 助 助 助

assist, support

助…（ジョ…） assistant…, sub-…
▷助教授（〜キョウジュ）〈N〉 assistant professor [+professor]
助かる（たすかる）〈V〉 be saved
助け（たすけ）〈N〉 help, aid
助ける（たすける）〈V〉 help, aid, save
助太刀（すけダち）〈Nv〉 assistance《in a fight》, acting as second [+sword] ➔SN
助手（ジョシュ）〈N〉 helper, assistant [+person]
助成（ジョセイ）〈Nv〉 fostering, furtherance [+form]
助長（ジョチョウ）〈Nv〉 promotion, furtherance [+long]

408 形	かた, -がた; かたち, -がたち; ギョウ; ケイ 〈Ir〉	一 二 于 开 开 形 形 形 形 形 形

shape

形（かた/かたち）〈N〉 shape
…形（…かた/がた）〈N〉 …shaped, …style
▷ピラミッド形（〜がた） pyramid-shaped [(pyramid)+]
〈Ir〉 女形（おんながた/おやま） male actor in female role [woman+]
自由形（ジユウがた） free style《of swimming》 [freedom+]
手形（てがた） hand-print; bill, draft [hand+]
三日月形（みかづきがた） crescent-shaped [crescent+]
…形（…ケイ）〈N〉 …shape
▷円形（エン〜） round shape [round+]
球形（キュウ〜） globular shape [ball+]
三角形（サンカク〜） triangle [triangle+]
四角形（シカク〜） quadrilateral [quadrangle+]
流線形（リュウセン〜） streamline shape [streamline+]
形式（ケイシキ）〈N〉 form; mode [+formula]
形成（ケイセイ）〈Nv〉 formation, mold [+form]
形勢（ケイセイ）〈N〉 situation, trend of events [+force]
形態（ケイタイ）〈N〉 form, morphology [+figure]
形容（ケイヨウ）〈Nv〉 qualification, modification; figure of speech [+appearance]
▶人形（ニンギョウ）〈N〉 doll; puppet [human+]

409 **試**

こころ-; ため-, -だめ-;
シ

試試試試試

test, try
- 試み (こころみ) 〈N〉 test, try
- 試みる (こころみる) 〈V〉 test, try
- 試し (ためし) 〈N〉 trial
- 試す (ためす) 〈V〉 test, verify
- 試合 (シあい) 〈Nv〉 match, game [+meet] ➜SN
- 試案 (シアン) 〈N〉 tentative draft [+idea]
- 試運転 (シウンテン) 〈Nv〉 trial run, test [+operation]
- 試験 (シケン) 〈Nv〉 test, examination [+examine]
- 試作 (シサク) 〈Nv〉 test-run model, making on trial [+make]
- 試算 (シサン) 〈Nv〉 trial calculation [+calculate]
- 試写会 (シシャカイ) 〈N〉 preview showing [+project+meeting]
- 試練 (シレン) 〈N〉 ordeal, trial [+knead]

exam, ***Abbr*** **試験**
- ▶追試 (ツイシ) 〈Nv〉 (give) makeup exam [follow+]
- 入試 (ニュウシ) 〈N〉 entrance exam [enter+]

410 **警**

ケイ

警警警警警

warn, watch
- 警戒 (ケイカイ) 〈Nv〉 precaution; watch [+admonish]
- 警告 (ケイコク) 〈Nv〉 warning [+tell]
- 警察 (ケイサツ) 〈N〉 police [+discern]
- 警察官 (ケイサツカン) 〈N〉 police officer [+discern+officer]
- 警察署 (ケイサツショ) 〈N〉 police station [+discern+government office]
- 警視庁 (ケイシチョウ) 〈N〉 Metropolitan Police Department [+observe +government office]
- 警備 (ケイビ) 〈Nv〉 guard [+provide]
- 警報 (ケイホウ) 〈N〉 warning, alarm [+report]

police, ***Abbr*** **警察**
- 警官 (ケイカン) 〈N〉 policeman [+officer]
- ▶県警 (ケンケイ) 〈N〉 prefectural police [prefecture+]

411 **収**

おさ-;
シュウ

収収収収収

collect, take in
- 収める (おさめる) 〈V〉 obtain; realize
- 収益 (シュウエキ) 〈N〉 earnings, profit [+benefit]
- 収穫 (シュウカク) 〈Nv〉 harvest [+harvest]
- 収支 (シュウシ) 〈N〉 revenues and expenditures [+pay]
- 収拾 (シュウシュウ) 〈Nv〉 control, settlement [+gather]
- 収入 (シュウニュウ) 〈N〉 income [+put in]
- 収容 (シュウヨウ) 〈Nv〉 accommodation, evacuation [+accommodate]
- 収録 (シュウロク) 〈Nv〉 record-gathering; tape recording [+record]

income, ***Abbr*** **収入**
- ▶月収 (ゲッシュウ) 〈N〉 monthly income [month+]
- 年収 (ネンシュウ) 〈N〉 annual income [year+]

412 園

その, -その;
エン

⇒[1402]圏

garden

園 (その) 〈N〉 garden
…園 (…エン) 〈N〉 …garden
▷植物園 (ショクブツ～) botanical garden [plant+]
動物園 (ドウブツ～) zoological garden [animal+]
保育園 (ホイク～) nursery school [nurture+]
幼稚園 (ヨウチ～) kindergarten [infant+]
園芸 (エンゲイ) 〈N〉 gardening [+art]
園長 (エンチョウ) 〈N〉 principal《of a kindergarten/garden》 [+chief]

413 応

オウ

〈Ir〉

respond, react

応じる (オウじる) 〈V〉 answer, respond
応援 (オウエン) 〈Nv〉 assistance; backing [+aid]
応酬 (オウシュウ) 〈Nv〉 exchange; mutual retort [+return]
応接 (オウセツ) 〈N〉 reception [+connect]
応答 (オウトウ) 〈Nv〉 response [+answer]
応募 (オウボ) 〈Nv〉 (make) application《for employment, etc.》 [+collect]
応用 (オウヨウ) 〈Nv〉 application, adaptation [+use]
〈Ir〉 ▶反応 (ハンノウ) 〈Nv〉 reaction [reverse+]

414 状

ジョウ

state, appearance

…状 (…ジョウ) 〈N〉 resembling…, of…appearance
▷コロイド状 of colloid appearance [(colloid)+]
放射状 (ホウシャ～) of radial appearance [radiation+]
状況 (ジョウキョウ) 〈N〉 state of things, situation [+state of things]
状態 (ジョウタイ) 〈N〉 state, appearance [+figure]

document

…状 (…ジョウ) 〈N〉 letter of…, …document
▷質問状 (シツモン～) letter of questionnaire [question+]
招待状 (ショウタイ～) invitation card [invitation+]
逮捕状 (タイホ～) warrant of arrest [arrest+]
年賀状 (ネンガ～) New Year's card [year+congratulate+]
遺言状 (ユイゴン～) (written) will, testament [will+]

415 示

しめ-;
シ; ジ

indicate

示す (しめす) 〈V〉 show, denote, indicate
示唆 (シサ) 〈Nv〉 implication, suggestion [+abet]
示威 (ジイ) 〈N〉 show of force, demonstration [+aggression]
示談 (ジダン) 〈N〉 out-of-court settlement [+talk]

416 **録**
ロク
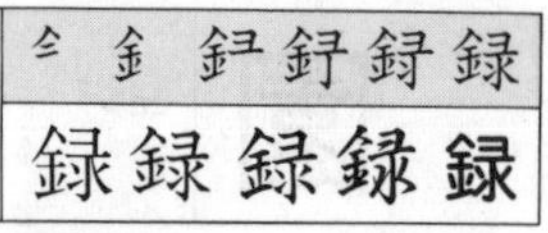

record
…録（…ロク）〈N〉…record; …list
▷回顧録（カイコ～）memoirs [retrospection＋]
回想録（カイソウ～）reminiscences [recollection＋]
議事録（ギジ～）minute book [proceedings＋]
紳士録（シンシ～）who's who, social register [gentleman＋]
速記録（ソッキ～）stenographic records [shorthand＋]
録音（ロクオン）〈Nv〉audiotape recording [＋sound]
録画（ロクガ）〈Nv〉videotape recording [＋picture]

417 **光**
ひか-，びか-，ひかり，-びかり；
コウ
〈PN〉ひかる，みつ
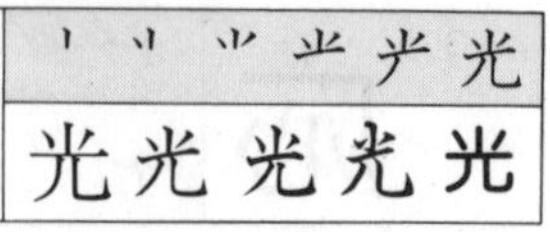

light, ray
光（ひかり）〈N〉light, flash
光る（ひかる）〈V〉shine, glitter, glisten
光源（コウゲン）〈N〉source of light [＋source]
光線（コウセン）〈N〉ray, beam《of light》 [＋line]

418 **浜**
はま；
ヒン
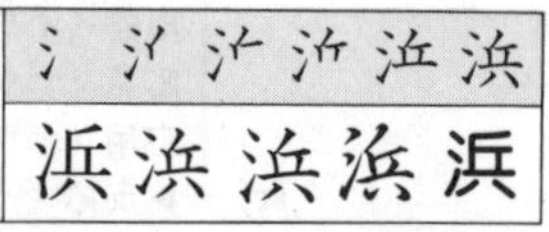

beach
浜（はま）〈N〉sands, beach
〈Place〉
▶横浜（よこはま）Yokohama City
Abbr 横浜
▶京浜（ケイヒン）〈N〉Tokyo and Yokohama area [Tokyo＋]

419 **宮**
みや；
キュウ；ク-；グウ
⇨ 225 官，348 営
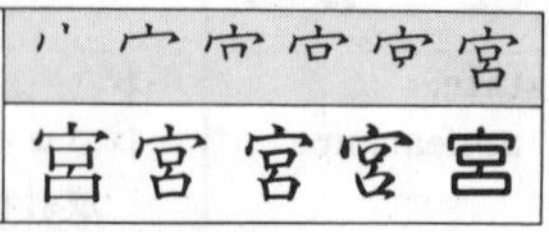

imperial, court
宮様（みやさま）〈N〉His/Her Royal Highness [＋Dear]
宮殿（キュウデン）〈N〉royal court [＋palace]
宮内庁（クナイチョウ）〈N〉Imperial Household Agency [＋inner＋government office]
shrine
宮（みや）〈N〉Shinto shrine
宮司（グウジ）〈N〉chief priest of a Shinto shrine [＋manage]
〈Place〉
宮城（みやぎ）Miyagi Pref.
宮崎（みやざき）Miyazaki Pref./City

420 **林**
はやし，-ばやし；
リン
⇨ 590 材，1135 杯

woods
林（はやし）〈N〉woods《usually smaller than 532 森》
…林（…ばやし/リン）〈N〉…woods
▷原始林（ゲンシリン）primeval forest [primitive＋]
雑木林（ゾウきばやし）coppice [miscellaneous trees＋]
林業（リンギョウ）〈N〉forestry [＋business]

421 室	むろ； シツ ⇨[1985]室	室室室室室

room
室 (むろ) 〈N〉 cellar
…室 (…シツ) 〈N〉 …room
▷化粧室 (ケショウ～) toilet [makeup＋]
研究室 (ケンキュウ～) study office [study＋]
実験室 (ジッケン～) laboratory [experiment＋]
事務室 (ジム～) clerical work office [office work＋]
地下室 (チカ～) basement, cellar [underground＋]
待合室 (まちあい～) waiting room [waiting＋]
室内 (シツナイ) 〈N〉 indoor [＋inside]

422 容	ヨウ ⇨[571]客	容容容容容

admit, accommodate
容易 (ヨウイ) 〈Na〉 easy, facile, simple [＋easy]
容器 (ヨウキ) 〈N〉 receptacle, container [＋container]
容疑 (ヨウギ) 〈N〉 suspicion [＋doubt]
容赦 (ヨウシャ) 〈Nv〉 pardon, (have) mercy [＋pardon]
容認 (ヨウニン) 〈Nv〉 admission, toleration [＋approve]
容量 (ヨウリョウ) 〈N〉 (measure of) capacity [＋quantity]

appearance
容姿 (ヨウシ) 〈N〉 face and figure [＋figure]
容貌 (ヨウボウ) 〈N〉 looks, features [＋look]

423 型	かた，-がた； ケイ	型型型型型

model
型 (かた) 〈N〉 model, mold, type
…型 (…がた) 〈N〉 …model, …type
▷A型 type A 《of blood, etc.》
T型フォード Model T Ford [＋(Ford)]
82年型 (ハチジュウニネン～) '82 model [the year '82＋]
血液型 (ケツエキ～) blood type [blood＋]
型通り (かたどおり) 〈N〉 in due form, stereotyped [＋in the way of]
型破り (かたやぶり) 〈N〉 unconventional, offbeat [＋break]
型式 (ケイシキ) 〈N〉 model, type 《of machinery》 [＋style]

424 輸	ユ ⇨[959]輪	輸輸輸輸輸

transport
輸血 (ユケツ) 〈Nv〉 (give) blood transfusion [＋blood]
輸出 (ユシュツ) 〈Nv〉 exportation [＋put out]
輸出入 (ユシュツニュウ) 〈N〉 import and export [＋put out＋put in]
輸送 (ユソウ) 〈Nv〉 transportation, conveyance [＋send]
輸入 (ユニュウ) 〈Nv〉 importation [＋put in]

425 **害**

ガイ

⇒[89]実

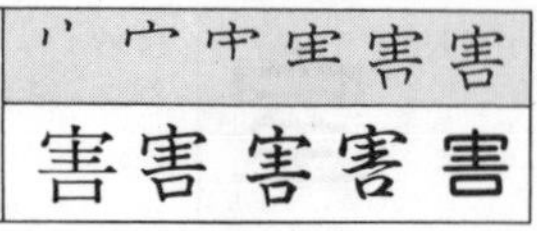

hurt, damage

害（ガイ）〈N〉 harm, injury
害する（ガイする）〈V〉 do harm, injure, spoil
害虫（ガイチュウ）〈N〉 vermin, harmful insect [+insect]
▶公害（コウガイ）〈N〉 public nuisance, pollution [public+]
妨害（ボウガイ）〈Nv〉 disturbance, obstruction [obstruct+]

426 **研**

と-，とぎ；
ケン

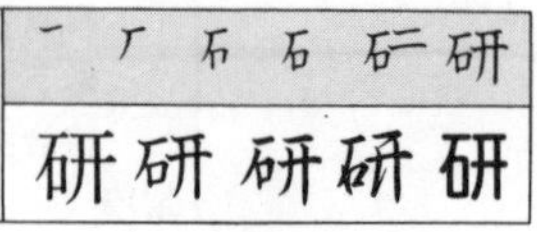

grind, whet

研ぐ（とぐ）〈V〉 grind, sharpen, whet
研究（ケンキュウ）〈Nv〉 study, research [+carry to extremity]
研究室（ケンキュウシツ）〈N〉 study office [+carry to extremity+room]
研究所（ケンキュウジョ）〈N〉 laboratory, research institute [+carry to extremity+place]
研修（ケンシュウ）〈Nv〉 study and training [+master]

427 **究**

きわ-；
キュウ

⇒[233]空，[574]突

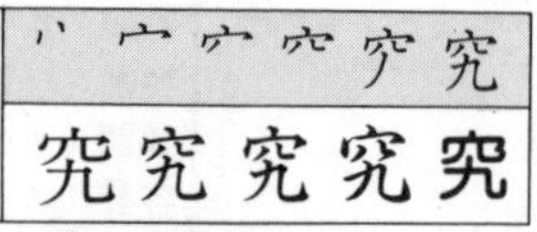

carry to extremity

究める（きわめる）〈V〉 go to extremes, study thoroughly
究極（キュウキョク）〈N〉 ultimate, extreme [+extreme]
究明（キュウメイ）〈Nv〉 investigation, clarification [+clear]

428 **評**

ヒョウ，-ピョウ

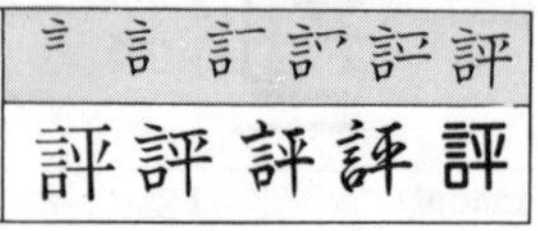

criticism, reputation

評（ヒョウ）〈Nv〉 criticism, review
…評（…ヒョウ）〈N〉 criticism by…; criticism on…
▷中田氏評（なかたシ～） criticism by Mr. Nakata [*PN*+clan+]
評価（ヒョウカ）〈Nv〉 evaluation, appraisal [+price]
評議員（ヒョウギイン）〈N〉 councilor, trustee [+debate+member]
評判（ヒョウバン）〈N〉 reputation, popularity [+judge]
評論（ヒョウロン）〈Nv〉 criticism, review [+argue]
▶論評（ロンピョウ）〈Nv〉 comment, criticism [argue+]

429 **蔵**

くら，-ぐら；
ゾウ

〈PN〉 ムさし（武蔵）

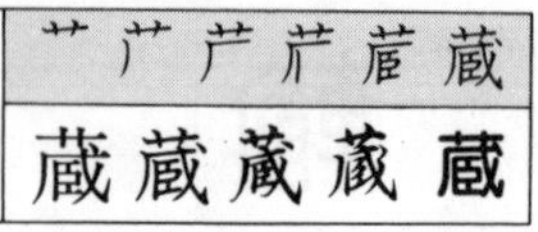

stock, store

蔵（くら）〈N〉 storehouse
蔵する（ゾウする）〈V〉 stock
蔵書（ゾウショ）〈N〉 library, collection of books [+book]
▶大蔵省（おおくらショウ）〈N〉 Ministry of Finance [big+～+ministry]

finance

蔵相（ゾウショウ）〈N〉 Minister of Finance [+minister]

430 証	ショウ	言 言 訂 訂 訐 証 証 証 証 証 証

proof, evidence
証券（ショウケン）〈N〉 security, stock/bond certificate [+card]
証言（ショウゲン）〈Nv〉 testimony, attest [+say]
証拠（ショウコ）〈N〉 evidence, proof [+base]
証人（ショウニン）〈N〉 witness [+person]
証明（ショウメイ）〈Nv〉 (give) proof [+clear]

certificate
…証（…ショウ）〈N〉 …certificate, …card
▷会員証（カイイン～）membership card [member+]
学生証（ガクセイ～）student's ID card [student+]
免許証（メンキョ～）license certificate [license+]

431 展	テン 〈PN〉 のぶ	一 尸 屏 屈 屏 展 展 展 展 展 展

widespread
展開（テンカイ）〈Nv〉 development [+open]
展示（テンジ）〈Nv〉 display, exhibition [+indicate]
展望（テンボウ）〈Nv〉 view, outlook [+view]
展望台（テンボウダイ）〈N〉 observation platform [+view+platform]
展覧会（テンランカイ）〈N〉 exhibition《of works of art》 [+view+meeting]

exhibition
…展（…テン）〈N〉 …exhibition
▷ピカソ展 Picasso Exhibition [(Picasso)+]
美術展（ビジュツ～）art exhibition [fine arts+]
▶個展（コテン）〈N〉 one-man exhibition [individual+]

432 火	ひ, -び, ほ-; カ	丶 丷 少 火 火 火 火 火 火

fire
火（ひ）〈N〉 fire
火影（ほかげ）〈N〉 flickering light; shadow by flickering light [+projection of light; shadow]
火災（カサイ）〈N〉 fire, conflagration [+disaster]
火事（カジ）〈N〉 fire [+affair]
火曜(日)（カヨウ(び)）〈T〉 Tuesday [+day of the week(+day)]
火力発電（カリョクハツデン）〈N〉 thermal power generation [+power+generation of electricity]
▶花火（はなび）〈N〉 fireworks [flower+]

433 撃	う-; ゲキ	亓 車 軋 軗 塹 撃 撃 撃 撃 撃 撃

shoot, fire
撃つ（うつ）〈V〉 shoot, fire
撃墜（ゲキツイ）〈Nv〉 shooting down (a plane) [+crash]

smash, attack
撃退（ゲキタイ）〈Nv〉 repulse (an attack) [+retreat]
撃滅（ゲキメツ）〈Nv〉 destruction, extermination [+perish]
▶攻撃（コウゲキ）〈Nv〉 attack, assault [attack+]

434 **答**

こた-, -ごた-, こたえ, -ごたえ;
トウ, -ドウ

答 答 答 答 答

answer
- 答(え) (こたえ) 〈N〉 answer
- 答える (こたえる) 〈V〉 answer
- 答申 (トウシン) 〈Nv〉 report 《from a consultative body to a minister, etc.》 [+appeal]
- 答弁 (トウベン) 〈Nv〉 reply 《to interpellations, etc.》 [+eloquence]

435 **種**

たね, -だね;
シュ, -ジュ

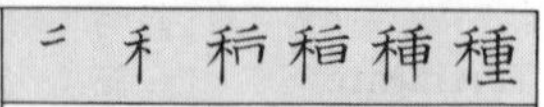

種 種 種 種 種

seed
- 種 (たね) 〈N〉 seed
- 種子 (シュシ) 〈N〉 seed [+tiny thing]

species, sort
- 種 (シュ) 〈N〉 kind, sort, species 《biology》
- 種々 (シュジュ) 〈Q〉 many kinds [+*Rep*]
- 種目 (シュモク) 〈N〉 item; event [+class]
- 種類 (シュルイ) 〈N〉 kind [+genus]

***Cs* sorts**
- …種 (…シュ) 〈Q〉 …sorts
  ▷一種 (イッ～), 二種 (ニ～), 三種 (サン～)

436 **愛**

アイ

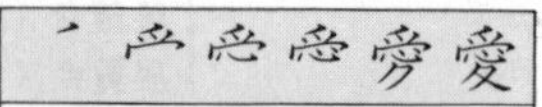

愛 愛 愛 愛 愛

affection, love
- 愛 (アイ) 〈N〉 love, affection
- …愛 (…アイ) 〈N〉 …affection, …love
  ▷人類愛 (ジンルイ～) humanism [mankind+]
  同性愛 (ドウセイ～) homosexual love, lesbianism [same sex+]
  母性愛 (ボセイ～) maternal affection [mother+character+]
- 愛する (アイする) 〈V〉 love, care for
- 愛好 (アイコウ) 〈Nv〉 love, liking [+fond]
- 愛国 (アイコク) 〈N〉 love of country, patriotism [+nation]
- 愛情 (アイジョウ) 〈N〉 love, affection [+emotion]
- 愛人 (アイジン) 〈N〉 lover, mistress [+person]
- 愛用 (アイヨウ) 〈Nv〉 one's personal/habitual use [+use]

437 **注**

そそ-;
チュウ

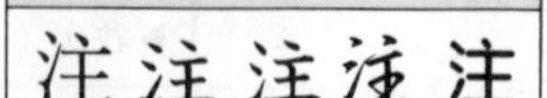

注 注 注 注 注

pour
- 注ぐ (そそぐ) 〈V〉 pour
- 注射 (チュウシャ) 〈Nv〉 injection [+shoot]

focus
- 注意 (チュウイ) 〈Nv〉 attention, heed [+intention]
- 注目 (チュウモク) 〈Nv〉 observation, notice, attention [+sight]

comment
- 注 (チュウ) 〈N〉 commentary, explanatory notes
- 注文 (チュウモン) 〈Nv〉 order, claim [+sentence]

order
- ▶受注 (ジュチュウ) 〈Nv〉 receiving an order [receive+]
  発注 (ハッチュウ) 〈Nv〉 ordering, (give) order [issue+]

438 **週**

シュウ

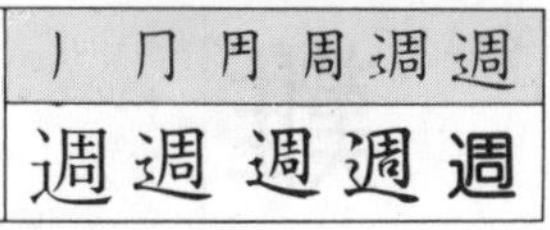

week

週（シュウ）〈T〉 week
週間（シュウカン）〈N〉 a week's period [+period]
…週間（…シュウカン）〈Q/N〉 …week [+period]
▷一週間（イッ〜）〈Q〉 one week [one+]
交通安全週間（コウツウアンゼン〜）〈N〉 Traffic Safety Week [[traffic+safety+]]
週刊誌（シュウカンシ）〈N〉 weekly magazine [+publish+magazine]

439 **挙**

あ-;
キョ

⇨[1357]誉

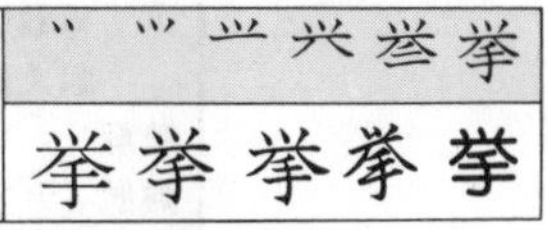

raise, hold

挙げる（あげる）〈V〉 raise; perform; mention; arrest
挙式（キョシキ）〈Nv〉 holding a ceremony [+ceremony]
挙手（キョシュ）〈Nv〉 raising/showing one's hand [+hand]
▶一挙に（イッキョに）〈Adv〉 at one stroke [one+]

440 **飛**

と-, とび;
ヒ, -ピ

〈PN〉 あすか（飛鳥）

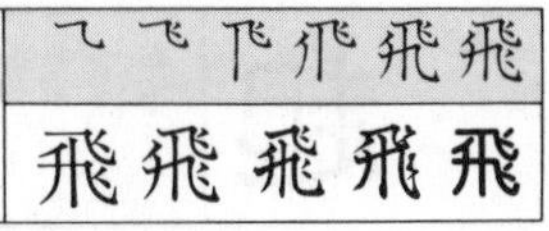

fly

飛ばす（とばす）〈V〉 let fly; blow away
飛ぶ（とぶ）〈V〉 fly
飛(び)込む（とびこむ）〈V〉 jump in, fly into [+into]
飛行（ヒコウ）〈Nv〉 flight [+go]
飛行機（ヒコウキ）〈N〉 airplane [+go+machinery]
飛行場（ヒコウジョウ）〈N〉 airfield, airport [+go+place]
飛躍（ヒヤク）〈Nv〉 leap; rapid progress [+leap]

441 **病**

や-; やまい;
ビョウ; -ペイ

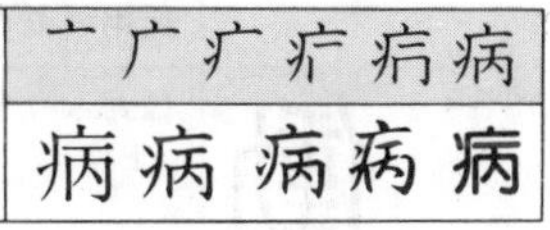

sick, disease

病（やまい）〈N〉 illness, disease
…病（…ビョウ）〈N〉 …disease
▷職業病（ショクギョウ〜）occupational affliction [occupation+]
精神病（セイシン〜）mental disease [spirit+]
成人病（セイジン〜）adult disease [adult+]
伝染病（デンセン〜）contagious disease [contagion+]
病む（やむ）〈V〉 fall ill
病(み)付き（やみつき）〈N〉 inveteracy [+attach]
病院（ビョウイン）〈N〉 hospital [+house]
病気（ビョウキ）〈N〉 illness, sickness, malady [+anima]
病室（ビョウシツ）〈N〉 (sick) ward, sickroom [+room]
病的（ビョウテキ）〈Na〉 unsound, morbid [+*Suf Na*]
病人（ビョウニン）〈N〉 sick person [+person]
▶疾病（シッペイ）〈N〉 malady, disease [disease+]

442 **難**

かた-, -がた-, -がと-; **むずか-**, むつか-;
ナン

difficult

…難 (…ナン) 〈N〉 difficulty in (getting)…
▷就職難 (シュウショク～) difficulty finding employment [finding employment+]
住宅難 (ジュウタク～) housing shortage [dwelling house+]
難しい (むずかしい/むつかしい) 〈A〉 difficult, hard
…難い (…がたい) 〈A〉 hard to…
▷有難い (あり～) precious [exist+]
得難い (え～) rare, hard to get [gain+]
耐え難い (たえ～) unbearable, intolerable [endure+]
難解 (ナンカイ) 〈N/Na〉 difficult to understand, crabbed [+dissolve]
難航 (ナンコウ) 〈Nv〉 rough going, (have) rough passage [+sailing]
難民 (ナンミン) 〈N〉 refugee, sufferers [+people]
難問 (ナンモン) 〈N〉 difficult problem [+question]

disapprove

難色 (ナンショク) 〈N〉 reluctance, disapproval [+feature]
▶非難 (ヒナン) 〈Nv〉 censure, reproach [no good+]

443 **起**

お-, おき;
キ, -ギ

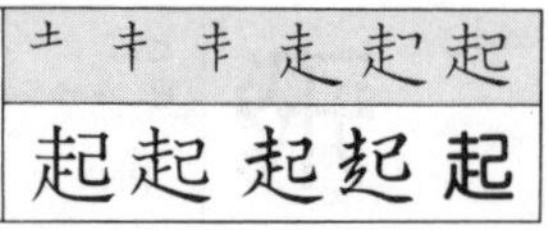

rise, initiate

起きる (おきる) 〈V〉 get up, rise
起こす (おこす) 〈V〉 raise up, arouse
起こる (おこる) 〈V〉 happen, occur
起源 (キゲン) 〈N〉 origin, genesis [+origin]
起工 (キコウ) 〈Nv〉 breaking ground, start of work [+construction]
起訴 (キソ) 〈Nv〉 prosecution [+appeal]
起草 (キソウ) 〈Nv〉 drafting [+draft]
起用 (キヨウ) 〈Nv〉 appointment [+use]

444 **働**

はたら-, -ばたら-;
-ドウ

⇨[86]動

labor, work

働き (はたらき) 〈N〉 work
働く (はたらく) 〈V〉 work, labor
働き掛ける (はたらきかける) 〈V〉 work upon, approach [+charge]
▶労働 (ロウドウ) 〈Nv〉 labor, work [labor+]

445 **港**

みなと;
コウ

port, harbor

港 (みなと) 〈N〉 harbor, port
…港 (…コウ) 〈N〉 …port, Port…
▷神戸港 (こうべ～) Port of Kobe [Kobe+]
貿易港 (ボウエキ～) trade port [trade+]
港湾 (コウワン) 〈N〉 ports and harbors [+bay]

446 **構**

かま-, -がま-, かまえ, -がまえ;
コウ

⇒[649]講, [1706]溝

structure, construction	構え (かまえ) 〈N〉 structure; posture
	…構(え) (…がまえ) 〈N〉 …structure, frame of…
	▷心構え (こころ～) frame of mind, resolution [heart+]
	門構え (モン～) façade [gate+]
	構成 (コウセイ) 〈Nv〉 composition [+form]
	構想 (コウソウ) 〈N〉 conception; plot [+image]
	構造 (コウゾウ) 〈N〉 structure, construction [+construct]
meddle	構う (かまう) 〈V〉 care, meddle
premises	構内 (コウナイ) 〈N〉 premises, yard [+inside]

447 **兵**

ヒョウ, -ビョウ, -ピョウ; ヘイ, -ペイ

〈PN〉 べ

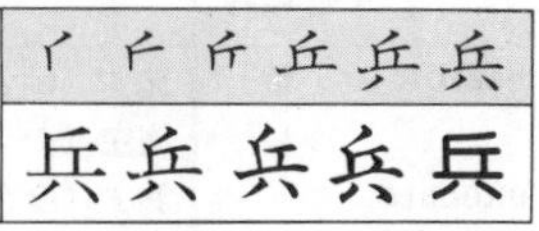

soldier, military	兵 (ヘイ) 〈N〉 soldier
	…兵 (…ヘイ) 〈N〉 …soldier
	▷アメリカ兵 American soldier [(America)+]
	志願兵 (シガン～) volunteer soldier [application+]
	兵器 (ヘイキ) 〈N〉 weapon [+tool]
	兵士 (ヘイシ) 〈N〉 soldier, private [+brave man]
	兵隊 (ヘイタイ) 〈N〉 troops; soldier [+troop]
	兵力 (ヘイリョク) 〈N〉 military force; troop strength [+power]
	兵糧 (ヒョウロウ) 〈N〉 provisions [+food]
〈Place〉	兵庫 (ヒョウゴ) Hyogo Pref.

448 **武**

ブ; ム

〈PN〉 たけ, たけし

⇒[185]式, [1981]弐

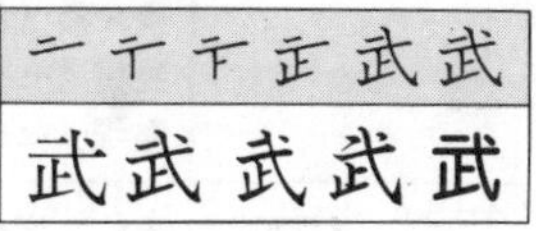

brave, military	武器 (ブキ) 〈N〉 arms [+tool]
	武士 (ブシ) 〈N〉 *samurai*, warrior [+brave man]
	武装 (ブソウ) 〈Nv〉 armament, equipment [+dress]
	武道 (ブドウ) 〈N〉 martial arts [+way of man]
	武力 (ブリョク) 〈N〉 military force [+power]
	武者 (ムシャ) 〈N〉 warrior [+person]

449 **英**

エイ

〈PN〉 はなぶさ, ひで

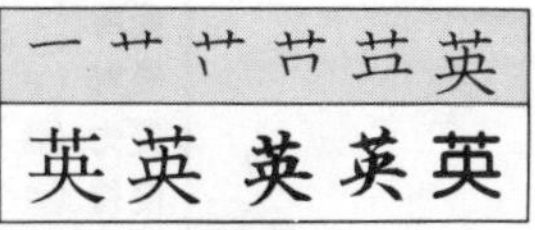

superb	英断 (エイダン) 〈Nv〉 (take) drastic measure [+decisive]
	英雄 (エイユウ) 〈N〉 hero [+brave]
England	英語 (エイゴ) 〈N〉 English language [+language]
	英国 (エイコク) 〈N〉 England [+country]
	英和辞典 (エイワジテン) 〈N〉 English-Japanese dictionary [+Japan+dictionary]

450 福	フク, -ブク, -プク ⇨[681]副, [682]幅	福福福福福

fortune, blessing
- 福 (フク) 〈N〉 good luck, fortune
- 福祉 (フクシ) 〈N〉 welfare [+grace]
- 福引(き) (フクびき) 〈N〉 lottery [+draw]

〈Place〉
- 福井 (フクい) Fukui Pref./City
- 福岡 (フクおか) Fukuoka Pref./City
- 福島 (フクしま) Fukushima Pref./City

451 施	ほどこ-; シ; セ ⇨[1648]旋	施施施施施

bestow
- 施す (ほどこす) 〈V〉 give (money) in charity, bestow
- 施主 (セシュ) 〈N〉 donor; person having a facility built [+lord] ➔SN

execute
- 施す (ほどこす) 〈V〉 perform
- 施行 (シコウ/セコウ) 〈Nv〉 operation, enforcement 《of a law》 [+exert]
- 施策 (シサク) 〈N〉 measure; enforcement of measure [+stratagem]
- 施政方針 (シセイホウシン) 〈N〉 administrative policy [+politics+policy]
- 施設 (シセツ) 〈N〉 facilities; institution [+found]
- 施工 (セコウ/シコウ) 〈Nv〉 execution 《of works》, building [+craft]

452 整	ととの-; セイ	整整整整整

adjust
- 整う (ととのう) 〈V〉 be adjusted/arranged
- 整える (ととのえる) 〈V〉 adjust, arrange
- 整備 (セイビ) 〈Nv〉 preparation, fixing, adjustment [+provide]
- 整理 (セイリ) 〈Nv〉 arrangement, putting in order [+manage]

453 優	すぐ-; やさ-; ユウ 〈PN〉 まさる	優優優優優

superior
- 優れる (すぐれる) 〈V〉 surpass, be superior/excellent
- 優遇 (ユウグウ) 〈Nv〉 cordial reception, treating favorably [+treat]
- 優秀 (ユウシュウ) 〈Na〉 superiority, excellent [+excellent]
- 優勝 (ユウショウ) 〈Nv〉 victory; championship [+win]
- 優勢 (ユウセイ) 〈N/Na〉 predominance, superiority [+force]
- 優先 (ユウセン) 〈Nv〉 (have/give) priority [+foregoing]
- 優待 (ユウタイ) 〈Nv〉 preferential treatment [+hospitality]
- 優良 (ユウリョウ) 〈Na〉 excellence, superior [+good]

gentle
- 優しい (やさしい) 〈A〉 gentle, tender
- 優男 (やさおとこ) 〈N〉 man of gentle appearance; beau [+man]
- 優雅 (ユウガ) 〈Na〉 elegant, graceful [+grace]

actor
- ▶女優 (ジョユウ) 〈N〉 actress [woman+]
- 俳優 (ハイユウ) 〈N〉 actor; actress [witty+]

454 **帰**

かえ-, -がえ-;
キ

⇒ 481婦, 1235掃

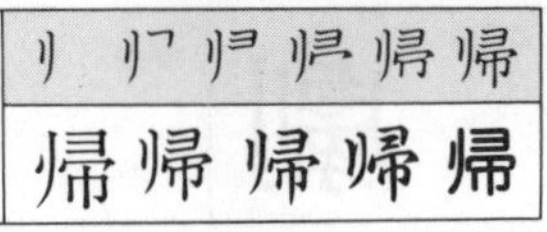

return, go back, come back
- 帰り (かえり) 〈N〉 on the way back
- …帰り (…がえり) 〈N〉 one who returned from…; …return
  - ▷フランス帰り one who returned from France [(France)+]
  - 日帰り (ひ～) 〈Nv〉 returning on the same day [day+]
- 帰る (かえる) 〈V〉 go/come back
- 帰り道 (かえりみち) 〈S〉 on the way back [+way]
- 帰郷 (キキョウ) 〈Nv〉 returning to one's hometown [+country]
- 帰国 (キコク) 〈Nv〉 returning to one's homeland [+nation]
- 帰宅 (キタク) 〈Nv〉 returning home [+home]

455 **故**

ゆえ;
コ

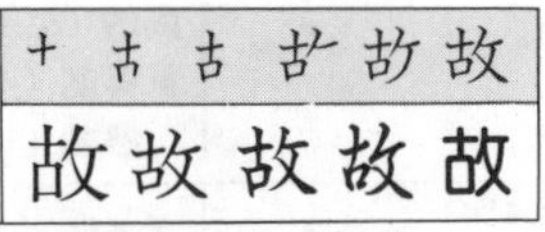

old and dear
- 故意 (コイ) 〈N〉 intentional, designed, attempted [+intention]
- 故郷 (コキョウ) 〈N〉 one's hometown, one's native place [+country]
- 故国 (ココク) 〈N〉 one's homeland [+nation]
- 故事 (コジ) 〈N〉 (story of a) historic event [+affair]

dead, late
- 故… (コ…) the late Mr./Mrs./Miss…
  - ▷故山口氏 (～やまぐちシ) 〈N〉 the late Mr. Yamaguchi [+*PN*+clan]

obstacle
- 故障 (コショウ) 〈Nv〉 trouble, breakdown, out of order [+obstacle]
- ▶事故 (ジコ) 〈N〉 accident, trouble [happening+]

cause
- 故に (ゆえに) 〈Adv〉 consequently, thus

456 **供**

そな-, そなえ; とも, -ども;
キョウ; ク

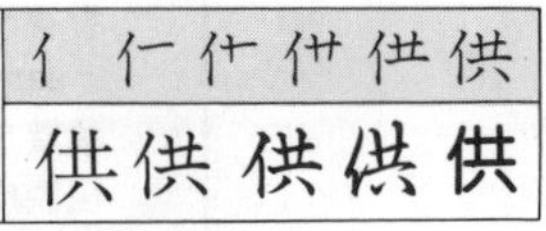

offer, supply
- 供える (そなえる) 〈V〉 offer something (to the altar)
- 供給 (キョウキュウ) 〈Nv〉 provide, supply [+provide]
- 供与 (キョウヨ) 〈Nv〉 (make) grant, supply [+give]
- 供物 (クモツ) 〈N〉 votive offering [+thing]
- 供養 (クヨウ) 〈Nv〉 (hold) memorial service with food offerings 《in Buddhism》 [+feed]

depose
- 供述 (キョウジュツ) 〈Nv〉 testimony [+mention]
- ▶自供 (ジキョウ) 〈Nv〉 confession 《of crime》 [self+]

accompany
- 供 (とも) 〈N〉 one's companion; accompany

Ph
- ▶子供 (こども) 〈N〉 child [child+]

457 **崎**

さき, -ざき;
キ

⇒ 1078埼

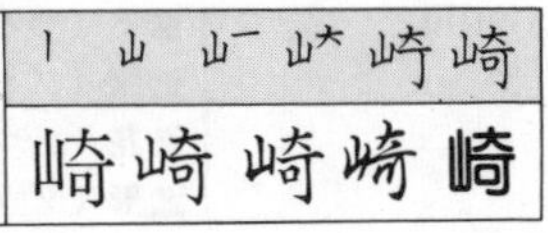

peninsula†

〈Place〉
- ▶長崎 (ながさき) Nagasaki Pref./City
- 宮崎 (みやざき) Miyazaki Pref./City

458 劇	ゲキ	丶 广 庐 虏 豦 劇 / 劇 劇 劇 劇 劇

fierce
劇務（ゲキム）〈N〉 arduous task, severe duty [+duty]
劇薬（ゲキヤク）〈N〉 powerful medicine, poison [+medicine]

drama
劇（ゲキ）〈N〉 drama, play
…劇（…ゲキ）〈N〉 ...drama
▷時代劇（ジダイ～）period drama [period+]
放送劇（ホウソウ～）radio/television drama [broadcasting+]
劇作家（ゲキサッカ）〈N〉 dramatist, playwright [+make+*Suf* specialist]
劇場（ゲキジョウ）〈N〉 theater [+place]
劇団（ゲキダン）〈N〉 dramatic company, theater troupe [+group]
劇的（ゲキテキ）〈Na〉 dramatic [+*Suf Na*]
▶喜劇（キゲキ）〈N〉 comedy [joy+]
悲劇（ヒゲキ）〈N〉 tragedy [sorrow+]

459 庁	チョウ ⇒156府	' 亠 广 庁 庁 / 庁 庁 庁 庁 庁

government office
…庁（…チョウ）〈N〉 ...Agency《in the government》
▷科学技術庁（カガクギジュツ～）Science and Technology Agency [science+technology+]
宮内庁（クナイ～）Imperial Household Agency [imperial+inner+]
経済企画庁（ケイザイキカク～）Economic Planning Agency [economy+plan+]
警視庁（ケイシ～）Metropolitan Police Department [warn+observe+]
検察庁（ケンサツ～）Public Prosecutors Office [criminal investigation+]
国税庁（コクゼイ～）National Tax Administration Agency [national tax+]
文化庁（ブンカ～）Agency of Cultural Affairs [culture+]
防衛庁（ボウエイ～）Defense Agency [defense+]
庁舎（チョウシャ）〈N〉 government building [+hall]
▶官公庁（カンコウチョウ）〈N〉 government offices [official+public+]

460 造	つく-，-づく-，つくり，-づくり；ゾウ	ノ 十 生 告 造 造 / 造 造 造 造 造

make, construct, build
…造(り)（…づくり）〈N〉 ...construction, ...house
▷白木造り（しらき～）plain-woodwork house [plain wood+]
造る（つくる）〈V〉 create, construct, build →99作る
造園（ゾウエン）〈N〉 landscape gardening [+garden]
造花（ゾウカ）〈N〉 artificial flower [+flower]
造形（ゾウケイ）〈N〉 moulding, modeling [+shape]
造語（ゾウゴ）〈N〉 coined word [+word]
造成（ゾウセイ）〈Nv〉 reclamation《of land》 [+form]
造船（ゾウセン）〈Nv〉 shipbuilding [+ship]

461 春	はる; シュン 〈PN〉 かすが(春日)	一 三 夫 夫 春 春 春 春 春 春 春

spring, vernal
春 (はる) 〈T〉 spring
春季 (シュンキ) 〈N〉 springtime [+season]
春秋 (シュンジュウ) 〈N〉 seasons, year [+autumn]
春分 (シュンブン) 〈N〉 vernal equinox [+division]

amorous
春情 (シュンジョウ) 〈N〉 lust [+emotion]
▶思春期 (シシュンキ) 〈N〉 puberty [fancy+～+period]
青春 (セイシュン) 〈N〉 youth, springtime of life [blue+]
売春 (バイシュン) 〈N〉 prostitution [sell+]

462 張	は-, -ば-, -ぱ-, はり-, -ばり; チョウ ⇒1181帳	¬ コ 弓 引 張 張 張 張 張 張 張

stretch, tighten
張る (はる) 〈V〉 stretch, tighten, be on the strain; swell (*vi.*); fill, make full《with water, etc.》; slap《across the face》, smack
張(り)切る (はりきる) 〈V〉 swell out; be full vigor, be tense [+extremely]
張(り)出す (はりだす) 〈V〉 project (*vi.*), jut out, overhang, stretch out [+go out]
▶緊張 (キンチョウ) 〈Nv〉 (feel) tension, strain [tense+]

plaster, stick
張る (はる) 〈V〉 plaster, stick
…張り (…ばり) 〈N〉 …-covered
▷ガラス張り glass-covered; open to the public [(glass)+]
皮張り (かわ～) leather-covered, leather-bound [skin+]
張(り)込み (はりこみ) 〈N〉 ambush, lookout [+into]
張(り)込む (はりこむ) 〈V〉 keep watch, lie in ambush; treat oneself to [+into]
張(り)出す (はりだす) 〈V〉 post up《a notice, etc.》 [+put out]

463 観	カン	𠂉 午 佘 隺 雚 観 観 観 観 観 観

observe, look, view
…観 (…カン) 〈N〉 …views
▷価値観 (カチ～) values system [value+]
人生観 (ジンセイ～) view of life [man's life+]
世界観 (セカイ～) world view [world+]
観客 (カンキャク) 〈N〉 spectator, audience [+visitor]
観劇 (カンゲキ) 〈N〉 theatergoing, go to theater [+drama]
観光 (カンコウ) 〈Nv〉 (go) sightseeing [+light]
観察 (カンサツ) 〈Nv〉 observation, view [+discern]
観衆 (カンシュウ) 〈N〉 spectators, onlookers [+crowd]
観戦 (カンセン) 〈Nv〉 watching a game [+game]
観測 (カンソク) 〈Nv〉 observation, survey [+measure]
観点 (カンテン) 〈N〉 viewpoint [+point]
観念 (カンネン) 〈N〉 idea, concept; 〈Nv〉 resigning oneself [+sense]
観音 (カンノン) 〈N〉 *Kannon*, Goddess of Mercy《Buddhism》, *Avalokiteśvara* [+sound] ➔SN

464 吉

キチ；キツ，キッ-

〈PN〉よし ⇒ 320告, 373古

一 十 士 吉 吉 吉

吉吉吉吉吉

good omen

吉（キチ）〈N〉good omen, luck
吉報（キッポウ）〈N〉good news [+report]

465 始

はじ-；
シ

く 女 女 女 始 始

始始始始始

begin, inaugurate

始まる（はじまる）〈V〉begin (*vi.*), open
始める（はじめる）〈V〉begin (*vt.*), commence, start
…始める（…はじめる）〈V〉begin …-ing
▷歩き始める（あるき～）begin walking [walk+]
泣き始める（なき～）start crying [weep+]
始終（シジュウ）〈Adv〉from beginning to end; always [+end]
始末（シマツ）〈N〉procession of events, development of affairs; issue, consequence; 〈Nv〉(make) disposition, management; 〈Nv〉(practice) thrift [+end]

466 討

う-，うち；
トウ

⇒ 186計

言 言 言 言 討 討

討討討討討

chastise, correct

討つ（うつ）〈V〉chastise, conquer, beat
討議（トウギ）〈Nv〉(have) discussion, debate [+debate]
討論（トウロン）〈Nv〉debate, argumentation [+argue]

467 声

こえ，-ごえ，こわ-；
ショウ，-ジョウ；セイ

一 十 士 声 声 声

声声声声声

voice

声（こえ）〈N〉voice, cry, chat, chirp
声色（こわいろ）〈N〉tone of voice; assumed voice [+feature]
声援（セイエン）〈Nv〉cheer [+aid]
声明（セイメイ；ショウミョウ）〈N〉statement; Buddhist recitation [+clear]

468 央

オウ

〈PN〉なか ⇒ 563史

丨 冂 冂 央 央

央央央央央

center

▶中央（チュウオウ）〈N〉center, central part [middle+]

469 念

ネン

ノ 人 今 今 念 念

念念念念念

sense

念（ネン）〈N〉sense, feeling; precaution; long-cherished desire
念じる（ネンじる）〈V〉wish; pray in mind
念入り（ネンいり）〈Na〉scrupulous, careful [+put in]
念願（ネンガン）〈Nv〉one's cherished desire [+beg]

470 **隊** タイ

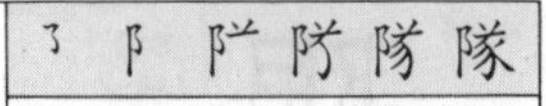

隊隊隊隊隊

troop
- 隊（タイ）〈N〉troop
- …隊（…タイ）〈N〉…troop, …army
  - ▷デモ隊 demonstrators [(demonstration)＋]
  - 機動隊（キドウ～）riot police [machinery＋move＋]
  - 決死隊（ケッシ～）suicide corps [determine＋death＋]
  - 自衛隊（ジエイ～）Self-Defense Forces [self-defense＋]
- 隊長（タイチョウ）〈N〉captain, leader, commander [＋chief]

471 **何** なに，なん；-カ

⇨[217]向，[1963]伺

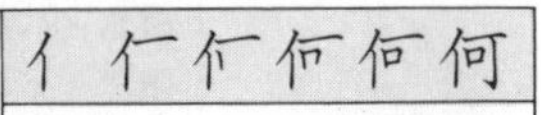

何何何何何

what
- 何（なに/なん）〈N〉what, which
- 何か（なにか）〈N/Adv〉something, somehow
- 何ら（なんら）〈N/Adv〉whatever, (not) any, (not) in any way
- 何回（なんカイ）〈Q〉how often [＋round]
- 何度（なんド）〈Q〉how often; how many degrees [＋times; degree]
- 何人（なんニン）〈Q〉how many persons [＋person]
- 何年（なんネン）〈Q〉how many years [＋year]
- ▶幾何（キカ）〈N〉geometry [how many＋]

472 **様** さま，-ざま；ヨウ

様様様様様

appearance, state
- 様（さま）〈N〉state of affairs, appearance, aspect
- 様々（さまざま）〈Na〉variety [＋*Rep*]
- 様式（ヨウシキ）〈N〉mode; form [＋style]
- 様子（ヨウス）〈N〉state of affairs, appearance [＋piece]
- 様相（ヨウソウ）〈N〉phase, look [＋figure]

Mr., Mrs., Miss, Ms., Dear…
- …様（…さま）〈CF/Cph〉Mr./Mrs./Miss/Ms.…, Dear…
  - ▷神様（かみ～）Dear Lord [god＋]
  - 三名様（サンメイ～）three gentlemen/ladies/customers [three members＋]
  - 田中様（たなか～）Mr./Mrs./Miss/Ms. Tanaka [*PN*＋]

473 **負** お-；ま-，まけ；フ，-ブ

⇨[1472]頁

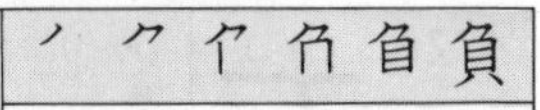

負負負負負

suffer, bear
- 負う（おう）〈V〉suffer, bear, owe
- 負傷（フショウ）〈Nv〉injured [＋wound]
- 負担（フタン）〈Nv〉(bear) burden, onus, charge [＋burden]

defeated
- 負ける（まける）〈V〉be defeated, lose
- ▶勝負（ショウブ）〈Nv〉victory or defeat, (have) match [win＋]

minus
- 負（フ）〈N〉minus

474 限

かぎ-;
ゲン

limit, restriction

…限 (…ゲン) 〈Q〉 to the limit/extreme of…
▷最大限 (サイダイ～) maximum [greatest+]
最低限 (サイテイ～) at least [lowest+]
…限り (…かぎり) 〈S〉 in the limitation of…
▷その場限り (そのば～) perfect for the occasion [(that)+place+]
先着100人限り (センチャクヒャクニン～) limited to the first 100 customers [previous+reach+100+person+]
限る (かぎる) 〈V〉 limit, restrict
限界 (ゲンカイ) 〈N〉 boundary, limit [+boundary]
限度 (ゲンド) 〈N〉 limit [+degree]

475 爆

バク

explosion

爆弾 (バクダン) 〈N〉 bomb [+bullet]
爆破 (バクハ) 〈Nv〉 blasting, explosion [+break]
爆発 (バクハツ) 〈Nv〉 explosion, bursting up [+issue]

bomb

爆撃 (バクゲキ) 〈Nv〉 bombing [+attack]
▶原爆 (ゲンバク) 〈N〉 atomic bomb [atom+]

476 赤

あか;
シャク; セキ
〈Ir〉

red

赤 (あか) 〈N〉 red
赤い (あかい) 〈A〉 red
赤ちゃん (あかちゃん) 〈N〉 baby
赤字 (あかジ) 〈N〉 deficit, red figures [+letter] →[317]黒字
赤銅 (シャクドウ) 〈N〉 alloy of copper, gold, and silver [+copper]
赤道 (セキドウ) 〈N〉 equator [+way]
〈Ir〉 ▶真(っ)赤 (まっか) 〈Na〉 crimson [exact+]

absolute

赤の他人 (あかのタニン) 〈N〉 perfect stranger [+stranger]
赤貧 (セキヒン) 〈N〉 destitution, extreme poverty [+poor]
〈Ir〉 ▶真(っ)赤 (まっか) 〈Na〉 downright《lie》 [exact+]

477 左

ひだり;
サ
〈PN〉 ザ, そウ(左右)

left

左 (ひだり) 〈N〉 left; left wing
左側 (ひだりがわ) 〈N〉 left-hand side [+side]
左手 (ひだりて) 〈N〉 left hand; left side [+hand]
左記 (サキ) 〈N〉 mentioned at left [+describe]
左右 (サユウ) 〈N〉 right and left [+right]
左翼 (サヨク) 〈N〉 left wing, leftist [+wing]

478 **歌**

うた;
カ

歌歌歌歌歌

song

歌（うた）〈N〉 song; *waka* poem
…歌（…カ/うた）〈N〉 …song
▷子守歌（こもりうた）lullaby [looking after a baby＋]
主題歌（シュダイカ）theme song [theme＋]
流行歌（リュウコウカ）popular song [fashion＋]
歌う（うたう）〈V〉 sing
歌劇（カゲキ）〈N〉 opera [＋drama]
歌手（カシュ）〈N〉 singer [＋person]
歌人（カジン）〈N〉 *waka* poet/poetess [＋person]
歌舞伎（カブキ）〈N〉 *kabuki* drama [＋dance＋art] ➜SN
歌謡曲（カヨウキョク）〈N〉 Japanese popular song [＋chant＋melody]

▼歌舞伎

479 **独**

ひと-;
ドク, ドッ-

独独独独独

alone, single, sole

独り（ひとり）〈S〉 alone
独り言（ひとりごと）〈N〉 monologue, talking to oneself [＋say]
独裁（ドクサイ）〈N〉 dictatorship [＋judge]
独自（ドクジ）〈N〉 uniqueness [＋self]
独身（ドクシン）〈N〉 bachelorhood, spinsterhood [＋body]
独占（ドクセン）〈Nv〉 (make) monopoly [＋occupy]
独走（ドクソウ）〈Nv〉 running alone; runaway [＋run]
独創（ドクソウ）〈N〉 originality [＋create]
独立（ドクリツ）〈Nv〉 (win) independence [＋erect]

Germany

▶西独（セイドク）〈N〉 West Germany [west＋]
東独（トウドク）〈N〉 East Germany [east＋]

480 **閣**

カク, カッ-

閣閣閣閣閣

grand building

▶天主閣（テンシュカク）〈N〉 donjon of a Japanese castle [heaven＋ / main＋]

cabinet

閣議（カクギ）〈N〉 Cabinet council [＋debate]
閣僚（カクリョウ）〈N〉 Cabinet member [＋officer]
▶内閣（ナイカク）〈N〉 Cabinet [inner＋]

481 **婦**

フ, -プ

⇨ 454 帰, 1235 掃

婦婦婦婦婦

woman

…婦（…フ）〈N〉 …woman
▷看護婦（カンゴ～）nurse [nursing＋]
売春婦（バイシュン～）prostitute [prostitution＋]
婦人（フジン）〈N〉 adult woman [＋person]

wife

▶夫婦（フウフ）〈N〉 man and wife, married couple [husband＋]

482 位	くらい, -ぐらい; イ 〈Ir〉	亻 亻' 亻亠 亻立 位 位 位位位位位

position, rank
- 位 (くらい) 〈N〉 rank
- …位 (…イ) 〈N〉 …-th rank
  - ▷一位 (イチ～) 1st rank; winner [one+]
- 位置 (イチ) 〈N〉 position, location [+place]
- 〈Ir〉 ▶三位一体 (サンミイッタイ) 〈N〉 Trinity [three+～+one body]

approximate
- …位 (…ぐらい/くらい) 〈Q〉 approximately…
  - ▷三日位 (みっか～) 〈Q〉 about three days; 〈N〉 around the 3rd day of the month [three days; 3rd day+]
  - 十人位 (ジュウニン～) 〈Q〉 about ten people [ten persons+]

483 器	うつわ; キ	口 吅 吅 哭 哭 器 器器器器器

container
- 器 (うつわ) 〈N〉 container, vessel; caliber, capacity; man of ability
- 器官 (キカン) 〈N〉 physical organ [+organ]
- 器具 (キグ) 〈N〉 appliance; fixture [+instrument]
- 器用 (キヨウ) 〈Na〉 dexterous, clever [+use]

tool
- …器 (…キ) 〈N〉 …tool, …device
  - ▷銀器 (ギン～) silverware [silver+]
  - 計算器 (ケイサン～) calculator [calculation+]
  - 消火器 (ショウカ～) fire extinguisher [fire extinguishing+]

physical organ
- …器 (…キ) 〈N〉 …organ
  - ▷消化器 (ショウカ～) digestive organ [digestion+]
  - 循環器 (ジュンカン～) circulatory organ [circulation+]

484 読	よ-, よみ; トウ; トク; **ドク**, ドッ- 〈Ir〉	言 言 計 訁 詰 読 読読読読読

read
- 読む (よむ) 〈V〉 read
- 読(み)物 (よみもの) 〈N〉 reading, reading matter [+thing]
- 読点 (トウテン) 〈N〉 (Japanese) comma [+point]
- 読者 (ドクシャ) 〈N〉 reader [+person]
- 読書 (ドクショ) 〈Nv〉 read [+book]
- 読本 (トクホン) 〈N〉 reader, reading book [+book]
- 〈Ir〉 読経 (ドキョウ) 〈Nv〉 sutra-chanting [+sutra]

485 与	あた-; ヨ	一 与 与 与与与与与

give
- 与える (あたえる) 〈V〉 give, bestow, provide
- ▶給与 (キュウヨ) 〈N〉 salary, allowance, grant [supply+]
  - 賞与 (ショウヨ) 〈N〉 bonus [prize+]

engage
- 与党 (ヨトウ) 〈N〉 governmental party [+party] →[85]野党

486 **企** くわだ-; キ-

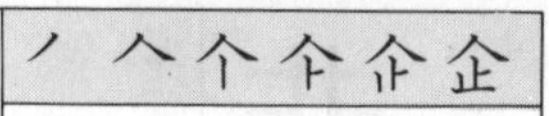

企企企企企

enterprise

企てる（くわだてる）〈V〉 plan, plot, enterprise
企画（キカク）〈Nv〉 plan [+draw a line]
企業（キギョウ）〈N〉 enterprise, business [+business]

487 **完** カン

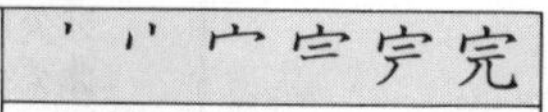

完完完完完

complete

完（カン）〈N〉 the end 《of a story/movies》
完結（カンケツ）〈Nv〉 completion, finish [+conclude]
完成（カンセイ）〈Nv〉 completion, perfection, accomplishment [+form]
完全（カンゼン）〈N/Na〉 complete [+whole]
完備（カンビ）〈Nv〉 full-equipped [+provide]
完了（カンリョウ）〈Nv〉 completion, coming to an end [+finish]

488 **規** キ, -ギ

規規規規規

⇒502 視

regulate

規準（キジュン）〈N〉 criterion; standard [+level]
規正（キセイ）〈Nv〉 regulating, readjustment [+right]
規制（キセイ）〈Nv〉 control, regulating [+control]
規則（キソク）〈N〉 regulation, rule [+rules]
規定（キテイ）〈Nv〉 provision, ordainment, rule [+fix]
規模（キボ）〈N〉 scale [+form]

489 **写** うつ-; シャ

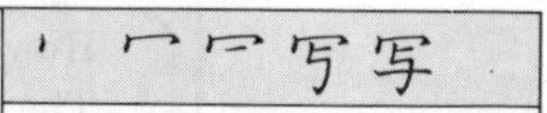

写写写写写

copy

写す（うつす）〈V〉 copy
写る（うつる）〈V〉 be photographed; work 《of camera》
写真（シャシン）〈N〉 photograph [+true]

project

▶試写会（シシャカイ）〈N〉 preview showing [test+～+meeting]

490 **師** シ, -ジ

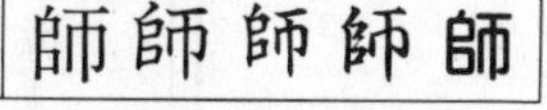

師師師師師

master

師（シ）〈N〉 master, teacher
…師（…シ）〈N〉 …master, …technician; Rev.…
▷詐欺師（サギ～） imposter, con man [fraud+]
美容師（ビヨウ～） hair dresser [beauty+]
師匠（シショウ）〈N〉 master, teacher 《of Jap. fine arts, accomplishments, etc.》 [+deft]
師範（シハン）〈N〉 maestro, coach 《of Jap. martial arts, accomplishments, etc.》 [+range]
師走（シわす）〈T〉 December [+run] ➔SN

491 非	ヒ, -ピ ⇨[1426]兆	丿 ⺅ ⺕ 扌 非 非 / 非非非非非

not, non-

非…（ヒ…）non-…, un-…, dis-…

▷非科学的（～カガクテキ）⟨Na⟩ unscientific [+scientific]

非現実的（～ゲンジツテキ）⟨Na⟩ unrealistic [+realistic]

非公開（～コウカイ）⟨N⟩ secret, not open [+open to the public]

非公式（～コウシキ）⟨N/Na⟩ informal, unofficial [+formality]

非合法（～ゴウホウ）⟨N/Na⟩ illegal [+legal]

非常勤（～ジョウキン）⟨N⟩ part-time [+regular]

非常識（～ジョウシキ）⟨Na⟩ senseless, absurd [+common sense]

非ユークリッド幾何学 ⟨N⟩（～キカガク）non-Euclidean geometry [+geometry]

非論理的（～ロンリテキ）⟨Na⟩ illogical [+logical]

非常（ヒジョウ）⟨N/Na⟩ extraordinariness [+usual]

非情（ヒジョウ）⟨N/Na⟩ inhuman [+emotion]

非常口（ヒジョウぐち）⟨N⟩ emergency exit [+usual+mouth]

非鉄金属（ヒテツキンゾク）⟨N⟩ nonferrous metals [+iron+metal]

非力（ヒリキ）⟨N/Na⟩ powerless, incompetent [+power]

no good

非（ヒ）⟨N⟩ no good

非運（ヒウン）⟨N⟩ misfortune, bad luck [+fate]

非行（ヒコウ）⟨N⟩ evil deed [+conduct]

非難（ヒナン）⟨Nv⟩ censure, reproach [+disapprove]

▶是非（ゼヒ）⟨N/Adv⟩ good or bad; at any rate [right+]

前非（ゼンピ）⟨N⟩ one's past fault/sin [previous+]

人非人（ニンピニン）⟨N⟩ brute, miscreant [man+～+person]

How are 非…, 不…, 無… and 未… different?

These four prefixes, all meaning negation, may be quite confusing, but they are quite distinct and cannot be substituted one for another at random. In fact, such substitution may yield different meanings. For example, 合理, meaning 'logic,' may be negated either as 非合理 ("non-/out logics," meaning "pathos") or 不合理 ("no-logicality," meaning "illogical").

To be specific,

非 is used for negative judgment.
不 is used for negation of a state or action.
無 is used for negation of existence.
未 is used for negation of the existence to date (=not yet).

Some examples: 不確定（フカクテイ）⟨N/Na⟩ uncertainty, 不可能（フカノウ）⟨Na⟩ impossible, 不健全（フケンゼン）⟨Na⟩ unsound, 不自然（フシゼン）⟨Na⟩ unnatural, 不親切（フシンセツ）⟨Na⟩ unkind, 不必要（フヒツヨウ）⟨Na⟩ unnecessary; 無意識（ムイシキ）⟨Na⟩ unconscious, 無期限（ムキゲン）⟨N/Na⟩ indefinitely open-end, 無免許運転（ムメンキョウンテン）⟨Nv⟩ driving without a license; 未解決（ミカイケツ）⟨N⟩ unsolved, 未完成（ミカンセイ）⟨N/Na⟩ incomplete

492 残	のこ-; ザン 〈Ir〉	㇀ 歹 歹 歼 残 残
		残 残 残 残 残

remain
- 残す (のこす) 〈V〉 leave behind
- 残り (のこり) 〈N〉 remainder, remnant
- 残る (のこる) 〈V〉 remain, be left over
- 残暑 (ザンショ) 〈N〉 lingering summer heat, heat of late summer [+hot]
- 残高 (ザンだか) 〈N〉 balance, amount outstanding [+high]
- 残念 (ザンネン) 〈Na〉 regret, remorse [+sense] →SN
- 〈Ir〉 ▶名残 (なごり) 〈N〉 remains, relics; leave-taking, farewell [name+]

merciless
- 残虐 (ザンギャク) 〈N/Na〉 outrage, brutal [+torture]
- 残酷 (ザンコク) 〈N/Na〉 cruel [+harsh]

493 断	こと-, ことわ-; た-, -だ-, たち-; ダン	ﾞ 䒑 米 迷 断 断
		断 断 断 断 断

cut off
- 断つ (たつ) 〈V〉 cut off; quit
- 断食 (ダンジキ) 〈Nv〉 fast [+eat]
- 断念 (ダンネン) 〈Nv〉 give up, abandonment [+sense]
- ▶横断 (オウダン) 〈Nv〉 crosscut, traverse [horizontal+]

decisive, resolute
- 断言 (ダンゲン) 〈Nv〉 assertion, averment [+say]
- 断固 (ダンコ) 〈Nt/Adv〉 decisively, definitely [+solid]
- 断行 (ダンコウ) 〈Nv〉 decisive action, enforcement [+exert]
- 断定 (ダンテイ) 〈Nv〉 decision, conclusion [+settle]
- ▶診断 (シンダン) 〈Nv〉 diagnosis [diagnosis+]

reject
- 断(わ)る (ことわる) 〈V〉 reject

excuse
- 断(わ)る (ことわる) 〈V〉 excuse; explain in advance
- ▶無断 (ムダン) 〈N〉 without notice/leave [non-+]

494 伝	つた-, -づた-; デン 〈Ir〉	ノ イ 仁 仁 伝 伝
		伝 伝 伝 伝 伝

hand over, transmit
- 伝える (つたえる) 〈V〉 transmit, hand down
- 伝わる (つたわる) 〈V〉 be handed down
- 伝記 (デンキ) 〈N〉 biography [+record]
- 伝説 (デンセツ) 〈N〉 legend [+explain]
- 伝染 (デンセン) 〈Nv〉 contagion, infection [+dye]
- 伝統 (デントウ) 〈N〉 tradition, convention [+lineage]
- 伝来 (デンライ) 〈Nv〉 transmission, being introduced [+come]
- 〈Ir〉 伝馬船 (テンまセン) 〈N〉 flatboat 《Jap. traditional》 [+horse+ship]
- 〈Ir〉 ▶手伝う (てつだう) 〈V〉 help, lend a hand [hand+] →SN

legend
- …伝 (…デン) 〈N〉 …'s life/legend/biography
  - ▷ナポレオン伝 Life of Napoleon [(Napoleon)+]
  - 自叙伝 (ジジョ～) autobiography [self+sequence+]
  - 武勇伝 (ブユウ～) heroic story [valor+]
  - 立志伝 (リッシ～) story of self-made man [set up+ambition+]

495 **編**

あ-, あみ;
ヘン

⇨1649偏

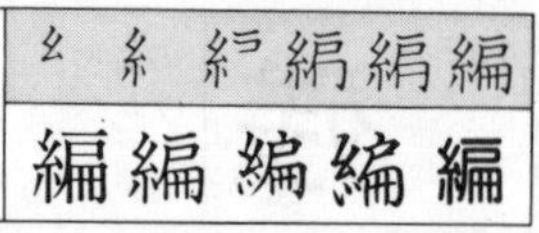

edit, edition
…編 (…ヘン) 〈N〉 edited by…
▷文部省編 (モンブショウ〜) edited by the Ministry of Education [Ministry of Education+]
編集 (ヘンシュウ) 〈Nv〉 editing, compilation [+collect]
編成 (ヘンセイ) 〈Nv〉 formation, organization, systematization [+form]

knit
編む (あむ) 〈V〉 knit, crochet, braid
編(み)物 (あみもの) 〈N〉 knitting; knitted goods [+thing]

496 **違**

ちが-;
イ

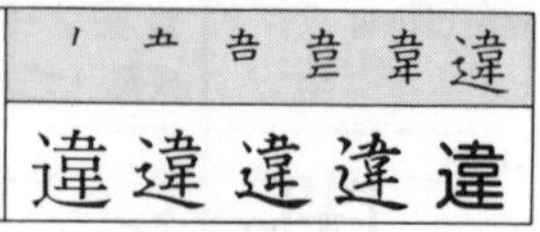

differ
違う (ちがう) 〈V〉 different; other way, no
違反 (イハン) 〈Nv〉 contravention, violation [+against]
違法 (イホウ) 〈Na〉 illegal [+law]

497 **航**

コウ

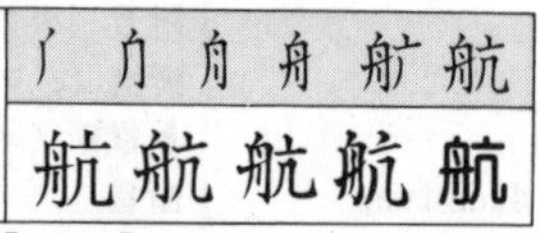

sailing, voyage
航海 (コウカイ) 〈Nv〉 voyage, navigation [+sea]
航空 (コウクウ) 〈N〉 aviation, flying [+sky]
航路 (コウロ) 〈N〉 route, lane《of a ship/plane》 [+route]

498 **裁**

さば-; た-, -だ-, たち-;
サイ

⇨1705栽

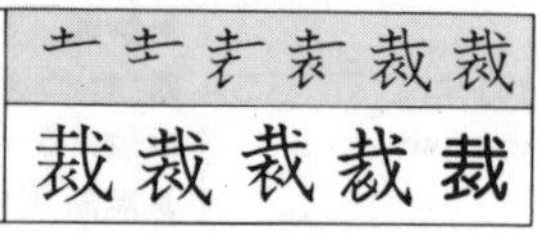

tailor
裁つ (たつ) 〈V〉 tailor, cut
裁縫 (サイホウ) 〈Nv〉 sewing [+sew]
▶洋裁 (ヨウサイ) 〈N〉 Western tailoring/sewing [Occidental+]
和裁 (ワサイ) 〈N〉 Japanese tailoring, *kimono* making [Japanese+]

judge
裁く (さばく) 〈V〉 judge
裁判 (サイバン) 〈Nv〉 justice, trial [+judge]
裁判所 (サイバンショ) 〈N〉 law court [+judge+place]
裁量 (サイリョウ) 〈N〉 discretion [+measure]

court, *Abbr* 裁判所
…裁 (…サイ) 〈N〉 …(law) court
▷最高裁 (サイコウ〜) supreme court [highest+]

499 **王**

オウ

〈Ir〉

⇨610玉

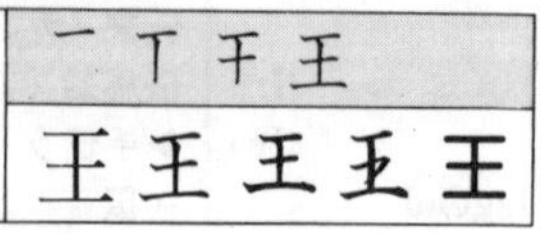

king
王 (オウ) 〈N〉 king
王座 (オウザ) 〈N〉 throne [+seat]
王様 (オウさま) 〈N〉 king《colloquial》 [+Dear]
〈Ir〉 ▶親王 (シンノウ) 〈N〉 Imperial prince [kinship+]

500 **雄**

おー；おす；
ユウ

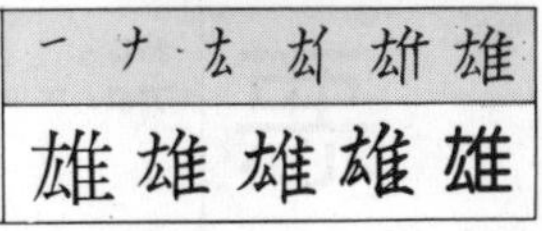

male
- 雄（おす）〈N〉male
- 雄牛（おうし）〈N〉bull [+cattle]

brave
- 雄大（ユウダイ）〈Na〉grand-style [+big]

501 **紙**

かみ，-がみ；
シ

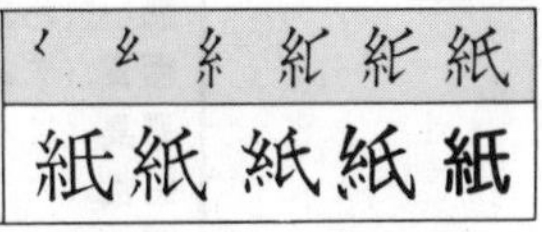

paper
- 紙（かみ）〈N〉paper
- …紙（…シ/がみ）〈N〉…paper
  - ▷折(り)紙（おりがみ）*origami* art [fold+]
  - 包装紙（ホウソウシ）wrapping paper [wrap+]
- 紙幣（シヘイ）〈N〉banknote [+money]

journal
- …紙（…シ）〈N〉…journal
  - ▷機関紙（キカン～）bulletin, newsletter [organization+]
  - 地方紙（チホウ～）local paper [locality+]
- 紙上（シジョウ）〈S〉in the newspaper [+on]
- 紙面（シメン）〈N〉news in the paper [+surface]

502 **視**

シ

⇒488規

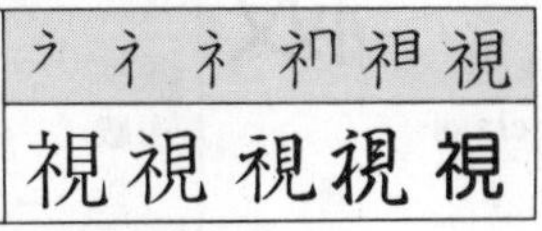

sight
- 視界（シカイ）〈N〉visual range, visibility [+boundary]
- 視察（シサツ）〈Nv〉inspection [+discern]
- 視聴者（シチョウシャ）〈N〉(TV) viewer [+listen+person]
- 視野（シヤ）〈N〉visual field, one's view [+field]
- 視力（シリョク）〈N〉eyesight [+power]

observe
- …視（…シ）〈Nv〉judging/evaluating as…
  - ▷度外視（ドガイ～）disregard, ignoring [degree+out+]
  - 有力視（ユウリョク～）regarding as the likeliest… [powerful+]

503 **右**

みぎ；
ウ；-ユウ

⇒276石

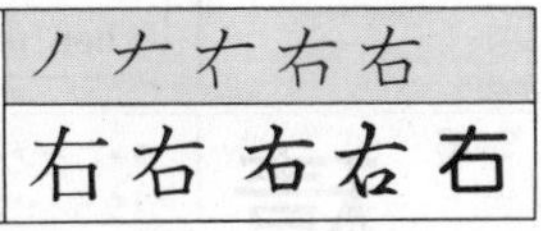

right, right-wing
- 右（みぎ）〈N〉right 《not left》; right wing
- 右側（みぎがわ）〈N〉right side [+side]
- 右手（みぎて）〈N〉right hand [+hand]
- 右左（みぎひだり）〈N〉right and left [+left]
- 右寄り（みぎより）〈N〉rightish; right-wing, conservative [+draw to]
- 右往左往（ウオウサオウ）〈Nv〉going hither and thither, running pell-mell [+go away+left+go away]
- 右派（ウハ）〈N〉right-wing sect [+sect]
- 右翼（ウヨク）〈N〉right wing; rightist [+wing]
- ▶左右（サユウ）〈N〉right and left [left+]

504 悪

わる-;
アク, アッ-; オ

一 亖 亜 亜 悪 悪
悪 悪 悪 悪 悪

bad, ill

悪… (アク…) bad…
▷悪影響 (～エイキョウ) 〈N〉 bad influence [+influence]
悪天候 (～テンコウ) 〈N〉 bad weather [+weather]
悪い (わるい) 〈A〉 bad, ill, not good; sorry
悪質 (アクシツ) 〈Na〉 bad quality, wicked [+quality]
悪臭 (アクシュウ) 〈N〉 stink [+stench]
悪性 (アクセイ) 〈N〉 malignancy [+character]
悪党 (アクトウ) 〈N〉 scoundrel, rascal [+party]
悪徳 (アクトク) 〈N〉 vice, immorality [+virtue]
悪魔 (アクマ) 〈N〉 devil, demon [+demon]
悪用 (アクヨウ) 〈Nv〉 abuse [+use]
悪化 (アッカ) 〈Nv〉 (suffer) deterioration [+change itself]

detestable

悪夢 (アクム) 〈N〉 nightmare [+dream]
悪寒 (オカン) 〈N〉 chill, shakes [+cold]
▶嫌悪 (ケンオ) 〈Nv〉 disgust, hate [hate+]

505 級

キュウ

く 幺 糸 糸 紉 級
級 級 級 級 級

class

…級 (…キュウ) 〈N〉 …class, …rank
▷ヘビー級 heavyweight [(heavy)+]
国際級 (コクサイ～) world-class [international…+]
級友 (キュウユウ) 〈N〉 classmate [+friend]

grade

…級 (…キュウ) 〈N〉 …*kyu* 《lesser rank than 段》
▷一級 (イッ～), 五級 (ゴ～)

> **段(ダン) and 級(キュウ) system**
> In most Japanese games and sports of skill, rankings are stated in terms of 段 and 級. Beginners will start at the larger-number 級, advance to 1st 級, be promoted to 1st 段(*shodan*), and then to successively higher-number 段 rankings.

506 積

つ-, -づ-, つみ, -づみ,
つも-, -づも-, つもり, -づもり;
セキ, セッ-
⇒ 760 績

二 禾 秄 秸 積 積
積 積 積 積 積

pile, accumulate

積 (セキ) 〈N〉 product 《mathematics》
…積(み) (…づみ) 〈N〉 …capacity, loading…
▷ 5 トン積(み) (ゴトン～) five-ton capacity [(5 tons)+]
積む (つむ) 〈V〉 pile up; load
積(み)立(て) (つみたて) 〈N〉 installment savings [+set up]
積雪 (セキセツ) 〈N〉 snowfall [+snow]
積極的 (セッキョクテキ) 〈Na〉 positive [+extreme+*Suf Na*]

measure

▶見積((も)り) (みつもり) 〈N〉 estimation [see+]

507 賞

ショウ

prize

賞 (ショウ) 〈N〉 prize, reward
…賞 (…ショウ) 〈N〉 …prize
▷ノーベル賞 Nobel Prize [(Nobel)+]
一等賞 (イットウ〜) 1st prize [1st rank+]
賞金 (ショウキン) 〈N〉 prize money [+money]
賞状 (ショウジョウ) 〈N〉 document formally attested one's merit [+document]
賞罰 (ショウバツ) 〈N〉 reward and punishment [+penalty]
賞品 (ショウヒン) 〈N〉 prize thing [+article]
賞与 (ショウヨ) 〈N〉 bonus [+give]

508 例

たと-;
レイ

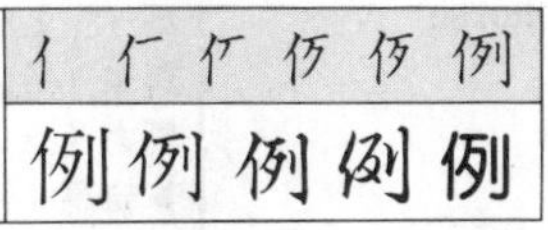

example

例 (レイ) 〈N〉 example
…例 (…レイ) 〈N〉 …example
▷解答例 (カイトウ〜) sample answer [answer+]
具体例 (グタイ〜) practical example [concrete+]
例えば (たとえば) 〈Adv〉 for example

regular, usual

例によって (レイによって) 〈Adv〉 as usual
例の (レイの) 〈Adj〉 usual, habitual
例会 (レイカイ) 〈N〉 regular meeting [+meeting]
例外 (レイガイ) 〈N〉 exception [+out]
例年 (レイネン) 〈T〉 ordinary year, annual [+year]

509 清

きよ-;
ショウ; セイ
〈Ir〉: 〈PN〉 きよし, シン ⇒[286]情, [672]精

clean, pure

清い (きよい) 〈A〉 clear, pure
清浄 (セイジョウ/ショウジョウ) 〈N/Na〉 immaculacy [+purity]
清潔 (セイケツ) 〈N/Na〉 cleanness, neatness [+clean]
清算 (セイサン) 〈Nv〉 liquidation; clearing off [+calculate]
清酒 (セイシュ) 〈N〉 refined *sake* [+*sake*]
清純 (セイジュン) 〈Na〉 pure and innocent [+pure]
清掃 (セイソウ) 〈Nv〉 cleaning, scavengery [+sweep]
〈Ir〉 清水 (シみず) 〈N〉 clear water [+water]

510 可

べ-;
カ
⇒[712]司

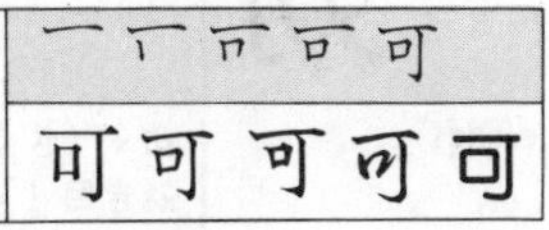

affirmative, passable

可 (カ) 〈N〉 passable, OK
可決 (カケツ) 〈Nv〉 approval, passing 《a bill》 [+determine]
可能 (カノウ) 〈Na〉 possible [+ability]
可能性 (カノウセイ) 〈N〉 possibility [+ability+*Suf abstract noun*]

511 **署** ショ ⇒773著, 1254暑

Stroke order: 冖 罒 罒 罗 署 署 / 署 署 署 署 署

government office
…署（…ショ）〈N〉 …government office
▷警察署（ケイサツ～）police station [police force+]
税務署（ゼイム～）tax office [tax+service+]
署長（ショチョウ）〈N〉 chief 《of the office》 [+chief]

signature
署名（ショメイ）〈Nv〉 signature, autograph [+name]

512 **馬** うま; ま, -め; バ

Stroke order: 丨 厂 円 用 馬 馬 / 馬 馬 馬 馬 馬

horse
馬（うま）〈N〉 horse
馬車（バシャ）〈N〉 coach, (horse) cab [+car]
馬力（バリキ）〈N〉 horsepower; energy [+power]
▶絵馬（エま）〈N〉 picture, especially of a horse, hung up at a Shinto shrine as a votive offering [picture+]

▶絵馬

Ph
馬鹿（バか）〈N/Na〉 fool [+*Ph*] ➔SN

513 **具** グ 〈PN〉 とも

Stroke order: 丨 冂 目 旦 具 具 / 具 具 具 具 具

equipment, instrument
…具（…グ）〈N〉 …instrument
▷文房具（ブンボウ～）stationery [letter+chamber+]
具合（グあい）〈N〉 condition, state [+suit] ➔SN
具体的（グタイテキ）〈Na〉 concrete [+body+*Suf Na*] ➔SN

514 **曜** ヨウ

Stroke order: 日 日' 日ョ 日ョョ 曜 曜 / 曜 曜 曜 曜 曜

luminary
▶七曜（シチヨウ）〈N〉 sun, moon, and five planets [seven+] →App.

day of the week
…曜(日)（…ヨウ(び)）〈T〉 …day of the week [(+day)] →App.
▷ 26月曜(日)（ゲツ～）Monday　432火曜(日)（カ～）Tuesday
144水曜(日)（スイ～）Wednesday　148木曜(日)（モク～）Thursday
59金曜(日)（キン～）Friday　316土曜(日)（ド～）Saturday
1日曜(日)（ニチ～）Sunday

515 **効** き-, -ぎ-; コウ ⇒1237郊

Stroke order: 亠 六 ㇒ 交 効 効 / 効 効 効 効 効

effect
効く（きく）〈V〉 work on, be effective
効き目（ききめ）〈N〉 effect [+element]
効果（コウカ）〈N〉 effect [+result]
効能（コウノウ）〈N〉 efficacy 《of medicine》, effect [+ability]
効率（コウリツ）〈N〉 efficiency [+ratio]
効力（コウリョク）〈N〉 effect, validity [+power]

516 **補** おぎな-; ホ, -ポ ⇨[669]捕

ｱ ﾈ ﾈ ｨ 補 補
補 補 補 補 補

compensate, supply
…補 (…ホ) 〈N〉 probationary…, assistant…
▷警部補 (ケイブ～) assistant police inspector [police inspector+]
補う(おぎなう) 〈V〉 make up for, compensate
補給 (ホキュウ) 〈Nv〉 supply, replenishment [+provide]
補欠 (ホケツ) 〈N〉 substitute 《person》, spare [+lack]
補佐 (ホサ) 〈Nv〉 aid, assistant [+support]
補充 (ホジュウ) 〈Nv〉 supplementation [+fill]
補助 (ホジョ) 〈Nv〉 assistance; aid; supplementation [+assist]
補償 (ホショウ) 〈Nv〉 compensation, indemnity [+compensate]
補正予算 (ホセイヨサン) 〈N〉 supplementary budget [+correct+budget]

517 **江** え; コウ 〈PN〉 ゴウ

、 氵 氵 汀 江 江
江 江 江 江 江

creek
▶入(り)江 (いりえ) 〈N〉 inlet [go in+]
〈Place〉
江戸 (えど) Edo 《Jap. hist.》 松江 (まつえ) Matsue City

518 **低** ひく-; テイ ⇨[1347]抵

亻 亻 亻 亻 低 低
低 低 低 低 低

low
低… (テイ…) low…
▷低気圧 (～キアツ) 〈N〉 barometric depression [+air pressure]
低姿勢 (～シセイ) 〈N〉 low posture [+posture]
低賃金 (～チンギン) 〈N〉 low wages [+wage]
低い (ひくい) 〈A〉 low
低音 (テイオン) 〈N〉 low-pitched sound, low voice [+sound]
低温 (テイオン) 〈N〉 low temperature [+temperature]
低下 (テイカ) 〈Nv〉 fall, declension, lowering [+down]
低調 (テイチョウ) 〈Na〉 low-toned, inactive [+tone]

519 **管** くだ; カン

⺮ 𥫗 竺 竺 管 管
管 管 管 管 管

pipe
管 (くだ/カン) 〈N〉 pipe
…管 (…カン) 〈N〉 …pipe, …tube
▷ガス管 gas pipe [(gas)+]
真空管 (シンクウ～) vacuum tube [vacuum+]
水道管 (スイドウ～) water pipe [water supply+]
管弦楽 (カンゲンガク) 〈N〉 orchestral music [+string+music]

control, administer
管区 (カンク) 〈N〉 district, jurisdiction [+ward]
管制 (カンセイ) 〈Nv〉 control [+control]
管内 (カンナイ) 〈N〉 within the jurisdiction [+inside]
管理 (カンリ) 〈Nv〉 administration, management [+manage]

520 良	よ-; ラ; リョウ ⟨PN⟩ よし	丶 ㇉ ヨ 㫐 良 良 良 良 良 良 良

good | 良い (よい) ⟨A⟩ good, fine, right
良家 (リョウケ) ⟨N⟩ good family [+home]
良識 (リョウシキ) ⟨N⟩ good sense [+recognition]
良心 (リョウシン) ⟨N⟩ conscience [+heart]

Ph | ▶野良 (のラ) ⟨N⟩ field, outdoor [field+]
⟨Place⟩ | ▶奈良 (ナラ) Nara Pref./City

521 毛	け, -げ; モウ ⇒[42]手	一 二 三 毛 毛 毛 毛 毛 毛

hair, fur, wool | 毛 (け) ⟨N⟩ hair; fur; wool
毛糸 (けいと) ⟨N⟩ woolen yarn, knitting wool [+thread]
毛皮 (けがわ) ⟨N⟩ fur, fell [+skin]
毛筆 (モウヒツ) ⟨N⟩ writing brush [+pen]
毛布 (モウフ) ⟨N⟩ blanket [+cloth]

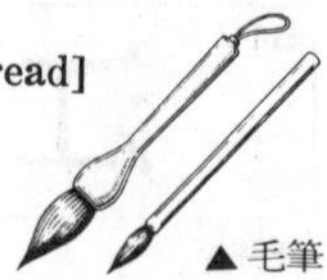
▲毛筆

522 額	ひたい, -びたい; ガク ⟨PN⟩ ぬか	宀 安 客 客 額 額 額 額 額 額 額

forehead | 額 (ひたい) ⟨N⟩ forehead
frame | 額 (ガク) ⟨N⟩ framework
額縁 (ガクぶち) ⟨N⟩ (picture) frame [+hem]
額面 (ガクメン) ⟨N⟩ framed picture; face/par value [+face]

amount | 額 (ガク) ⟨N⟩ amount, sum
…額 (…ガク) ⟨N⟩ …amount, total…
▷援助額 (エンジョ～) amount of financial help [assistance+]

523 失	うしな-; シツ, シッ- ⇒[1092]矢	ノ ㇒ 二 牛 失 失 失 失 失 失

lose | 失う (うしなう) ⟨V⟩ lose
失業 (シツギョウ) ⟨Nv⟩ unemployment [+job]
失望 (シツボウ) ⟨Nv⟩ disappointment [+wish]
失礼 (シツレイ) ⟨Nv/Na⟩ (be) impolite; ⟨Nv⟩ saying good-by; ⟨Cph⟩ Excuse me. [+bow]
失恋 (シツレン) ⟨Nv⟩ broken heart; (be) lovelorn [+love]
失脚 (シッキャク) ⟨Nv⟩ loss of position, one's downfall [+footing]
失敬 (シッケイ) ⟨Nv/Na⟩ (be) rude, (be) impolite; ⟨Nv⟩ saying good-by [+respect]
失策 (シッサク) ⟨Nv⟩ misstep, blunder [+plot]
失神 (シッシン) ⟨Nv⟩ swoon, faint [+soul]
失墜 (シッツイ) ⟨Nv⟩ loss, forfeit [+fall]
失敗 (シッパイ) ⟨Nv⟩ failure [+be spoiled]

blurt | 失言 (シツゲン) ⟨Nv⟩ (make) slip of the tongue [+say]
失笑 (シッショウ) ⟨Nv⟩ breaking into laughter derisively [+laugh]

524 **導**

みちび-;
ドウ

丷 芇 首 道 導 導
導 導 導 導 導

lead
導く (みちびく) 〈V〉 guide, lead
導入 (ドウニュウ) 〈Nv〉 introduction, bringing in [+put in]

525 **達**

-タチ, -ダチ; **タツ**, -ダツ, タッ-

⇒[884]遅

十 土 圭 坴 幸 達
達 達 達 達 達

attain, reach
達する (タッする) 〈V〉 reach, attain
達者 (タッシャ) 〈Na〉 adept, proficient; healthy [+person]
達成 (タッセイ) 〈Nv〉 achievement, attainment [+form]
▶上達 (ジョウタツ) 〈Nv〉 improvement, proficiency [excellent+]
伝達 (デンタツ) 〈Nv〉 information, transmission [transmit+]
配達 (ハイタツ) 〈Nv〉 delivery 《of goods, mails, etc.》 [deliver+]

Suf **plurality**
…達 (…タチ) 〈N〉 …-s
▷子供達 (こども〜) children [child+]

Ph
▶友達 (ともダチ) 〈N〉 pal [friend+]

526 **専**

もっぱ-;
セン

一 冂 日 由 亩 専
専 専 専 専 専

exclusive
専ら (もっぱら) 〈S〉 exclusively, principally
専攻 (センコウ) 〈Nv〉 exclusive study, major in [+attack]
専念 (センネン) 〈Nv〉 being intent on, devotion [+sense]
専売 (センバイ) 〈N〉 monopoly [+sell]
専務 (センム) 〈N〉 executive; executive director [+duty]
専門 (センモン) 〈N〉 one's specialty [+genus]
専用 (センヨウ) 〈N〉 exclusive use [+use]

527 **顔**

かお, -がお;
ガン

亠 产 彦 顔 顔 顔
顔 顔 顔 顔 顔

face
顔 (かお) 〈N〉 face
…顔 (…かお/がお) 〈N〉 …expression, looking like…
▷したり顔 (したりがお) complacent look [(complacently)+]
赤ら顔 (あからがお) ruddy face [red+]
知らん顔 (しらんかお) pretend innocence [don't know+]
泣き顔 (なきがお) tearful expression [weep+]
人待ち顔 (ひとまちがお) seemingly waiting for somebody [man+wait+]
丸顔 (まるがお) round face [round+]
顔なじみ (かおなじみ) 〈N〉 nodding acquaintance [+(acquainted)]
顔ぶれ (かおぶれ) 〈N〉 lineup, cast [+(announce)]
顔合(わ)せ (かおあわせ) 〈N〉 meeting, introduction [+meet]
顔色 (かおいろ/ガンショク) 〈N〉 complexion; look [+color]
顔面 (ガンメン) 〈N〉 face [+surface]

528 **末**

すえ，-ずえ；
マツ，マッ-；バッ-

⇒[801]末

一 二 キ オ 末

末 末 末 末 末

end
末 (すえ) 〈N/T〉 end; future
…末 (…すえ/マツ) 〈T〉 end of…
▷一月末 (イチガツすえ/マツ) end of January [January+]
年度末 (ネンドマツ) end of the fiscal year [fiscal year+]
末っ子 (すえっこ) 〈N〉 youngest child in a family [+child]
末弟 (バッテイ/マッテイ) 〈N〉 youngest brother [+younger brother]
末期 (マッキ; マツゴ) 〈T〉 closing days; one's last moments [+period]

dust
▶粗末 (ソマツ) 〈Na〉 coarse, crude, plain [coarse+]
粉末 (フンマツ) 〈N〉 powder, dust [powder+]

529 **越**

こ-，-ご-，こえ-；
エツ，エッ-

〈PN〉 こし，-ごし，エチ-

土 走 起 赵 越 越

越 越 越 越 越

surmount, go beyond
越える (こえる) 〈V〉 go across, pass, exceed
越す (こす) 〈V〉 go over, pass, surpass
越境 (エッキョウ) 〈Nv〉 border transgression [+boundary]

〈Place〉
越後 (エチゴ) Echigo (=Niigata) 越中 (エッチュウ) Etchu (=Toyama)

530 **程**

ほど；
テイ

二 千 禾 和 积 程

程 程 程 程 程

span, extend
…程 (…ほど) 〈Q〉 to the extent of…; as…as
▷百万円程 (ヒャクマンエン～) as much as 1,000,000 yen [1,000,000 yen+]
三日程 (みっか～) about three days [three days+]
程々 (ほどほど) 〈N〉 moderate [+*Rep*]
程度 (テイド) 〈N〉 degree, extent [+degree]

531 **課**

カ

言 言 訁 訂 評 課

課 課 課 課 課

impose, assign
課す(る) (カす(る)) 〈V〉 allot, assign, impose
課税 (カゼイ) 〈Nv〉 taxation [+tax]
課題 (カダイ) 〈N〉 subject; question, assignment [+theme]
課程 (カテイ) 〈N〉 course [+span]

section
…課 (…カ) 〈N〉 …section
▷人事課 (ジンジ～) personnel department [personnel matters+]
課長 (カチョウ) 〈N〉 section chief [+chief]

532 **森**

もり；
シン

一 十 オ 木 森 森

森 森 森 森 森

forest
森 (もり) 〈N〉 forest《usually larger than [420]林》
森林 (シンリン) 〈N〉 forest and woods [+woods]

533 **減**	へ-, -べ-, へら-, -べら-; ゲン ⇒1387滅	氵 氵 汇 沪 减 減 / 減 減 減 減 減

decrease
…減 (…ゲン) 〈N〉 decrease of…, …less
▷15%減 (ジュウゴパーセント～) 15% less [15%+]
収入減 (シュウニュウ～) decrease of income [income+]
減らす (へらす) 〈V〉 reduce, cut down
減る (へる) 〈V〉 diminish, decrease, lessen
減産 (ゲンサン) 〈Nv〉 reduction《in production》, production curtailment [[+produce]]
減少 (ゲンショウ) 〈Nv〉 decrease, diminution [+little, few]
減税 (ゲンゼイ) 〈Nv〉 tax cut [+tax]
減退 (ゲンタイ) 〈Nv〉 declension, recession, loss [+retreat]

534 **服**	フク, -プク 〈PN〉 はっとり (服部)	刀 月 月 肜 那 服 / 服 服 服 服 服

clothes, dress
服 (フク) 〈N〉 costume, clothes, dress
…服 (…フク) 〈N〉 …wear, …clothes
▷宇宙服 (ウチュウ～) space suit [outer space+]
学生服 (ガクセイ～) student uniform [student+]
紳士服 (シンシ～) men's suit [gentleman+]
服地 (フクジ) 〈N〉 cloth, fabrics [+base]
服飾 (フクショク) 〈N〉 clothing and accessories, outfit [+decorate]
服装 (フクソウ) 〈N〉 dress, costume [+ornament]

▶学生服

dose
服用 (フクヨウ) 〈Nv〉 taking《medicine》 [+use]
▶一服 (イップク) 〈Nv〉 a doze; a puff; (take) a rest, a break [one+]

obey
服する (フクする) 〈V〉 submit to, obey, serve
服役 (フクエキ) 〈Nv〉 penal servitude; military service [+duty]
服従 (フクジュウ) 〈Nv〉 (give) obedience [+follow]

535 **根**	ね; コン ⇒1957恨	十 木 杞 相 根 根 / 根 根 根 根 根

root
根 (ね; コン) 〈N〉 root; root《mathematics》
根強い (ねづよい) 〈A〉 deep-rooted [+strong]
根回し (ねまわし) 〈Nv〉 preparing the roots of a tree prior to transplanting; *nemawashi*, prearrangement, touching bases [+round]
根気 (コンキ) 〈N〉 patience, perseverance [+spirit]
根拠 (コンキョ) 〈N〉 basis, ground [+base]
根源 (コンゲン) 〈N〉 root, origin [+source]
根性 (コンジョウ) 〈N〉 disposition, mind [+character]
根底 (コンテイ) 〈N〉 foundation, root, substratum [+bottom]
根本 (コンポン) 〈N〉 root, ground [+base]
▶大根 (ダイコン) 〈N〉 Japanese big/white/fusiform radish [big+]

▼大根
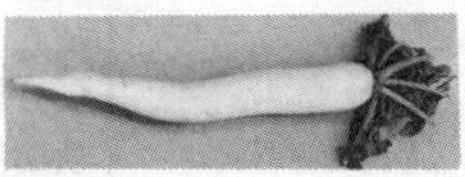

Ph
▶屋根 (やね) 〈N〉 roof [roof+]

536 彼

か-, かの-, **かれ**;
ヒ

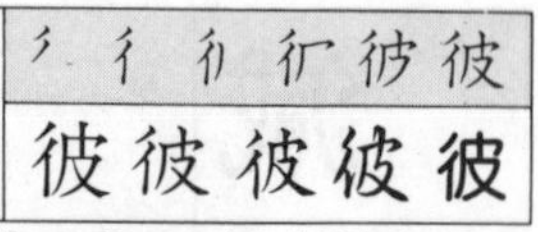

thither
he

- 彼岸（ヒガン）〈N〉 equinoctial week; the other shore《Buddhist》 [+shore]
- 彼（かれ）〈N〉 he; one's boyfriend
- 彼女（かのジョ）〈N〉 she; one's girl friend [+woman]
- 彼氏（かれシ）〈N〉 he; one's boyfriend [+clan]

537 監

カン

⇨1197覧

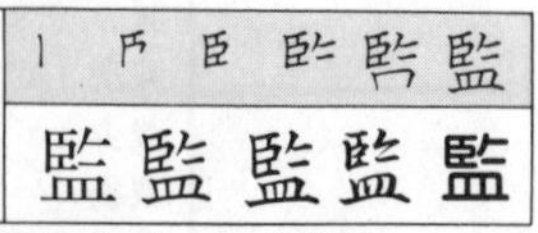

supervise

- 監禁（カンキン）〈Nv〉 confinement, imprisonment [+prohibit]
- 監査（カンサ）〈Nv〉 inspection, audit [+inspect]
- 監視（カンシ）〈Nv〉 monitor, supervision [+observe]
- 監修（カンシュウ）〈Nv〉 (editorial) supervision [+amend]
- 監督（カントク）〈Nv〉 superintendence; director [+discipline]

538 訪

おとず-; **たず**-;
ホウ, -ボウ

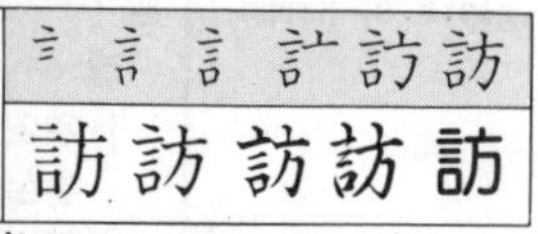

visit

- 訪れる（おとずれる）〈V〉 pay a visit to, visit
- 訪ねる（たずねる）〈V〉 call, come to see, visit
- 訪日（ホウニチ）〈Nv〉 visit to Japan [+Japan]
- 訪米（ホウベイ）〈Nv〉 visit to the United States [+America]
- 訪問（ホウモン）〈Nv〉 (pay) visit [+inquire]
- 訪問着（ホウモンぎ）〈N〉 semiformal *kimono*《for ladies》 [+inquire +wear]

539 富

と-, **とみ**;
フ, -プ; フウ, フッ-

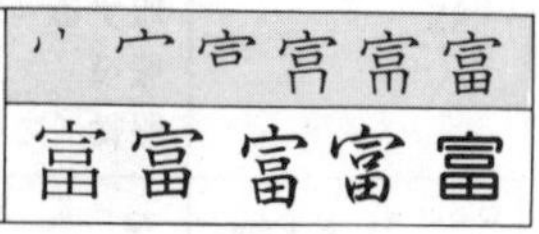

wealth

- 富（とみ）〈N〉 wealth
- 富む（とむ）〈V〉 be wealthy
- 富強（フキョウ）〈N〉 wealthy and powerful [+strong]
- 富豪（フゴウ）〈N〉 billionaire, plutocrat [+stout]
- 富貴（フウキ/フッキ）〈N/Na〉 wealth and honor [+noble]

〈Place〉 富山（とやま） Toyama Pref./City 富士山（フジサン） Mt. Fuji

540 秋

あき;
シュウ, -ジュウ

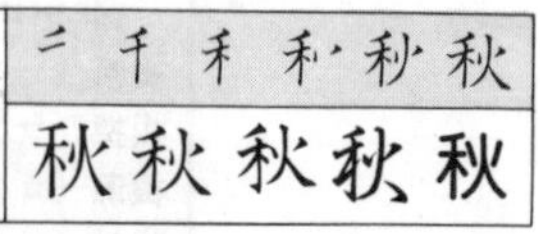

autumn

- 秋（あき）〈T〉 fall, autumn
- 秋口（あきぐち）〈N〉 beginning of autumn [+mouth]
- 秋空（あきぞら）〈N〉 autumn sky [+sky]
- 秋季（シュウキ）〈N〉 autumn《literary》 [+season]
- 秋分（シュウブン）〈N〉 autumnal equinox [+division]

〈Place〉 秋田（あきた） Akita Pref./City

541 **薬**

くすり, -ぐすり;
ヤク, ヤッ-

⇨232楽

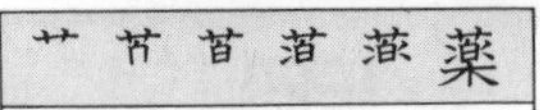

薬薬薬薬薬

medicine, drug

薬 (くすり) 〈N〉 medicine
…薬 (…ぐすり/ヤク) 〈N〉 medicine/drug for…
　▷風邪薬 (かぜぐすり) cold medicine [cold+]
　　睡眠薬 (スイミンヤク) sleeping pill [sleep+]
　　目薬 (めぐすり) eye lotion [eye+]
薬剤師 (ヤクザイシ) 〈N〉 pharmacist [+pill+master]
薬品 (ヤクヒン) 〈N〉 medical supplies, drugs [+goods]
薬味 (ヤクミ) 〈N〉 spice, condiment [+taste]
薬用 (ヤクヨウ) 〈N〉 medicinal use [+use]
薬局 (ヤッキョク) 〈N〉 pharmacy, dispensary [+bureau]

542 **州**

す;
シュウ

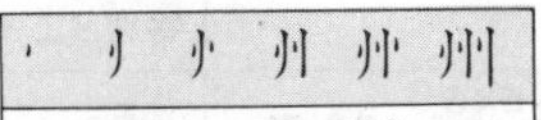

州州州州州

sandbank

▶中州 (なかす) 〈N〉 sandbar in the middle of a river [middle+]
　砂州 (サす) 〈N〉 sandbar, sandspit [sand+]

continent

▶欧州 (オウシュウ) 〈N〉 Europe [Europe+]
　豪州 (ゴウシュウ) 〈N〉 Australia [Australia+]

state

州 (シュウ) 〈N〉 state
…州 (…シュウ) 〈N〉 State/Province of…
　▷カリフォルニア州 State of California [(California)+]
　　ケベック州 Province of Quebec [(Quebec)+]
州兵 (シュウヘイ) 〈N〉 National Guard, state military [+soldier]
州立 (シュウリツ) 〈N〉 established by the state [+establish]

543 **友**

とも;
ユウ

⇨183反

友友友友友

friend

友 (とも) 〈N〉 friend, mate, companion
友達 (ともダチ) 〈N〉 pal [+*Ph*]
友好 (ユウコウ) 〈N〉 amity, friendship [+favorable]
友情 (ユウジョウ) 〈N〉 friendliness, friendship [+emotion]
友人 (ユウジン) 〈N〉 friend《literary》 [+person]

544 **量**

はか-;
リョウ

⇨155重

量量量量量

measure

量る (はかる) 〈V〉 measure

quantity

量 (リョウ) 〈N〉 quantity
…量 (…リョウ) 〈N〉 amount of…
　▷消費量 (ショウヒ～) amount of consumption [consumption+]
　　漁獲量 (ギョカク～) haul, catch《of fish》 [fishery+]
量産 (リョウサン) 〈Nv〉 mass production [+produce]

545 寄	よ-, より; キ	寄寄寄寄寄

draw to/on
寄せる（よせる）〈V〉 put aside/near; send《letters, etc.》; put (oneself) under the protection; surge near
…寄り（…より）〈N〉 rather…; siding with…
▷アメリカ寄り pro-American [(America)+]
左寄り（ひだり～）leftish; left-wing [left+]
寄る（よる）〈V〉 draw aside/near (*vi.*); drop in
寄港（キコウ）〈Nv〉 stop at a port [+port]
寄付（キフ）〈Nv〉 donation, contribution [+attach]
寄与（キヨ）〈Nv〉 contribution, rendering of services [+give]

gather
寄る（よる）〈V〉 gather (*vi.*)
寄席（よせ）〈N〉 variety hall, vaudeville theater [+seat] ➔SN

546 殺	ころ-, -ごろ-; サイ; **サツ**, サッ-; セツ, セッ-	殺殺殺殺殺

kill
殺す（ころす）〈V〉 slay, kill, murder
…殺し（…ごろし）〈N〉 …murder; …murderer
▷人殺し（ひと～）murder; murderer [man+]
皆殺し（みな～）massacre [all+]
殺害（サツガイ）〈Nv〉 murder, kill [+hurt]
殺人（サツジン）〈N〉 homicide [+person]
殺菌（サッキン）〈Nv〉 sterilization, pasteurization [+germ]
殺生（セッショウ）〈Nv〉 wanton slaughter; 〈Na〉 cruel [+life]
▶相殺（ソウサイ/ソウサツ）〈Nv〉 offsetting each other [mutual+]

deadly
殺到（サットウ）〈Nv〉 stampede, coming with a rush [+reach]
▶忙殺される（ボウサツされる）〈V〉 be deadly busy [busy+]

547 準	ジュン	準準準準準

semi-
準…（ジュン…）sub-…, semi-…, quasi-…
▷準決勝（～ケッショウ）〈N〉 semifinal [+final round]
準じる（ジュンじる）〈V〉 correspond to; be treated correspondingly

level
準備（ジュンビ）〈Nv〉 preparation [+provide]
▶基準（キジュン）〈N〉 standard; criterion [base+]

548 池	いけ; チ ⇨ 40地, 355他	池池池池池

pond, pool
池（いけ）〈N〉 pond
…池（…いけ/チ）〈N〉 …pond, …pool
▷溜(め)池（ためいけ）reservoir, irrigation pond [reserve+]
貯水池（チョスイチ）reservoir [reserve+water+]

549 **昭**	ショウ 〈PN〉あき，あきら	冂 日 日フ 日刀 昭 昭 昭 昭 昭 昭 昭

bright† | 昭和（ショウワ）〈N〉Showa era (1926-) [+peace]

550 **歳**	サイ，-ザイ；セイ 〈Ir〉：〈PN〉-とせ	ト 止 产 产 歳 歳 歳 歳 歳 歳 歳

year | 歳末（サイマツ）〈N〉end of the year [+end]
歳暮（セイボ）〈N〉year-end; year-end gift [+towards the end]
▶万歳（バンザイ）〈N/Cph〉May…live long!, Viva…! [ten thousand+]

***Cs* age** | …歳（…サイ）〈Q〉…years old《as in…years old》→[639]…才
▷一歳（イッ～），二歳（ニ～），三歳（サン～）
〈Ir〉 二十歳（はたち/ニジッサイ/ニジュッサイ）twenty years old [twenty+]

551 **花**	はな，-ばな； カ	一 艹 ナ 艹 花 花 花 花 花 花 花

flower, blossom | 花（はな）〈N〉flower; blossom
花形（はながた）〈N〉star, flower [+shape]
花束（はなたば）〈N〉bunch of flowers [+bundle]
花火（はなび）〈N〉fireworks [+fire]
花道（はなみち）〈N〉*hanamichi*, runway stage along which characters enter or leave the main stage in *kabuki*, etc.; spectacular exit [+way]

▲花道

花嫁（はなよめ）〈N〉bride [+young wife]
花器（カキ）〈N〉flower vase/bowl [+container]
花壇（カダン）〈N〉flower bed [+platform]

552 **深**	ふか-，-ぶか-； シン 〈PN〉み ⇒[1239]探	氵 氵 汀 沪 浮 深 深 深 深 深 深

deep, profound | 深い（ふかい）〈A〉deep
…深い（…ぶかい）〈A〉deep in…, deeply…, very…
▷疑い深い（うたがい～）doubtful [doubt+]
奥深い（おく～）profound [deep inside+]
興味深い（キョウミ～）very interesting [interest+]
毛深い（け～）hairy [hair+]
慎み深い（つつしみ～）prudent, cautious [prudence+]
罪深い（つみ～）sinful [sin+]
情け深い（なさけ～）merciful [mercy+]
深さ（ふかさ）〈N〉depth
深まる（ふかまる）〈V〉deepen, advance
深刻（シンコク）〈Na〉serious, grave [+engrave]
深夜（シンヤ）〈V〉midnight, late at night [+night]

553 率

ひき-;
ソツ, ソッ-; リツ

⇨[738]卒

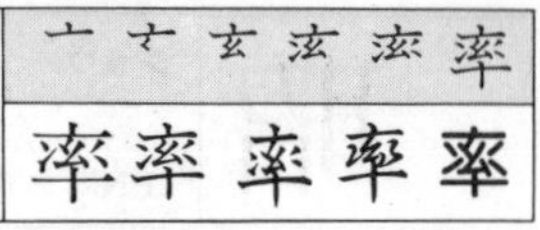

lead | 率いる (ひきいる) 〈V〉 lead
率先 (ソッセン) 〈Nv〉 leading, pioneering [+foregoing]
not showy | 率直 (ソッチョク) 〈Na〉 frank [+direct]
ratio | 率 (リツ) 〈N〉 ratio, rate
…率 (…リツ) 〈N〉 …rate
▷競争率 (キョウソウ～) ratio of applicants to positions [competition+]

554 母

はは;
ボ
〈Ir〉: 〈PN〉 モ

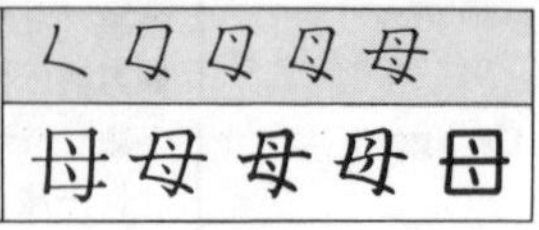

mother | 母 (はは) 〈N〉 mother
母親 (ははおや) 〈N〉 mother [+parent]
母校 (ボコウ) 〈N〉 alma mater [+school]
母国 (ボコク) 〈N〉 one's motherland [+country]
母体 (ボタイ) 〈N〉 mother's body [+body]
〈Ir〉 お母さん (おかあさん) 〈N〉 mom, mother [(*Pref honorific*)+]
〈Ir〉 母屋/家 (おもや) 〈N〉 main building of one's house [+house]
〈Ir〉 ▶乳母 (うば) 〈N〉 wet nurse; nursemaid [milk+]
〈Ir〉 伯母 (おば) 〈N〉 aunt older than one's parent [eldest+]
〈Ir〉 叔母 (おば) 〈N〉 aunt younger than one's parent [second youngest +]

555 医

イ

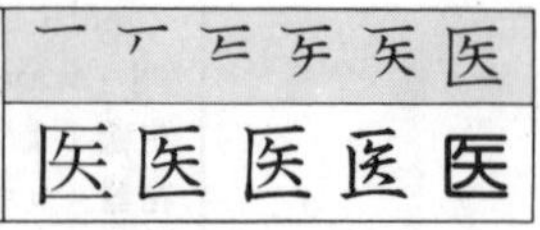

medical, doctor | …医 (…イ) 〈N〉 …doctor, …physician
▷開業医 (カイギョウ～) medical practitioner [opening of practice+]
歯科医 (シカ～) dentist [dentistry+]
医院 (イイン) 〈N〉 doctor's office, hospital [+house]
医師 (イシ) 〈N〉 medical doctor《formal》 [+master]
医者 (イシャ) 〈N〉 medical doctor [+person]
医大 (イダイ) 〈N〉 medical college [+university]
医薬 (イヤク) 〈N〉 medical care; medical arts (and drugs) [+drug]
医療 (イリョウ) 〈N〉 medical treatment [+remedy]

556 児

ジ; ニ
〈PN〉 こ, -ご

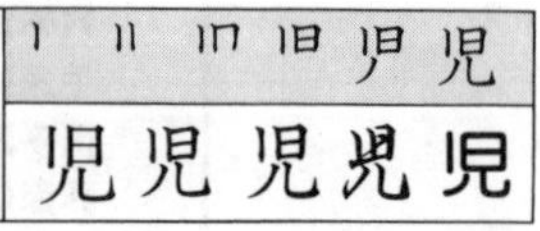

child | …児 (…ジ) 〈N〉 …child
▷三歳児 (サンサイ～) three-year-old child [three years old+]
肥満児 (ヒマン～) overweight child [corpulence+]
児童 (ジドウ) 〈N〉 schoolchildren [+infant]
▶小児科 (ショウニカ) 〈N〉 pediatrics [small+～+division]

557 **比**

くら-;
ヒ, -ピ-
〈PN〉 -ビ-

⇨103北

比比比比比

compare

…比 (…ヒ) 〈N〉 …comparison, …rate
▷前月比 (ゼンゲツ~) comparison with last month [last month+]
男女比 (ダンジョ~) male-female percentage [man and woman+]
比べる (くらべる) 〈V〉 compare
比較 (ヒカク) 〈Nv〉 comparison [+contrast]
比重 (ヒジュウ) 〈N〉 specific gravity; priority [+grave]
比率 (ヒリツ) 〈N〉 ratio, percentage [+ratio]
比例 (ヒレイ) 〈Nv〉 proportion [+example]

558 **授**

さず-;
ジュ

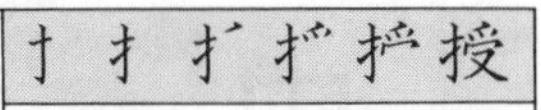

授授授授授

bestow

授かる (さずかる) 〈V〉 be gifted with, be awarded
授ける (さずける) 〈V〉 grant, initiate
授業 (ジュギョウ) 〈Nv〉 (school) lessons, (give) classes [+work]
授与 (ジュヨ) 〈Nv〉 grant [+give]
▶教授 (キョウジュ) 〈Nv〉 instruction, teaching; 〈N〉 professor [teach+]

559 **般**

ハン, -パン

⇨313船

般般般般般

sort

▶一般 (イッパン) 〈N〉 general, common, average [one+]
先般 (センパン) 〈T〉 some time ago [previous+]
全般 (ゼンパン) 〈N〉 all over [whole+]
万般 (バンパン) 〈N〉 all things, all kinds of matters [all+]

560 **庭**

にわ;
テイ
〈PN〉 -ば

庭庭庭庭庭

garden, court

庭 (にわ) 〈N〉 garden, yard
庭先 (にわさき) 〈N〉 house-side part of a garden [+tip]
庭園 (テイエン) 〈N〉 garden, park [+garden]
庭球 (テイキュウ) 〈N〉 tennis [+ball]
▶家庭 (カテイ) 〈N〉 home [house+]
石庭 (セキテイ/いしにわ) 〈N〉 rock garden 《Jap. style》 [stone+]

561 **将**

ショウ, -ジョウ
〈PN〉 まさ

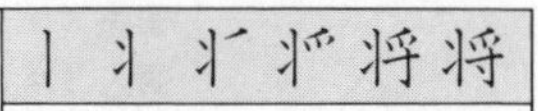

将将将将将

general

将棋 (ショウギ) 〈N〉 *shogi*, Japanese chess [+*shogi* game]
将軍 (ショウグン) 〈N〉 general; *shogun* [+army]
将校 (ショウコウ) 〈N〉 military officer [+officer]

be about to

将来 (ショウライ) 〈T〉 future [+come]

562 **敗**

やぶ-;
ハイ, -パイ

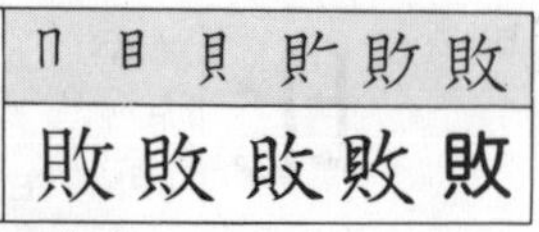

be defeated, lose

…勝…敗 (…ショウ…ハイ/パイ) 〈N〉 …won, …lost
▷一勝三敗 (イッ～サンパイ) one win and three defeats [one win+three+]
敗れる (やぶれる) 〈V〉 be defeated, be beaten
敗戦 (ハイセン) 〈Nv〉 lost battle; lost game [+battle; match]
敗退 (ハイタイ) 〈Nv〉 retreat, being defeated [+retreat]
敗北 (ハイボク) 〈Nv〉 (meet) defeat [+rout]

be spoiled

▶失敗 (シッパイ) 〈Nv〉 failure [lose+]
腐敗 (フハイ) 〈Nv〉 rottenness, decay, being spoiled [rotten+]

563 **史**

シ

〈PN〉 ふみ ⇒[468]央, [1911]吏

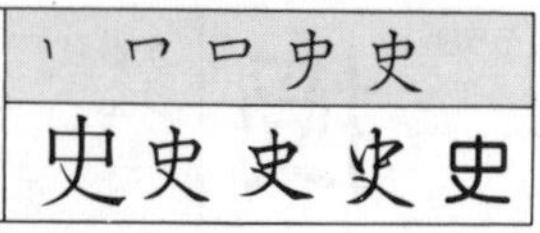

history

…史 (…シ) 〈N〉 …history, history of…
▷古代史 (コダイ～) ancient history [ancient+]
世界史 (セカイ～) world history [world+]
文学史 (ブンガク～) history of literature [literature+]
史実 (シジツ) 〈N〉 historical fact [+real]
史上 (シジョウ) 〈S〉 (in) history [+up]
史跡 (シセキ) 〈N〉 historic site [+trace]

scribe

女史 (ジョシ) 〈N〉 Ms.; ranking female [woman+]

564 **守**

まも-, まもり; も-, もり;
シュ, -ジュ; -ス
〈PN〉 -かみ, まもる

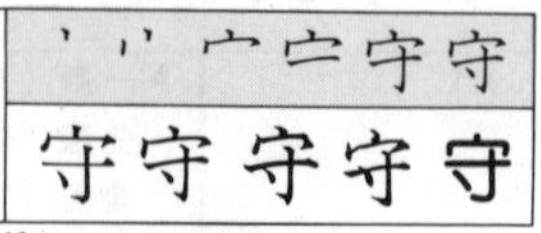

maintain, protect

お守(り) (おまもり) 〈N〉 charm 《against evils》 [(*Pref honorific*)+]
守る (まもる) 〈V〉 protect, keep
守衛 (シュエイ) 〈N〉 caretaker [+guard]
守備 (シュビ) 〈Nv〉 defense, guard, fielding [+provide]
▶子守 (こもり) 〈N〉 baby-sitting; baby-sitter [child+]
留守 (ルス) 〈Nv〉 absence, being out [stay+]

565 **個**

コ

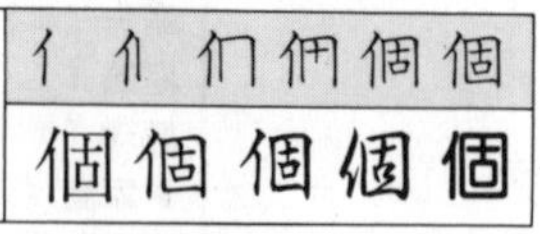

individual

個々 (ココ) 〈N〉 individuals [+*Rep*]
個室 (コシツ) 〈N〉 private room; single room [+room]
個人 (コジン) 〈N〉 individual [+person]
個性 (コセイ) 〈N〉 personality [+character]
個展 (コテン) 〈N〉 one-man exhibition [+exhibition]
個別 (コベツ) 〈N〉 individual case [+separately classified]

***Cs* articles**

…個 (…コ) 〈Q〉 …items, …articles
▷一個 (イッ～), 二個 (ニ～), 三個 (サン～)
★個 as a counter suffix is sometimes replaced by ヶ. →[1943]箇

566 旅	たび; リョ ⇨599族	亠 方 方 方 旅 旅 旅 旅 旅 旅 旅

travel
- 旅 (たび) 〈Nv〉 trip, travel, journey, voyage
- 旅先 (たびさき) 〈N〉 one's destination; where traveling to [+point]
- 旅人 (たびびと) 〈N〉 wayfarer, traveler [+person]
- 旅客 (リョカク/リョキャク) 〈N〉 passenger [+customer]
- 旅館 (リョカン) 〈N〉 hotel ⟪in Jap. style⟫, inn [+mansion]
- 旅券 (リョケン) 〈N〉 passport [+card]
- 旅行 (リョコウ) 〈Nv〉 travel, journey, voyage, tour [+go]
- 旅費 (リョヒ) 〈N〉 traveling expenses [+expense]

567 丸	まる; ガン ⇨58九	ノ 九 丸 丸 丸 丸 丸 丸

round, globe
- 丸 (まる) 〈N〉 globe; circle
- 丸い (まるい) 〈A〉 round, globular, spherical →2円い
- 丸み (まるみ) 〈N〉 roundness, globularity
- 丸める (まるめる) 〈V〉 make round, ball

***Suf* ship name**
- …丸 (…まる) 〈N〉 the (S.S.)…
  - ▷日本丸 (ニッポン〜) the *Nippon-maru* [Japan+]

entire
- 丸裸 (まるはだか) 〈N〉 nude, stark-naked [+naked]
- 丸焼き (まるやき) 〈N〉 barbecue, roasted whole [+burn]

568 健	すこ-; ケン 〈PN〉 たけし ⇨244建	亻 仁 佳 律 健 健 健 健 健 健 健

healthy, sound
- 健やか (すこやか) 〈Na〉 healthy
- 健康 (ケンコウ) 〈N/Na〉 health [+calm]
- 健全 (ケンゼン) 〈Na〉 sound [+whole]
- 健闘 (ケントウ) 〈Nv〉 good fight [+fight]

569 財	サイ; **ザイ**	冂 目 貝 貝 財 財 財 財 財 財 財

treasure, property
- …財 (…ザイ) 〈N〉 …treasure
  - ▷消費財 (ショウヒ〜) consumer goods [consumption+]
  - 耐久財 (タイキュウ〜) durable property [endure+long time+]
  - 文化財 (ブンカ〜) cultural assets [culture+]
- 財布 (サイフ) 〈N〉 purse, wallet [+cloth]

finance
- 財界 (ザイカイ) 〈N〉 financial world [+world]
- 財源 (ザイゲン) 〈N〉 financial resources, source of revenue [+source]
- 財産 (ザイサン) 〈N〉 estate, property [+property]
- 財政 (ザイセイ) 〈N〉 finances [+administration]
- 財団 (ザイダン) 〈N〉 foundation, endowment [+group]
- 財閥 (ザイバツ) 〈N〉 *zaibatsu*, financial clique [+clique]

570 **衆**

シュ；**シュウ**

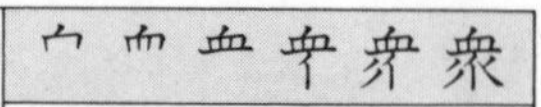

衆衆衆衆衆

crowd

衆生（シュジョウ）〈N〉 living things, creature《Buddhism》 [+life]
衆議院（シュウギイン）〈N〉 House of Representatives [+debate+house]
▶大衆（タイシュウ）〈N〉 the masses《of people》 [big+]

571 **客**

カク；**キャク**，キャッ-

⇨[422]容

客客客客客

guest, customer, visitor

客（キャク）〈N〉 guest, visitor, customer
…客（…キャク）〈N〉 …guest, …customer, …visitor
▷観光客（カンコウ～） sightseer, tourist [sightseeing+]
客席（キャクセキ）〈N〉 seat《for passengers and other customers》 [+seat]
客間（キャクま）〈N〉 drawing room; guest room [+room]

objective

客観的（キャッカンテキ）〈Na〉 objective [+view+*Suf Na*]

master

▶刺客（シカク/シキャク）〈N〉 assassin [thrust+]

572 **登**

のぼ-；
ト；**トウ**

〈PN〉 のぼる

登登登登登

climb

登り（のぼり）〈N〉 ascent
登る（のぼる）〈V〉 ascend, climb
登校（トウコウ）〈Nv〉 going to school [+school]
登場（トウジョウ）〈Nv〉 appearing (on the stage) [+scene]
登山（トザン）〈Nv〉 mountaineering [+mountain]

register

登記（トウキ）〈Nv〉 registration [+describe]
登録（トウロク）〈Nv〉 entry, register [+record]

573 **針**

はり，-ばり；
シン

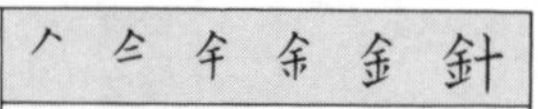

針針針針針

needle

針（はり）〈N〉 needle
針金（はりがね）〈N〉 iron wire [+metal]
針路（シンロ）〈N〉 course [+route]
▶方針（ホウシン）〈N〉 line, policy [direction+]

574 **突**

つ-，**-づ-**，つき，つっ-；
トツ，トッ-

⇨[427]究

突突突突突

poke, thrust

突く（つく）〈V〉 thrust, stab, poke
突(っ)込む（つっこむ）〈V〉 plunge into [+into]
突入（トツニュウ）〈Nv〉 inrush, dashing into [+go into]
突破（トッパ）〈Nv〉 breakthrough, breakout [+break]

sudden

突如（トツジョ）〈S〉 abrupt, unexpected [+state]
突然（トツゼン）〈S〉 sudden, unexpected [+*Suf* state]

575 象	ショウ; ゾウ	象象象象象

elephant
象 (ゾウ) 〈N〉 elephant

image, symbol
象徴 (ショウチョウ) 〈Nv〉 image, symbol [+sign]
象徴的 (ショウチョウテキ) 〈Na〉 symbolic; typical [+sign+*Suf Na*]
▶印象 (インショウ) 〈N〉 impression [stamp+]
現象 (ゲンショウ) 〈N〉 phenomenon [appearance+]
対象 (タイショウ) 〈N〉 object, subject [opposing+]
抽象 (チュウショウ) 〈N〉 abstract [extract+]

576 接	つ-; セツ, セッ-	接接接接接

attach, connect
接する (セッする) 〈V〉 touch, adjoin, attend to
接近 (セッキン) 〈Nv〉 approach, access, close [+near]
接触 (セッショク) 〈Nv〉 touch, contact [+touch]
▶間接 (カンセツ) 〈S〉 indirect [interval+]
直接 (チョクセツ) 〈S〉 direct [direct+]

577 核	カク	核核核核核

core, nucleus
核 (カク) 〈N〉 core, nucleus
核… (カク…) nuclear…
▷核家族 (～カゾク) 〈N〉 nucleus family [+family]
核兵器 (～ヘイキ) 〈N〉 nuclear weapon [+weapon]
核保有国 (～ホユウコク) 〈N〉 nuclear nation [+possess+nation]
核心 (カクシン) 〈N〉 core, essential part [+heart]

578 便	たよ-, -だよ-; ビン; ベン ⇒ 226 使	便便便便便

current, traffic
…便 (…ビン) 〈N〉 …mail; …transmit
▷航空便 (コウクウ～) air mail/cargo [aviation+]
定期便 (テイキ～) regular service [regular+]
便り (たより) 〈N〉 letter; report

convenience
便 (ベン) 〈N〉 convenience, service
便乗 (ビンジョウ) 〈Nv〉 taking a free ride, hitchhike; climbing on the bandwagon《figurative》 [+ride]
便覧 (ビンラン/ベンラン) 〈N〉 manual, handbook [+survey]
便利 (ベンリ) 〈N/Na〉 convenience [+profit]

excretion
便所 (ベンジョ) 〈N〉 toilet [+place]
便秘 (ベンピ) 〈Nv〉 constipation [+closed]
▶小便 (ショウベン) 〈Nv〉 urine [small+]
大便 (ダイベン) 〈Nv〉 faeces [big+]

579 満	み-; マン 〈PN〉 マ, みつ, みつる	氵 汁 汼 浐 満 満 満 満 満 満 満

full, fill

満… (マン…) full..., ...all counted
　▷満十年 (～ジュウネン) 〈Q〉 full 10 years [+10 years]
　　満六歳 (～ロクサイ) 〈Q〉 full 6 years old [+6 years old]
満たす (みたす) 〈V〉 fill
満ちる (みちる) 〈V〉 become full, be filled
満員 (マンイン) 〈N〉 no vacancy, full [+member]
満期 (マンキ) 〈N〉 expiration, maturity [+term]
満月 (マンゲツ) 〈N〉 full moon [+moon]
満室 (マンシツ) 〈N〉 no vacant room 《hotel, etc.》 [+room]
満車 (マンシャ) 〈N〉 no vacancy for parking [+car]
満足 (マンゾク) 〈Nv〉 satisfaction, contentment [+suffice]
満点 (マンテン) 〈N〉 perfect score, 100% [+point]
満々 (マンマン) 〈Nt〉 full of, filled with [+*Rep*]
▶未満 (ミマン) 〈N〉 less than, under [not yet+]

580 夏	なつ; カ; ゲ ⇨[1627]憂	一 丆 百 頁 夏 夏 夏 夏 夏 夏 夏

summer

夏 (なつ) 〈T〉 summer
夏休み (なつやすみ) 〈T〉 summer vacation [+repose]
夏季 (カキ) 〈N〉 summer season [+season]
夏期 (カキ) 〈N〉 summer term [+term]
夏至 (ゲシ) 〈N〉 summer solstice [+reach the limit]

581 給	キュウ	〈 幺 糸 紒 給 給 給 給 給 給 給

supply, provide

給食 (キュウショク) 〈Nv〉 provision of meals [+food]
給水 (キュウスイ) 〈Nv〉 supply of water [+water]
給付 (キュウフ) 〈Nv〉 presentation, benefit [+attach]
給与 (キュウヨ) 〈Nv〉 allowance, salary, grant [+give]
給料 (キュウリョウ) 〈N〉 wages, salary [+fee]

salary, wages

…給 (…キュウ) 〈N〉 ...salary
　▷固定給 (コテイ～) fixed salary [fixation+]
　　時間給 (ジカン～) wages by the hour [hour+]
　　初任給 (ショニン～) starting salary [first+appoint+]

582 援	エン ⇨[1164]暖	扌 扌 扌 扌 护 援 援 援 援 援 援

aid

援護 (エンゴ) 〈Nv〉 support, backing up [+guard]
援助 (エンジョ) 〈Nv〉 assistance, aid [+assist]
▶救援 (キュウエン) 〈Nv〉 rescue, relief [save+]

583 **休**

やす-, やすみ;
キュウ

⇨[110]体

ノ イ 仁 什 休 休

休 休 休 休 休

repose, rest

休み (やすみ) 〈N〉 rest, break; absence; holiday, vacance
…休み (…やすみ) 〈T〉 …rest; …holiday
▷夏休み (なつ〜) summer vacation [summer+]
昼休み (ひる〜) noon recess [noon+]
冬休み (ふゆ〜) winter vacation [winter+]
休む (やすむ) 〈V〉 take a rest; not attend
休暇 (キュウカ) 〈N〉 holiday, vacation [+leisure]
休業 (キュウギョウ) 〈Nv〉 (be) closed 《to business》 [+job]
休憩 (キュウケイ) 〈Nv〉 rest, break [+relax]
休日 (キュウジツ) 〈T〉 holiday, day off [+day]
休養 (キュウヨウ) 〈Nv〉 rest, recreation [+nourish]

584 **券**

ケン

⇨[636]巻

丶 丷 兰 券 券 券

券 券 券 券 券

card, ticket

券 (ケン) 〈N〉 ticket
…券 (…ケン) 〈N〉 …card, …ticket
▷回数券 (カイスウ〜) strip of tickets [number of times+]
商品券 (ショウヒン〜) gift certificate [goods+]
乗車券 (ジョウシャ〜) passenger ticket [take a train+]
定期券 (テイキ〜) commuter's season pass [fix+period+]
特急券 (トッキュウ〜) special express ticket [special express+]
入場券 (ニュウジョウ〜) admission ticket [entrance+]
▶債券 (サイケン) 〈N〉 bond [debt+]
証券 (ショウケン) 〈N〉 security, stock/bond certificate [proof+]

585 **復**

フク, -プク, フッ-

⇨[1050]複, [1345]腹

彳 彳 復 復 復 復

復 復 復 復 復

retrieve, again

復活 (フッカツ) 〈Nv〉 revival [+vivid]
復帰 (フッキ) 〈Nv〉 comeback, return [+return]
復旧 (フッキュウ) 〈Nv〉 (make) recovery, restoration [+past]
▶往復 (オウフク) 〈Nv〉 going and returning, round trip [go away+]
回復 (カイフク) 〈Nv〉 recovery [turn+]

586 **返**

かえ-, -がえ-;
ヘン, -ベン, -ペン

一 厂 万 反 返 返

返 返 返 返 返

return, back

返す (かえす) 〈V〉 give back, return
返還 (ヘンカン) 〈Nv〉 return, restitution, retrocession [+circulate]
返済 (ヘンサイ) 〈Nv〉 repayment, reimbursement [+settle]
返事 (ヘンジ) 〈Nv〉 reply, response, answer [+affair]
返信 (ヘンシン) 〈N〉 reply (letter) [+message]

587 **押**

お-, おさ-, おし;
オウ

⇨1238 抽

押押押押押

press, push

押(さ)える (おさえる) 〈V〉 **press, force down; check**
押す (おす) 〈V〉 **push, press, stamp**
押(し)付ける (おしつける) 〈V〉 **press against, force, urge** [+attach]
押印 (オウイン) 〈Nv〉 **sealing, stamping** [+stamp]
押収 (オウシュウ) 〈Nv〉 **seizure** 《of pieces of evidence》 [+take in]

588 **芸**

ゲイ

〈PN〉 -キ

芸芸芸芸芸

art, skill

芸 (ゲイ) 〈N〉 **art, skill**
芸者 (ゲイシャ) 〈N〉 ***geisha*, hostess entertaining patrons of restaurants usually with dance and song** [+person]
芸術 (ゲイジュツ) 〈N〉 **art, fine arts** [+art]
芸能 (ゲイノウ) 〈N〉 **public entertainments** [+proficiency]

589 **装**

よそお-;
ショウ; **ソウ**

装装装装装

dress, ornament

装い (よそおい) 〈N〉 **array, personal ornament**
装う (よそおう) 〈V〉 **dress oneself, adorn; pretend**
装束 (ショウゾク) 〈N〉 **apparel, attire** [+bundle]
装飾 (ソウショク) 〈Nv〉 **ornament, decoration** [+decorate]
装置 (ソウチ) 〈N〉 **equipment, device** [+put]
装備 (ソウビ) 〈Nv〉 **equipment, outfit** [+provide]
▶**塗装** (トソウ) 〈Nv〉 **coating, painting** [plaster+]

590 **材**

ザイ

⇨210 村

材材材材材

material

…材 (…ザイ) 〈N〉 **…material**
▷**断熱材** (ダンネツ～) **adiabatic material** [cut off+heat+]
材木 (ザイモク) 〈N〉 **lumber** [+wood]
材料 (ザイリョウ) 〈N〉 **material, stuff** [+ingredients]
▶**取材** (シュザイ) 〈Nv〉 **collect materials, coverage** [get+]
人材 (ジンザイ) 〈N〉 **talent; human resources** [human+]
素材 (ソザイ) 〈N〉 **material** [raw+]

591 **久**

ひさ-, -びさ;
キュウ; ク

〈PN〉 ひさし

⇨627 夕

ノ ク 久

久久久久久

long time

久しぶり (ひさしぶり) 〈N〉 **after a long time/silence/absence**
久遠 (クオン) 〈N〉 **eternity** [+far]
▶**永久** (エイキュウ) 〈N〉 **forever** [long time+]

592 **姿**

すがた；
シ

figure, shape

姿（すがた）〈N〉 figure, form, appearance
…姿（…すがた）〈N〉 wearing…; …figure
▷後(ろ)姿（うしろ～）one's appearance from behind [back+]
花嫁姿（はなよめ～）in wedding dress [bride+]
姿勢（シセイ）〈N〉 posture; attitude [+state]
姿態（シタイ）〈N〉 pose, figure [+figure]

593 **単**

タン

single

単なる（タンなる）〈Adj〉 mere, simple
単に（タンに）〈Adv〉 only, alone
単位（タンイ）〈N〉 unit; credit《in education》 [+rank]
単純（タンジュン）〈Na〉 simple [+pure]
単数（タンスウ）〈N〉 singular《grammar》 [+number]
単独（タンドク）〈N〉 independence, singleness [+sole]

594 **攻**

せ-，-ぜ-，せめ，-ぜめ；
コウ

attack

攻める（せめる）〈V〉 attack, assail
攻撃（コウゲキ）〈Nv〉 attack, assault [+smash]
攻勢（コウセイ）〈N〉 aggressive action, offensive [+force]

595 **坂**

さか，-ざか；
ハン
〈PN〉バン ⇨ 401 阪，709 板

slope

坂（さか）〈N〉 slope
坂道（さかみち）〈N〉 slope, sloping road [+way]
▶登坂（トハン）〈Nv〉 climbing up a slope [climb+]
上り坂（のぼりざか）〈N〉 upward slope, rise [up+]

596 **激**

はげ-；
ゲキ，ゲッ-

fierce, violent

激しい（はげしい）〈A〉 violent, vehement
激化（ゲキカ/ゲッカ）〈Nv〉 intensification [+change itself]
激戦（ゲキセン）〈N〉 fierce battle; seesaw game [+battle; match]
激増（ゲキゾウ）〈Nv〉 marked increase [+increase]
激動（ゲキドウ）〈Nv〉 violent shaking, agitation [+move]
激突（ゲキトツ）〈Nv〉 crash, smash [+poke]
激流（ゲキリュウ）〈N〉 violent current, rapids [+current]
激励（ゲキレイ）〈Nv〉 encouragement, urging [+encourage]

597 **苦**	くる-, -ぐる-; にが-; ク ⇨[372]若	一 艹 艹 芏 苦 苦 苦 苦 苦 苦 苦

bitter, affliction

苦 (ク) 〈N〉 suffering, affliction
苦しい (くるしい) 〈A〉 tormenting, painful; hard, needy
苦しみ (くるしみ) 〈N〉 pain, distress
苦しむ (くるしむ) 〈V〉 suffer, agonize, have a tough time
苦しめる (くるしめる) 〈V〉 torment, annoy, inflict pain
苦い (にがい) 〈A〉 bitter
苦々しい (にがにがしい) 〈A〉 bitter, unpleasant [+*Rep*]
苦笑 (クショウ) 〈Nv〉 (make) wry smile [+smile]
苦情 (クジョウ) 〈N〉 complaint, grievance [+emotion]
苦心 (クシン) 〈Nv〉 pains, labor [+heart]
苦戦 (クセン) 〈Nv〉 hard fight; close match [+battle; match]
苦痛 (クツウ) 〈N〉 pain [+pain]
苦悩 (クノウ) 〈Nv〉 agony, anguish [+affliction]
苦労 (クロウ) 〈Nv〉 hardships, toil, worry [+labor]

598 **圧**	アツ, アッ-	一 厂 𠂆 圧 圧 圧 圧 圧 圧 圧

pressure

…圧 (…アツ) 〈N〉 …pressure
　▷空気圧 (クウキ～) air pressure [air+]
圧力 (アツリョク) 〈N〉 pressure, stress [+power]
圧倒 (アットウ) 〈Nv〉 overwhelming, overcoming [+lean and fall]
圧倒的 (アットウテキ) 〈Na〉 overwhelming, sweeping [+lean and fall +*Suf Na*]
圧迫 (アッパク) 〈Nv〉 oppression, pressure [+urge]

599 **族**	ゾク ⇨[566]旅	亠 方 方 方 旌 族 族 族 族 族 族

tribe, clan

…族 (…ゾク) 〈N〉 …people, …tribe; those 《ironical》
　▷マイカー族 people who own their own cars [(one's own car)+]
　マサイ族 Masais [(Masai)+]
　社用族 (シャヨウ～) expense-account crowd [company+errand+]
　暴走族 (ボウソウ～) group of reckless drivers [violent+run+]

600 **振**	ふ-, -ぶ-, -ぷ-, ふり, -ぶり; シン	扌 扩 扩 扼 振 振 振 振 振 振 振

swing, shake

振る (ふる) 〈V〉 swing, shake, wave; reject
振子 (ふりこ) 〈N〉 pendulum [+tiny thing]
振袖 (ふりそで) 〈N〉 long-sleeved *kimono* [+sleeve] ➔SN
振動 (シンドウ) 〈Nv〉 vibration, oscillation [+move]

thrive

振るう (ふるう) 〈V〉 thrive, flourish
振興 (シンコウ) 〈N〉 promotion, encouragement [+emerge]

LEVEL 4

601 等

など; **ひと-**; -ら;
トウ

〈PN〉 ト, ひとし

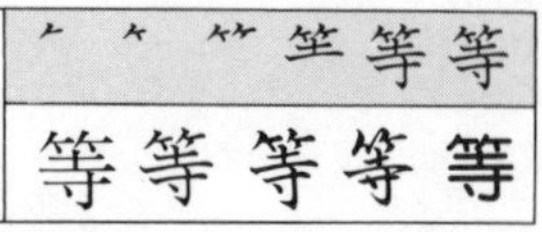

rank
…等 (…トウ) 〈N〉 …rank
▷一等 (イッ～) 1st rank, first class　二等 (ニ～) 2nd rank
等級 (トウキュウ) 〈N〉 rank, ranking [+class]
▶高等 (コウトウ) 〈N/Na〉 high-class [high+]

equal
等しい (ひとしい) 〈A〉 equal, equivalent
等分 (トウブン) 〈Nv〉 equal, fifty-fifty [+division]

etc.
…等 (…トウ/など) 〈N〉 …etc., …and others
▷バス等の交通機関 (～トウのコウツウキカン) traffic facilities such as buses [(bus)+～+traffic facilities]
…等々 (…トウトウ) 〈N〉 …and so on, …and the like [+*Rep*]
▷犬, 猫等々の動物 (いぬ, ねこ～のドウブツ) dogs, cats and like animals [dog+cat+～+animal]

602 諸

ショ

〈PN〉 もろ

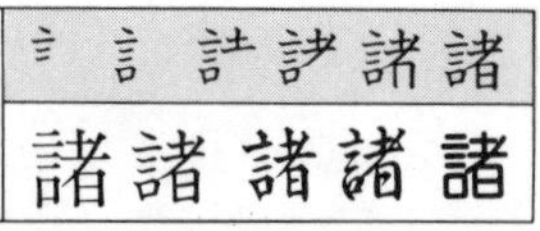

various
諸… (ショ…) various…
▷諸問題 (～モンダイ) 〈N〉 various problems [+problem]
諸君 (ショクン) 〈Cph〉 gentlemen; my friends; you [+lord]

603 伊

イ

〈PN〉 だて(伊達)

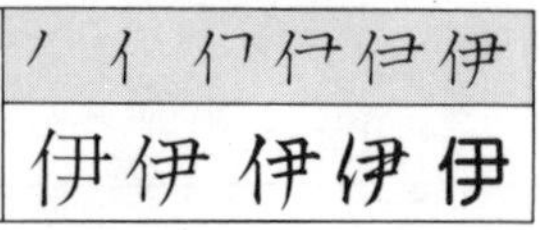

that†

Italy
▶日伊 (ニチイ) 〈N〉 Japan and Italy [Japan+]

〈Place〉
伊豆 (イズ) Izu (=East Shizuoka)
伊勢 (イセ) Ise (=South Mie)

〈Person〉
伊藤 (イトウ) Ito

604 曲

ま-, まが-;
キョク, -ギョク

〈PN〉 まがり　⇒956典

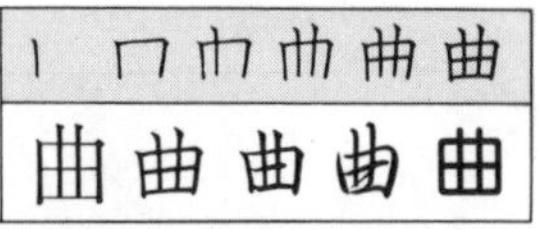

bend, curve
曲(が)る (まがる) 〈V〉 bend (*vi.*), curve
曲げて (まげて) 〈Adv〉 despite the principle, unreasonably
曲げる (まげる) 〈V〉 bend (*vt.*), curve, hook
曲折 (キョクセツ) 〈Nv〉 (take) bend, winding [+break]

melody
曲 (キョク) 〈N〉 tune
…曲 (…キョク) 〈N〉 …music, …song
▷歌謡曲 (カヨウ～) Japanese popular song [song+chant+]
主題曲 (シュダイ～) theme music [theme+]
曲目 (キョクモク) 〈N〉 title of a piece of music [+item]

***Cs* music**
…曲 (…キョク) 〈Q〉 …pieces of music, …songs
▷一曲 (イッ～), 二曲 (ニ～), 三曲 (サン～)

605 **養**

やしな-;
ヨウ
〈PN〉 -かい，-がい

養養養養養

feed, nourish

養う (やしなう) 〈V〉 feed, nourish
養子 (ヨウシ) 〈N〉 adopted child/son; son-in-law bearing his wife's family name [+child]
養女 (ヨウジョ) 〈N〉 adopted daughter [+daughter]
養成 (ヨウセイ) 〈Nv〉 cultivation, training [+form]

606 **波**

なみ;
ハ，-パ
〈PN〉 -バ，ワ

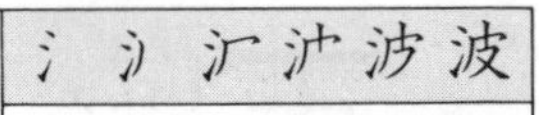

波波波波波

wave

波 (なみ) 〈N〉 wave, ripple
…波 (…ハ/パ) 〈N〉 …wave(s)
▷第一波 (ダイイッパ) first wave《of an assault》 [first+]
脳波 (ノウハ) brain wave [brain+]
波紋 (ハモン) 〈N〉 ripple; sensation [+crest] ➔SN
波乱 (ハラン) 〈N〉 vicissitudes; disturbance, troubles [+disorder] ➔SN

607 **冷**

さ-，-ざ-；つめ-；ひ-，-び-，ひえ-，ひや-;
レイ

冷冷冷冷冷

cold, cool

冷める (さめる) 〈V〉 get cold, be chilled
冷たい (つめたい) 〈A〉 cold, icy《physical sensation felt on a part of the body》
冷える (ひえる) 〈V〉 grow cold, feel chilly
冷やす (ひやす) 〈V〉 cool; refrigerate, chill; ice (*vt.*)
冷(え)性/症 (ひえショウ) 〈N〉 oversensitiveness to cold《typically of women》 [+character/disease]
冷(や)汗 (ひやあせ) 〈N〉 cold sweat [+sweat]
冷害 (レイガイ) 〈N〉 damage due to cold weather《on crops》 [+damage]
冷気 (レイキ) 〈N〉 chill, coldness [+air]
冷却 (レイキャク) 〈Nv〉 cooling, refrigeration [+throughout]
冷静 (レイセイ) 〈N/Na〉 calmness, serenity [+still]
冷蔵庫 (レイゾウコ) 〈N〉 refrigerator [+stock+storehouse]
冷暖房 (レイダンボウ) 〈N〉 air conditioning [+warm+chamber]
冷凍 (レイトウ) 〈Nv〉 freezing [+frozen]
冷房 (レイボウ) 〈Nv〉 air-cooling [+chamber]

608 **疑**

うたが-;
ギ

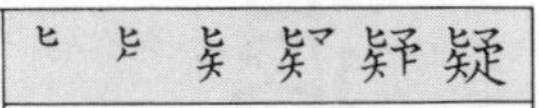

疑疑疑疑疑

doubt

疑い (うたがい) 〈N〉 doubt
疑う (うたがう) 〈V〉 doubt
疑問 (ギモン) 〈N〉 doubt; question [+question]
疑問点 (ギモンテン) 〈N〉 doubtful point [+question+point]
疑惑 (ギワク) 〈N〉 suspicion [+astray]

609 競

きそ-, -ぎそ-; せ-, -ぜ-, せり, -ぜり;
キョウ; ケイ

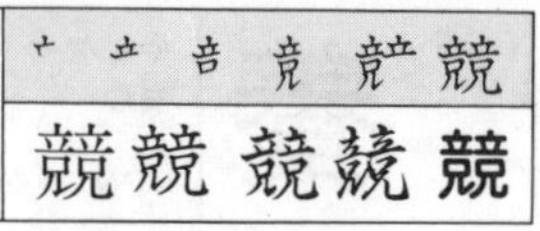

compete
- 競う (きそう) 〈V〉 vie, rival
- 競(り) (せり) 〈N〉 auction
- 競技 (キョウギ) 〈N〉 match, competition [+skill]
- 競争 (キョウソウ) 〈Nv〉 (have) race, competition [+struggle]
- 競馬 (ケイバ) 〈N〉 horse racing [+horse]

610 玉

たま, -だま;
ギョク

⇨ 499 王

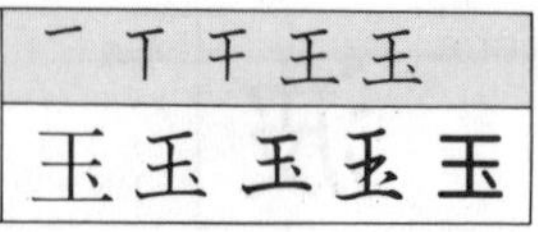

gem
- ▶珠玉 (シュギョク) 〈N〉 jewel [bijou+]

round thing
- 玉 (たま) 〈N〉 round thing, ball
- …玉 (…だま) 〈N〉 …ball, …round thing; …coin
  - ▷目玉 (め～) eyeball [eye+]
  - 百円玉 (ヒャクエン～) ¥100 coin [100 yen+]
- 玉子 (たまご) 〈N〉 hen's egg [+child] → 1359 卵

611 散

ち-, -ぢ-;
サン, -ザン

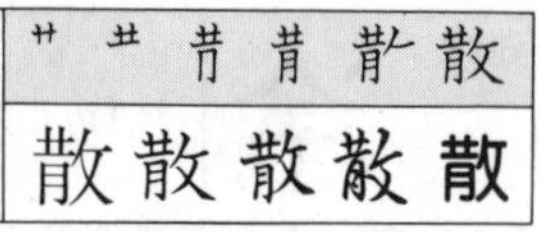

disperse
- 散る (ちる) 〈V〉 fall, disperse, scatter
- 散会 (サンカイ) 〈Nv〉 breakup, adjournment, dispersal [+meeting]

free
- 散文 (サンブン) 〈N〉 prose [+sentence]
- 散歩 (サンポ) 〈Nv〉 stroll [+walk]

612 字

あざ;
ジ

⇨ 33 学, 757 字

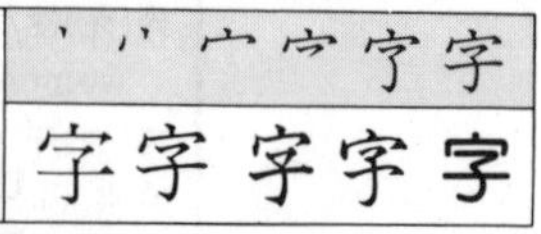

letter, character
- 字 (ジ) 〈N〉 letter, character
- 字体 (ジタイ) 〈N〉 type《of letters》 [+body]
- 字引 (ジびき) 〈N〉 dictionary [+draw] ➔SN

***Cs* letters**
- …字 (…ジ) 〈Q〉 …letters
  - ▷一字 (イチ～), 二字 (ニ～), 三字 (サン～)

village section
- 字 (あざ) 〈N〉 village section

613 退

しりぞ-;
タイ

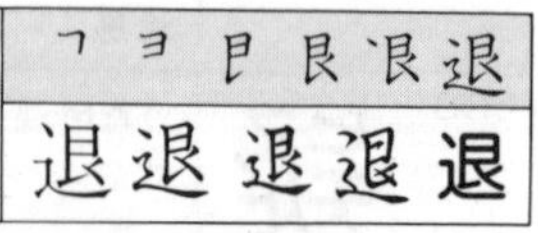

retreat
- 退く (しりぞく) 〈V〉 retreat (*vi.*), withdraw
- 退ける (しりぞける) 〈V〉 drive away, repel
- 退院 (タイイン) 〈Nv〉 getting out of the hospital [+hospital]
- 退治 (タイジ) 〈Nv〉 subjugation, extermination [+govern]
- 退場 (タイジョウ) 〈Nv〉 exit, leaving the scene, walkout [+place]
- 退職 (タイショク) 〈Nv〉 resignation, retiring from office [+job]

614 **差**

さ-, -ざ-, さし, -ざし;
サ

丷 䒑 兰 羊 差 差

差差差差差

difference
差（サ）〈N〉difference, gap
…差（…サ）〈N〉…difference, …gap
▷一票差（イッピョウ～）one-vote margin [one vote+]
個人差（コジン～）individual variation [individual+]
年齢差（ネンレイ～）disparity in age difference [one's age+]
差別（サベツ）〈Nv〉discrimination [+separate]

push forward
差し上げる（さしあげる）〈V〉hold up; offer, give《honorific》[+up]
差し出す（さしだす）〈V〉hold out; submit, present [+put out]

Ph
▶交差（コウサ）〈Nv〉intersection, cross [cross+]

615 **渡**

わた-, わたし;
ト
〈PN〉わたなべ(渡辺), わたり

氵 汸 浐 渖 渡 渡

渡渡渡渡渡

cross, ferry
渡す（わたす）〈V〉pass/ferry (something) over; deliver, transfer
渡る（わたる）〈V〉ferry, go over, cross
渡欧（トオウ）〈Nv〉visit to Europe [+Europe]
渡米（トベイ）〈Nv〉visit to USA [+America]
渡来（トライ）〈Nv〉come over [+come]

616 **険**

けわ-;
ケン
⇨351検, 1949倹

阝 阝 阾 险 険 険

険険険険険

risky, venture
険しい（けわしい）〈A〉steep, severe
険悪（ケンアク）〈Na〉dangerous, perilous [+ill]
▶危険（キケン）〈N/Na〉danger, peril [danger+]

617 **識**

シキ, シッ-
⇨335職, 753織

言 訁 訁 諳 識 識

識識識識識

knowledge, recognition
識者（シキシャ）〈N〉informed person [+person]
識別（シキベツ）〈Nv〉(draw) distinction [+separately classified]
▶常識（ジョウシキ）〈N〉common sense [ordinary+]

618 **去**

さ-, -ざ-;
キョ; -コ
⇨1813云

一 十 土 去 去

去去去去去

leave, pass away
去る（さる）〈V〉leave, go/pass away
去る…（さる…）the past/last…《date》→113 来(た)る…
▷去る十日（～とおか）〈T〉10th of last/this month [+10th]
去就（キョシュウ）〈N〉one's course of action; one's attitude [+be engaged]
去勢（キョセイ）〈Nv〉castration, emasculation [+force]
去年（キョネン）〈T〉last year [+year]
▶過去（カコ）〈N〉past [pass+]

619 刊	カン ⇨[848]刑	一 二 千 刊 刊 刊 刊 刊 刊 刊

publish
…刊 (…カン) 〈N〉 …publication, published by…
▷隔月刊 (カクゲツ～) bimonthly publication [every other month+]
学研刊 (ガッケン～) published by Gakken [*PN*+]
刊行 (カンコウ) 〈Nv〉 publication [+go]

620 御	お-, おん-; み-; ギョ; ゴ-	彳 彳 彳 徉 御 御 御 御 御 御 御

your/his/her/His… 《honorific》
御… (おん…) your/his/her/His…
▷御社 (～シャ) 〈N〉 your company [+company]
御… (ゴ/お…) your/his/her…; the… 《honorific》
▷御手洗 (おてあらい) 〈N〉 toilet [+hand+wash]
御婚礼 (ゴコンレイ) 〈N〉 wedding [+marriage ceremony]
御主人 (ゴシュジン) 〈N〉 your/her husband; your/his/her master [+husband; master]
御中 (おんチュウ) 〈CF〉 Messrs. [+*Suf* group]

control
御する (ギョする) 〈V〉 control

621 脳	ノウ ⇨[992]悩	月 月 肜 脟 脳 脳 脳 脳 脳 脳 脳

brain
脳 (ノウ) 〈N〉 brains
脳出血 (ノウシュッケツ) 〈N〉 cerebral hemorrhage [+come out+blood]
▶首脳 (シュノウ) 〈N〉 leader, head [head+]

622 志	こころざ-, こころざし; シ	一 十 士 士 志 志 志 志 志 志 志

ambition
志 (こころざし) 〈N〉 intention, ambition; goodwill
志す (こころざす) 〈V〉 intend, aspire
志願 (シガン) 〈Nv〉 aspiration, application [+beg]
志望 (シボウ) 〈Nv〉 ambition, choice, wish [+wish]

623 温	あたた-; オン 〈PN〉 あつ, あつし ⇨[1022]湯, [1476]湿	氵 汩 沪 浧 温 温 温 温 温 温 温

warm
温かい (あたたかい) 〈A〉 mild, warm 《physical sensation》
温泉 (オンセン) 〈N〉 hot spring, spa [+spring]
温度 (オンド) 〈N〉 temperature [+degree]

temperature
▶気温 (キオン) 〈N〉 atmospheric temperature [air+]
水温 (スイオン) 〈N〉 water temperature [water+]
体温 (タイオン) 〈N〉 body temperature [body+]
体温計 (タイオンケイ) 〈N〉 clinical thermometer [body+～+measure]

624 **危**

あぶ-; あや-;
キ-

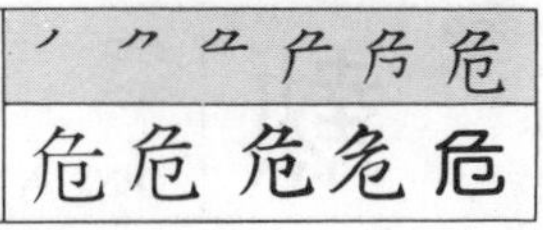

danger

危ない (あぶない) 〈A〉 dangerous; insecure
危うい (あやうい) 〈A〉 hazardous, insecure
危機 (キキ) 〈N〉 crisis, crucial moment [+chance]
危険 (キケン) 〈N/Na〉 danger, peril [+risky]

625 **拡**

ひろ-;
カク-

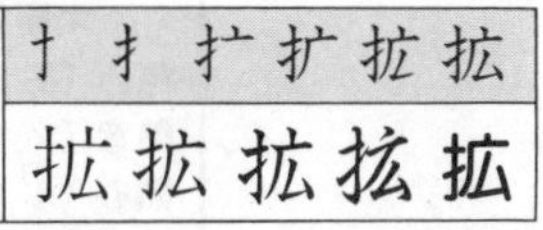

expand, extend

拡散 (カクサン) 〈Nv〉 spread, diffusion [+disperse]
拡充 (カクジュウ) 〈Nv〉 expansion, amplification [+fill]
拡大 (カクダイ) 〈Nv〉 extension, magnification [+big]
拡張 (カクチョウ) 〈Nv〉 extension, expansion [+stretch]

626 **洗**

あら-, あらい;
セン

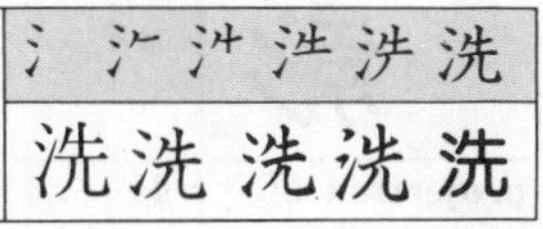

wash

洗う (あらう) 〈V〉 wash, cleanse
洗顔 (センガン) 〈Nv〉 washing one's face [+face]
洗剤 (センザイ) 〈N〉 detergent, cleanser [+drug]
洗濯 (センタク) 〈Nv〉 laundry, wash [+rinse]
洗面所 (センメンジョ) 〈N〉 washroom [+face+place]
洗礼 (センレイ) 〈N〉 baptism [+ceremony]
▶お手洗(い)/御手洗 (おてあらい) 〈N〉 toilet [*Pref honorific*+hand+]

627 **夕**

ゆう;
セキ

〈Ir〉 ⇒591 久

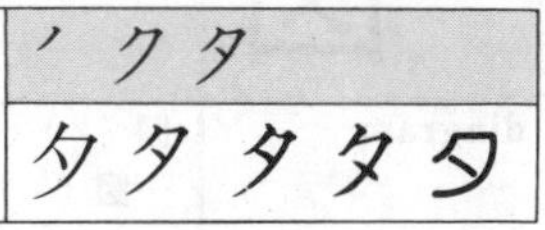

evening

夕べ (ゆうべ) 〈T〉 evening; last night
夕方 (ゆうがた) 〈T〉 evening [+direction]
夕刊 (ゆうカン) 〈N〉 evening paper [+publish]
夕刻 (ゆうコク) 〈T〉 dewfall [+segment]
夕食 (ゆうショク) 〈N〉 supper, dinner [+food]
▶一夕 (イッセキ) 〈N〉 one evening [one+]
〈Ir〉 七夕 (たなばた) 〈T〉 *Tanabata*, Star Festival [seven+]

628 **漁**

ギョ; **リョウ**

fishing

漁 (リョウ) 〈N〉 fishing
漁獲 (ギョカク) 〈N〉 fishery; haul, catch [+seize]
漁業 (ギョギョウ) 〈N〉 fishing industry [+business]
漁船 (ギョセン) 〈N〉 fishing boat [+ship]
漁村 (ギョソン) 〈N〉 fishing village [+village]

629 **熱**

あつ-;
ネツ, ネッ-
〈PN〉 あた-

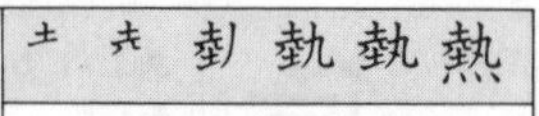

熱 熱 熱 熱 熱

heat, fever

熱 (ネツ) 〈N〉 heat, fever
…熱 (…ネツ) 〈N〉 …heat, …fever; …boom
▷スポーツ熱 zeal for sports [(sports)+]
猩紅熱 (ショウコウ～) scarlet fever [crimson ape+crimson+]
太陽熱 (タイヨウ～) solar heat [sun+]
熱い (あつい) 〈A〉 hot, heated 《physical sensation felt on a part of the body》 →[1254]暑い
熱意 (ネツイ) 〈N〉 zeal, ardor [+intention]
熱心 (ネッシン) 〈Na〉 enthusiastic, fervent, ardent [+heart]
熱戦 (ネッセン) 〈N〉 hot contest, close game [+match]
熱帯 (ネッタイ) 〈N〉 the tropics [+belt]
熱中 (ネッチュウ) 〈Nv〉 (be in) absorption, engrossment [+middle]

630 **影**

かげ;
エイ
⇨[1338]彰

影 影 影 影 影

projection of light, image

影 (かげ) 〈N〉 image
影響 (エイキョウ) 〈Nv〉 influence [+echo]
▶月影 (つきかげ) 〈N〉 moonlight [moon+]
人影 (ひとかげ) 〈N〉 human figure [human+]

shadow

影 (かげ) 〈N〉 shadow
影絵 (かげエ) 〈N〉 shadow picture [+picture]

631 **図**

はか-, -ばか-;
ズ; ト

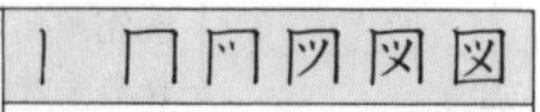

図 図 図 図 図

diagram

図 (ズ) 〈N〉 diagram; mark
…図 (…ズ) 〈N〉 …diagram
▷設計図 (セッケイ～) blueprint [plan+]
天気図 (テンキ～) weather map [weather+]
図鑑 (ズカン) 〈N〉 illustrated book [+reference book]
図書 (トショ) 〈N〉 books [+book]
図書館 (トショカン) 〈N〉 library [+book+hall]

devise

図る (はかる) 〈V〉 devise, contrive →[186] 計る, [1439] 謀る

632 **静**

しず-;
ジョウ; セイ
〈PN〉 しずか

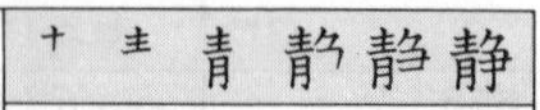

静 静 静 静 静

silent, still

静か (しずか) 〈Na〉 silent, quiet, still
静脈 (ジョウミャク) 〈N〉 vein [+artery]
静観 (セイカン) 〈Nv〉 contemplation, watching calmly [+observe]
静止 (セイシ) 〈Nv〉 standstill, repose [+stop]
静的 (セイテキ) 〈Na〉 static [+*Suf Na*]

〈Place〉

静岡 (しずおか) Shizuoka Pref./City

633 婚

コン

婚婚婚婚婚

wedding

婚期 (コンキ) 〈N〉 marriage age full of chances [+period]
婚約 (コンヤク) 〈Nv〉 (enter) engagement, betrothal [+promise]
婚礼 (コンレイ) 〈N〉 marriage ceremony [+ceremony]
▶再婚 (サイコン) 〈Nv〉 remarriage [again+]
　未婚 (ミコン) 〈N〉 unmarried [not yet+]

634 破

やぶ-;
ハ, -パ

破破破破破

break, tear

破る (やぶる) 〈V〉 tear, break
破れる (やぶれる) 〈V〉 be torn/broken, rip
破壊 (ハカイ) 〈Nv〉 destruction, demolition [+destroy]
破棄 (ハキ) 〈Nv〉 discard, repeal [+discard]
破産 (ハサン) 〈Nv〉 (go into) bankruptcy [+property]
破損 (ハソン) 〈Nv〉 breakdown [+loss]
破片 (ハヘン) 〈N〉 fragment, shard [+piece]

635 推

お-;
スイ

⇨[1314]椎

推推推推推

propel

推移 (スイイ) 〈Nv〉 transition, change [+transfer]
推進 (スイシン) 〈Nv〉 propulsion [+proceed]

recommend

推す (おす) 〈V〉 recommend
推薦 (スイセン) 〈Nv〉 recommendation [+recommend]

presume

推し測る (おしはかる) 〈V〉 presume, guess [+measure]
推測 (スイソク) 〈Nv〉 conjecture, guess [+measure]
推定 (スイテイ) 〈Nv〉 presumption, assumption [+fix]
推理 (スイリ) 〈Nv〉 reasoning, inference [+reason]
推理小説 (スイリショウセツ) 〈N〉 detective story [+reason+novel]

636 巻

ま-, まき;
カン, -ガン

⇨[584]券

巻巻巻巻巻

roll

…巻(き) (…まき) 〈N〉 …roll; …band
　▷昆布巻(き) (コブ～) kelp roll 《Jap. dish》 [kelp+]
　　鉢巻(き) (ハチ～) headband [bowl+] ➜SN
　　腹巻(き) (はら～) girdle, waistband [abdomen+]

▲昆布巻(き)

volume

巻 (カン/まき) 〈N〉 volume 《of books》
巻頭 (カントウ) 〈N〉 opening page of a book/volume [+head]
巻頭言 (カントウゲン) 〈N〉 foreword, preface [+head+say]
巻末 (カンマツ) 〈N〉 end of a volume/book [+end]

***Cs* volumes**

…巻 (…カン) 〈Q〉 …volumes
　▷一巻 (イッ～), 二巻 (ニ～), 三巻 (サン～)

637 血	ち, -ぢ; ケツ, ケッ- ⇨[1651]皿	血血血血血

blood
- 血 (ち) 〈N〉 blood
- 血圧 (ケツアツ) 〈N〉 blood pressure [+pressure]
- 血液 (ケツエキ) 〈N〉 blood《medical》 [+liquid]
- 血管 (ケッカン) 〈N〉 blood vessel, vein [+pipe]
- 血統 (ケットウ) 〈N〉 blood, lineage, pedigree [+lineage]
- ▶鼻血 (はなぢ) 〈N〉 nosebleed [nose+]

638 城	しろ, -じろ; ジョウ 〈PN〉 き, -ぎ ⇨[670]域	城城城城城

castle
- 城 (しろ) 〈N〉 castle
- …城 (…ジョウ) 〈N〉 …Castle; …castle
  - ▷姫路城 (ひめじ～) Himeji Castle [Himeji+]
  - 不夜城 (フヤ～) nightless quarter [un-+night+]

639 才	サイ, -ザイ ⇨[1523]寸	才才才才才

talent
- 才 (サイ) 〈N〉 talent
- 才覚 (サイカク) 〈N〉 contrivance, talent [+sense]
- 才気 (サイキ) 〈N〉 ready wit [+spirit]
- 才能 (サイノウ) 〈N〉 talent [+ability]

***Cs* age**
- …才 (…サイ) 〈Q〉 …years old《as in…years old》 →[550]…歳
  - ▷一才 (イッ～), 二才 (ニ～), 三才 (サン～)

Ph
- ▶漫才 (マンザイ) 〈N〉 *manzai*, comic stage dialogue [rambling+]

640 呼	よ-, よび-; コ ⇨[1336]叫	呼呼呼呼呼

call
- 呼びかける (よびかける) 〈V〉 address, accost, hail
- 呼ぶ (よぶ) 〈V〉 call, hail
- 呼(び)出(し) (よびだし) 〈N〉 calling, summons [+put out]
- 呼称 (コショウ) 〈Nv〉 name, designation [+denominate]

exhale
- 呼吸 (コキュウ) 〈Nv〉 breath, respiration [+inhale]

641 離	はな-, -ばな-; リ	離離離離離

separate
- 離す (はなす) 〈V〉 part, detach
- 離れる (はなれる) 〈V〉 separate, fall apart; leave
- 離縁 (リエン) 〈Nv〉 divorce; disowning《of an adopted child》 [+relation]
- 離婚 (リコン) 〈Nv〉 divorce [+wedding]
- 離脱 (リダツ) 〈Nv〉 breakaway, separation [+drop out]

642 豊	ゆた-； ホウ-，-ポウ 〈PN〉とよ，ゆたか	冂 冊 曲 豊 豊 豊 豊 豊 豊 豊 豊

plenty
- 豊か (ゆたか) 〈Na〉 plentiful, abundant
- 豊富 (ホウフ) 〈Na〉 abundant, rich [+wealth]

643 善	よ-； ゼン 〈PN〉よし　⇒[770]喜	丷 兰 羊 羊 盖 善 善 善 善 善 善

good
- 善い (よい) 〈A〉 good, decent
- 善意 (ゼンイ) 〈N〉 goodwill [+intention]
- 善良 (ゼンリョウ) 〈Na〉 good, virtuous [+good]

644 修	おさ-； シュ-；シュウ 〈PN〉おさむ	亻 亻 亻 伫 修 修 修 修 修 修 修

master
- 修める (おさめる) 〈V〉 practice, master
- 修行 (シュギョウ) 〈Nv〉 (perform) ascetic exercise; (get) training [+conduct]
- 修士 (シュウシ) 〈N〉 master 《of arts/sciences》 [+expert]

amend
- 修正 (シュウセイ) 〈Nv〉 amendment, revision [+correct]
- 修理 (シュウリ) 〈Nv〉 mend, repair [+manage]

645 景	ケイ 〈Ir〉：〈PN〉かげ	冂 日 早 景 景 景 景 景 景 景 景

scene
- 景気 (ケイキ) 〈N〉 business/market conditions of economy [+air]

〈Ir〉
- 景色 (ケシキ) 〈N〉 scenery, view [+feature]

646 因	よ-；ちな-，ちなみ； イン 〈PN〉いなば(因幡)　⇒[860]困，[1830]囚	丨 冂 冂 冂 因 因 因 因 因 因 因

cause
- 因果 (インガ) 〈Na〉 cause and effect [+result]
- 因子 (インシ) 〈N〉 factor [+tiny thing]

647 響	ひび-； キョウ 〈PN〉ひびき	乡 乡 郷 郷 響 響 響 響 響 響 響

echo
- 響く (ひびく) 〈V〉 echo, resound
- ▶影響 (エイキョウ) 〈Nv〉 influence [shadow+]
- 反響 (ハンキョウ) 〈Nv〉 echo; 〈N〉 response [retro-+]

648 塁	ルイ ⇒[1431]墨	罒 田 甲 畏 塁 塁 塁 塁 塁 塁 塁

base
- ▶一塁 (イチルイ) 〈N〉 first base 《in baseball》 [one+]
- 本塁打 (ホンルイダ) 〈N〉 homerun [origin+～+hit]

649 **講** コウ

⇒[446]構, [1504]購

講講講講講

lecture

講じる（コウじる）〈V〉 give a lecture
講演（コウエン）〈Nv〉 lecture [+perform]
講義（コウギ）〈Nv〉 lecture, discourse [+significance]
講座（コウザ）〈N〉 (professorship) chair; course《of study》 [+seat]
講師（コウシ）〈N〉 lecturer, instructor [+master]
講習（コウシュウ）〈N〉 course《for training》 [+practice]
講堂（コウドウ）〈N〉 lecture hall [+hall]

650 **軽** かる-，-がる，かろ-；ケイ

軽軽軽軽軽

light, not heavy

軽…（ケイ…）light...
▷軽金属（～キンゾク）〈N〉 light metals [+metal]
　軽犯罪（～ハンザイ）〈N〉 minor offense [+crime]
軽い（かるい）〈A〉 light
軽やか（かろやか）〈Na〉 light and merry
軽減（ケイゲン）〈Nv〉 reduction, lightening [+decrease]
軽視（ケイシ）〈Nv〉 slighting, making light of [+sight]
軽傷（ケイショウ）〈N〉 slight injury [+wound]
軽食（ケイショク）〈N〉 snack [+food]
軽震（ケイシン）〈N〉 weak earthquake [+quake]

651 **陸** リク，リッ-

⇒[1484]陸

陸陸陸陸陸

land

陸（リク）〈N〉 land
陸海空（リクカイクウ）〈N〉 land, sea, and air; army, navy, and air force [+sea+sky]
陸軍（リクグン）〈N〉 army [+military]
陸上（リクジョウ）〈N〉 land, shore [+above]
陸橋（リッキョウ）〈N〉 overpass [+bridge]

652 **極** きわ-，きわま-；キョク，キョッ-；ゴク

極極極極極

extreme

極（キョク）〈N〉 extreme state/situation; pole
極まる（きわまる）〈V〉 attain extremity
極み（きわみ）〈N〉 extreme state/situation
極端（キョクタン）〈N/Na〉 extreme, extremity [+edge]
極刑（キョッケイ）〈N〉 capital punishment [+penalty]
極上（ゴクジョウ）〈N〉 first rate, best, finest [+excellent]
極秘（ゴクヒ）〈N〉 top secret [+secret]
極楽（ゴクラク）〈N〉 (Buddhist) paradise [+comfort]

653 **護**

ゴ

〈PN〉 まもる ⇒960 譲

言 訁 訁 詳 謹 護

護 護 護 護 護

guard

護衛 (ゴエイ) 〈Nv〉 guard, escort [+defense]
護身 (ゴシン) 〈N〉 self-protection [+self]
護送 (ゴソウ) 〈Nv〉 escort, convoy [+send]

654 **闘**

たたか-;
トウ

門 門 鬥 鬪 闘 闘

闘 闘 闘 闘 闘

fight

闘い (たたかい) 〈N〉 fight, battle
闘う (たたかう) 〈V〉 fight, battle
闘争 (トウソウ) 〈Nv〉 fight, struggle [+struggle]

655 **雨**

あま-, **あめ**, -さめ;
ウ

〈Ir〉

一 丅 冂 币 雨 雨

雨 雨 雨 雨 雨

rain

雨 (あめ) 〈N〉 rain
雨雲 (あまぐも) 〈N〉 rain cloud [+cloud]
雨季/期 (ウキ) 〈N〉 rainy season [+season/period]
▶春雨 (はるさめ) 〈N〉 vernal rain [spring+]
〈Ir〉 五月雨 (さみだれ) 〈N〉 early summer rain [May+] ➜SN
〈Ir〉 時雨 (しぐれ) 〈N〉 hiemal rain [time+]
〈Ir〉 梅雨 (つゆ/バイウ) 〈N〉 spring rainy season 《Jap.》 [*ume*+]

656 **庫**

ク-; **コ**

〈PN〉 くら

一 广 广 庐 庫 庫

庫 庫 庫 庫 庫

storehouse

…庫 (…コ) 〈N〉 …storehouse, …box
▷格納庫 (カクノウ〜) hangar [structure+take in+]
冷蔵庫 (レイゾウ〜) refrigerator [cold+stock+]
庫裏 (クリ) 〈N〉 living quarters at a temple [+the other side]

657 **請**

う-, うけ; **こ-**, -ご-;
-シン; **セイ**

⇒739 晴

言 言 計 請 請 請

請 請 請 請 請

request

請う (こう) 〈V〉 request, ask
請求 (セイキュウ) 〈Nv〉 demand, request [+demand]

take on

請(け)負う (うけおう) 〈V〉 take on, contract [+bear]
▶普請 (フシン) 〈Nv〉 building [widespread+] ➜SN

658 **況**

キョウ

氵 氵 氾 沪 沪 況

況 況 況 況 況

state of things

▶近況 (キンキョウ) 〈N〉 recent developments/situation [recent+]
状況 (ジョウキョウ) 〈N〉 situation [appearance+]

659 **速**

すみ-; **はや-**, -ばや;
ソク, ソッ-

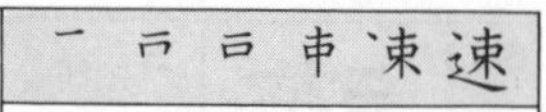

速速速速速

speedy

速やか（すみやか）〈Na〉 immediate
速い（はやい）〈A〉 swift, rapid, speedy
速達（ソクタツ）〈N〉 special delivery《of mail》 [+reach]
速度（ソクド）〈N〉 speed, velocity [+degree]
速報（ソクホウ）〈N〉 prompt report, (news) flash [+report]
速力（ソクリョク）〈N〉 speed [+power]
速記（ソッキ）〈Nv〉 shorthand [+describe]
▶時速（ジソク）〈N〉 speed per hour [hour+]
風速（フウソク）〈N〉 wind velocity [wind+]

660 **督**

トク

督督督督督

discipline

▶監督（カントク）〈Nv〉 supervision; director [supervise+]

urge

督促（トクソク）〈Nv〉 urging, demand [+accelerate]

661 **宝**

たから, -だから;
ホウ, -ポウ

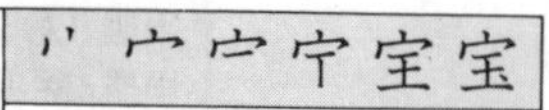

宝宝宝宝宝

treasure

宝（たから）〈N〉 treasure
宝石（ホウセキ）〈N〉 precious stone, gem [+stone]
▶国宝（コクホウ）〈N〉 national treasure [nation+]

662 **堂**

ドウ

⇨ 356 常

堂堂堂堂堂

hall

…堂（…ドウ）〈N〉…hall
▷国会議事堂（コッカイギジ～）Diet Building [Diet+proceedings+]
能楽堂（ノウガク～）*noh* theater [*nogaku*+]
▶講堂（コウドウ）〈N〉 lecture hall [lecture+]
食堂（ショクドウ）〈N〉 restaurant, dining hall [eat+]

stately

堂々（ドウドウ）〈S/Nt〉 stately, without hesitation [+*Rep*]

663 **適**

テキ, テッ-

⇨ 1065 摘

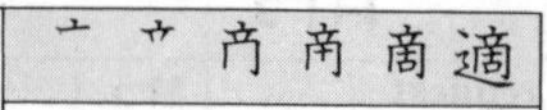

適適適適適

proper, fit

適する（テキする）〈V〉 fit, be suitable
適応（テキオウ）〈Nv〉 adaptation, being fitted [+respond]
適宜（テキギ）〈S〉 suitably; at one's discretion [+suitable]
適正（テキセイ）〈Na〉 proper, reasonable [+correct]
適切（テキセツ）〈Na〉 appropriate, pertinent [+moderate]
適当（テキトウ）〈Na〉 fit, adequate [+hit]
適用（テキヨウ）〈Nv〉 application [+use]

664 払

はら-, -ばら-, はらい, -ばらい;
フツ, フッ-

⇒221 私

払払払払払

pay out

払う (はらう) 〈V〉 pay; get rid
…払(い) (…ばらい) 〈N〉 …payment
▷現金払い (ゲンキン～) payment in cash [cash+]
十か月払い (ジュッかゲツ～) ten monthly installments [10 months+]
分割払い (ブンカツ～) payment in installments [division+]
払底 (フッテイ) 〈Nv〉 being spent out; shortage [+bottom]

665 習

なら-, -ならい;
シュウ

習習習習習

practice

習う (ならう) 〈V〉 take lessons
習慣 (シュウカン) 〈N〉 habit, custom [+accustom]
習字 (シュウジ) 〈N〉 calligraphy [+letter]
習性 (シュウセイ) 〈N〉 habitude; second nature [+character]
習得 (シュウトク) 〈Nv〉 learning, acquirement [+gain]

666 介

カイ

〈PN〉 すけ

介介介介介

intermediate

介在 (カイザイ) 〈Nv〉 interposition [+stay]
介入 (カイニュウ) 〈Nv〉 intervention [+enter]

assist

介抱 (カイホウ) 〈Nv〉 nursing, attending on [+embrace]

667 含

ふく-, -ぶく-;
ガン

⇒46 合, 1056 舎

含含含含含

contain, include

含み (ふくみ) 〈N〉 implication
含む (ふくむ) 〈V〉 contain
含める (ふくめる) 〈V〉 include
含蓄 (ガンチク) 〈N〉 implication, significance [+store]
含有 (ガンユウ) 〈Nv〉 containing [+have]

668 令

レイ

令令令令令

command, ordinance

…令 (…レイ) 〈N〉 …order, …law
▷戒厳令 (カイゲン～) martial law [admonish+stern+]
令状 (レイジョウ) 〈N〉 warrant [+document]
▶辞令 (ジレイ) 〈N〉 written appointment, commission [term+]

honorable

令嬢 (レイジョウ) 〈N〉 your/his/her daughter; young lady [+young lady]
令息 (レイソク) 〈N〉 your/his/her son [+son]
令夫人 (レイフジン) 〈N〉 your/his wife [+wife]
令名 (レイメイ) 〈N〉 reputation, fame [+name]

669 **捕**

つか-; と-, -ど-, とら-, -どら-, とり, -どり;
ホ

⇒516 補

catch
- 捕まえる (つかまえる) 〈V〉 catch, seize; arrest
- 捕(ら)える (とらえる) 〈V〉 capture
- 捕獲 (ホカク) 〈Nv〉 seizure, capture, catch [+seize]
- 捕鯨 (ホゲイ) 〈N〉 whaling [+whale]
- 捕虜 (ホリョ) 〈N〉 prisoner, captive [+captive]

670 **域**

イキ

⇒638 城

sphere
- 域 (イキ) 〈N〉 territory; level
- ▶海域 (カイイキ) 〈N〉 sea area, waters [sea+]
- 地域 (チイキ) 〈N〉 region, zone [ground+]

671 **察**

サツ, サッ-

discern
- 察する (サッする) 〈V〉 guess, perceive, discern
- 察知 (サッチ) 〈Nv〉 inference [+aware]
- ▶観察 (カンサツ) 〈Nv〉 observation, view [observe+]
- 警察 (ケイサツ) 〈N〉 police [warn+]

672 **精**

ショウ; セイ

⇒286 情, 509 清

spirit
- 精 (セイ) 〈N〉 spirit, nymph
- 精神 (セイシン) 〈N〉 spirit [+soul]
- 精霊 (セイレイ; ショウリョウ) 〈N〉 spirit, sprite; ancestral spirit [+soul]

vigor
- 精 (セイ) 〈N〉 vigor, vitality
- 精力 (セイリョク) 〈N〉 vitality, hustle [+power]
- 精力的 (セイリョクテキ) 〈Na〉 energetic [+power+*Suf Na*]
- ▶無/不精 (ブショウ) 〈Nv/Na〉 indolence, laziness [nil/un-+]

refine, fine
- 精巧 (セイコウ) 〈N/Na〉 elaborateness [+deft]
- 精度 (セイド) 〈N〉 accuracy, fineness [+degree]
- 精糖 (セイトウ) 〈N〉 refined sugar [+sugar]
- 精密 (セイミツ) 〈Na〉 detailed, minute, precise [+density]

673 **担**

かつ-; にな-;
タン

⇒1272 坦, 1660 胆

bear, burden
- 担ぐ (かつぐ) 〈Nv〉 carry on the shoulder
- 担う (になう) 〈Nv〉 bear, carry on the shoulder
- 担当 (タントウ) 〈Nv〉 (take) charge [+hit]
- 担保 (タンポ) 〈N〉 collateral, mortgage [+maintain]

674 処	ところ; シヨ	処処処処処

settle
処置 (ショチ) 〈Nv〉 disposal, measure, treatment [+place]
処分 (ショブン) 〈Nv〉 disposal, dealing; punishment [+portion]
処方 (ショホウ) 〈Nv〉 prescription [+means]
処理 (ショリ) 〈Nv〉 management, treatment [+manage]

stay at home
処女 (ショジョ) 〈N〉 virgin [+woman] ➔SN
処女… (ショジョ…) virgin...
▷処女航海 (〜コウカイ) 〈N〉 maiden voyage [+voyage]
処女雪 (〜ゆき) 〈N〉 virgin snow [+snow]

675 尾	お; ビ	尾尾尾尾尾

tail
尾 (お) 〈N〉 tail
尾行 (ビコウ) 〈Nv〉 following, trailing, shadowing [+go]
尾翼 (ビヨク) 〈N〉 tail wing [+wing]

***Cs* fish**
…尾 (…ビ) 〈Q〉 ...fish
▷一尾 (イチ〜), 二尾 (ニ〜), 三尾 (サン〜)

676 障	さわ-; ショウ	障障障障障

obstacle
障る (さわる) 〈V〉 hinder; affect; hurt
障害 (ショウガイ) 〈N〉 obstacle, handicap [+hurt]
障子 (ショウジ) 〈N〉 *shoji*, sliding partition [+piece]

677 版	ハン, -バン, -パン	版版版版版

print, impression
版 (ハン) 〈N〉 print, edition
…版 (…バン/パン) 〈N〉...edition
▷決定版 (ケッテイバン) authoritative edition [decision+]
日曜版 (ニチヨウバン) Sunday edition [Sunday+]
版画 (ハンガ) 〈N〉 woodblock print [+picture]
▶出版 (シュッパン) 〈Nv〉 publishing 《of books》 [put out+]

678 仏	ほとけ, -ぼとけ; フツ; **ブツ**, ブッ-	仏仏仏仏仏

Buddha
仏 (ほとけ) 〈N〉 Buddha; the deceased
仏像 (ブツゾウ) 〈N〉 image of Buddha [+image]
仏教 (ブッキョウ) 〈N〉 Buddhism [+religion]

France
仏領 (フツリョウ) 〈N〉 French territory [+domain]
▶英仏 (エイフツ) 〈N〉 England and France [England+]

▶仏像

679 津	つ, -づ; シン†	氵 氵 汀 泮 浡 津 / 津 津 津 津 津

gush | ▶興味津々 (キョウミシンシン) 〈N/Nt〉 growing interest/concern [interest+~+*Rep*]
harbor | 津波 (つなみ) 〈N〉 *tsunami* [+wave]
〈Place〉 | 津 (つ) Tsu City

680 類	たぐい; **ルイ**	丷 米 类 類 類 類 / 類 類 類 類 類

genus, sort

類 (ルイ) 〈N〉 genus, kind
…類 (…ルイ) 〈N〉 …kind, …group
▷酒類 (さけ~) liquor [*sake*+]
霊長類 (レイチョウ~) Primates [soul+chief+]
類する (ルイする) 〈V〉 be similar, belong to the same category
類型 (ルイケイ) 〈N〉 pattern, stereotype [+model]
類似 (ルイジ) 〈Nv〉 resemblance, analogy [+resemble]
類推 (ルイスイ) 〈Nv〉 analogy, infer [+presume]

681 副	**フク**, フッ- 〈PN〉 そえ, -ぞえ ⇒[450]福, [682]幅	一 弓 昌 畐 畐 副 / 副 副 副 副 副

sub-, vice-

副… (フク…) sub-…, vice-…, secondary…
▷副作用 (~サヨウ) 〈N〉 side effect [+action]
副大統領 (~ダイトウリョウ) 〈N〉 vice president 《of a nation》 [+president]
副業 (フクギョウ) 〈N〉 side job [+job]
副次的 (フクジテキ) 〈Na〉 secondary, subsidiary [+following+*Suf Na*]
副食 (フクショク) 〈N〉 side dish [+food]

682 幅	**はば**; フク, -プク ⇒[450]福, [681]副	冂 巾 帄 帼 幅 幅 / 幅 幅 幅 幅 幅

width

幅 (はば) 〈N〉 width →[1685]巾
…幅 (…はば) 〈N〉 …width, …gap
▷値上げ幅 (ねあげ~) amount of a price hike [price hike+]
幅広い (はばひろい) 〈A〉 wide, broad [+wide]
▶大幅 (おおはば) 〈N/Na〉 full width, large margin [big+]

683 幸	**さいわ-**, -ざいわ-; さち; **しあわ-**; **コウ** 〈PN〉 ゆき ⇒[1628]辛	一 十 土 吉 击 幸 / 幸 幸 幸 幸 幸

happy

幸 (さち) 〈N〉 happiness, blessing
幸い (さいわい) 〈S/Na〉 luck, fortune
幸せ (しあわせ) 〈N/Na〉 happiness, bliss
幸運 (コウウン) 〈N/Na〉 good luck [+fate]
幸福 (コウフク) 〈N/Na〉 felicity, welfare [+blessing]

684 抜

ぬ-, ぬき;
バツ, バッ-

⇨[840]扱

抜抜抜抜抜

pull out, extract, outgo

抜く (ぬく) 〈V〉 draw/pick out; outrun
抜ける (ぬける) 〈V〉 come off/out
抜群 (バツグン) 〈N〉 preeminence, outstanding [+flock]
抜本的 (バッポンテキ) 〈Na〉 radical, drastic [+root+*Suf Na*]

685 韓

カン

韓韓韓韓韓

Korea

韓国 (カンコク) 〈N〉 Republic of Korea [+country] ➔SN

686 革

かわ, -がわ;
カク

⇨[807]華

革革革革革

animal skin

革 (かわ) 〈N〉 hide; leather →[939]皮
革靴 (かわぐつ) 〈N〉 leather shoes [+shoe]

innovate

革新 (カクシン) 〈N〉 reform, innovation [+new]
革命 (カクメイ) 〈N〉 revolution [+order]

687 寺

てら, -でら;
ジ

寺寺寺寺寺

temple

寺 (てら) 〈N〉 temple
…寺 (…ジ/でら) 〈N〉 …temple ➔SN
▷金閣寺 (キンカクジ) Kinkaku-ji temple [gold+grand building+]
禅寺 (ゼンでら) *Zen* temple [*Zen*+]
寺院 (ジイン) 〈N〉 temple, cathedral [+hall]

688 除

のぞ-;
-ジ; **ジョ**

⇨[1667]徐

除除除除除

exclude, expel

除く (のぞく) 〈V〉 exclude, expel
除外 (ジョガイ) 〈Nv〉 exclusion, expel [+outer]
除去 (ジョキョ) 〈Nv〉 removal, get rid of [+pass away]
除夜 (ジョヤ) 〈N〉 New Year's Eve [+night]
▶掃除 (ソウジ) 〈Nv〉 clean, sweep [sweep+]

689 油

あぶら;
ユ

油油油油油

oil

油 (あぶら) 〈N〉 oil
油絵 (あぶらエ) 〈N〉 oil painting [+picture]
油脂 (ユシ) 〈N〉 fats and oils [+grease]
油田 (ユデン) 〈N〉 oil field/well [+rice field]

690 **永**

なが-;
エイ

⇒[1222]氷

long time
- 永い（ながい）⟨A⟩ of long time, everlasting →[25]長
- 永遠（エイエン）⟨N⟩ eternity [+remote]
- 永久（エイキュウ）⟨N⟩ forever [+long time]

691 **模**

ボ；モ-

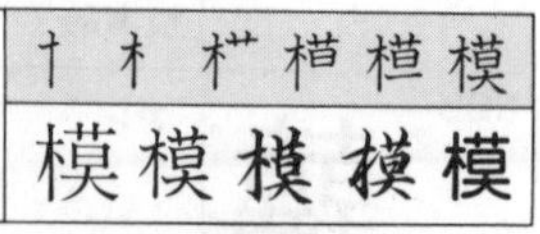

form, model
- 模型（モケイ）⟨N⟩ model [+model]
- 模様（モヨウ）⟨N⟩ pattern; appearance [+appearance]
- ▶規模（キボ）⟨N⟩ scale [regulate+]

692 **歴**

レキ

⇒[1793]暦

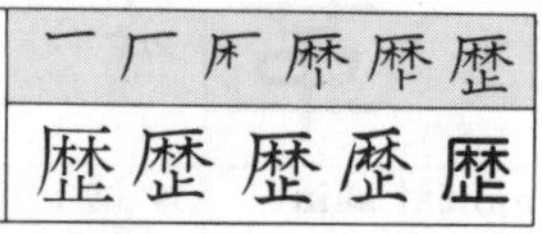

career
- …歴（…レキ）⟨N⟩ …career, …record
  - ▷逮捕歴（タイホ～）criminal record [arrest+]
- 歴史（レキシ）⟨N⟩ history [+history] [➜SN]
- お歴々（おレキレキ）⟨N⟩ honored guests [(*Pref honorific*)+～+*Rep*]

one after another
- 歴任（レキニン）⟨Nv⟩ successively occupying different posts [+commission]
- 歴訪（レキホウ）⟨Nv⟩ visiting one after another [+visit]

693 **催**

もよお-, もよおし；
サイ

provoke
- 催す（もよおす）⟨V⟩ provoke, arouse
- 催促（サイソク）⟨Nv⟩ repeating request; dunning [+urge]
- 催眠術（サイミンジュツ）⟨N⟩ hypnotism [+sleep+art]
- 催涙ガス（サイルイガス）⟨N⟩ tear gas [+tears+(gas)]

promote
- 催し（もよおし）⟨N⟩ event
- 催す（もよおす）⟨V⟩ promote, organize, hold; feel
- 催(し)物（もよおしもの）⟨N⟩ event [+thing]

694 **周**

まわ-;
シュウ

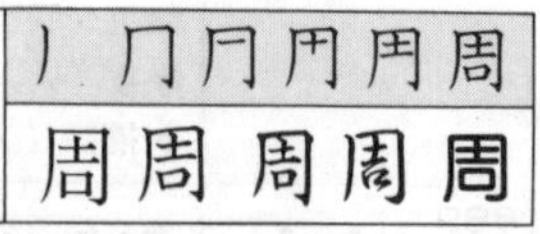

round
- 周り（まわり）⟨N⟩ circumference; neighborhood
- 周囲（シュウイ）⟨N⟩ circumference; neighborhood [+enclose]
- 周知（シュウチ）⟨N⟩ common knowledge [+know]

***Cs* rounds**
- …周（…シュウ）⟨Q⟩ …round(s)
  - ▷一周（イッ～），二周（ニ～），三周（サン～）
- …周年（…シュウネン）⟨N⟩ …anniversary [+year]
  - ▷五周年（ゴ～）fifth anniversary [five+]

695 興	おこ-; キョウ; コウ 〈PN〉 おき	興 (stroke order)

emerge, arise
興る (おこる) 〈V〉 emerge, arise →[443] 起こる
興行 (コウギョウ) 〈Nv〉 performance [+exert]
興奮 (コウフン) 〈Nv〉 excitement [+inspire]

fun
興じる (キョウじる) 〈V〉 have fun, play
興味 (キョウミ) 〈N〉 interest, zest [+taste]

696 辺	あた-; -べ; ヘン, -ペン	辺 (stroke order)

side
辺 (ヘン) 〈N〉 side boundary; degree; vicinity
辺り (あたり) 〈N〉 neighborhood
▶海辺 (うみべ) 〈N〉 seaside [sea+]

697 之	シ† 〈PN〉 の, ゆき ⇨[1587] 乏	之 (stroke order)

of†; go†
〈Place〉
▶丸之内 (まるのうち) Marunouchi

698 河	かわ, -がわ; カ, -ガ	河 (stroke order)

large river
河 (かわ) 〈N〉 (large) river →[111] 川
河口 (カコウ) 〈N〉 estuary, mouth of a river [+mouth]
河川 (カセン) 〈N〉 rivers [+river]

699 糸	いと; シ ⇨[786] 系	糸 (stroke order)

thread
糸 (いと) 〈N〉 thread
糸口 (いとぐち) 〈N〉 end of a thread; clue [+mouth]
▶絹糸 (きぬいと/ケンシ) 〈N〉 silk thread [silk+]

700 君	きみ, -ぎみ; クン	君 (stroke order)

lord
君 (きみ) 〈N〉 you; (my) lord
…君 (…クン) 〈N〉 Dear…, Mr.… 《among male friends and in the Diet》
▷ひろし君 Dear Hiroshi [*PN*+]
中村君 (なかむら〜) Mr. Nakamura [*PN*+]
君が代 (きみがよ) 〈N〉 Thy Glorious Reign 《Jap. national anthem》 [+period]
君子 (クンシ) 〈N〉 true gentleman 《classic》 [+child] ➜SN
君主 (クンシュ) 〈N〉 lord, monarch [+lord]

701 **捜**

さが-;
ソウ

search

捜す (さがす) 〈V〉 search, look for →[1239] 探す
捜査 (ソウサ) 〈Nv〉 (criminal) investigation [+inspect]
捜索 (ソウサク) 〈Nv〉 search, manhunt [+trace]

702 **融**

ユウ

accommodate

融資 (ユウシ) 〈Nv〉 financing, loan [+fund]
融通 (ユウズウ) 〈Nv〉 accommodation; elasticity [+let pass]

melt

融合 (ユウゴウ) 〈Nv〉 fusion [+combine]

703 **袋**

ふくろ, -ぶくろ;
タイ

〈Ir〉

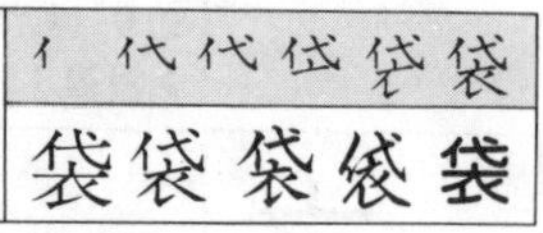

sack

袋 (ふくろ) 〈N〉 bag, sack, pouch
…袋 (…ぶくろ) 〈N〉 …sack, …bag
▷ビニール袋 plastic bag [(vinyl)+]
紙袋 (かみ～) paper bag [paper+]
給料袋 (キュウリョウ～) pay packet [salary+]
〈Ir〉 ▶足袋 (たび) 〈N〉 *tabi*, Japanese mitten socks [foot+]
風袋 (フウタイ) 〈N〉 packing; tare [style+]

704 **練**

ね-, ねり;
レン

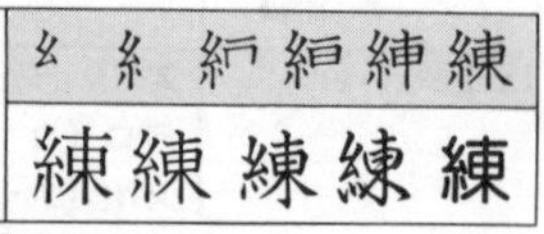

knead

練る (ねる) 〈V〉 knead; train; refine, polish up
練習 (レンシュウ) 〈Nv〉 practice, drill [+practice]

705 **草**

くさ, -ぐさ;
ソウ, -ゾウ

grass

草 (くさ) 〈N〉 grass, herb

draft

草案 (ソウアン) 〈N〉 rough idea/plan [+idea]

cursive

草書 (ソウショ) 〈N〉 cursive script [+write]
草々 (ソウソウ) 〈CF〉 Yours hastily [+*Rep*]

706 **頼**

たの-, -だの-; たよ-, -だよ-;
ライ

〈PN〉 より

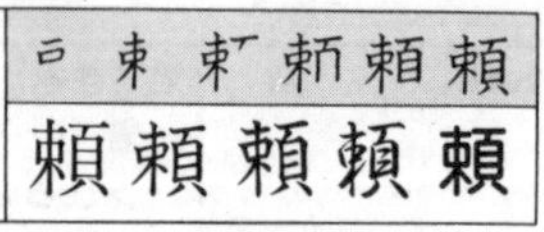

rely

頼む (たのむ) 〈V〉 rely; request
頼もしい (たのもしい) 〈A〉 reliable
頼る (たよる) 〈V〉 rely, look to
▶依頼 (イライ) 〈Nv〉 request, entrusting [depend+]

707 **異** こと-; イ

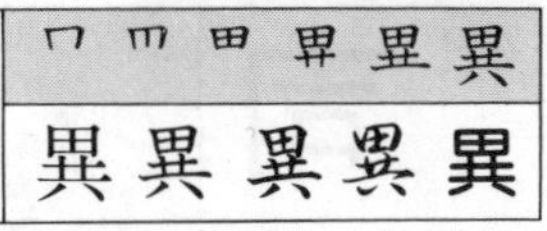

difference

異なる (ことなる) 〈V〉 differ, be different
異議 (イギ) 〈N〉 dissent, objection [+debate]
異色 (イショク) 〈N〉 novelty, uniqueness [+feature]
異常 (イジョウ) 〈N/Na〉 abnormality, anomaly [+usual]
異動 (イドウ) 〈N〉 (personnel) changes, reshuffle [+move]
異例 (イレイ) 〈N〉 exceptional case [+example]
異論 (イロン) 〈N〉 divergent view, objection [+argue]

708 **倉** くら, -ぐら; ソウ

storehouse

倉 (くら) 〈N〉 storehouse, warehouse《Jap. style》
倉庫 (ソウコ) 〈N〉 storehouse, warehouse [+storehouse]

709 **板** いた; ハン, -バン, -パン

⇨595 坂

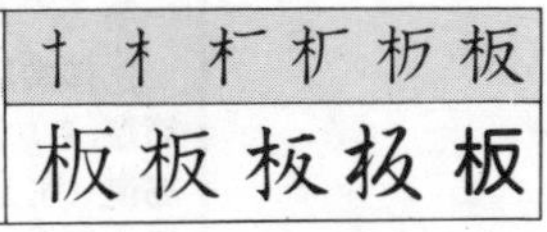

board

板 (いた) 〈N〉 board
…板 (…バン) 〈N〉 …board
▷ニッケル板 nickel sheet [(nickel)+]
掲示板 (ケイジ～) bulletin/notice board [notice+]
板前 (いたまえ) 〈N〉 chef of Japanese cuisine [+front] ➔SN

710 **募** つの-; ボ

⇨836 幕, 1349 墓

collect, appeal for

募る (つのる) 〈V〉 collect, appeal for ⌈[+collect]
募集 (ボシュウ) 〈Nv〉 advertising, recruiting《for employees, etc.》
▶応募 (オウボ) 〈Nv〉 (make) application《for employment, etc.》 [respond+]

711 **犯** おか-; ハン, -パン

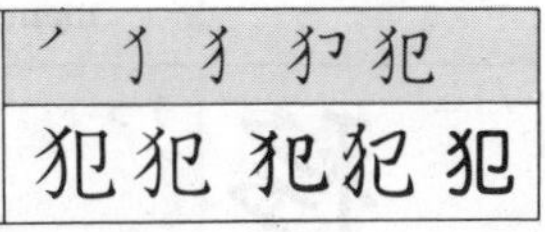

violate, infringe

…犯 (…ハン) 〈N〉 …violation; …criminal
▷現行犯 (ゲンコウ～) red-handed [presence+conduct+]
殺人犯 (サツジン～) murderer [homicide+]
犯す (おかす) 〈V〉 violate, infringe; rape →1046 侵す, 1483 冒す
犯行 (ハンコウ) 〈N〉 criminal act [+conduct]
犯罪 (ハンザイ) 〈N〉 crime, offense《collective》 [+crime]
犯人 (ハンニン) 〈N〉 criminal [+person]
▶主犯 (シュハン) 〈N〉 master criminal [chief+] ⌈+～+person]
共犯者 (キョウハンシャ) 〈N〉 partner in crime, accomplice [together

712 **司**

シ, -ジ

〈PN〉 つかさ ⇒510可

司司司司司

control, manage

司会（シカイ）〈Nv〉 act as MC; MC [+meeting]
司書（シショ）〈N〉 librarian [+book]
司法（シホウ）〈N〉 administration of justice [+law]
司令（シレイ）〈Nv〉 command [+command]
司令官（シレイカン）〈N〉 commander [+command+officer]

713 **筋**

すじ;
キン

筋筋筋筋筋

sinew

筋（すじ）〈N〉 sinew, tendon
筋肉（キンニク）〈N〉 muscle [+flesh]
▶鉄筋コンクリート（テッキン～）〈N〉 ferroconcrete [iron+～+(concrete)]

line

筋（すじ）〈N〉 line; stripe; street; plot; makings《of some skill》
…筋（…すじ）〈N〉 …street, …avenue
▷御堂筋（みドウ～）Midosuji Ave. [*PN*+]
筋書(き)（すじがき）〈N〉 outline of story [+write]
筋道（すじみち）〈N〉 thread《of argument》, consistency [+way]
筋向(か)い（すじむかい）〈N〉 diagonally opposite [+direction]

channels

…筋（…すじ）〈N〉 …channels, …sources
▷消息筋（ショウソク～）informed channels [how things stand+]
その筋（そのすじ）〈N〉 authorities [(that)+] ➡SN

714 **角**

かど; つの, -づの;
カク, カッ-

〈PN〉 すみ, -ずみ

角角角角角

horn

角（つの）〈N〉 horn, antler

corner

角（かど）〈N〉 corner《seen from outside》 →1686隅
角度（カクド）〈N〉 angle [+degree]
▶死角(シカク)〈N〉 dead angle [death+]
多角経営（タカクケイエイ）〈N〉 diversified (conglomerate) management [many+～+management]

715 **移**

うつ-;
イ

移移移移移

transfer

移す（うつす）〈V〉 transfer, move (*vt.*)
移る（うつる）〈V〉 transfer, move (*vi.*)
移行措置（イコウソチ）〈N〉 temporary measure [+go+measure]
移住（イジュウ）〈Nv〉 immigration, emigration, transmigration [+dwell]
移植（イショク）〈Nv〉 transplantation [+plant]
移転（イテン）〈Nv〉 moving, transfer [+change]
移動（イドウ）〈Nv〉 removal; migration [+move]
移民（イミン）〈Nv〉 immigration, emigration; 〈N〉 immigrant [+folk]

716 **並**

な-, **なみ**; **なら-**;
ヘイ

並並並並並

line up

並(み) (なみ) 〈N〉 mediocre, ordinary
並び (ならび) 〈N〉 row
並びに (ならびに) 〈Adv〉 besides
並ぶ (ならぶ) 〈V〉 line up
並べる (ならべる) 〈V〉 put things all in a row
並木 (なみき) 〈N〉 row of trees [+tree]
並行 (ヘイコウ) 〈Nv〉 going side by side, parallel [+go]

717 **素**

ス-; **ソ**

〈Ir〉: 〈PN〉 もと

素素素素素

original, raw, natural

素顔 (スがお) 〈N〉 unpainted face [+face]
素直 (スなお) 〈Na〉 gentle; obedient [+straight]
素肌 (スはだ) 〈N〉 bare skin [+surface of body]
素行 (ソコウ) 〈N〉 one's everyday conduct [+conduct]
素材 (ソザイ) 〈N〉 material [+material]
素質 (ソシツ) 〈N〉 one's capacity, temperament, constitution [+quality]
素朴 (ソボク) 〈Na〉 simple, naïve [+artless]
〈Ir〉 素人 (しろうと) 〈N〉 amateur [+person] →1514 玄人

element

▶塩素 (エンソ) 〈N〉 chlorine [salt+]
酸素 (サンソ) 〈N〉 oxygen [acid+]
水素 (スイソ) 〈N〉 hydrogen [water+]
炭素 (タンソ) 〈N〉 carbon [charcoal+]
窒素 (チッソ) 〈N〉 nitrogen [suffocate+]

718 **帯**

お-, **おび**;
タイ

帯帯帯帯帯

belt

帯 (おび) 〈N〉 belt, sash, band, girdle
…帯 (…タイ) 〈N〉 …belt, …band, …zone
▷火山帯 (カザン~) volcanic zone [volcano+]
地震帯 (ジシン~) earthquake zone [earthquake+]
性感帯 (セイカン~) erogenous zone [sex+feel+]
緑地帯 (リョクチ~) green belt [green ground+]
帯びる (おびる) 〈V〉 bear, wear; partake; be tinged
▶包帯 (ホウタイ) 〈N〉 bandage [wrap+]

719 **竹**

たけ, -だけ;
チク, チッ-

竹竹竹竹竹

bamboo

竹 (たけ) 〈N〉 bamboo
竹馬 (たけうま) 〈N〉 stilts [+horse] ➔SN
竹馬の友 (チクバのとも) 〈N〉 childhood friend [+horse+friend]

720 印	しるし, -じるし; イン	印印印印印

sign, mark
- 印（しるし）〈N〉 sign, mark
- …印（…じるし）〈N〉 …brand, …mark
  - ▷矢印（や～） arrow mark [arrow+]
  - 雪印（ゆき～） snow brand [snow+]

stamp, seal
- 印（イン）〈N〉 stamp
- 印鑑（インカン）〈N〉 (registered) stamp [+inspect]
- 印刷（インサツ）〈Nv〉 press, print [+print]
- 印紙（インシ）〈N〉 revenue stamp; duty stamp [+paper]
- 印象（インショウ）〈N〉 impression [+image]
- 印象的（インショウテキ）〈Na〉 impressive [+image+*Suf Na*]

India
- 印パ（インパ）〈N〉 India and Pakistan [+(Pakistan)]

721 細	こま-, -ごま; ほそ-, -ぼそ; サイ	細細細細細

slender, minute, fine
- 細かい（こまかい）〈A〉 detailed, minute
- 細い（ほそい）〈A〉 slender
- 細菌（サイキン）〈N〉 bacterium [+germ]
- 細工（サイク）〈Nv〉 craftsmanship, work [+craft]
- 細心（サイシン）〈N〉 scrupulousness [+heart]
- 細部（サイブ）〈N〉 detail [+part]
- 細胞（サイボウ）〈N〉 cell [+theca]

722 芝	しば; シ†	芝芝芝芝芝

lawn
- 芝（しば）〈N〉 turf, sod
- 芝居（しばい）〈N〉 drama; play-acting [+stay]
- 芝生（しばふ）〈N〉 lawn [+growth]

723 傷	いた-; きず; ショウ, -ジョウ	傷傷傷傷傷

injury, wound
- 傷（きず）〈N〉 injury, wound
- 傷める（いためる）〈V〉 injure, damage
- 傷つく（きずつく）〈V〉 be hurt
- 傷つける（きずつける）〈V〉 injure, hurt
- 傷薬（きずぐすり）〈N〉 salve [+medicine]
- 傷害（ショウガイ）〈N〉 bodily harm, injury [+damage]
- 傷心（ショウシン）〈N〉 heartbreak, grief [+heart]
- ▶軽傷（ケイショウ）〈N〉 slight injury [light+]
  - 死傷者（シショウシャ）〈N〉 casualties [death+～+person]
  - 重傷（ジュウショウ）〈N〉 serious injury [seriously bad+]

724 **存**	ソン; ゾン 〈PN〉 あり ⇒243在	一 ナ 才 存 存 存 存 存 存 存 存

exist
- 存在 (ソンザイ) 〈Nv〉 existence [+exist]
- 存続 (ソンゾク) 〈Nv〉 lasting, persistence [+continue]

have in mind 《honorific》
- 存じる (ゾンじる) 〈V〉 (I) think; (I) know
- ▶御存知 (ゴゾンジ) 〈N〉 your/his/her knowledge/awareness [*honorific*+〜+know] ➜SN

725 **走**	はし-, -ばし-; ソウ 〈Ir〉: 〈PN〉 はしり, -ばしり	一 十 土 キ 丰 走 走 走 走 走 走

run
- 走る (はしる) 〈V〉 run
- 走者 (ソウシャ) 〈N〉 runner [+person]
- 〈Ir〉 ▶師走 (シわす) 〈T〉 December [master+]

726 **迎**	むか-; ゲイ	ノ 亡 口 卬 卬 迎 迎 迎 迎 迎 迎

welcome, receive
- 迎える (むかえる) 〈V〉 welcome, receive
- 迎撃 (ゲイゲキ) 〈Nv〉 interception 《against enemy raiders》 [+attack]
- 迎春 (ゲイシュン) 〈CF〉 Happy New Year [+spring]
- 迎賓館 (ゲイヒンカン) 〈N〉 guesthouse [+honored guest +mansion]

727 **従**	したが-; ジュ; ジュウ; ショウ ⇒768徒	彳 彳 彳 彳 彳 従 従 従 従 従 従

follow, obey
- 従う (したがう) 〈V〉 obey, follow, abide by
- 従って (したがって) 〈Adv〉 hence, consequently
- 従業員 (ジュウギョウイン) 〈N〉 employee [+job+member]
- 従事 (ジュウジ) 〈Nv〉 being engaged/occupied [+affair]
- 従来 (ジュウライ) 〈T〉 until now, formerly [+come]
- 従容 (ショウヨウ) 〈Nt〉 composed, placid [+admit]

728 **遊**	あそ-; ユ-; ユウ	ゥ 方 方 方 斿 遊 遊 遊 遊 遊 遊

play, fun
- 遊び (あそび) 〈N〉 play, fun
- 遊ぶ (あそぶ) 〈V〉 play, make merry
- 遊び相手 (あそびあいて) 〈N〉 playmate [+partner]
- 遊園地 (ユウエンチ) 〈N〉 amusement park [+garden+ground]

wander
- 遊ぶ (あそぶ) 〈V〉 wander
- 遊山 (ユサン) 〈N〉 jaunt, picnic [+mountain]
- 遊星 (ユウセイ) 〈N〉 planet [+star]
- 遊歩道 (ユウホドウ) 〈N〉 promenade [+walk+way]
- ▶外遊 (ガイユウ) 〈Nv〉 traveling abroad [foreign+]

729 **渋**	しぶ; ジュウ	氵 氵 氵 氵 渋 渋 渋 渋 渋 渋 渋

astringent	渋い (しぶい) ⟨A⟩ astringent, rough
sedate	渋い (しぶい) ⟨A⟩ sullen, sober, subdued; stingy 渋る (しぶる) ⟨V⟩ hesitate, be disinclined 渋滞 (ジュウタイ) ⟨Nv⟩ (traffic) jam; retard [+stagnate]

730 **枚**	マイ ⟨PN⟩ ひら	一 十 木 木' 杪 枚 枚 枚 枚 枚 枚

sheet	枚数 (マイスウ) ⟨N⟩ number of sheets [+number]
***Cs* sheets**	…枚 (…マイ) ⟨Q⟩ …sheets, …plates ▷**一枚** (イチ～), **二枚** (ニ～), **三枚** (サン～)

731 **節**	ふし, -ぶし, -ぷし; セチ; **セツ**, セッ-	⺮ 竹 笞 笣 節 節 節 節 節 節 節

knot, joint	節 (ふし) ⟨N⟩ knot/joint 《of a tree/bamboo》 節々 (ふしぶし) ⟨N⟩ joints of body [+*Rep*] ▶関節 (カンセツ) ⟨N⟩ joint 《of bones》 [joint+]
banner†	▶使節 (シセツ) ⟨N⟩ envoy, mission [envoy+]
tune, moderate	節 (ふし) ⟨N⟩ tune, melody …節 (…ぶし) ⟨N⟩ …tune, …melody ▷浪花節 (なにわ～) *Naniwa-bushi* reciting [*PN*+] 節度 (セツド) ⟨N⟩ moderation, prudence [+degree] 節約 (セツヤク) ⟨Nv⟩ saving, economization [+abbreviate] 節操 (セッソウ) ⟨N⟩ fidelity, constancy [+constancy] ▶調節 (チョウセツ) ⟨Nv⟩ adjustment, tune-up [arrange+]
season, occasion	節 (セツ) ⟨T⟩ occasion ⌈[(*Pref honorific*)+～(+cooking)] ➜SN お節(料理) (おセチ (リョウリ)) ⟨N⟩ *osechi* cuisine 《dishes for New Year》 節分 (セツブン) ⟨T⟩ calendrical beginning of four seasons; last day of calendrical winter 《around Feb. 4》 [+division] ➜SN ▶季節 (キセツ) ⟨T⟩ season [season+]
paragraph	節 (セツ) ⟨N⟩ paragraph ▶第…節 (ダイ…セツ) ⟨N⟩ the …-th paragraph [No.…+]

732 **羽**	**は**, -ば, -ぱ, -わ; **はね**, -ばね; **ウ**	丁 ヲ ヨ 刃 羽 羽 羽 羽 羽 羽 羽

feather	羽 (はね) ⟨N⟩ feather; wing 羽子板 (はごいた) ⟨N⟩ battledore [+tiny thing+board] 羽根 (はね) ⟨N⟩ feather; blade of fan; shuttlecock [+*Ph*] 羽毛 (ウモウ) ⟨N⟩ feather [+fur]
***Cs* fowls**	…羽 (…わ/ば/ぱ) ⟨Q⟩ …fowls, …hares ▷一羽 (イチわ), 三羽 (サンば), 六羽 (ロッぱ)

▶羽子板

733 焼	や-, やき; ショウ	丷 火 炷 焼 焼 焼 焼 焼 焼 焼 焼

burn

…焼(き)(…やき)〈N〉…grill, …burn, …bake; …pottery
　▷お好み焼(き)(おこのみ～) *o-konomi* (*yaki*), Japanese pizza [taste+]
　すき焼き(すき～) *sukiyaki* [(spade)+] ➔SN
　清水焼(きよみず～) Kiyomizu pottery [*PN*+]
　塩焼(き)(しお～) broil with salt [salt+]
　卵焼(き)/玉子焼(き)(たまご～) omelet [egg/hen's egg+]
焼く(やく)〈V〉burn; roast; grill; broil; bake; toast
…焼け(…やけ)〈N/Nv〉…burn
　▷朝焼け(あさ～)〈N〉morning glow [morning+]
　日焼け(ひ～)〈Nv〉sunburn (*vi.*), suntan [sun+]
　丸焼け(まる～)〈N〉roasting whole, burning up [entire+]
焼き肉(やきニク)〈N〉grilled meat [+meat]
焼死(ショウシ)〈Nv〉death by fire [+death]

734 乱	みだ-; ラン	二 千 千 舌 舌 乱 乱 乱 乱 乱 乱

disorder, confusion

乱す(みだす)〈V〉disturb
乱れる(みだれる)〈V〉fall into disorder; be corrupt
乱世(ランセイ)〈N〉chaotic times [+period]
乱闘(ラントウ)〈Nv〉(make) free-for-all fight, scuffle [+fight]
乱暴(ランボウ)〈Nv〉(offer) violence; rape [+violent]
乱用(ランヨウ)〈Nv〉abuse, use to excess [+use] ➔SN

735 余	あま-; ヨ	ノ 人 亼 仝 全 余 余 余 余 余 余

surplus, remains

…余(…ヨ)〈Q〉…odd; some more than…
　▷千余円(セン～エン) 1,000 odd yen [1,000+～+yen]
余り(あまり)〈N〉surplus, remains; 〈Adv〉excessively, too, (not) so
…余り(…あまり)〈Q〉…and more, upward of…
　▷百人余り(ヒャクニン～) 100 persons and more [100 persons+]
余る(あまる)〈V〉be left over, remain; exceed
余暇(ヨカ)〈N〉leisure [+leisure]
余地(ヨチ)〈N〉room, margin [+ground]
余分(ヨブン)〈N〉surplus [+portion]
余裕(ヨユウ)〈N〉allowance, leeway [+generous]

736 述	の-; ジュツ, ジュッ-	一 十 木 朮 朮 述 述 述 述 述 述

mention, statement

述べる(のべる)〈V〉state, mention
述懐(ジュッカイ)〈Nv〉confession, reminiscence [+yearning]

737 **盛**	**さか-**, -ざか-; **も-**, もり; ジョウ; **セイ**	丿 厂 万 成 成 盛 盛 盛 盛 盛 盛

thrive
盛り (さかり) 〈N〉 peak, zenith, prime
盛る (もる) 〈V〉 pile up
盛ん (さかん) 〈Na〉 thriving
盛り場 (さかりば) 〈N〉 amusement quarters [+place]
盛(り)上がり (もりあがり) 〈N〉 upsurge, climax [+up]
盛(り)合(わ)せ (もりあわせ) 〈N〉 assortment 《of *sushi*, etc.》 [+combine]
盛(り)込む (もりこむ) 〈N〉 incorporate, integrate [+into]
盛況 (セイキョウ) 〈N〉 prosperity, booming [+state of things]
盛大 (セイダイ) 〈Na〉 flourishing, splendid [+big]
▶繁盛 (ハンジョウ) 〈Nv〉 prosperity, thriving [rampant+]

〈Place〉
盛岡 (もりおか) Morioka City

738 **卒**	**ソツ**, ソッ- ⇨553率	亠 亣 𠆢 亦 亦 卒 卒 卒 卒 卒 卒

graduate
…卒 (…ソツ) 〈N〉 …graduate
▷**1960年卒** (～ネン～) graduated in 1960 [the year 1960+]
英文科卒 (エイブンカ～) graduated from the English department [England+letter+branch+]
大学卒 (ダイガク～) college graduate [university+]
卒業 (ソツギョウ) 〈Nv〉 graduation [+work]
卒業生 (ソツギョウセイ) 〈N〉 graduate, alumni [+work+pupil]

sudden finish
卒中 (ソッチュウ) 〈N〉 apoplexy [+hit]
卒倒 (ソットウ) 〈Nv〉 faint [+lean and fall]

739 **晴**	**は-**, -ば-, はれ, -ばれ; **セイ** 〈PN〉 はる ⇨657請	冂 日 日+ 日丰 晴 晴 晴 晴 晴 晴 晴

fine, clear up
晴らす (はらす) 〈V〉 clear up, dispel
晴(れ) (はれ) 〈N〉 fine weather
晴(れ)る (はれる) 〈V〉 clear up, be dispelled
晴れ晴れ (はればれ) 〈Nt〉 bright, splendid [+*Rep*]
晴天 (セイテン) 〈N〉 clear sky [+heaven]
▶快晴 (カイセイ) 〈N〉 clear and fine weather [pleasant+]

festive
晴(れ)着 (はれぎ) 〈N〉 best clothes [+wear]

740 **締**	**し-**, -じ-, しめ, -じめ; **テイ**	幺 糸 紵 締 締 締 締 締 締 締 締

tighten, fasten, close
締める (しめる) 〈V〉 tie, tighten
締(め)切(り) (しめきり) 〈N〉 deadline, closing [+end]
締(め)出す (しめだす) 〈V〉 shut/lock out [+put out]
締結 (テイケツ) 〈Nv〉 contracting, conclusion [+conclude]

741 **伸**	の-; シン 〈PN〉 のぶ	ノ 亻 亻 仃 伯 伸 伸 伸 伸 伸 伸

extend
- 伸ばす (のばす) 〈V〉 extend (*vt.*), lengthen; let (nail, hair, etc.) grow
- 伸び (のび) 〈N〉 development
- 伸びる (のびる) 〈V〉 extend (*vi.*), lengthen; grow (*vi.*) 《nail, hair, etc.》
- 伸び悩む (のびなやむ) 〈V〉 be restrained from growing [+affliction]
- 伸び率 (のびリツ) 〈N〉 percentage of increase 《of sales, etc.》 [+ratio]
- 伸縮 (シンシュク) 〈Nv〉 expansion and contraction; be elastic/telescopic [[+shrink]]
- 伸長 (シンチョウ) 〈Nv〉 development [+long]

742 **父**	ちち; フ, -プ 〈Ir〉: 〈PN〉 -ブ	ノ ハ ク 父 父 父 父 父 父

father
- 父 (ちち) 〈N〉 father
- 父親 (ちちおや) 〈N〉 father, male parent [+parent]
- 父兄 (フケイ) 〈N〉 guardians [+elder brother]
- 父母 (フボ) 〈N〉 parents [+mother]
- 〈Ir〉 お父さん (おとうさん) 〈N〉 dad, father
- 〈Ir〉 ▶叔父 (おじ) 〈N〉 uncle younger than one's parent [second young-est+]
- 〈Ir〉 伯父 (おじ) 〈N〉 uncle older than one's parent [eldest+]

743 **絶**	た-, -だ-; ゼツ, ゼッ-	糸 紀 絆 絶 絶 絶 絶 絶 絶 絶 絶

terminate, cease
- 絶える (たえる) 〈V〉 terminate, discontinue
- 絶望 (ゼツボウ) 〈Nv〉 despair, hopelessness [+wish]
- 絶交 (ゼッコウ) 〈Nv〉 rupture, quarrel [+intercourse]
- 絶対 (ゼッタイ) 〈S〉 absoluteness [+pair]

extremity
- 絶好 (ゼッコウ) 〈N〉 idealness, splendidness [+favorable]
- 絶賛 (ゼッサン) 〈Nv〉 admiration, extolment [+approve]

744 **岩**	いわ; ガン	' 山 山 岸 岩 岩 岩 岩 岩 岩 岩

rock
- 岩 (いわ) 〈N〉 rock
- 岩石 (ガンセキ) 〈N〉 rocks and stones [+stone]

〈Place〉
- 岩手 (いわて) Iwate Pref.

745 **栄**	さか-; は-, -ば-; エイ 〈PN〉 さかえ	` `` 営 営 栄 栄 栄 栄 栄 栄 栄

prosperity
- 栄える (さかえる) 〈V〉 thrive, flourish
- 栄養 (エイヨウ) 〈N〉 nourishment [+nourish]

glory
- 栄え (はえ) 〈N〉 glory
- 栄光 (エイコウ) 〈N〉 glory [+light]

746 **舞**

まー，まい；
ブ

舞舞舞舞舞

dance
舞（まい）〈N〉dance
舞う（まう）〈V〉dance
舞台（ブタイ）〈N〉stage [+platform]
舞踊（ブヨウ）〈N〉dancing [+dance]

Ph
▶見舞う（みまう）〈V〉visit; inquire/ask after [look+]
暑中見舞(い)（ショチュウみまい）〈N/CF〉inquiry after someone's health in midsummer [hot+middle+look+]

747 **招**

まねー；
ショウ

⇨[938]紹

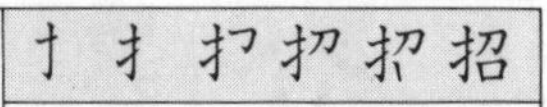

招招招招招

invite
招き（まねき）〈N〉invitation
招く（まねく）〈V〉invite
招集（ショウシュウ）〈Nv〉summon, call [+collect]
招待（ショウタイ）〈Nv〉invitation [+hospitality]

748 **及**

およー；
キュウ
〈PN〉おい

⇨[183]反

及及及及及

reach, be extended
及び（および）〈Adv〉as well, and
及ぶ（およぶ）〈V〉reach, be extended to
及ぼす（およぼす）〈V〉influence, affect
及第（キュウダイ）〈Nv〉passing an exam [+rank]

749 **布**

ぬの；
フ，ーブ，ープ

⇨[78]市

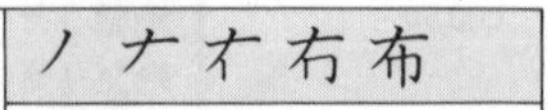

布布布布布

cloth
布（ぬの）〈N〉cloth
▶財布（サイフ）〈N〉purse, wallet [treasure+]
毛布（モウフ）〈N〉blanket [wool+]

expand
布告（フコク）〈Nv〉proclamation, declaration [+announce]
▶配布（ハイフ）〈Nv〉wide distribution [deliver+]

750 **勤**

つとー，ーづとー；
キン；ゴン

⇨[1835]謹

勤勤勤勤勤

serve, work for
勤め（つとめ）〈N〉service, task
勤める（つとめる）〈V〉work/serve for
勤め先（つとめさき）〈N〉one's work place [+objective]
勤め人（つとめニン）〈N〉salaried man [+person]
勤務（キンム）〈Nv〉(take) service, duty [+duty]
勤労（キンロウ）〈N〉labor [+labor]
勤行（ゴンギョウ）〈N〉Buddhist service [+exert]

751 **錠**	ジョウ	钅 金 鉒 鉒 鉒 錠 錠 錠 錠 錠 錠

lock | 錠（ジョウ）〈N〉 lock
▶手錠（てジョウ）〈N〉 handcuff [hand＋]
tablet | 錠剤（ジョウザイ）〈N〉 tablet, pill [＋drug]
***Cs* tablets** | …錠（…ジョウ）〈Q〉 …tablets
▷一錠（イチ～），二錠（ニ～），三錠（サン～）

752 **停**	テイ	亻 仁 信 停 停 停 停 停 停 停 停

stop | 停止（テイシ）〈Nv〉 halt, stop [＋stop]
停車（テイシャ）〈Nv〉 stop《of a car》 [＋car]
停戦（テイセン）〈Nv〉 armistice, cease-fire [＋battle]
停滞（テイタイ）〈Nv〉 stagnation [＋stagnate]
停電（テイデン）〈Nv〉 power stoppage, blackout [＋electricity]
停留所（テイリュウジョ）〈N〉 bus stop [＋stay＋place]
▶バス停（バステイ）〈N〉 bus stop [(bus)＋]

753 **織**	お-，おり； -シキ；**ショク**，ショッ- ⇨ 335職，617識	糸 紵 絡 織 織 織 織 織 織 織 織

weave | 織る（おる）〈V〉 weave
織(り)込む（おりこむ）〈V〉 inweave, interweave [＋into]
織物（おりもの）〈N〉 weaving, woven stuff [＋thing]
織機（ショッキ）〈N〉 weaving machine, loom [＋machinery]
▶組織（ソシキ）〈N〉 organization [unite＋]

754 **許**	ゆる-； キョ	二 言 言 言 訁 許 許 許 許 許 許

permit | 許す（ゆるす）〈V〉 permit
許可（キョカ）〈Nv〉 permission [＋passable]
許容（キョヨウ）〈Nv〉 allowance, toleration [＋admit]

755 **裏**	うら； リ	一 亩 审 重 裏 裏 裏 裏 裏 裏 裏

the other side, reverse | 裏（うら）〈N〉 undersurface, reverse; back yard/door
裏返す（うらがえす）〈V〉 turn over [＋back]
裏側（うらがわ）〈N〉 the other side [＋side]
裏切る（うらぎる）〈V〉 betray [＋cut]
裏付ける（うらづける）〈V〉 endorse, corroborate [＋attach]
裏面工作（リメンコウサク）〈N〉 backstage maneuvers [＋surface＋making]

756 賃

チン

⇨844貸, 911貨

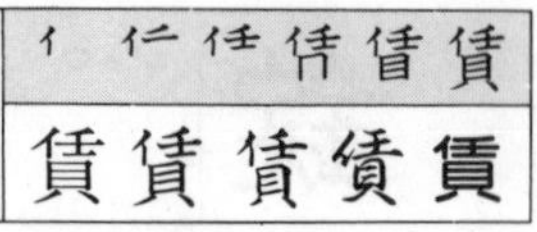

wages
賃上げ (チンあげ) 〈Nv〉 pay raise [+up]
賃金 (チンギン) 〈N〉 wages [+money]

fee
賃貸 (チンタイ) 〈Nv〉 renting, leasing [+lend]
▶運賃 (ウンチン) 〈N〉 fare, charge [carry+]
家賃 (やチン) 〈N〉 rent [house+]

757 宇

ウ

⇨371宅, 612字

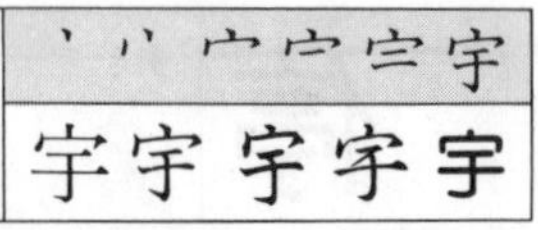

sphere, heavens
宇宙 (ウチュウ) 〈N〉 cosmos, outer space [+midair]
宇宙人 (ウチュウジン) 〈N〉 spaceman; B.E.M. [+midair+person]
宇宙船 (ウチュウセン) 〈N〉 spaceship [+midair+ship]
宇宙飛行士 (ウチュウヒコウシ) 〈N〉 astronaut [+midair+aviator]

〈Place〉
宇都宮 (ウツのみや) Utsunomiya City

758 延

の-, のべ;
エン

〈PN〉 のぶ

⇨1493廷

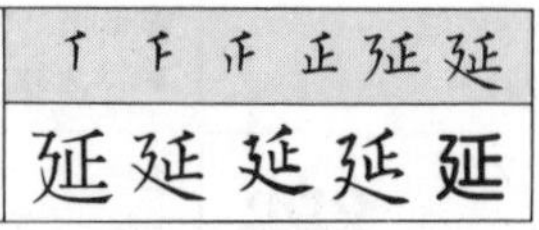

extend
延ばす (のばす) 〈V〉 extend, put off (*vt.*)
延びる (のびる) 〈V〉 extend, lengthen, be postponed (*vi.*)
延べ… (のべ…) all told, total
▷延べ五百人 (～ゴヒャクニン) 〈Q〉 500 man-days [+500 persons]
延べ七十時間 (～ななジュウジカン) 〈Q〉 70 man-hours [+70 hours]
延期 (エンキ) 〈Nv〉 postponement [+term]
延長 (エンチョウ) 〈Nv〉 extension [+long]

759 責

せ-, -ぜ-, せめ;
セキ

⇨390青

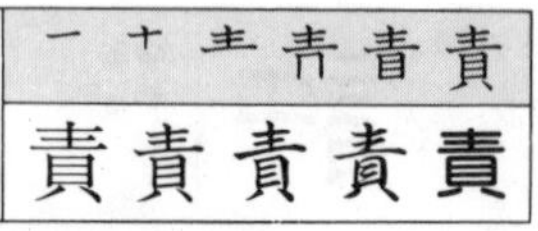

blame, burden
責める (せめる) 〈V〉 condemn, blame; torture
責任 (セキニン) 〈N〉 responsibility, burden [+appoint]
責務 (セキム) 〈N〉 duty, obligation [+duty]
▶自責 (ジセキ) 〈N〉 self-reproach [self+]
重責 (ジュウセキ) 〈N〉 heavy responsibility [grave+]

760 績

-セキ

⇨506積

pile, accumulate
▶業績 (ギョウセキ) 〈N〉 achievements, work [work+]
功績 (コウセキ) 〈N〉 merit, great services [merit+]
実績 (ジッセキ) 〈N〉 actual results [real+]
成績 (セイセキ) 〈N〉 achievement, score [form+]

make yarn
▶紡績 (ボウセキ) 〈N〉 spinning [spin yarn+]

761 幹	みき; カン ⇒[1355]乾

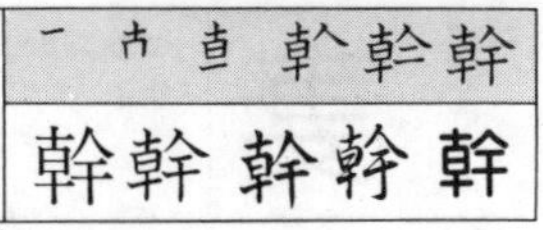

trunk

幹 (みき) 〈N〉 trunk, stem of a tree
幹事 (カンジ) 〈N〉 manager, caretaker [+person in charge of]
幹線道路 (カンセンドウロ) 〈N〉 trunk road [+line+road]
幹部 (カンブ) 〈N〉 leading members, executives [+section]
▶新幹線 (シンカンセン) 〈N〉 *shinkansen* 《JNR》 [new+～+line]

762 訴	うった-; ソ

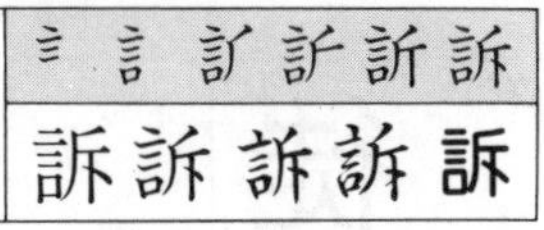

appeal

訴え (うったえ) 〈N〉 appeal, suit
訴える (うったえる) 〈V〉 appeal, sue
訴訟 (ソショウ) 〈Nv〉 lawsuit [+dispute]
▶起訴 (キソ) 〈Nv〉 prosecution [initiate+]
告訴 (コクソ) 〈Nv〉 accusation, suit [announce+]

763 販	ハン, -パン

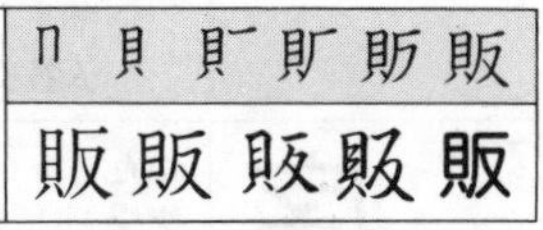

merchandize

販売 (ハンバイ) 〈Nv〉 sale [+sell]

764 巨	キョ ⇒[981]臣

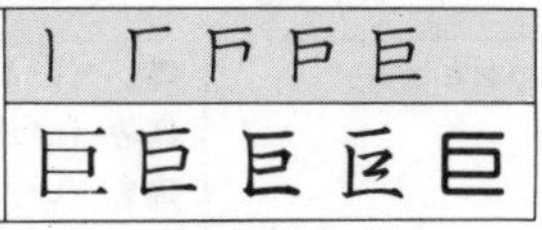

huge, gigantic

巨匠 (キョショウ) 〈N〉 great master, maestro [+maestro]
巨人 (キョジン) 〈N〉 giant [+person]
巨大 (キョダイ) 〈Na〉 huge, gigantic [+big]

765 功	ク; コウ 〈PN〉 いさお ⇒[1444]巧

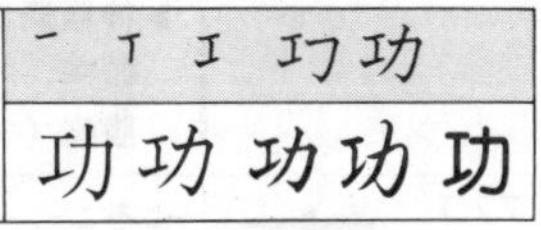

merit

功 (コウ) 〈N〉 merit
功徳 (クドク) 〈N〉 charity, pious act [+virtue]
功績 (コウセキ) 〈N〉 merit, great services [+accumulate]
功労 (コウロウ) 〈N〉 contribution, services [+labor]

766 欧	オウ

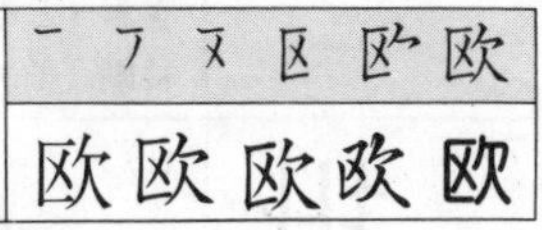

Europe

欧州 (オウシュウ) 〈N〉 Europe [+continent]
欧米 (オウベイ) 〈N〉 Europe and America [+America]
▶西欧 (セイオウ) 〈N〉 Western Europe [west+]
東欧 (トウオウ) 〈N〉 Eastern Europe [east+]
北欧 (ホクオウ) 〈N〉 Northern Europe [north+]

767 **妻**

つま, -づま;
サイ

wife

妻（つま）〈N〉 wife
妻君（サイクン）〈N〉 one's dear wife [+lord]
妻帯（サイタイ）〈Nv〉 marrying a wife [+belt]
▶悪妻（アクサイ）〈N〉 bad wife [bad+]
良妻賢母（リョウサイケンボ）〈N〉 good wife and wise mother [good +～+wise mother]

768 **徒**

ト

⇨727従, 1109促

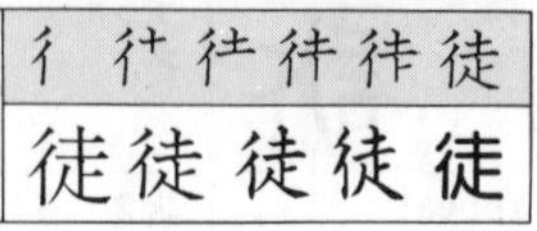

stroll
徒歩（トホ）〈N〉 walk, on foot [+walk]

purposeless
徒食（トショク）〈Nv〉 (live) idle life [+eat]
徒労（トロウ）〈N〉 fruitless labor [+labor]

fellow
…徒（…ト）〈N〉 …fellows, …followers
▷キリスト教徒（～キョウ～） Christians [(Christ)+religion+]
仏教徒（ブッキョウ～） Buddhists [Buddhism+]

769 **痛**

いた;
ツウ

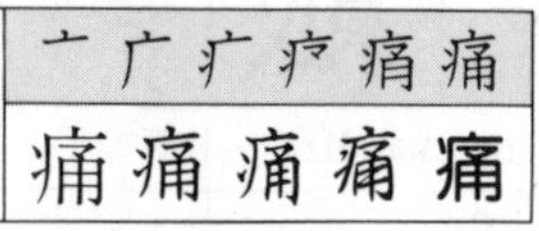

pain

痛い（いたい）〈A〉 painful
痛み（いたみ）〈N〉 pains
痛む（いたむ）〈V〉 be painful
痛める（いためる）〈V〉 injure
痛感する（ツウカンする）〈V〉 feel sharply/keenly [+feel]
痛烈（ツウレツ）〈Na〉 sharp, keen [+furious]
▶神経痛（シンケイツウ）〈N〉 neuralgia [nerves+]
頭痛（ズツウ）〈N〉 headache [head+]
腹痛（フクツウ/はらいた）〈N〉 stomachache [abdomen+]

770 **喜**

よろこ-;
キ

〈PN〉 のぶ, よし

⇨643善

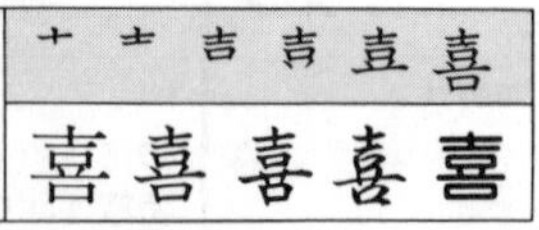

joy, delight

喜び（よろこび）〈N〉 joy, pleasure
喜ぶ（よろこぶ）〈V〉 be rejoiced/glad
喜劇（キゲキ）〈N〉 comedy [+drama]

771 **批**

ヒ

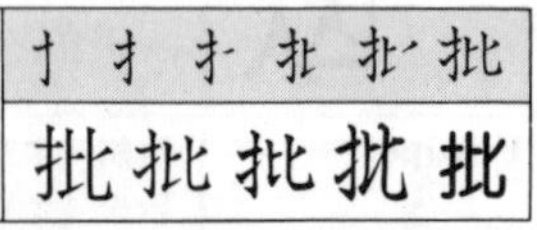

criticize

批准（ヒジュン）〈Nv〉 ratification [+confirm]
批判（ヒハン）〈Nv〉 criticism [+judge]
批評（ヒヒョウ）〈Nv〉 critique, comment [+criticism]

772 **房**

ふさ, -ぶさ;
ボウ

⇒[923]戻

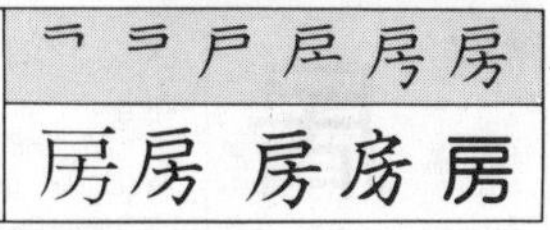

chamber
▶官房（カンボウ）〈N〉 the Cabinet [official+]
左心房（サシンボウ）〈N〉 left atrium [left+heart+]
暖房（ダンボウ）〈Nv〉 room heating [warm+]
女房（ニョウボウ）〈N〉 wife [woman+]
冷房（レイボウ）〈Nv〉 air conditioning [cool+]

fringe, bunch
房（ふさ）〈N〉 fringe, tuft, bunch, cluster
▶乳房（ちぶさ）〈N〉 breast, udder [breast+]

773 **著**

あらわ-; いちじる-;
チョ

⇒[511]署, [1254]暑

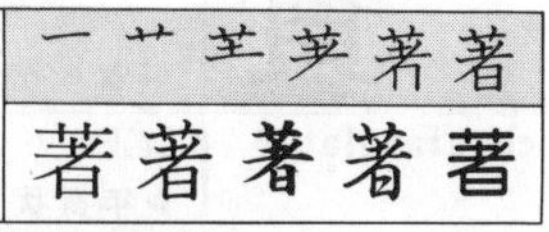

distinguished
著しい（いちじるしい）〈A〉 distinguished, distinguishing
著名（チョメイ）〈Na〉 well-known [+name]

authorship
…著（…チョ）〈N〉 (book) written by…
▷岡倉天心著「茶の本」（おかくらテンシン～チャのホン） *The Book of Tea* by Tenshin Okakura [*PN*+～+*Book of Tea*]
著す（あらわす）〈V〉 write《book》
著作（チョサク）〈N〉 authorship [+make]
著者（チョシャ）〈N〉 author [+person]

774 **厚**

あつ-;
コウ

〈PN〉 あつし

thick, bulky
厚い（あつい）〈A〉 thick, of great depth
厚さ（あつさ）〈N〉 thickness

imprudent
厚かましい（あつかましい）〈A〉 imprudent
厚顔（コウガン）〈N/Na〉 barefaced [+face]

fertile
厚生（コウセイ）〈N〉 welfare [+life]
厚生省（コウセイショウ）〈N〉 Ministry of Health and Welfare [+life / +ministry]

775 **盟**

メイ

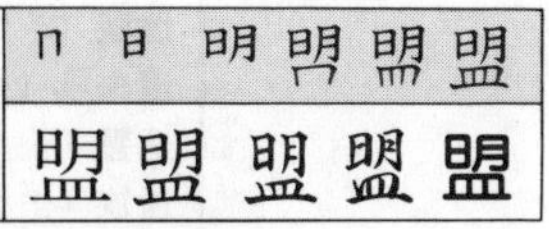

ally
▶加盟（カメイ）〈Nv〉 participation, affiliation [add+]
同盟国（ドウメイコク）〈N〉 aligned nation [sharing+～+country]
連盟（レンメイ）〈N〉 league [together+]

776 **標**

ヒョウ, -ピョウ

mark, sign
標識（ヒョウシキ）〈N〉 mark, signal [+recognition]
標準（ヒョウジュン）〈N〉 standard, criterion [+level]
標本（ヒョウホン）〈N〉 specimen; sample [+origin]

777 **居**	い; キョ 〈Ir〉 : 〈PN〉 おり	コ コ 尸 尸 居 居 居 居 居 居 居

stay, reside
居る (いる) 〈V〉 stay, be there
居間 (いま) 〈N〉 living room [+room]
居住 (キョジュウ) 〈Nv〉 residing [+dwell]
〈Ir〉 居士 (コジ) 〈N〉 Buddhist layman [+expert] ➜SN
Ph ▶鳥居 (とりい) 〈N〉 *torii*, archway of Shinto shrines [*Ph*+]

778 **賀**	ガ 〈PN〉 カ	フ カ 加 贺 賀 賀 賀 賀 賀 賀 賀

congratulate
賀正 (ガショウ) 〈CF〉 Happy New Year [+right]
▶年賀状 (ネンガジョウ) 〈N〉 New Year's card [year+～+document]
〈Place〉 ▶佐賀 (サガ) Saga Pref./City 滋賀 (しガ) Shiga Pref.

779 **肉**	ニク ⇨[51]内	丨 冂 内 内 肉 肉 肉 肉 肉 肉 肉

flesh, meat
肉 (ニク) 〈N〉 flesh, meat
肉眼 (ニクガン) 〈N〉 naked eye [+eye]
肉食 (ニクショク) 〈Nv〉 carnivorous [+eat]
肉親 (ニクシン) 〈N〉 blood kin [+kinship]
肉体 (ニクタイ) 〈N〉 body, flesh and blood [+body]
▶牛肉 (ギュウニク) 〈N〉 beef [cattle+]
豚肉 (ぶたニク) 〈N〉 pork [swine+]

780 **遺**	イ; ユイ- ⇨[1180]遣	口 中 貴 貴 遺 遺 遺 遺 遺 遺 遺

remains, left behind
遺憾 (イカン) 〈N/Na〉 regret, disapproval [+resentment]
遺骨 (イコツ) 〈N〉 one's ashes [+bone]
遺産 (イサン) 〈N〉 inheritance, legacy [+property]
遺失物 (イシツブツ) 〈N〉 lost article [+loose+thing]
遺書 (イショ) 〈N〉 written will [+document]
遺族 (イゾク) 〈N〉 bereaved family [+clan]
遺体 (イタイ) 〈N〉 body, corpse [+body]
遺言 (ユイゴン/イゴン) 〈Nv〉 (leave) will [+say]

781 **酒**	さか-, **さけ**, -ざけ; シュ	氵 汀 洒 洒 酒 酒 酒 酒 酒 酒 酒

***sake*, liquor**
酒 (さけ) 〈N〉 *sake,* Japanese alcoholic drink
…酒 (…シュ) 〈N〉 …liquor, …drink
▷ぶどう酒 wine [(grape)+]
特級酒 (トッキュウ～) special class *sake* [special+class+]

782 **塚**

つか, -づか; チョウ

塚塚塚塚塚

mound

塚 (つか) 〈N〉 mound
▶貝塚 (かいづか) 〈N〉 kitchen midden [shelled mollusk+]

783 **康**

コウ

〈PN〉 やす

康康康康康

calm

▶健康 (ケンコウ) 〈N/Na〉 health [sound+]

784 **抗**

コウ

⇨[1853]坑

抗抗抗抗抗

protest, resist

抗議 (コウギ) 〈Nv〉 protest, demur [+debate]
抗生物質 (コウセイブッシツ) 〈N〉 antibiotic [+life+substance]
▶抵抗 (テイコウ) 〈Nv〉 resistance [hamper+]

785 **債**

サイ

債債債債債

debt

債券 (サイケン) 〈N〉 bond [+card]
債権 (サイケン) 〈N〉 credit [+right]
債務 (サイム) 〈N〉 debt [+duty]
▶国債 (コクサイ) 〈N〉 national bond [nation+]

786 **系**

ケイ

⇨[699]糸

系系系系系

lineage

…系 (…ケイ) 〈N〉 …lineage, …system; derived from…
▷イタリア系アメリカ人 (～ジン) Italian-American [(Italy)+～+American]
太陽系 (タイヨウ～) solar system [sun+]
文科系 (ブンカ～) of human science [literal+division+]
系統 (ケイトウ) 〈N〉 lineage, system [+ruling]
系列 (ケイレツ) 〈N〉 order, succession [+line, row]
▶母系 (ボケイ) 〈N〉 maternal [mother+]

787 **降**

お-, おり-; ふ-, -ぶ-; コウ, -ゴウ

⇨[1255]隆

降降降降降

descend

降りる (おりる) 〈V〉 get off, descend
降ろす (おろす) 〈V〉 drop, put down
降る (ふる) 〈V〉 fall《rain, snow, etc.》
降下 (コウカ) 〈Nv〉 (make) descent, fall [+down]
降参 (コウサン) 〈Nv〉 (accept) surrender, capitulation [+be defeated]

788		
老	お-, おい-; ふ-, ふけ-; ロウ	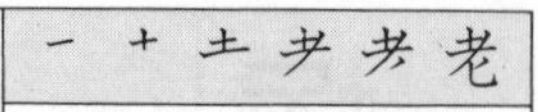 老老老老老

aged

老いる (おいる) 〈V〉 get old
老ける (ふける) 〈V〉 grow old and weary
老化 (ロウカ) 〈Nv〉 ageing, senility [+*Suf* conversion]
老後 (ロウゴ) 〈T〉 one's declining years, one's old age [+after]
老人 (ロウジン) 〈N〉 old person [+person]
老齢 (ロウレイ) 〈N〉 old age [+age]
老練 (ロウレン) 〈Na〉 experienced, veteran [+knead]

789		
短	みじか-; タン	 短短短短短

short

短… (タン…) short…
▷短距離 (～キョリ) 〈N〉 short distance [+distance]
短時間 (～ジカン) 〈T〉 short time [+time]
短い (みじかい) 〈A〉 short
短歌 (タンカ) 〈N〉 *tanka*, 31-syllable Japanese ode [+song]
短気 (タンキ) 〈N/Na〉 short-tempered [+mind]
短期 (タンキ) 〈N〉 short term [+term]
短期大学 (タンキダイガク) 〈N〉 junior college [+term+university]
短縮 (タンシュク) 〈Nv〉 shortening, abbreviation [+shrink]
短大 (タンダイ) 〈N〉 junior college [+university]
短波 (タンパ) 〈N〉 short waves [+wave]

790		
街	まち; カイ-; ガイ ⇨299術, 394衛	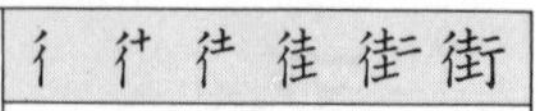 街街街街街

streets, quarters, town

街 (まち) 〈N〉 town, street
…街 (…ガイ) 〈N〉 …street; …quarters
▷ウォール街 Wall Street [(Wall)+]
暗黒街 (アンコク～) gangland [dark+]
官庁街 (カンチョウ～) government office district [government office+]
五番街 (ゴバン～) 5th Ave. [5th+]
住宅街 (ジュウタク～) residential district [residence+]
商店街 (ショウテン～) shopping area [store+]
地下街 (チカ～) underground shopping area [underground+]
繁華街 (ハンカ～) downtown, bustling street [rampant+flower+]
街角 (まちかど) 〈N〉 street corner [+corner]
街頭 (ガイトウ) 〈N〉 on the street [+head]
街灯 (ガイトウ) 〈N〉 street lamp [+lamp]
街道 (カイドウ) 〈N〉 route [+way]
…街道 (…カイドウ) 〈N〉 …route, …highway [+way]
▷出世街道 (シュッセ～) way to success in life [come out+world+]
人生街道 (ジンセイ～) way of life [man's life+]

791 **底**

そこ, -ぞこ;
テイ

亠广庀庀底底
底底底底底

bottom	底 (そこ) 〈N〉 bottom
	底辺 (テイヘン) 〈N〉 base, bottom [+side]
	底流 (テイリュウ) 〈N〉 undercurrent [+current]
	▶海底 (カイテイ) 〈N〉 bottom of the sea, seabed [sea+]
	徹底 (テッテイ) 〈Nv〉 thoroughgoingness [throughout+]

792 **境**

さかい, -ざかい;
キョウ; ケイ-

扌 扩 垆 培 培 境
境境境境境

boundary	境 (さかい) 〈N〉 border
	境界 (キョウカイ) 〈N〉 boundary [+area]
	境内 (ケイダイ) 〈N〉 precincts [+inside]

793 **弁**

ベン

⇒[1575]升

ㄥ ム 厶 乒 弁
弁弁弁弁弁

eloquence	弁 (ベン) 〈N〉 eloquence
	…弁 (…ベン) 〈N〉 …dialect, …accent
	▷東北弁 (トウホク～) Tohoku dialect/accent [Tohoku+]
	弁解 (ベンカイ) 〈Nv〉 excuse, pretext, plea [+dissolve]
	弁護 (ベンゴ) 〈Nv〉 pleading, defense [+guard]
	弁護士 (ベンゴシ) 〈N〉 lawyer, attorney [+guard+expert]
	弁論 (ベンロン) 〈N〉 argument, oration [+argue]
discern	弁償 (ベンショウ) 〈Nv〉 compensation, reimbursement [+compensate]
	▶合弁会社 (ゴウベンガイシャ) 〈N〉 joint-venture corporation [combine +～+company]
valve	弁 (ベン) 〈N〉 valve, petal
	▶安全弁 (アンゼンベン) 〈N〉 safety valve [safety+]
Ph	弁当 (ベントウ) 〈N〉 box/bag lunch [+concerned] ➜SN
	▶駅弁 (エキベン) 〈N〉 lunches to go (for travelers) [station+]

794 **丁**

チョウ; テイ

一 丁
丁丁丁丁丁

fellow	▶包丁 (ホウチョウ) 〈N〉 kitchen knife [*Ph*+]
folio	▶落丁 (ラクチョウ) 〈N〉 missing leaf of a book [drop+]
cho (≒109*m*)	…丁目 (…チョウめ) 〈Q〉 …-th block 《of a town》 [+order]
	▷一丁目 (イッ～), 二丁目 (ニ～), 三丁目 (サン～)
polite	丁重 (テイチョウ) 〈Na〉 polite, respectful [+grave]
	丁寧 (テイネイ) 〈N/Na〉 polite, courteous [+calm]
***Cs* serving of food**	…丁 (…チョウ) 〈Q〉 …piece 《portion of food》
	▷一丁 (イッ～), 二丁 (ニ～), 三丁 (サン～)
Ph	丁度 (チョウド) 〈Adv〉 exactly [+degree]

795 努	つと-； ド 〈PN〉 つとむ	く 女 女 奴 努 努 努 努 努 努 努

endeavor
- 努める（つとめる）〈V〉 try hard
- 努力（ドリョク）〈Nv〉 endeavor [+power]

796 背	せ，-ぜ；せい，-ぜい；**そむ**-； ハイ ⇒[1535]背	‐ ｲ ｺ ｺﾋ 北 背 背 背 背 背 背 背

back
- 背（せ）〈N〉 back《of a body》; height, stature
- 背（せい）〈N〉 height, stature
- 背く（そむく）〈V〉 disobey, turn one's back
- 背負う（せおう）〈V〉 carry on the back [+bear]
- 背中（せなか）〈N〉 back《of a body》 [+middle]
- 背広（せびろ）〈N〉 man's suit [+wide]
- 背景（ハイケイ）〈N〉 background [+scene]
- 背後（ハイゴ）〈N〉 behind, backside [+behind]

797 郡	グン 〈PN〉 こおり，-ごおり ⇒[826]群	㇇ ヨ 尹 君 君ᄐ 郡 郡 郡 郡 郡 郡

county
- …郡（…グン）〈N〉 …county 「*PN*+」
  - ▷奈良県吉野郡（ナラケンよしの～） Yoshino, Nara [Nara Pref.+]

798 希	キ 〈PN〉 まれ	ノ メ 㐅 产 肴 希 希 希 希 希 希

hope
- 希望（キボウ）〈Nv〉 hope [+wish]

scarcity
- 希少価値（キショウカチ）〈N〉 scarcity value [+few+value]
- 希薄（キハク）〈Na〉 thin, diluted [+scarcity]

799 属	ゾク	㇇ 尸 戸 属 属 属 属 属 属 属 属

belong
- 属する（ゾクする）〈V〉 belong
- ▶付属（フゾク）〈Nv〉 being attached/affiliated to [attach+]

genus
- …属（…ゾク）〈N〉 …genus, …family
  - ▷金属（キン～） metal [gold+]

800 震	ふる-，-ぶる-； シン	二 雨 严 雫 霍 震 震 震 震 震 震

tremble, quake
- 震える（ふるえる）〈V〉 quiver, shake
- 震源地（シンゲンチ）〈N〉 epicenter [+origin+ground]
- 震動（シンドウ）〈Nv〉 vibration, quake [+move]
- ▶地震（ジシン）〈N〉 earthquake [ground+]

LEVEL 5

801 未

ひつじ;
ミ

⇒[528]末, [1720]朱

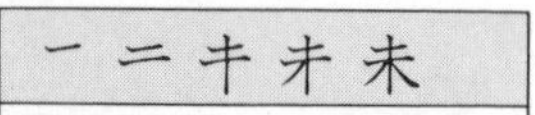

未未未未未

not yet, yet to come

未… (ミ…) not yet/before…
▷未開拓 (～カイタク) 〈N〉 unreclaimed [+development]
未完成 (～カンセイ) 〈N〉 incompletion [+completion]
未経験 (～ケイケン) 〈N〉 inexperienced [+experience]
未成年 (～セイネン) 〈N〉 minority, under-age [+grown-up]
未婚 (ミコン) 〈N〉 unmarried [+wedding]
未遂 (ミスイ) 〈N〉 attempted, uncommitted [+accomplish]
未知 (ミチ) 〈N〉 unknown [+aware]
未知数 (ミチスウ) 〈N〉 unknown quantity [+aware+number]
未定 (ミテイ) 〈N〉 undecided, pending [+fix]
…未満 (…ミマン) 〈Q〉 less than… 《not including '…'》 [+full]
▷十八歳未満 (ジュウハッサイ～) under eighteen years of age [18 years old+]
未明 (ミメイ) 〈T〉 early dawn [+bright]
未来 (ミライ) 〈N〉 future [+come]

hitsuji

未 (ひつじ) 〈N〉 *hitsuji*; sheep† →App.

802 博

ハク, -パク, ハッ-; バク

〈Ir〉: 〈PN〉 ひろ, ひろし

博博博博博

extensive

…博 (…ハク) 〈N〉 …Exposition
▷万国博 (バンコク～) World Exposition [all countries+]
博愛主義 (ハクアイシュギ) 〈N〉 philanthropism [+love+ism]
博識 (ハクシキ) 〈N/Na〉 encyclopedic knowledge, erudition [+knowledge]
博物館 (ハクブツカン) 〈N〉 museum [+thing+hall]
〈Ir〉 博士 (ハカセ/ハクシ) 〈N〉 doctor; doctorate 《of philosophy》 [+expert]

gamble

博徒 (バクト) 〈N〉 professional gambler [+fellow]

803 遠

とお-, -どお-;
エン; オン

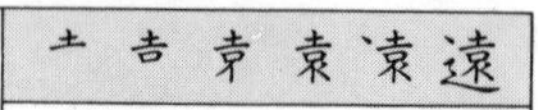

遠遠遠遠遠

far, remote

遠い (とおい) 〈A〉 far, far away
遠く (とおく) 〈N〉 distant place
遠征 (エンセイ) 〈Nv〉 (make) expedition [+conquer]
遠足 (エンソク) 〈N〉 school excursion, outing [+foot]
遠慮 (エンリョ) 〈Nv〉 reserve, abstaining [+deliberate]
▶久遠 (クオン) 〈N〉 eternity [long time+]

804 渉

ショウ

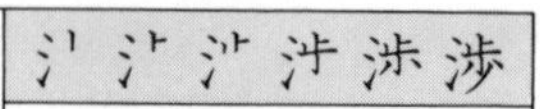

渉渉渉渉渉

wade†, cross

渉外 (ショウガイ) 〈N〉 liaison, public relations [+out]
▶干渉 (カンショウ) 〈Nv〉 interference [engage+]
交渉 (コウショウ) 〈Nv〉 negotiation, connection [cross+]

805 **茶**

サ; チャ, -ヂャ

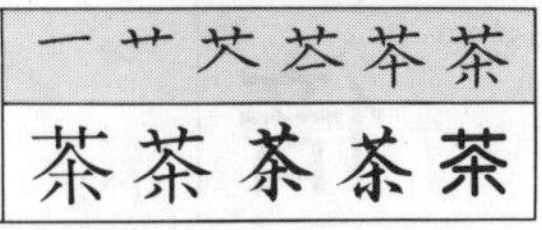

tea
- 茶 (チャ) 〈N〉 green tea
- 茶の間 (チャのま) 〈N〉 living room 《in Jap. style》 [+room]
- 茶室 (チャシツ) 〈N〉 teahouse [+room]
- 茶道 (サドウ) 〈N〉 tea ceremony [+way]
- ▶紅茶 (コウチャ) 〈N〉 black tea [crimson+]
- 喫茶店 (キッサテン) 〈N〉 coffee house, tea salon [drinking tea+]

Ph
- ▶無茶 (ムチャ) 〈N/Na〉 reckless, unreasonable [*Ph*+]

806 **均**

キン

〈PN〉 ひとし

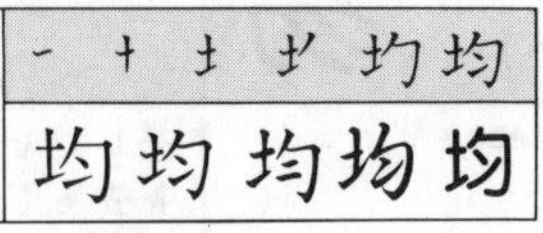

level
- 均一 (キンイツ) 〈N/Na〉 uniformity, equality [+one]
- 均衡 (キンコウ) 〈N〉 balance [+balance]
- 均等 (キントウ) 〈N〉 equality, evenness [+equal]
- ▶平均 (ヘイキン) 〈Nv〉 average [plain+]

807 **華**

はな, -ばな;
カ, -ガ; ケ, -ゲ

⇒686 革

flower
- 華々しい (はなばなしい) 〈A〉 brilliant, glorious [+*Rep*]
- 華道 (カドウ) 〈N〉 flower arrangement [+way]
- 華麗 (カレイ) 〈Na〉 splendid, gorgeous [+graceful]
- ▶栄華 (エイガ) 〈N〉 glory, prosperity 《of all one's family/group》 [glory+]
- 豪華 (ゴウカ) 〈Na〉 splendor, gorgeous [stout+]
- 中華人民共和国 (チュウカジンミンキョウワコク) 〈N〉 People's Republic of China [center+～+people+republic]
- 中華料理 (チュウカリョウリ) 〈N〉 Chinese cuisine [center+～+cooking]

China
- 華僑 (カキョウ) 〈N〉 overseas Chinese [+emigration]

808 **旧**

キュウ

past, bygone
- 旧… (キュウ…) ex-..., former..., one-time...
- ▷旧姓 (～セイ) 〈N〉 former/maiden name, née [+surname]
- 旧勢力 (～セイリョク) 〈N〉 one-time power/establishment [+power]
- 旧の (キュウの) 〈Adj〉 of the old (lunar) calendar
- 旧型 (キュウがた) 〈N〉 old model [+model]
- 旧式 (キュウシキ) 〈N/Na〉 old style [+style]
- 旧年 (キュウネン) 〈N〉 last year [+year]
- 旧暦 (キュウレキ) 〈N〉 lunar calendar [+calendar]

long-lasting
- 旧家 (キュウカ) 〈N〉 long-lasting/old family [+home]
- 旧友 (キュウユウ) 〈N〉 old friend [+friend]

809 倍

バイ

〈PN〉 べ ⇨1615 培

亻 仁 位 倍 倍 倍 | 倍倍倍倍倍

double	倍 (バイ) 〈Nv〉 double
	倍増 (バイゾウ) 〈Nv〉 doubling [+increase]
	倍率 (バイリツ) 〈N〉 magnification ratio [+ratio]
***Cs* duplication**	…倍 (…バイ) 〈Q〉 …times
	▷二倍 (ニ～) double 三倍 (サン～) triple

810 易

やさ-;
イ; エキ

口 日 尸 号 易 易 | 易易易易易

easy	易しい (やさしい) 〈A〉 easy, not difficult
	▶安易 (アンイ) 〈Na〉 easygoing, irresponsible [safe+]
	容易 (ヨウイ) 〈Na〉 easy, facile, simple [accommodate+]
exchange	▶交易 (コウエキ) 〈N〉 trading [exchange+]
	貿易 (ボウエキ) 〈Nv〉 international trading [trade+]
***eki,* fortune-telling**	易 (エキ) 〈N〉 fortunetelling《based on *The Yi-King* or *The Book of Mundane Mutations*》 →App.
	易者 (エキシャ) 〈N〉 fortuneteller [+person]

811 札

ふだ;
サツ, サッ-

⇨983 札

一 十 才 木 札 | 札札札札札

card	札 (ふだ) 〈N〉 card, label, tag
	お札 (おふだ) 〈N〉 charm, talisman [(*Pref honorific*)+]
	▶改札 (カイサツ) 〈Nv〉 ticket punching《in a station》 [reform+]
	切(り)札 (きりふだ) 〈N〉 trump [cut+] ➡SN
	入札 (ニュウサツ) 〈Nv〉 (offer) tender, bid [put in+]
banknote	札 (サツ) 〈N〉 banknote
	…札 (…サツ) 〈N〉 …banknote
	▷一万円札 (イチマンエン～) 10,000 yen note [¥10,000+]
	札入れ (サツいれ) 〈N〉 billfold, wallet [+put in]
	札束 (サツたば) 〈N〉 sheaf of notes, roll of bills [+bundle]
〈Place〉	札幌 (サッぽろ) Sapporo City

812 雑

ザツ, ザッ-; **ゾウ**

〈Ir〉

ノ 九 杂 刹 新 雑 | 雑雑雑雑雑

rough, miscellaneous	雑 (ザツ) 〈Na〉 coarse, rough, rude
	雑用 (ザツヨウ) 〈N〉 chores, odd jobs [+errand]
	雑貨 (ザッカ) 〈N〉 general merchandise [+goods]
	雑誌 (ザッシ) 〈N〉 magazine, periodical [+magazine]
	雑木林 (ゾウきばやし) 〈N〉 coppice [+tree+woods]
	雑巾 (ゾウキン) 〈N〉 dustcloth [+cloth]
〈Ir〉	雑魚 (ざこ) 〈N〉 small fish/fry [+fish]

813 **順** ジュン

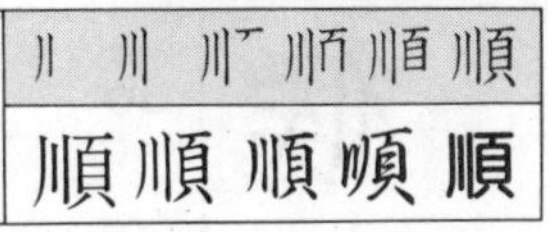

order, sequence

順 (ジュン) 〈N〉 order, sequence
…順 (…ジュン) 〈N〉 …order, (by) order of…
▷アルファベット順 alphabetical order [(alphabet)+]
五十音順 (ゴジュウオン~) Japanese Syllabary order [Japanese Syllabary+]
先着順 (センチャク~) order of arrival [first arrival+]
番号順 (バンゴウ~) numerical order [number+]
順位 (ジュンイ) 〈N〉 order, ranking [+rank]
順序 (ジュンジョ) 〈N〉 sequence [+grade]
順調 (ジュンチョウ) 〈Na〉 favorable, smooth [+tone]
順当 (ジュントウ) 〈Na〉 matter of course, (in) due course [+hit]
順応 (ジュンノウ/ジュンオウ) 〈Nv〉 (undergo) adaptation [+react]
順番 (ジュンバン) 〈N〉 turn, order [+number]
▶筆順 (ヒツジュン) 〈N〉 stroke order《of a *kanji*》 [writing brush+]

814 **途** ト, -ド

route, course

途 (ト) 〈N〉 way, course, journey
途中 (トチュウ) 〈S〉 on the way [+middle]
途方 (トホウ) 〈N〉 way, method [+way]
途方もない (トホウもない) 〈A〉 exorbitant, excessive [+way+(not)]

815 **採** と-; サイ

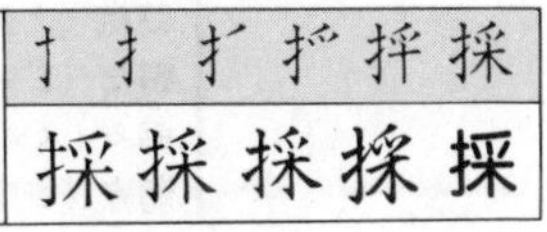

pick up, adopt

採る (とる) 〈V〉 pick up, take, catch
採決 (サイケツ) 〈Nv〉 voting, ballot taking [+determine]
採算 (サイサン) 〈N〉 profitability [+calculate]
採集 (サイシュウ) 〈Nv〉 collecting for specimens [+collect]
採択 (サイタク) 〈Nv〉 adoption, option [+select]
採点 (サイテン) 〈Nv〉 rating, marking [+point]
採用 (サイヨウ) 〈Nv〉 adoption; employment [+use]

816 **否** いな; ヒ, -ピ

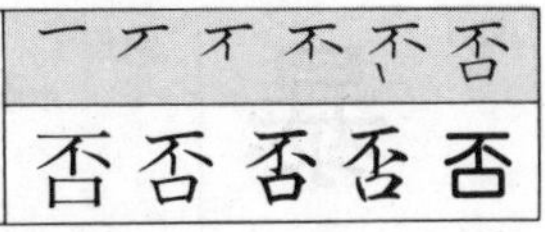

negate, deny

否 (いな; ヒ) 〈N/Adv〉 nay; 〈N〉 nay, no
否決 (ヒケツ) 〈Nv〉 rejection《by vote》 [+determine]
否定 (ヒテイ) 〈Nv〉 negation [+settle]
否認 (ヒニン) 〈Nv〉 denial, disavowal [+recognize]
▶可否 (カヒ) 〈N〉 aye or nay [passable+]
拒否 (キョヒ) 〈Nv〉 denial, veto; rejection [reject+]
賛否 (サンピ) 〈N〉 approval or disapproval [approve+]

817 候	そうろ-, そうろう; **コウ**	亻 亻 仁 伫 侯 候 候候候候候

serve, wait

- 候文 (そうろうブン) 〈N〉 *soro* style《classical style of Japanese in letters》 [+sentence] ➔SN
- 候補 (コウホ) 〈N〉 candidate [+compensate]
- ▶立候補 (リッコウホ) 〈Nv〉 standing for election [stand+～+compensate]

feature

- ▶気候 (キコウ) 〈N〉 climate [air+]
- 兆/徴候 (チョウコウ) 〈N〉 indication, symptom [omen/sign+]
- 天候 (テンコウ) 〈N〉 weather《for several days》 [heaven+] →364天気

818 鈴	**すず**; レイ; リン	⺈ 牟 金 金ᄉ 鈐 鈴 鈴鈴鈴鈴鈴

bell, chime

- 鈴 (すず) 〈N〉 small bell, chime
- ▶馬鈴薯 (バレイショ) 〈N〉 white potato [horse+～+potato] ➔SN
- 風鈴 (フウリン) 〈N〉 wind-bell [wind+]

◀風鈴

819 弱	**よわ**; **ジャク**, ジャッ-	㇆ コ 弓 弓 弱 弱 弱弱弱弱弱

weak

- 弱い (よわい) 〈A〉 weak, frail, feeble
- 弱める (よわめる) 〈V〉 weaken
- 弱気 (よわキ) 〈N〉 timidness, bearish [+spirit]
- 弱音 (よわね) 〈N〉 timorous words [+sound]
- 弱々しい (よわよわしい) 〈A〉 fragile, vulnerable [+*Rep*]
- 弱点 (ジャクテン) 〈N〉 weak point [+point]

820 築	**きず**-; **チク**, チッ- 〈PN〉 つき	⺮ 筇 筇 筑 筑 築 築築築築築

construct

- 築く (きずく) 〈V〉 build, construct, establish
- ▶建築 (ケンチク) 〈Nv〉 architecture, building [build+]
- 新築 (シンチク) 〈Nv〉 building anew [new+]

821 暴	**あば**-; バク; **ボウ**	日 旦 昇 晁 暴 暴 暴暴暴暴暴

violent

- 暴れる (あばれる) 〈V〉 outrage, riot
- 暴行 (ボウコウ) 〈Nv〉 deed of violence; rape [+conduct]
- 暴走族 (ボウソウゾク) 〈N〉 reckless drivers, motorcycle gangs [+run+tribe]
- 暴動 (ボウドウ) 〈N〉 riot [+move]
- 暴力 (ボウリョク) 〈N〉 violence [+power]

divulge

- 暴く (あばく) 〈V〉 reveal, divulge
- 暴露 (バクロ) 〈Nv〉 divulging, disclosure [+expose]

822 **奈**
ナ
⇒[1023]宗
一 ナ 大 太 夲 奈
奈 奈 奈 奈 奈

pear†
⟨Place⟩ | 奈良 (ナラ) Nara Pref./City

823 **陣**
ジン
⇒[1303]陳
了 阝 阝 阝 阝 陣
陣 陣 陣 陣 陣

base camp
陣 (ジン) ⟨N⟩ army base camp
…陣 (…ジン) ⟨N⟩ group of…; …staff
▷技術陣 (ギジュツ～) engineering staff [technique+]
教授陣 (キョウジュ～) faculty staff 《of a university》 [professor+]
報道陣 (ホウドウ～) press corps [information+]
陣営 (ジンエイ) ⟨N⟩ camp, bloc [+camp]

824 **留**
と-, -ど-, とめ, -どめ;
リュウ; ル
留 留 留 留 留 留
留 留 留 留 留

stay, detain
留める (とめる) ⟨V⟩ detain, buttonhole
留学 (リュウガク) ⟨Nv⟩ studying abroad [+study] ➜SN
留学生 (リュウガクセイ) ⟨N⟩ student studying abroad [+student]
留任 (リュウニン) ⟨Nv⟩ remaining in office [+appoint]
留守 (ルス) ⟨Nv⟩ being out/absent [+protect]
留守番 (ルスバン) ⟨Nv⟩ looking after the house/office during a person's absence; caretaker [+protect+watch]
▶書留 (かきとめ) ⟨N⟩ registered 《mail》 [write+]

825 **益**
エキ; ヤク
⟨PN⟩ ます
益 益 益 益 益 益
益 益 益 益 益

benefit
益 (エキ) ⟨N⟩ benefit
▶国益 (コクエキ) ⟨N⟩ national interest [nation+]
御利益 (ゴリヤク) ⟨N⟩ divine favor [*honorific*+profit+]
収益 (シュウエキ) ⟨N⟩ profit, income [take in+]
利益 (リエキ) ⟨N⟩ gain, profit [profit+]

826 **群**
む-, むら, むれ;
グン
⇒[797]郡
フ ヨ 尹 君 君 群
群 群 群 群 群

flock
群 (グン) ⟨N⟩ group 《of people》
群がる (むらがる) ⟨V⟩ throng, swarm
群(れ) (むれ) ⟨N⟩ flock, herd, crowd
群衆 (グンシュウ) ⟨N⟩ crowd of people [+crowd]
▶抜群 (バツグン) ⟨N⟩ preeminence, outstanding [outgo+]
⟨Place⟩ | 群馬 (グンマ) Gunma Pref.

827 **源**

みなもと；
ゲン

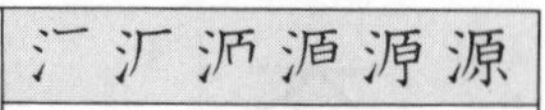

源源源源源

source, origin

源（みなもと）〈N〉source, fountainhead
…源（…ゲン）〈N〉origin/source of…
▷資金源（シキン～）fund, money source [fund+]
発生源（ハッセイ～）origin, outbreaking point [being generated+]
源泉（ゲンセン）〈N〉source, headspring [+fountain]
源流（ゲンリュウ）〈N〉riverhead [+flow] [→SN]

〈Person〉

源氏物語（ゲンジものがたり）〈N〉*The Tale of Genji* [+clan+tale]

828 **純**

ジュン

〈PN〉すみ

純純純純純

pure

純…（ジュン…）pure…
▷純金（～キン）〈N〉pure gold [+gold]
純植物性（～ショクブツセイ）〈N〉no animal products added [+vegetable nature]
純文学（～ブンガク）〈N〉highbrow literature [+literature]
純潔（ジュンケツ）〈N〉virginity [+clean]
純情（ジュンジョウ）〈N/Na〉naïvety, innocence [+emotion]
純粋（ジュンスイ）〈N/Na〉pureness, genuineness [+essence]
純白（ジュンパク）〈N〉pure white [+white]
純毛（ジュンモウ）〈N〉all-wool [+wool]

829 **沖**

おき；
チュウ-

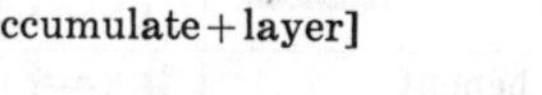

沖沖沖沖沖

offing

沖（おき）〈N〉offing, offshore
…沖（…おき）〈N〉off…coast
▷下田沖（しもだ～）off the Shimoda coast [*PN*+]
沖積層（チュウセキソウ）〈N〉alluvion [+accumulate+layer]

〈Place〉

沖縄（おきなわ）Okinawa Pref.

830 **折**

お-，おり；
セツ，セッ-

⇨1365析

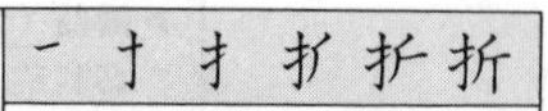

折折折折折

fold, break

折る（おる）〈V〉fold; break
折れる（おれる）〈V〉be broken; compromise
折（り）紙（おりがみ）〈N〉*origami* art [+paper]
折衝（セッショウ）〈Nv〉parley, negotiation [+crash]
▶右折（ウセツ）〈Nv〉right turn [right+]
骨折（コッセツ）〈Nv〉(suffer) bone fracture [bone+]
左折（サセツ）〈Nv〉left turn [left+]

occasion

折（り）（おり）〈T〉occasion
折々/折り折り（おりおり）〈T〉occasionally [+*Rep*]

lunch box

折（り）（おり）〈N〉chip box of takeout food

831 **秒**

ビョウ

⇒[1970]抄

千 禾 利 利 秒 秒

秒 秒 秒 秒 秒

second | 秒 (ビョウ) 〈N〉 second
秒針 (ビョウシン) 〈N〉 second hand 《of a watch》 [+needle]

***Cs* seconds** | …秒 (…ビョウ) 〈Q〉 …seconds
▷一秒 (イチ～), 二秒 (ニ～), 三秒 (サン～)

832 **香**

か, -が; **かお-**;
キョウ; **コウ**
〈PN〉 かおり

二 千 禾 禾 香 香

香 香 香 香 香

fragrance | 香 (か; コウ) 〈N〉 fragrance; incense
香り (かおり) 〈N〉 fragrance, aroma
香辛料 (コウシンリョウ) 〈N〉 spice [+acrid+ingredients]
香水 (コウスイ) 〈N〉 perfume [+water]
香料 (コウリョウ) 〈N〉 aromatic [+ingredients]
▶線香 (センコウ) 〈N〉 incense/joss stick [line+]

〈Place〉 | 香川 (かがわ) Kagawa Pref.
香港 (ホンコン) Hong Kong

833 **鮮**

あざ-;
セン

ク 魚 魚 魚 鮮 鮮

鮮 鮮 鮮 鮮 鮮

fresh | 鮮やか (あざやか) 〈Na〉 fresh, vivid; predominant
鮮魚 (センギョ) 〈N〉 fresh fish [+fish]
鮮明 (センメイ) 〈Na〉 vivid, clear [+clear]

〈Place〉 | ▶朝鮮 (チョウセン) Korea

834 **固**

かた-, -がた-;
コ, -ゴ

冂 冂 円 固 固 固

固 固 固 固 固

solid, hard | 固い (かたい) 〈A〉 hard, solid →[914] 堅い, [1149] 硬い
固まる (かたまる) 〈V〉 become hard, stiffen (*vi.*)
固める (かためる) 〈V〉 harden, solidify, coagulate (*vt.*)
固執 (コシュウ/コシツ) 〈Nv〉 adherence, clinging [+cling]
固体 (コタイ) 〈N〉 solid substance [+body]
固定 (コテイ) 〈Nv〉 fixation [+fix]

835 **郵**

ユウ

三 乒 乕 垂 郵 郵

郵 郵 郵 郵 郵

mail | 郵政省 (ユウセイショウ) 〈N〉 Ministry of Posts and Telecommunications [+administration+ministry]
郵送 (ユウソウ) 〈Nv〉 sending by mail [+send]
郵便 (ユウビン) 〈N〉 mail [+traffic]
郵便局 (ユウビンキョク) 〈N〉 post office [+traffic+bureau]

836 幕

バク，バッ-；**マク**

⇨[710]募，[1349]墓

curtain
- 幕（マク）〈N〉curtain
- 幕府（バクフ）〈N〉Shogunate《Jap. hist.》 [+administrative agency]⌝➔SN

act《stage》
- ▶第…幕（ダイ…マク）〈N〉the…-th act [No.…+]
- ▷第一幕第三場（ダイイチ～ダイサンば）Act 1, Scene 3 [+Scene 3]

837 療

リョウ

⇨[1462]寮

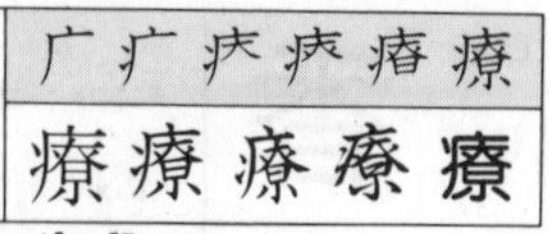

cure, remedy
- 療法（リョウホウ）〈N〉remedy, relief [+method]
- 療養所（リョウヨウジョ）〈N〉sanitarium [+nourish+place]

838 浅

あさ；
セン

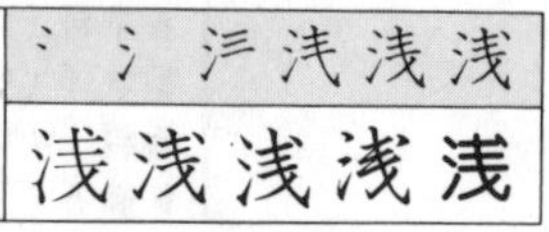

shallow
- 浅い（あさい）〈A〉shallow
- 浅薄（センパク）〈Na〉shallow, superficial [+thin]

slight
- 浅い（あさい）〈A〉slight
- 浅黒い（あさぐろい）〈A〉dark-skinned; tanned [+black]

839 徳

トク，-ドク，トッ-

〈PN〉のり

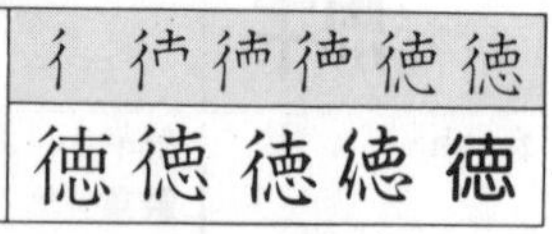

virtue
- 徳（トク）〈N〉virtue
- ▶悪徳（アクトク）〈N〉vice, immorality [bad+]
- 美徳（ビトク）〈N〉virtue, grace [beauty+]

profit
- 徳用（トクヨウ）〈Na〉economical, economy package [+use]
- ▶買(い)徳（かいドク）〈N〉good buy, bargain [buy+]

〈Place〉
- 徳島（トクしま）Tokushima Pref./City

840 扱

あつか-，あつかい；
キュウ†

⇨[684]抜

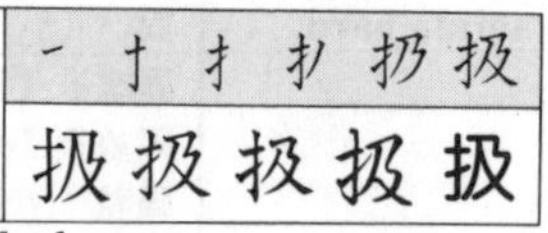

handle, treat
- 扱い（あつかい）〈N〉treatment, handling, deal
- …扱い（…あつかい）〈Nv〉treating as…
- ▷子供扱い（こども～）treating like a child [child+]
- 邪魔者扱い（ジャマもの～）treating as a nuisance [hindrance+person+]

841 昇

のぼ-，のぼり-；
ショウ
〈PN〉のぼる

rise
- 昇る（のぼる）〈V〉rise
- 昇格（ショウカク）〈Nv〉promotion, rise in status [+rank]
- 昇給（ショウキュウ）〈Nv〉(get) rise in salary [+salary]

842 迫	せま-; ハク, -パク 〈PN〉 さこ ⇒[398]迫	ノ イ 白 白 泊 迫 迫迫迫迫迫

press, urge
- 迫る (せまる) 〈V〉 press on; approach
- 迫害 (ハクガイ) 〈Nv〉 persecution [+hurt]
- 迫力 (ハクリョク) 〈N〉 dynamism, intensity [+power]
- ▶脅迫 (キョウハク) 〈Nv〉 intimidation, threat [menace+]
- 緊迫 (キンパク) 〈Nv〉 getting tense/acute [tense+]

843 脱	ぬ-, ぬぎ-; ダツ, ダッ-	刀 月 月' 月" 月" 脱 脱脱脱脱脱

undress
- 脱ぐ (ぬぐ) 〈V〉 undress, take off, shed
- 脱帽 (ダツボウ) 〈Nv〉 taking off one's cap/hat [+hat]
- 脱皮 (ダッピ) 〈Nv〉 shedding; emerging from [+skin]

desert, drop out
- 脱する (ダッする) 〈V〉 desert, escape
- 脱サラ (ダツサラ) 〈N〉 quitting work in a company to become an independent businessman [+(salaried man)]
- 脱税 (ダツゼイ) 〈Nv〉 tax evasion [+tax]
- 脱落 (ダツラク) 〈Nv〉 being omitted; dropping out [+drop]
- 脱落者 (ダツラクシャ) 〈N〉 dropout [+drop+person]
- 脱臭 (ダッシュウ) 〈Nv〉 deodorization [+stench]
- 脱出 (ダッシュツ) 〈Nv〉 escape [+go out]
- 脱水 (ダッスイ) 〈Nv〉 dehydration [+water]
- 脱線 (ダッセン) 〈Nv〉 derailment; digression [+line]
- 脱走 (ダッソウ) 〈Nv〉 desertion [+run]
- 脱退 (ダッタイ) 〈Nv〉 secession [+retreat]

844 貸	か-, -が-, かし, -がし; タイ ⇒[756]賃, [911]貨	イ 代 代 代 貸 貸 貸貸貸貸貸

lend, rent, loan
- 貸(し)… (かし…) rental…, …for rent
  - ▷貸(し)マンション 〈N〉 rental apartment [+(apartment)]
  - 貸(し)衣装 (～イショウ) 〈N〉 clothes for rent [+costume]
- 貸す (かす) 〈V〉 lend, rent
- 貸(し)出(す) (かしだす) 〈V〉 lend/loan out [+put out]
- 貸(し)付(け) (かしつけ) 〈Nv〉 loan [+attach]
- 貸(し)家 (かしや) 〈N〉 house for rent [+house]
- 貸与 (タイヨ) 〈Nv〉 lending, loan [+give]

845 奏	かな-; ソウ ⇒[1106]奉	三 夫 夫 夫 奏 奏 奏奏奏奏奏

play music
- 奏でる (かなでる) 〈V〉 play《music or musical instruments》
- ▶演奏 (エンソウ) 〈Nv〉 musical performance, recital [perform+]
- 四重奏 (シジュウソウ) 〈N〉 quartet [four+*Cs* layers+]

846 **換**
か-, -が-, かえ, -がえ;
カン

exchange

換える (かえる) 〈V〉 exchange
換気 (カンキ) 〈Nv〉 ventilation [+air]
換気扇 (カンキセン) 〈N〉 ventilation fan [+air+fan]
換金 (カンキン) 〈Nv〉 cashing 《checks, etc.》; converting to cash [+money]
換算 (カンザン/サン) 〈Nv〉 calculation in another equivalent [+calculate]
▶書(き)換え (かきかえ) 〈Nv〉 rewriting, renewal [write+]
乗(り)換(え) (のりかえ) 〈Nv〉 change 《vehicles》 [ride+]

847 **岸**
きし, -ぎし;
ガン
〈Ir〉

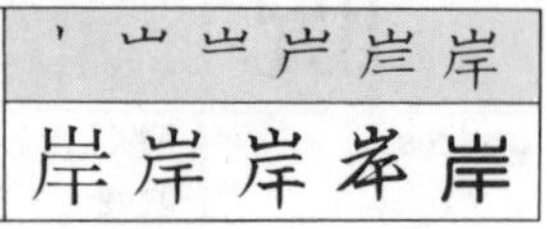

shore, coast

岸 (きし) 〈N〉 shore, coast, riverbank
岸壁 (ガンペキ) 〈N〉 wharf wall [+wall]
〈Ir〉 ▶魚河岸 (うおがし) 〈N〉 fisherman's wharf [fish+large river+]
海岸 (カイガン) 〈N〉 sea coast, seashore; seaside [sea+]

848 **刑**
ケイ
〈PN〉 ギョウ ⇨ 291 判, 619 刊

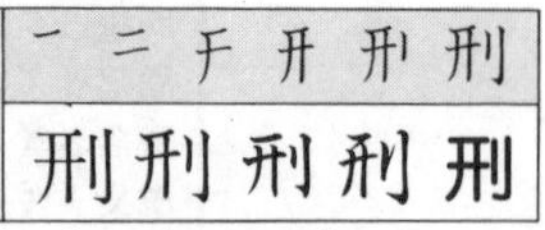

penalty, punishment

刑 (ケイ) 〈N〉 punishment, sentence, penalty, imprisonment
…刑 (…ケイ) 〈N〉 …penalty
▷死刑 (シ〜) death penalty, capital punishment [death+]
終身刑 (シュウシン〜) life sentence [for life+]
罰金刑 (バッキン〜) monetary penalty, fine [fine+]
刑事 (ケイジ) 〈N〉 detective; criminal affairs [+person in charge of]
刑法 (ケイホウ) 〈N〉 criminal law [+law]
刑務所 (ケイムショ) 〈N〉 prison [+duty+place]

849 **替**
か-, -が-, かえ, -がえ;
タイ
〈Ir〉 ⇨ 881 賛

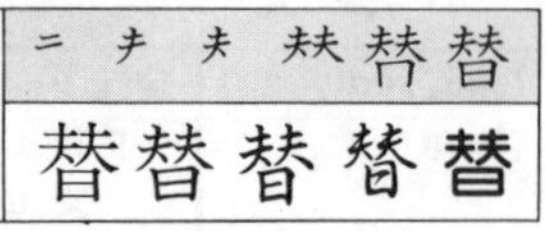

substitute, replace

替える (かえる) 〈V〉 change, replace
替えズボン (かえズボン) 〈N〉 spare trousers [+(trousers)]
替(え)歌 (かえうた) 〈N〉 parody song [+song]
〈Ir〉 ▶為替 (かわせ) 〈N〉 money exchange; money order [do+]
代替物 (ダイタイブツ) 〈N〉 substitution [substitution+〜+thing]

850 **僚**
リョウ

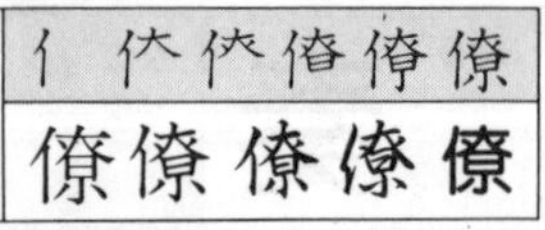

officer

▶閣僚 (カクリョウ) 〈N〉 Cabinet member [cabinet+]
官僚 (カンリョウ) 〈N〉 bureaucrat [official+]
同僚 (ドウリョウ) 〈N〉 colleague [accompanying+]

851 占	うらな-, うらない; し-, -じ-; セン 〈PN〉うら ⇒373古	丨 ⺊ ⺊ 占 占 占 占 占 占 占

divination
- 占い (うらない) 〈N〉 divination, fortunetelling
- 占う (うらなう) 〈V〉 divine
- ▶星占い (ほしうらない) 〈N〉 astrology [star+]

occupy
- 占める (しめる) 〈V〉 occupy, share
- 占拠 (センキョ) 〈Nv〉 occupation, taking exclusive possession [+base]
- 占領 (センリョウ) 〈Nv〉 occupation《of conquered territory》[+domain]
- ▶独占 (ドクセン) 〈Nv〉 monopolization [sole+]

852 被	こうむ-; ヒ, -ピ	衤 衤 衤 衤 衤 被 被 被 被 被 被

wear
- 被服 (ヒフク) 〈N〉 clothes [+clothes]

suffer
- 被る (こうむる) 〈V〉 suffer from
- 被害 (ヒガイ) 〈N〉 damage, harm [+hurt]
- 被害者 (ヒガイシャ) 〈N〉 victim [+hurt+person]

passive
- 被… (ヒ…) …-ee; passive…
  - ▷被選挙権 (〜センキョケン) 〈N〉 qualified to stand for election [+voting franchise]
- 被告 (ヒコク) 〈N〉 accused defendant [+tell]

853 禁	キン	十 木 林 埜 埜 禁 禁 禁 禁 禁 禁

prohibit
- 禁じる (キンじる) 〈V〉 prohibit
- 禁煙 (キンエン) 〈N〉 no smoking; 〈Nv〉 abstinence from smoking [+smoke]
- 禁止 (キンシ) 〈Nv〉 prohibition [+stop]
- 禁酒 (キンシュ) 〈Nv〉 abstinence from drinking [+liquor]
- 禁物 (キンモツ) 〈N〉 taboo [+thing]
- 禁欲 (キンヨク) 〈Nv〉 abstinence [+desire]

854 綿	わた; メン ⇒247線	幺 糸 糸 綿 綿 綿 綿 綿 綿 綿 綿

cotton
- 綿 (わた) 〈N〉 cotton plant; raw cotton《to be wadded》
- 綿 (メン) 〈N〉 (made of) cotton (yarn)
- 綿花 (メンカ) 〈N〉 raw cotton [+flower]
- 綿密 (メンミツ) 〈N/Na〉 minuteness; scrupulousness [+density]

855 則	ソク 〈PN〉のり	丨 冂 目 貝 則 則 則 則 則 則 則

rule
- ▶学則 (ガクソク) 〈N〉 school regulations [school+]
- 規則 (キソク) 〈N〉 rule, regulation [regulate+]
- 原則 (ゲンソク) 〈N〉 principle, fundamental rule [basic+]

856 浦

うら；
ホ†

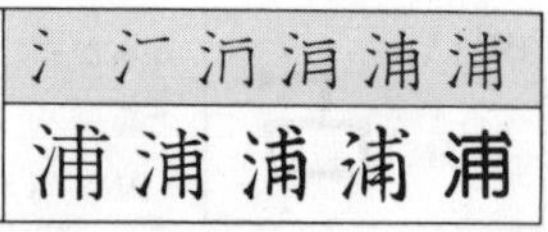

inlet
浦（うら）〈N〉 inlet, cove

〈Place〉
浦和（うらワ）Urawa City

857 逆

さか-；
ギャク，ギャッ-；ゲキ

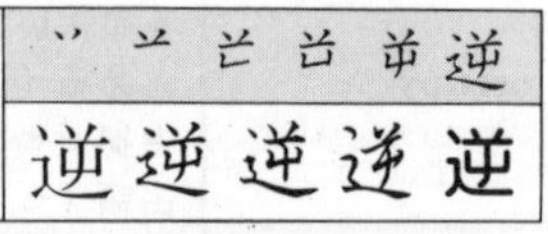

reverse, contrary, against
逆（ギャク）〈N〉 contrary, reverse
逆…（ギャク…）contra-…, retro-…
▷逆効果（～コウカ）〈N〉 opposite effect [+effect]
逆噴射（～フンシャ）〈Nv〉 retro-jet [+jet]
逆輸入（～ユニュウ）〈Nv〉 reimport [+importation]
逆さ（さかさ）〈N〉 inversion, upside down
逆上（ギャクジョウ）〈Nv〉 being upset, frenzy [+up]
逆説（ギャクセツ）〈N〉 paradox [+explain]
逆転（ギャクテン）〈Nv〉 inversion, reverse [+turn]
逆境（ギャッキョウ）〈N〉 adversity [+boundary]
逆行（ギャッコウ）〈Nv〉 retrogression [+go]

858 密

ミツ，ミッ-

〈PN〉 ひそか

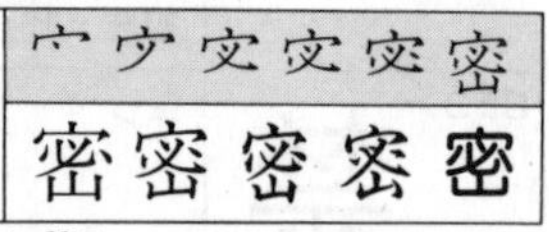

secret
密談（ミツダン）〈Nv〉 confidential talk [+talk]
密輸（ミツユ）〈Nv〉 smuggling [+transport]
密教（ミッキョウ）〈N〉 Esoteric Buddhism [+religion]
密告（ミッコク）〈Nv〉 betrayal, secret information [+tell]

closeness, density
密度（ミツド）〈N〉 density [+degree]
密林（ミツリン）〈N〉 jungle [+woods]
密集（ミッシュウ）〈Nv〉 crowding, thronging [+concentrate]
密接（ミッセツ）〈Nv〉 standing close to; 〈Na〉 intimate [+connect]

859 秀

ひい-；
シュウ

〈PN〉 ひで

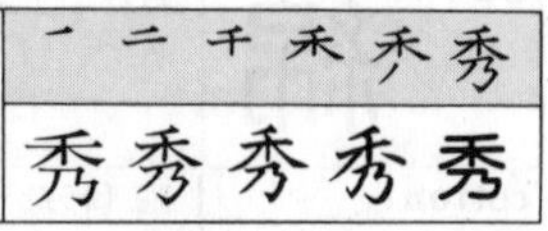

excellent
秀でる（ひいでる）〈V〉 be superior, excel
秀才（シュウサイ）〈N〉 smart boy/girl [+talent]
▶優秀（ユウシュウ）〈Na〉 superiority, excellent [superior+]

860 困

こま-；
コン

⇨[646]因，[1830]囚

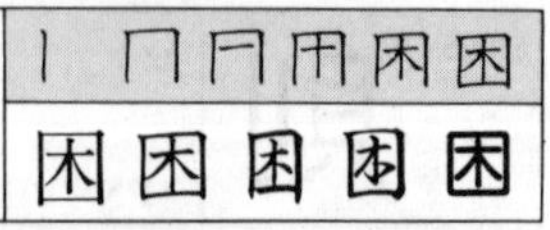

trouble, distress
困る（こまる）〈V〉 fall into trouble, get troubled
困難（コンナン）〈N/Na〉 difficulty, hardship [+difficult]
困惑（コンワク）〈Nv〉 (feel) embarrassment, perplexity [+astray]

861 承	うけたまわ-; ショウ	了 了 手 拜 承 承 / 承承承承承

receive, be attentive
- 承る（うけたまわる）〈V〉 be attentive to what is said; receive
- 承諾（ショウダク）〈Nv〉 consent [+assent]
- 承知（ショウチ）〈Nv〉 understanding; being informed [+aware]
- 承認（ショウニン）〈Nv〉 approval [+approve]

862 測	はか-; ソク, ソッ- ⇒240側	氵 氿 泪 浿 浿 測 / 測測測測測

measure
- 測る（はかる）〈V〉 measure →186計る, 544量る
- 測定（ソクテイ）〈Nv〉 measurement, gauging [+fix]
- 測量（ソクリョウ）〈Nv〉 measurement, survey [+quantity]

863 昼	ひる, -びる-; チュウ	一 コ 尸 尺 昼 昼 / 昼昼昼昼昼

daytime
- 昼間（ひるま/チュウカン）〈T〉 daytime [+middle]
- 昼夜（チュウヤ）〈N〉 day and night [+night]

noon
- 昼（ひる）〈T〉 noon
- 昼御飯（ひるゴハン）〈N〉 lunch [+*honorific*+meal]
- 昼下(が)り（ひるさがり）〈T〉 early afternoon [+down]
- 昼休み（ひるやすみ）〈N〉 noon recess [+repose]
- 昼食（チュウショク）〈N〉 luncheon [+food]

864 逃	に-; のが-; トウ	丿 ｽ 兆 兆 `兆 逃 / 逃逃逃逃逃

flee, run away
- 逃がす（にがす）〈V〉 set free; let pass/slip, miss
- 逃げる（にげる）〈V〉 escape, run away
- 逃す（のがす）〈V〉 let pass/slip, lose, miss《literary》
- 逃れる（のがれる）〈V〉 flee, avoid, be exempted
- 逃げ出す（にげだす）〈V〉 run away, make off [+go out]
- 逃走（トウソウ）〈Nv〉 running away [+run]
- 逃避（トウヒ）〈Nv〉 escape, flight [+avoid]
- ▶見逃す（みのがす）〈V〉 overlook, miss [look+]

865 秘	ひ-; ヒ, -ピ ⇒1846泌	千 禾 利 秘 秘 秘 / 秘秘秘秘秘

closed
- ▶便秘（ベンピ）〈Nv〉 constipation [excretion+]

secret
- 秘める（ひめる）〈V〉 keep in secret
- 秘書（ヒショ）〈N〉 secretary [+write]
- 秘密（ヒミツ）〈N〉 secret [+secret]
- ▶マル秘（マルヒ）〈N〉 top secret [(circle)+] ➜SN

866 **票**	ヒョウ, -ビョウ, -ピョウ	一 襾 覀 覀 票 票 票 票 票 票 票

card
▶住民票 (ジュウミンヒョウ) 〈N〉 resident card [inhabitants+]
伝票 (デンピョウ) 〈N〉 bill, slip [hand over+]

vote
票 (ヒョウ) 〈N〉 vote
…票 (…ヒョウ) 〈N〉 …vote
▷賛成票 (サンセイ～) 'yes' vote [approval+]
反対票 (ハンタイ～) 'no' vote [opposition+]
票田 (ヒョウデン) 〈N〉 favorable bloc of votes [+rice field]

***Cs* votes**
…票 (…ヒョウ/ビョウ/ピョウ) 〈Q〉 …votes
▷一票 (イッピョウ), 二票 (ニヒョウ), 三票 (サンビョウ)

867 **鋼**	はがね; コウ	𠂉 金 釖 鋼 鋼 鋼 鋼 鋼 鋼 鋼 鋼

steel
鋼 (はがね/コウ) 〈N〉 steel
鋼管 (コウカン) 〈N〉 steel pipe [+pipe]
鋼材 (コウザイ) 〈N〉 steel materials [+material]
鋼鉄 (コウテツ) 〈N〉 steel [+iron]

868 **辞**	や-; ジ	千 舌 舌 辞 辞 辞 辞 辞 辞 辞 辞

term, word, affix
辞 (ジ) 〈N〉 statement
辞書 (ジショ) 〈N〉 dictionary, lexicon [+book]
辞典 (ジテン) 〈N〉 dictionary [+classical book]
辞令 (ジレイ) 〈N〉 written appointment, commission [+command]
▶祝辞 (シュクジ) 〈N〉 congratulatory address [celebration+]

resign, leave
辞める (やめる) 〈V〉 resign (*vi.*), retire
辞する (ジする) 〈V〉 resign (*vi.*), retire; say good-by; decline《offer》
辞職 (ジショク) 〈Nv〉 (get) retirement [+job]
辞退 (ジタイ) 〈Nv〉 declination [+retreat]
辞任 (ジニン) 〈Nv〉 (get) resignation [+appoint]
辞表 (ジヒョウ) 〈N〉 letter of retirement/resignation [+display]

869 **願**	ねが-, ねがい; ガン	厂 戸 原 原 願 願 願 願 願 願 願

pray, beg, beseech
願 (ガン) 〈N〉 prayer for the realization of one's wish《usually in abnegation of one's favorite food/drink》
願い (ねがい) 〈N〉 wish, request, hope
願う (ねがう) 〈V〉 wish, pray, beg
お願いします (おねがいします) 〈Cph〉 Please do…for me. [(*Pref honorific*)+]
願書 (ガンショ) 〈N〉 application form/letter [+document]
願望 (ガンボウ) 〈Nv〉 desire, wish [+wish]

870 簡

カン

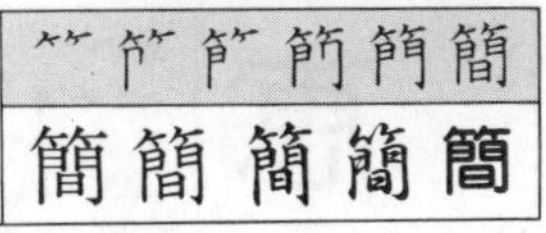

simple

簡易 (カンイ) 〈Na〉 handy, simple [+easy]
簡潔 (カンケツ) 〈Na〉 concise, terse [+clean]
簡素 (カンソ) 〈Na〉 austere, simple [+raw]
簡単 (カンタン) 〈Na〉 simple, easy [+single]
簡明 (カンメイ) 〈Na〉 explicit [+clear]
簡略 (カンリャク) 〈Na〉 informal, concise [+abbreviate]

epistle

▶書簡 (ショカン) 〈N〉 letter, epistle [write+]

871 季

キ

〈PN〉 とし, すえ ⇒[171]委

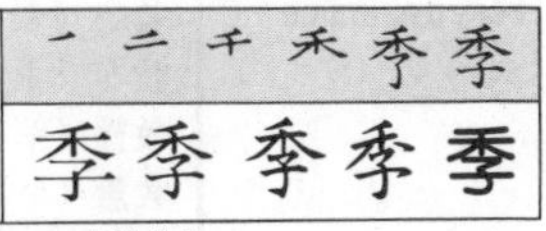

season

季刊 (キカン) 〈N〉 quarterly publication [+publish]
季語 (キゴ) 〈N〉 word suggesting a season 《in *haiku*》 [+word]
季節 (キセツ) 〈T〉 season [+season]
▶四季 (シキ) 〈N〉 four seasons [four+]
冬季 (トウキ) 〈N〉 winter season [winter+]

872 息

いき;
ソク

〈Ir〉

breath

息 (いき) 〈N〉 breath
息詰まる (いきづまる) 〈V〉 be stifled [+stuff up]
息抜き (いきぬき) 〈Nv〉 rest, breather [+pull out]
▶一息 (ひといき) 〈N/Adv〉 a breath; an effort; a pause; a draft [one+]

born 〈Ir〉

息子 (むすこ) 〈N〉 son [+child]
▶利息 (リソク) 〈N〉 interest [profit+] →[219]利子

873 乳

ち, -ぢ; ちち, -ぢち;
ニュウ

〈Ir〉

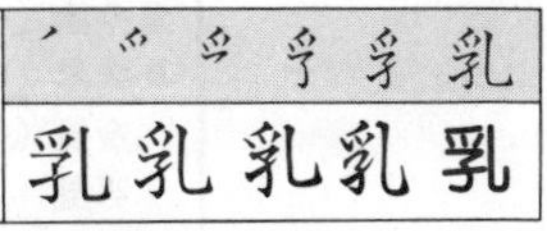

milk

乳 (ちち) 〈N〉 milk
乳児 (ニュウジ) 〈N〉 nursling, infant [+child]
〈Ir〉 乳母 (うば) 〈N〉 wet nurse; nursemaid [+mother]
〈Ir〉 乳母車 (うばぐるま) 〈N〉 baby carriage [+mother+car]
▶牛乳 (ギュウニュウ) 〈N〉 cow's milk [cattle+]

breast

乳 (ちち) 〈N〉 breast 《organ》
乳首 (ちくび) 〈N〉 nipple [+head]
乳房 (ちぶさ; ニュウボウ) 〈N〉 breast, udder; mamma 《organ》 [+fringe]

874 逮

タイ

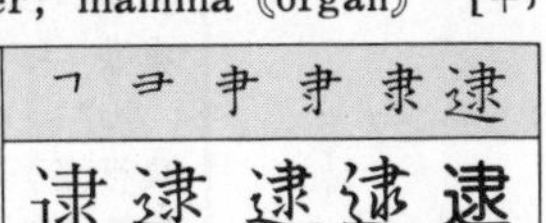

overtake

逮捕 (タイホ) 〈Nv〉 arrest [+catch]

875 **恵**

めぐ-；
エ；**ケイ**
〈PN〉めぐみ ⇒149思，1353恩

恵恵恵恵恵

bless

恵む（めぐむ）〈V〉bless, bestow, gift
▶恩恵（オンケイ）〈N〉favor, benefit [owe+]
知恵（チエ）〈N〉wisdom [intelligence+] ➔SN

876 **救**

すく-；
キュウ

救救救救救

rescue, save

救い（すくい）〈N〉rescue, relief, redemption
救う（すくう）〈V〉save, rescue, relieve, redeem
救援（キュウエン）〈Nv〉rescue, relief [+aid]
救急（キュウキュウ）〈N〉first aid [+hurry]
救急車（キュウキュウシャ）〈N〉ambulance [+hurry+car]
救済（キュウサイ）〈Nv〉relief, redemption [+save]
救出（キュウシュツ）〈Nv〉deliverance, rescue [+put out]
救助（キュウジョ）〈Nv〉rescue, succor [+assist]
救命ボート（キュウメイボート）〈N〉lifeboat [+life+(boat)]

877 **星**

ほし，-ぼし；
セイ；-ジョウ

星星星星星

star

星（ほし）〈N〉star
…星（…セイ）〈N〉…star
▷北極星（ホッキョク～）polestar [North Pole+]
南十字星（みなみジュウジ～）Southern Cross [south+cross+]
星占い（ほしうらない）〈N〉astrology [+divination]
星座（セイザ）〈N〉constellation [+seat]
星条旗（セイジョウキ）〈N〉Stars and Stripes [+stripe+flag]
▶火星（カセイ）〈N〉Mars [fire+] →App.
金星（キンセイ）〈N〉Venus [metal+] →App.
明星（ミョウジョウ）〈N〉Lucifer, Phosphor; Vesper [bright+]
惑星（ワクセイ）〈N〉planet [astray+]

878 **奥**

おく；
オウ

奥奥奥奥奥

deep inside, interior

奥（おく）〈N〉deep inside, interior, inmost recess
奥さん（おくさん）〈N〉madam, your/his lady ➔SN
奥ゆかしい（おくゆかしい）〈A〉discreet and graceful
奥様（おくさま）〈N〉madam, your/his lady《more honorific than 奥さん》 [+Mrs.]
奥行(き)（おくゆき）〈N〉depth, length [+go]
奥義（おくギ/オウギ）〈N〉arcana, secrets [+significance]

〈Place〉

奥羽（オウウ）Ou District (=Tohoku District)

879 **訳** わけ; ヤク

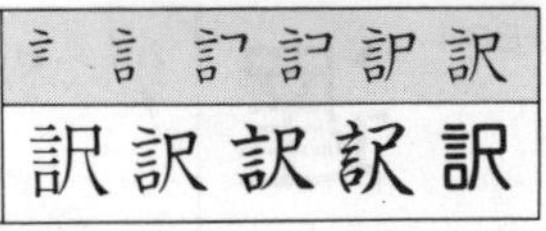

interpret, translate

訳 (ヤク) 〈N〉 translation, rendering, version
…訳 (…ヤク) 〈N〉 …version; translated by…
▷逐語訳 (チクゴ～) word-for-word translation [follow+word+]
訳す (ヤクす) 〈V〉 translate, render
訳者 (ヤクシャ) 〈N〉 translator [+person]

meaning, reason

訳 (わけ) 〈N〉 meaning, reason; circumstances
▶言い訳 (いいわけ) 〈Nv〉 excuse, justification [say+]
申し訳ありません (もうしわけ～) 〈Cph〉 My apologies. [appeal+]

Ph

▶内訳 (うちわけ) 〈N〉 items 《of an account》, classification [inner+]

880 **普** フ

〈PN〉 ひろ, ひろし

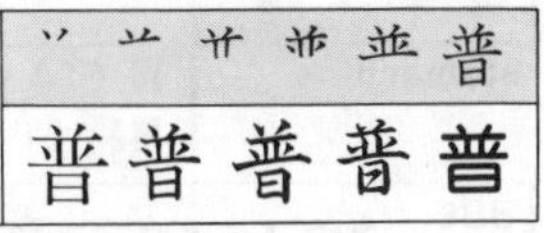

widespread, common

普及 (フキュウ) 〈Nv〉 diffusion, spread [+be extended]
普通 (フツウ) 〈N〉 ordinary, usual [+pass]
普遍的 (フヘンテキ) 〈Na〉 universal [+all round+*Suf Na*]

881 **賛** サン

⇨[849]替

approve

賛成 (サンセイ) 〈Nv〉 approval, assent [+form]
賛同 (サンドウ) 〈Nv〉 siding with, approval [+together]
賛否 (サンピ) 〈N〉 approval or disapproval [+deny]

882 **快** こころよ-; カイ

⇨[94]決

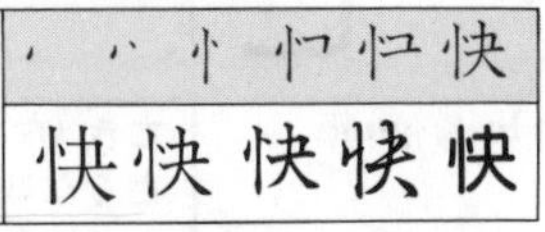

pleasant

快い (こころよい) 〈A〉 pleasant
快晴 (カイセイ) 〈N〉 clear and fine weather [+fine]
快速 (カイソク) 〈N〉 pleasingly fast; rapid service train [+speedy]
快調 (カイチョウ) 〈N/Na〉 agreeable condition [+tone]
快適 (カイテキ) 〈Na〉 comfortable, agreeable [+proper]

883 **揮** キ

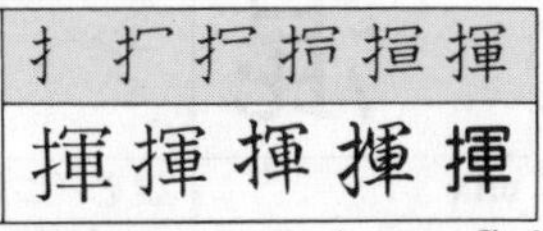

enliven

揮発性 (キハツセイ) 〈N〉 volatility, evaporativeness [+issue+*Suf abstract noun*]
揮発油 (キハツユ) 〈N〉 gasoline 《exclusively for engines》 [+issue+oil]
▶指揮 (シキ) 〈Nv〉 command; conduct [point at+]
指揮者 (シキシャ) 〈N〉 leader; (orchestra) conductor [command+]
発揮 (ハッキ) 〈Nv〉 demonstration, exhibition 《of one's ability, etc.》 [issue+]

884 **遅**

おく-; おそ-;
チ

⇨525達

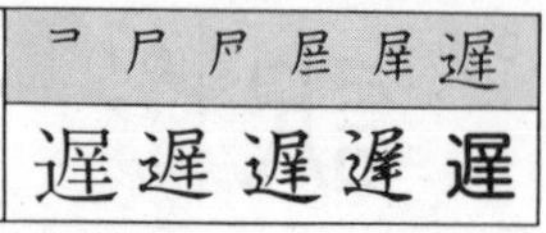

slow
遅い (おそい) ⟨A⟩ slow
遅々 (チチ) ⟨Nt⟩ slow, tardy [+*Rep*]

late
遅れ (おくれ) ⟨N⟩ delay
遅れる (おくれる) ⟨V⟩ be late
遅い (おそい) ⟨A⟩ late
遅刻 (チコク) ⟨Nv⟩ delayed arrival [+segment of time]

885 **胃**

イ

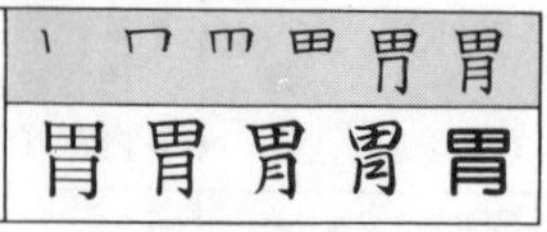

stomach
胃 (イ) ⟨N⟩ stomach
胃腸 (イチョウ) ⟨N⟩ stomach and intestines, bowels [+intestines]

886 **避**

さ-, -ざ-;
ヒ, -ピ

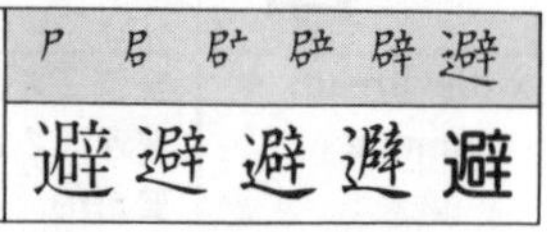

avoid
避ける (さける) ⟨V⟩ avert, avoid
避暑 (ヒショ) ⟨N⟩ getting away for the summer [+hot]
避暑地 (ヒショチ) ⟨N⟩ summer resort [+hot+ground]
避難 (ヒナン) ⟨Nv⟩ (take) refuge [+difficult]
避妊 (ヒニン) ⟨Nv⟩ contraception [+pregnancy]

887 **亡**

な-;
ボウ; モウ-

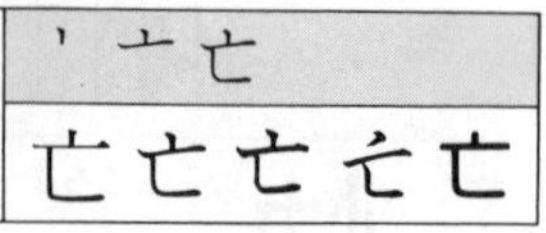

lost, gone
亡き (なき) ⟨Adj⟩ the late, dead
亡くなる (なくなる) ⟨V⟩ expire, pass away
亡命 (ボウメイ) ⟨Nv⟩ (go into) exile, expatriation [+register]
亡者 (モウジャ) ⟨N⟩ clinger, monomaniac [+person] ➜SN
▶死亡 (シボウ) ⟨Nv⟩ decease, death [death+]
　未亡人 (ミボウジン) ⟨N⟩ widow [not yet+～+person]

888 **混**

こ-, -ご-; ま-, まじ-;
コン-

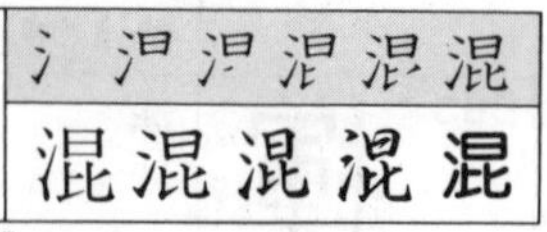

mix
混む (こむ) ⟨V⟩ be crowded/jammed ➜SN
混ざる (まざる) ⟨V⟩ be mixed
混じる (まじる) ⟨V⟩ be mingled
混ぜる (まぜる) ⟨V⟩ mix
混血 (コンケツ) ⟨N⟩ mixed blood [+blood]
混合 (コンゴウ) ⟨Nv⟩ mixture, blend [+combine]
混雑 (コンザツ) ⟨Nv⟩ disorder, being crowded [+miscellaneous]
混乱 (コンラン) ⟨Nv⟩ (fall into) confusion [+disorder]

889 **笑** 　え-; **わら-**; **ショウ**

⺈ ⺮ 笁 笑 笑 ｜ 笑 笑 笑 笑 笑

laugh, smile
- 笑み (えみ) 〈N〉 smile《literary》
- 笑い (わらい) 〈N〉 laughter, smile
- 笑う (わらう) 〈V〉 laugh, smile
- 笑顔 (えがお) 〈N〉 smiling face, delighted look [+face]
- ▶苦笑 (クショウ) 〈Nv〉 (make) wry smile [bitter+]
- 失笑 (シッショウ) 〈Nv〉 breaking into laughter derisively [lose+]
- 微笑 (ビショウ) 〈Nv〉 smile [micro-+]

890 **駐** 　**チュウ**

丨 冂 馬 駐 駐 駐 ｜ 駐 駐 駐 駐 駐

parking, stationing, posting
- 駐在員 (チュウザイイン) 〈N〉 resident agent [+stay+member]
- 駐在所 (チュウザイショ) 〈N〉 police substation [+stay+place]
- 駐車 (チュウシャ) 〈Nv〉 parking a car [+car]
- 駐車場 (チュウシャジョウ) 〈N〉 parking lot [+car+place]
- 駐屯 (チュウトン) 〈Nv〉 being stationed《of troops, in barracks》 [+assemble]
- 駐日大使 (チュウニチタイシ) 〈N〉 ambassador to Japan [+Japan+ambassador]
- 駐留 (チュウリュウ) 〈Nv〉 being stationed《of troops, in camp》 [+stay]

891 **列** 　**レツ**, レッ-

一 ア 歹 歹 列 列 ｜ 列 列 列 列 列

line, rank, file, string
- 列 (レツ) 〈N〉 column, line, file, rank, row
- 列挙 (レッキョ) 〈Nv〉 enumeration [+raise]
- 列車 (レッシャ) 〈N〉 railroad train [+car]
- 列島 (レットウ) 〈N〉 chain of islands [+island]
- ▶行列 (ギョウレツ) 〈Nv〉 procession, parade; queue [go+]
- 陳列 (チンレツ) 〈Nv〉 (place on) exhibition, display [display+]

***Cs* rows**
- …列 (…レツ) 〈Q〉 …rows, …columns, …ranks
- ▷一列 (イチ～), 二列 (ニ～), 三列 (サン～)

892 **仲** 　**なか**; **チュウ** 〈Ir〉

ノ イ 亻 仁 仲 仲 ｜ 仲 仲 仲 仲 仲

mediation
- 仲 (なか) 〈N〉 intermediation
- 仲介 (チュウカイ) 〈Nv〉 mediation [+intermediate]
- 仲裁 (チュウサイ) 〈Nv〉 arbitration [+judge]
- 〈Ir〉 仲人 (なこうど) 〈N〉 go-between, matchmaker [+person]

relation, intimacy
- 仲 (なか) 〈N〉 relation, intimacy, terms
- 仲直り (なかなおり) 〈Nv〉 reconciliation [+just]
- 仲間 (なかま) 〈N〉 company, party, companions [+*Suf* mass]
- 仲良し (なかよし) 〈N〉 intimacy; friend [+good]

893 **層**

ソウ

layer

層 (ソウ) 〈N〉 layer
…層 (…ソウ) 〈N〉 …layer; …class
▷若年層 (ジャクネン〜) younger generation [young+age+]
電離層 (デンリ〜) ionosphere [electrolytic dissociation+]
▶一層 (イッソウ) 〈Q〉 still more, further [one more+]
階層 (カイソウ) 〈N〉 story, class [step+]
高層ビル (コウソウビル) 〈N〉 skyscraper [high+〜+(building)]

894 **贈**

おく-, おくり-;
-ソウ; **ゾウ**

gift

贈る (おくる) 〈V〉 donate, present
贈(り)物 (おくりもの) 〈N〉 gift [+thing]
贈呈 (ゾウテイ) 〈Nv〉 presentation, donation [+present]
贈与 (ゾウヨ) 〈Nv〉 donation, transfer [+give]
贈賄 (ゾウワイ) 〈Nv〉 bribery [+bribe]
▶寄贈 (キソウ/キゾウ) 〈Nv〉 presentation, contribution, gift [draw on+]

895 **託**

タク

entrust

託す (タクす) 〈V〉 entrust, commission
託児所 (タクジショ) 〈N〉 day nursery [+child+place]

896 **覚**

おぼ-, おぼえ; **さ-**, -ざ-, -さま-, -ざま-;
カク, -ガク
〈PN〉 さとし ⇨[1471]覺

awake, sense

覚える (おぼえる) 〈V〉 sense, feel; learn; memorize
覚ます (さます) 〈V〉 wake, bring to one's senses
覚める (さめる) 〈V〉 wake, come to one's senses
覚悟 (カクゴ) 〈Nv〉 resolve; (have) resignation to one's fate [+discern]
覚醒剤 (カクセイザイ) 〈N〉 narcotic, stimulant [+awake+drug]
▶目覚(ま)し(時計) (めざまし(どケイ)) 〈N〉 alarm clock [eye+〜(+watch)]

897 **臨**

のぞ-;
リン

attend, confront

臨む (のぞむ) 〈V〉 attend, confront
臨機応変 (リンキオウヘン) 〈N〉 improvisation, playing by air, flexible attitude [+chance+respond+change]
臨月 (リンゲツ) 〈N〉 month of parturition [+month]
臨時 (リンジ) 〈N〉 temporary, extra [+time]
臨終 (リンジュウ) 〈N〉 moment of death, dying hour [+end]

898 **豪**

ゴウ

〈PN〉 たけし ⇨[81]家

brave, stout
- 豪雨 (ゴウウ) 〈N〉 heavy rain [+rain]
- 豪華 (ゴウカ) 〈Na〉 splendor, gorgeous [+flower]
- 豪快 (ゴウカイ) 〈Na〉 heroic, exciting [+pleasant]

Australia
- 豪州 (ゴウシュウ) 〈N〉 Australia [+continent]

899 **祭**

まつ-, まつり;
サイ

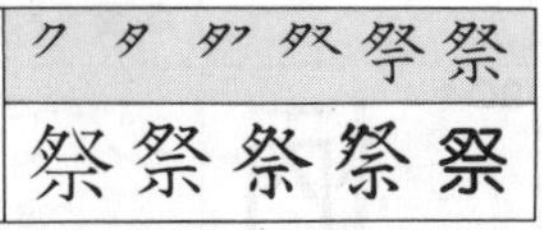

festival
- …祭 (…サイ) 〈N〉 …festival
  - ▷カンヌ映画祭 (〜エイガ〜) Cannes Film Festival [(Cannes)+movie+]
  - 芸術祭 (ゲイジュツ〜) art festival [art+]
- 祭(り) (まつり) 〈N〉 festival
- …祭(り) (…まつり) 〈N〉 …festival
  - ▷秋祭(り) (あき〜) autumn festival [autumn+]
  - 七夕祭(り) (たなばた〜) *Tanabata* festival [*Tanabata*+]
- 祭日 (サイジツ) 〈N〉 holiday [+day]

900 **創**

つく-;
ソウ

create
- 創刊 (ソウカン) 〈Nv〉 issuing the first number《of a periodical》 [+publish]
- 創業 (ソウギョウ) 〈Nv〉 inauguration《of an enterprise》 [+business]
- 創作 (ソウサク) 〈Nv〉 creative activity/writing [+make]
- 創世記 (ソウセイキ) 〈N〉 Genesis [+world+record]
- 創造 (ソウゾウ) 〈Nv〉 creation [+make]
- 創立 (ソウリツ) 〈Nv〉 establishment [+set up]

wound
- ▶絆創膏 (バンソウコウ) 〈N〉 sticking plaster [bandage+〜+ointment]

901 **荒**

あ-, あら;
コウ

rough, wild
- 荒い (あらい) 〈A〉 wild, rough
- 荒(ら)す (あらす) 〈V〉 devastate, roughen (*vt.*)
- 荒れる (あれる) 〈V〉 become rough, rage (*vi.*)
- 荒廃 (コウハイ) 〈Nv〉 (suffer) ravage [+outdate]
- 荒野 (コウヤ) 〈N〉 wild field [+field]

902 **泉**

いずみ;
セン

spring, fountain
- 泉 (いずみ) 〈N〉 spring, fountain
- ▶温泉 (オンセン) 〈N〉 hot spring, spa [warm+]

903 **冬**

ふゆ；
トウ

⇨1603尽

winter
- 冬（ふゆ）〈N〉 winter
- 冬休み（ふゆやすみ）〈N〉 winter vacation [+repose]
- 冬山（ふゆやま）〈N〉 winter mountain [+mountain]
- 冬季（トウキ）〈N〉 winter season [+season]
- 冬至（トウジ）〈N〉 winter solstice [+reach the limit]

904 **柄**

え；**がら；**
ヘイ，-ペイ

pattern
- 柄（がら）〈N〉 design, pattern; one's character/nature
- …柄（…がら）〈S〉 …characteristics, unique to…
  - ▷時節柄（ジセツ～）in view of the times [time+season+]
  - 商売柄（ショウバイ～）as expected of one's profession [business+]
  - 土地柄（トチ～）character of the neighborhood [land+]
- ▶人柄（ひとがら）〈N〉 personality [human+]

helve
- 柄（え）〈N〉 helve, handle

905 **片**

かた；
ヘン，-ペン

odd, one of a pair
- 片…（かた…）odd…, one of a pair of…
  - ▷片足（～あし）〈N〉 one leg [+leg]
  - 片腕（～うで）〈N〉 one arm; right-hand man [+arm]
  - 片側（～がわ）〈N〉 one side [+side]
  - 片手（～て）〈N〉 one hand; five《figurative》 [+hand]
  - 片方（～ホウ）〈N〉 one side/direction [+direction]
  - 片道（～みち）〈N〉 one way《of traveling》 [+way]

remote, out-of-the-way
- 片田舎（かたいなか）〈N〉 backcountry, remote village [+rural districts]
- 片付ける（かたづける）〈V〉 put away [+attach]

piece
- 片（ヘン）〈N〉 a piece
- ▶破片（ハヘン）〈N〉 broken piece, fragment [break+]

906 **像**

ゾウ

image
- 像（ゾウ）〈N〉 image; statue; portrait
- …像（…ゾウ）〈N〉 …image, …statue, …portrait
  - ▷ダビデ像 the statue of David [(David)+]
  - 銅像（ドウ～）bronze statue [copper+]
  - 理想像（リソウ～）ideal model [ideal+]
  - 今日の女性像（コンニチのジョセイ～）portrait of a modern woman [today+woman+]
- ▶映像（エイゾウ）〈N〉 screen image; projected image [reflect+]
- 仏像（ブツゾウ）〈N〉 image of Buddha [Buddha+]

907 **雪**	ゆき； セツ，セッ- 〈Ir〉 ⇨[1524]雷	雪 (stroke order) 雪 雪 雪 雪 雪

snow
雪（ゆき）〈N〉 snow
〈Ir〉 雪崩（なだれ）〈N〉 avalanche, snowslide [+crumble] ➔SN
▶除雪（ジョセツ）〈Nv〉 snow removal [exclude+]
〈Ir〉 吹雪（ふぶき）〈N〉 snowstorm, blizzard [blow+]

908 **盤**	バン	舟 舟 舟 般 般 盤 盤 盤 盤 盤 盤

disk, board
…盤（…バン）〈N〉…disk, …board
▷LP盤（エルピー～） LP record [(LP)+]
計器盤（ケイキ～） instrument panel [instrument+]
碁盤（ゴ～） *go* game board [*go* game+]
▶円盤（エンバン）〈N〉 disk [round+]
空飛ぶ円盤（そらとぶエンバン）〈N〉 flying saucer [sky+fly+round+]

development of a game, etc.
▶序盤（ジョバン）〈N〉 opening stage《of a game, etc.》 [preface+]
中盤（チュウバン）〈N〉 middle stage《of a game, etc.》 [middle+]
終盤（シュウバン）〈N〉 end stage《of a game, etc.》 [end+]

base
▶基盤（キバン）〈N〉 groundwork, basis [footstone+]
地盤（ジバン）〈N〉 ground, footing [ground+]

909 **牛**	うし； ギュウ ⇨[98]午	ノ 𠂉 𠂉 牛 牛 牛 牛 牛 牛

cattle
牛（うし）〈N〉 cattle
牛肉（ギュウニク）〈N〉 beef [+meat]
牛乳（ギュウニュウ）〈N〉 cow's milk [+milk]
牛皮（ギュウヒ）〈N〉 cowhide, leather [+skin]

910 **杉**	すぎ； サン† ⇨[1341]彩	一 十 才 木 杉 杉 杉 杉 杉 杉 杉

cedar
杉（すぎ）〈N〉 Japanese cedar ➔SN
▶糸杉（いとすぎ）〈N〉 cypress [thread+]

911 **貨**	カ ⇨[756]賃, [844]貸	亻 亻 化 化 貨 貨 貨 貨 貨 貨 貨

goods
貨車（カシャ）〈N〉 freight car, goods wagon [+car]
貨物（カモツ）〈N〉 freight, cargo [+thing]
▶雑貨（ザッカ）〈N〉 general merchandise [miscellaneous+]

coin, currency
貨幣（カヘイ）〈N〉 coinage [+money]
▶外貨（ガイカ）〈N〉 foreign currency [foreign+]
通貨（ツウカ）〈N〉 currency, current money [let pass+]

912 緊	キン ⇨[1136]繁	丨 𠂆 臣 臤 堅 緊 緊緊緊緊緊

tight, tense
- 緊急（キンキュウ）〈N〉 emergency, urgency [+hurry]
- 緊張（キンチョウ）〈Nv〉 tension, strain [+tighten]
- 緊迫（キンパク）〈Nv〉 getting tense/acute [+urge]
- 緊密（キンミツ）〈Na〉 close, tight [+density]

913 傾	かたむ-; ケイ	亻 𠆢 化 佰 傾 傾 傾傾傾傾傾

lean, incline, decline
- 傾く（かたむく）〈V〉 incline, decline (*vi.*)
- 傾ける（かたむける）〈V〉 incline, decline (*vt.*)
- 傾向（ケイコウ）〈N〉 tendency, inclination [+direction]
- 傾斜（ケイシャ）〈Nv〉 inclination, slant [+oblique]
- 傾聴（ケイチョウ）〈Nv〉 listening attentively [+listen]

914 堅	かた-, -がた-; ケン	丨 𠂆 臣 臤 堅 堅 堅堅堅堅堅

hard, firm, solid
- 堅い（かたい）〈A〉 firm, solid →[834]固い, [1149]硬い
- 堅持（ケンジ）〈Nv〉 holding/keeping fast [+hold]
- 堅実（ケンジツ）〈Na〉 steadfast [+real]
- ▶中堅（チュウケン）〈N〉 main body, backbone, medium standing [[middle+]]

915 暮	く-, -ぐ-, くら-, -ぐら-, くれ, -ぐれ; ボ ⇨[710]募, [1349]墓	一 艹 苜 莫 莫 暮 暮暮暮暮暮

nightfall
- 暮(ら)し（くらし）〈N〉 living, way of life, livelihood
- 暮(ら)す（くらす）〈V〉 pass days and nights, live
- ▶日暮(れ)（ひぐれ）〈N〉 nightfall [sun+]
- 一人暮(ら)し（ひとりぐらし）〈N〉 single life [one person+]
- 夕暮(れ)（ゆうぐれ）〈N〉 twilight, evening [evening+]

towards the end
- 暮(れ)（くれ）〈N〉 towards the end of a year/season/month
- ▶歳暮（セイボ）〈N〉 year-end; year-end gift [year+] →[13]中元

Ph
- ▶野暮（ヤボ）〈N/Na〉 unsophisticated, unrefined [wild+] ➔SN

916 致	いた-; チ ⇨[989]到	𠫔 𠫓 至 𦤶 致 致 致致致致致

reach, attain
- 致死（チシ）〈N〉 lethal [+death]
- 致命的（チメイテキ）〈Na〉 fatal [+life+*Suf Na*]
- ▶一致（イッチ）〈Nv〉 agreement; accord [one+]
- 極致（キョクチ）〈N〉 extremity [extreme+]
- 誘致（ユウチ）〈Nv〉 luring, attraction [tempt+]

do 《honorific》
- 致します（いたします）〈V〉 do; cost; decide 《more polite than する》

917 窓	まど; ソウ ⇨[1985]窒	丶 宀 宓 空 窓 窓 / 窓 窓 窓 窓 窓

window
窓（まど）〈N〉 window
窓口（まどぐち）〈N〉 window, wicket [+mouth]
▶同窓会（ドウソウカイ）〈N〉 alumni meeting/society [same+〜+meeting]

918 衝	ショウ ⇨[1694]衡	彳 衎 衝 衝 衝 衝 / 衝 衝 衝 衝 衝

crash, collide
衝撃（ショウゲキ）〈N〉 impact, shock [+attack]
衝動的（ショウドウテキ）〈Na〉 impulsive [+move+*Suf Na*]
衝突（ショウトツ）〈Nv〉 collision; conflict [+poke]

919 了	リョウ 〈PN〉 とおる	乛 了 / 了 了 了 了 了

finish, perfect
了解（リョウカイ）〈Nv〉 comprehension; 〈Cph〉 Roger. [+dissolve]
了承（リョウショウ）〈Nv〉 acknowledgment, admission, approval [+receive]
▶完了（カンリョウ）〈Nv〉 perfection, finish [complete+]
終了（シュウリョウ）〈Nv〉 end, completion [end+]
修了証（シュウリョウショウ）〈N〉 diploma [master+〜+certificate]

920 描	えが-; ビョウ ⇨[1763]猫	扌 扌 拃 措 描 描 / 描 描 描 描 描

describe, draw
描く（えがく）〈V〉 describe, draw
描写（ビョウシャ）〈Nv〉 description, sketch [+copy]
▶寸描（スンビョウ）〈Nv〉 thumbnail sketch [brief+]

921 略	リャク, リャッ-	口 田 田 畋 畋 略 / 略 略 略 略 略

abbreviate
略（リャク）〈Nv〉 abbreviation, abridgment
略歴（リャクレキ）〈N〉 personal record outline [+career]
▶省略（ショウリャク）〈Nv〉 abbreviation; omission [omit+]

aggression
略奪（リャクダツ）〈Nv〉 pillage, plunder [+rob]
▶侵略（シンリャク）〈Nv〉 invasion, aggression, raid [invade+]

plot
▶策略（サクリャク）〈N〉 strategy, tactics [stratagem+]
戦略（センリャク）〈N〉 strategy [war+]
謀略（ボウリャク）〈N〉 intrigue [device+]

922 措	ソ ⇨[996]借	扌 扌 扌 拱 措 措 / 措 措 措 措 措

posit
措置（ソチ）〈N〉 measure, (suitable) action [+place]

923 戻	もど-; レイ ⇒[772]房	⺕ ⺕ 戸 戸 戸 戻 戻 戻 戻 戻 戻

return, restore
- 戻す (もどす) 〈V〉 give back, restore (*vt.*)
- 戻る (もどる) 〈V〉 get back, return (*vi.*)

924 縮	ちぢ-; **シュク**	幺 糸 紵 縮 縮 縮 縮 縮 縮 縮 縮

shrink
- 縮まる (ちぢまる) 〈V〉 shrink (*vi.*), contract
- 縮む (ちぢむ) 〈V〉 shrink (*vi.*), contract
- 縮める (ちぢめる) 〈V〉 shorten (*vt.*), abridge
- 縮尺 (シュクシャク) 〈Nv〉 (make to) reduced scale [+measure]
- 縮小 (シュクショウ) 〈Nv〉 reduction, contraction [+small]
- 縮図 (シュクズ) 〈N〉 reduced-scale drawing; epitome [+diagram]
- ▶恐縮 (キョウシュク) 〈Nv〉 feeling small [dreadful+]
- 軍縮 (グンシュク) 〈Nv〉 disarmament [military+]

925 慮	リョ ⇒[1679]虜	' 卢 广 虍 慮 慮 慮 慮 慮 慮 慮

consider, deliberate
- ▶遠慮 (エンリョ) 〈Nv〉 reserve, abstaining [remote+]
- 考慮 (コウリョ) 〈Nv〉 consideration, deliberation [think+]
- 配慮 (ハイリョ) 〈Nv〉 (give) cosideration, concern [allot+]
- 不慮 (フリョ) 〈N〉 unforeseen, unexpected [un-+]

926 維	イ 〈PN〉 これ, つな	幺 糸 糾 紵 紨 維 維 維 維 維 維

tightrope
- 維持 (イジ) 〈Nv〉 maintenance [+hold]
- ▶繊維 (センイ) 〈N〉 fiber [fiber+]

emphatic
- 維新 (イシン) 〈N〉 Imperial Restoration [+new]
- ▶明治維新 (メイジイシン) 〈N〉 Meiji Restoration 《Jap. hist.》 [Meiji era+～+new]

927 紅	くれない; **べに**; ク; **コウ** 〈Ir〉	く 幺 糸 糸 紅 紅 紅 紅 紅 紅 紅

crimson
- 紅 (くれない) 〈N〉 scarlet, crimson
- 紅 (べに) 〈N〉 rouge
- 紅顔 (コウガン) 〈N〉 ruddy-faced 《boy》, young and handsome [+face]
- 紅白 (コウハク) 〈N〉 red and white 《auspicious pair》 [+white] ➔SN
- 紅茶 (コウチャ) 〈N〉 black tea [+tea] ➔SN
- 〈Ir〉 紅葉 (コウヨウ/もみじ) 〈Nv〉 (put on) autumnal tints [+leaf]
- ▶口紅 (くちべに) 〈N〉 lipstick [mouth+]
- 真紅 (シンク) 〈N〉 deep red [genuine+]

928 罪	つみ; ザイ ⇨[1374]罰	冖 罒 罒 罒 罪 罪 罪 罪 罪 罪 罪

sin, crime
罪 (つみ) 〈N〉 sin, crime
…罪 (…ザイ) 〈N〉 …crime
▷殺人罪 (サツジン~) crime against life [homicide+]
放火罪 (ホウカ~) arson [arson+]
罪な (つみな) 〈Adj〉 cruel, sinful
罪悪 (ザイアク) 〈N〉 vice, sin [+bad]
罪人 (ザイニン/つみびと) 〈N〉 criminal [+person]
▶謝罪 (シャザイ) 〈Nv〉 apology [apologize+]
犯罪 (ハンザイ) 〈N〉 crime, offense 《collective》 [violate+]
無罪 (ムザイ) 〈N〉 not guilty, innocence [non-+]

929 械	-カイ	木 朾 械 械 械 械 械 械 械 械 械

machine
▶機械 (キカイ) 〈N〉 machinery [machinery+]

930 紀	キ, -ギ 〈PN〉 のり	ㄑ 幺 糸 紀 紀 紀 紀 紀 紀 紀 紀

period, era
…紀 (…キ) 〈N〉 …period 《paleogeology》
▷ジュラ紀 Jurassic period [(Jura)+]
石炭紀 (セキタン~) Carboniferous period [coal+]
紀元 (キゲン) 〈N〉 era, epoch [+origin]
紀元前 (キゲンゼン) 〈N〉 B.C. [+origin+before]
▶世紀 (セイキ) 〈N〉 century [period+]
今世紀 (コンセイキ) 〈N〉 this century [now+period+]
二十一世紀 (ニジュウイッセイキ) 〈N〉 21st century [21+period+]

record
紀行 (キコウ) 〈N〉 travel description/sketches [+go]
▶日本書紀 (ニホンショキ) 〈N〉 *Nihon-shoki* 《the oldest chronicles of Japan》 [Japan+write+]

morality
▶綱紀 (コウキ) 〈N〉 moral fiber, code [code+]
風紀 (フウキ) 〈N〉 public morals [atmosphere+]

931 跡	あと; -セキ, -ゼキ	口 早 𧾷 跡 跡 跡 跡 跡 跡 跡 跡

trace
跡 (あと) 〈N〉 trace, marks, trail, track
…跡 (…あと) 〈N〉 ground on which…was ever located
▷工場跡 (コウジョウ~) ground on which a factory stood [factory+]
跡継ぎ (あとつぎ) 〈N〉 successor, inheritor [+succeed to]
▶足跡 (あしあと/ソクセキ) 〈N〉 footprint, trace [foot+]
遺跡 (イセキ) 〈N〉 remains, ruins [remains+]
奇跡 (キセキ) 〈N〉 miracle [strange+]

932 鳥	とり, -どり; チョウ 〈PN〉と, とっ- ⇒[173]島	了 户 户 自 鳥 鳥 鳥 鳥 鳥 鳥 鳥

bird 鳥 (とり) 〈N〉 bird, fowl; chicken 《meat》 →[1669] 鶏
▶一石二鳥 (イッセキニチョウ) 〈N〉 two birds with one stone [one+stone+two+] ➡SN
小鳥 (ことり) 〈N〉 bird [small+]
白鳥 (ハクチョウ) 〈N〉 swan [white+]
焼(き)鳥 (やきとり) 〈N〉 *yakitori*, fowl broiled on skewers [burn+]

▼鳥居

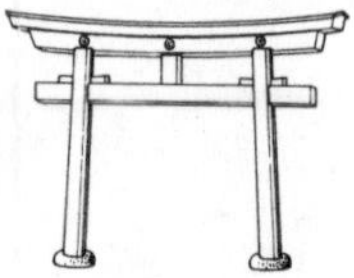

Ph 鳥居 (とりい) 〈N〉 *torii*, archway to Shinto shrines [+*Ph*] ➡SN

〈Place〉 鳥取 (とっとり) Tottori Pref./City

933 弾	たま; はず-; ひ-, -び-, ひき, -びき; ダン	ᄀ 弓 弓'' 弓" 弾 弾 弾 弾 弾 弾 弾

bullet 弾 (たま) 〈N〉 bullet, ammo
…弾 (…ダン) 〈N〉…bullet, …bomb
▷催涙弾 (サイルイ～) tear-gas shell [provoke+tears+]
照明弾 (ショウメイ～) flare [lighting+]
弾圧 (ダンアツ) 〈Nv〉 (tyrannical) suppression [+pressure]
弾丸 (ダンガン) 〈N〉 shot, bullet [+round]
弾道 (ダンドウ) 〈N〉 trajectory [+way]
弾薬 (ダンヤク) 〈N〉 ammunition [+drug]

bounce 弾む (はずむ) 〈V〉 bounce, spring
弾力 (ダンリョク) 〈N〉 elasticity [+power]

rebuke 弾劾 (ダンガイ) 〈Nv〉 impeachment [+sue]

play 弾く (ひく) 〈V〉 play 《stringed instrument》

934 躍	おど-; ヤク, ヤッ-	𧾷 𧾷ᄀ 𧾷ᄏ 𧾷ᄏᄏ 𧾷羽 躍 躍 躍 躍 躍 躍

leap 躍る (おどる) 〈V〉 leap, jump
躍進 (ヤクシン) 〈Nv〉 remarkable progress [+advance]
躍動 (ヤクドウ) 〈Nv〉 lively motion [+move]

935 飲	の-, のみ; イン ⇒[1083]飯	𠆢 今 今 食 飲 飲 飲 飲 飲 飲 飲

drink 飲む (のむ) 〈V〉 drink; take (medicine)
飲(み)物 (のみもの) 〈N〉 something to drink [+thing]
飲酒運転 (インシュウンテン) 〈Nv〉 drunken driving [+*sake*+driving]
飲食店 (インショクテン) 〈N〉 shops serving foods and/or drinks [+eat+shop]
飲料水 (インリョウスイ) 〈N〉 drinkable water [+ingredients+water]

936 **須** ス

Stroke order: 須 (stroke sequence diagram)

indispensable

▶必須（ヒッス）〈N〉 required, obligatory [necessity+]

937 **旬** ジュン

⇒[1258]句

10 days

▶上旬（ジョウジュン）〈N〉 first 10 days of a month [earlier part+]
中旬（チュウジュン）〈N〉 middle 10 days of a month [middle part+]
下旬（ゲジュン）〈N〉 last 10 days of a month [latter part+]

938 **紹** ショウ

⇒[747]招

introduce

紹介（ショウカイ）〈Nv〉 introduction [+intermediate]

939 **皮** かわ，-がわ；ヒ，-ピ

skin

皮（かわ）〈N〉 skin, leather, hide; bark; rind, peel; husk
…皮（…かわ/がわ/ヒ）〈N〉…skin, …leather, …hide; …bark; …rind
▷わに皮（わにがわ） crocodile skin [(crocodile)+]
牛皮（ギュウヒ） cowhide, leather [cattle+]
毛皮（けがわ） fur, fell [fur+]
皮切り（かわきり）〈N〉 initiation, commencement [+cut] ➔SN
皮相的（ヒソウテキ）〈Na〉 superficial [+face+*Suf Na*]
皮肉（ヒニク）〈N〉 irony; sarcasm, cynicism [+flesh] ➔SN
皮膚（ヒフ）〈N〉 derma, skin [+derma]

940 **筆** ふで；ヒツ，ヒッ-，-ピツ

writing brush, paintbrush, pen

筆（ふで）〈N〉 writing brush, paintbrush, pen
筆記（ヒッキ）〈Nv〉 taking notes; handwriting [+inscribe]
筆記体（ヒッキタイ）〈N〉 script type of letters [+inscribe+body]
筆者（ヒッシャ）〈N〉 the author [+person]
筆跡（ヒッセキ）〈N〉 one's handwriting/hand [+trace]
▶鉛筆（エンピツ）〈N〉 pencil [lead+]
万年筆（マンネンヒツ）〈N〉 fountain pen [10,000+year+]
毛筆（モウヒツ）〈N〉 writing brush [hair+]

941 **堀** ほり，-ぼり；クッ†

⇒[1276]掘

moat

堀（ほり）〈N〉 moat, canal

942 端

は, -ば, -ぱ; **はし**, -ばし; はた, -ばた;
タン

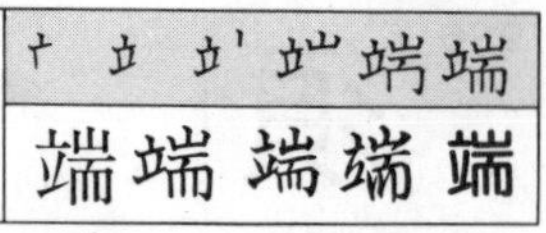

edge, brink
端 (はし) 〈N〉 edge, brink
端 (はた) 〈N〉 side, outside
▶極端 (キョクタン) 〈N/Na〉 extremity, extreme [extreme+]
発端 (ホッタン) 〈N〉 origin, outset [start+]
道端 (みちばた) 〈N〉 roadside [way+]

odd
端数 (はスウ) 〈N〉 fraction [+number]

943 憲

ケン
〈PN〉 のり

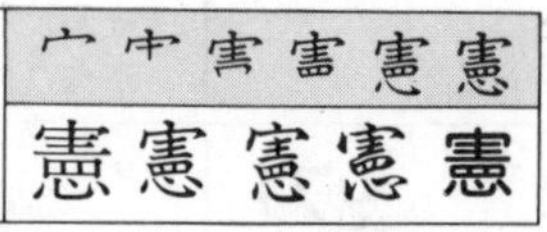

rules, constitution
憲章 (ケンショウ) 〈N〉 charter [+chapter]
憲法 (ケンポウ) 〈N〉 constitution [+law]

944 箱

はこ, -ばこ;
ショウ†

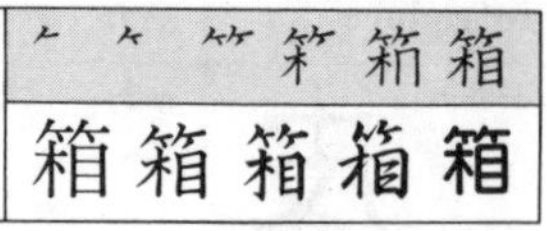

box
箱 (はこ) 〈N〉 box
…箱 (…ばこ) 〈N〉…box, …container
▷ごみ箱 rubbish/garbage box [(garbage)+]
本箱 (ホン〜) bookcase [book+]
箱入(り) (はこいり) 〈N〉 contained in a box, cased; overprotected《as of a daughter》 [+put in]

945 囲

かこ-, -がこ-;
イ

⇨[64]回

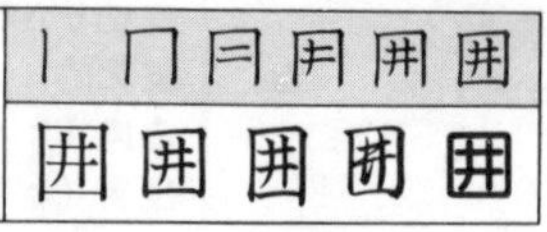

enclose
囲い (かこい) 〈N〉 enclosure
囲う (かこう) 〈V〉 enclose
囲む (かこむ) 〈V〉 surround
囲碁 (イゴ) 〈N〉 game of *go* [+*go* game]
▶周囲 (シュウイ) 〈N〉 circumference; neighborhood [round+]

946 勉

ベン
〈PN〉 つとむ

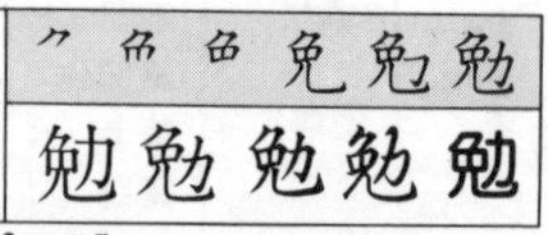

endeavor
勉強 (ベンキョウ) 〈Nv〉 study, lessons [+force]
▶勤勉 (キンベン) 〈N/Na〉 diligence, industry [serve+]

947 瀬

せ, -ぜ;
ライ†

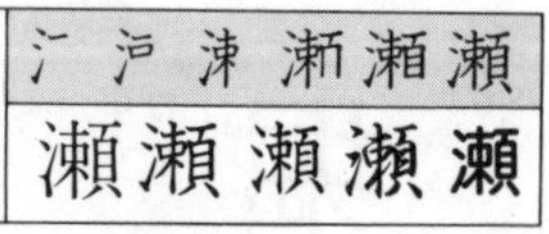

shoal
瀬 (せ) 〈N〉 shoal, shallows; rapids

〈Place〉
瀬戸内海 (せとナイカイ) Seto Inland Sea

948 曇

くも-, -ぐも-, くもり, -ぐもり;
ドン

曇曇曇曇曇

cloudy

曇(り) (くもり) ⟨N⟩ cloudy weather; blur
曇る (くもる) ⟨V⟩ become cloudy; blur (*vi.*)
曇天 (ドンテン) ⟨N⟩ cloudy skies [+heaven]

949 剤

ザイ

⇒[288]済

剤剤剤剤剤

pill, drug

…剤 (…ザイ) ⟨N⟩ …pill, … tablet, …drug
▷ビタミン剤 vitamine tablet [(vitamine)+]
覚醒剤 (カクセイ～) narcotic, stimulant [awake+]
解毒剤 (ゲドク～) antidote [detoxication+]
精神安定剤 (セイシンアンテイ～) tranquilizer [spirit+stability+]
接着剤 (セッチャク～) adhesive agent, bond [attach+contact+]
▶薬剤師 (ヤクザイシ) ⟨N⟩ pharmacist [medicine+～+master]

950 誌

シ

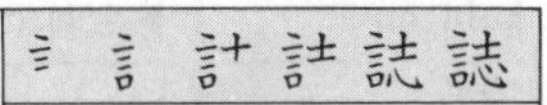

誌誌誌誌誌

record

▶書誌 (ショシ) ⟨N⟩ bibliography [book+]
日誌 (ニッシ) ⟨N⟩ daily record, diary [day+]

magazine

…誌 (…シ) ⟨N⟩ …journal, …magazine
▷月刊誌 (ゲッカン～) monthly magazine [monthly+]
週刊誌 (シュウカン～) weekly magazine [weekly+]
▶雑誌 (ザッシ) ⟨N⟩ magazine, periodical [miscellaneous+]

951 恐

おそ-;
キョウ

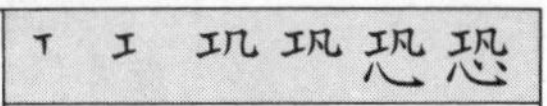

恐恐恐恐恐

dreadful, terrible

恐れ (おそれ) ⟨N⟩ fear; anxiety
恐れる (おそれる) ⟨V⟩ be terrified; be afraid
恐ろしい (おそろしい) ⟨A⟩ awful, terrible
恐ろしく (おそろしく) ⟨Adv⟩ awfully, terribly, badly
恐慌 (キョウコウ) ⟨N⟩ panic [+flurried]
恐縮 (キョウシュク) ⟨Nv⟩ feeling small [+shrink]
恐怖 (キョウフ) ⟨N⟩ terror, horror [+dread]

952 互

たが-;
ゴ

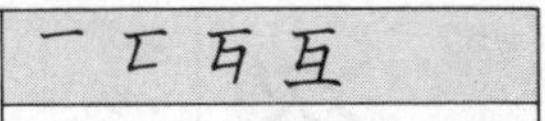

互互互互互

mutual

互い (たがい) ⟨N⟩ each other, mutual
互角 (ゴカク) ⟨N⟩ equally-matched [+horn]
▶交互 (コウゴ) ⟨N⟩ one after the other [exchange+]
相互 (ソウゴ) ⟨N⟩ mutual [mutual+]

953 **就**

つ-;
-ジュ; **シュウ**
〈PN〉 なり

亨 京 京 就 就 就
就就就就就

be engaged

就く (つく) 〈V〉 be engaged, be employed
就学 (シュウガク) 〈Nv〉 entering/attending school [+study]
就職 (シュウショク) 〈Nv〉 finding employment, getting a job [+job]
就寝 (シュウシン) 〈Nv〉 retiring, going to bed [+sleep]
就任 (シュウニン) 〈Nv〉 take one's post, take office [+appoint]
▶成就 (ジョウジュ) 〈Nv〉 accomplishment《of one's purpose》 [form+]

954 **刺**

さ-, -ざ-, さし, -ざし;
シ

⇨219 利

一 丆 戸 市 朿 刺
刺刺刺刺刺

thrust

刺す (さす) 〈V〉 thrust, stab, prick, sting
刺身 (さしみ) 〈N〉 *sashimi*, sliced raw meat《typically of fish》 [+meat]
刺激 (シゲキ) 〈Nv〉 stimulus, impetus [+fierce]
▶風刺 (フウシ) 〈Nv〉 satire, sarcasm [hint+] ➜SN

hold out

▶名刺 (メイシ) 〈N〉 name card, visiting card [name+]

955 **症**

ショウ

亠 广 疒 疔 疔 症
症症症症症

disease

…症 (…ショウ) 〈N〉 …disease, …symptoms
▷アレルギー症 allergy [(allergy)+]
狭心症 (キョウシン～) angina pectoris, heart attack [narrow+heart+]
恐怖症 (キョウフ～) phobia [terror+]
不感症 (フカン～) frigidity [un-+feel+]
不眠症 (フミン～) insomnia [un-+sleep+]
症状 (ショウジョウ) 〈N〉 symptoms [+appearance]

956 **典**

テン, -デン
〈PN〉 のり, すけ

⇨604 曲

冂 曲 曲 曲 典 典
典典典典典

classical book

典型 (テンケイ) 〈N〉 paragon, prototype [+model]
典型的 (テンケイテキ) 〈Na〉 typical [+model+*Suf Na*]
▶古典 (コテン) 〈N〉 classics [old+]
辞典 (ジテン) 〈N〉 dictionary [word+]
事典 (ジテン) 〈N〉 cyclopedia [fact+]

957 **盗**

ぬす-;
トウ

冫 次 次 咨 盗 盗
盗盗盗盗盗

steal, rob

盗み (ぬすみ) 〈N〉 stealing, theft
盗む (ぬすむ) 〈V〉 steal
盗聴 (トウチョウ) 〈Nv〉 wiretapping; bugging [+listen]
盗難 (トウナン) 〈N〉 theft [+difficult]

958 絡	から-, -がら-; ラク ⇒[344]終	幺 糸 糸 紁 絡 絡 絡絡絡絡絡

tangle | 絡む (からむ) 〈V〉 tangle; be involved
▶連絡 (レンラク) 〈Nv〉 contact, communication [link+]

959 輪	わ; リン ⇒[424]輸	亘 車 輪 輪 輪 輪 輪輪輪輪輪

wheel, ring, hoop | 輪 (わ) 〈N〉 wheel; hoop
輪郭 (リンカク) 〈N〉 outline [+circumvallation]
▶三輪車 (サンリンシャ) 〈N〉 tricycle [three+~+vehicle]
年輪 (ネンリン) 〈N〉 annual ring 《in a tree》 [year+]
指輪 (ゆびわ) 〈N〉 finger ring [finger+]

***Cs* flowers, blossoms** | …輪 (…リン) 〈Q〉 …flowers, …blossoms
▷一輪 (イチ~), 二輪 (ニ~), 三輪 (サン~)

960 譲	ゆず-, ゆずり; ジョウ 〈PN〉 ゆずる ⇒[653]護, [1609]嬢	言 訁 諍 謹 譲 譲 譲譲譲譲譲

transfer | 譲る (ゆずる) 〈V〉 transfer, offer
譲渡 (ジョウト) 〈Nv〉 transfer [+cross]

concede | 譲る (ゆずる) 〈V〉 concede, give way
譲歩 (ジョウホ) 〈Nv〉 concession 《in negotiation》 [+walk]

961 併	あわ-; ヘイ, -ペイ ⇒[1115]伴	亻 亻 俤 俤 併 併 併併併併併

put together | 併せて (あわせて) 〈Adv〉 besides, incidentally
併用 (ヘイヨウ) 〈Nv〉 joint use [+use]
▶合併 (ガッペイ) 〈Nv〉 amalgamation, affiliation [combine+]

962 慶	ケイ 〈PN〉 よし	广 户 庐 廌 慶 慶 慶慶慶慶慶

felicity | ▶同慶 (ドウケイ) 〈N〉 sharing (your) felicity [sharing+]

963 届	とど-, とどけ; カイ†	一 コ 尸 吊 屆 届 届届届届届

send, forward | 届く (とどく) 〈V〉 reach
届ける (とどける) 〈V〉 send, forward

report | …届 (…とどけ) 〈N〉 …report, …application, …registration
▷結婚届 (ケッコン~) marriage registration [marriage+]
盗難届 (トウナン~) theft report [theft+]
届ける (とどける) 〈V〉 submit, report, register

964 **皇**

オウ; **コウ**

〈Ir〉

亻 白 白 自 皁 皇

皇 皇 皇 皇 皇

emperor

皇居 (コウキョ) 〈N〉 Imperial Palace [+reside]
皇后 (コウゴウ) 〈N〉 empress [+queen consort]
皇室 (コウシツ) 〈N〉 Imperial Family [+room]
皇太子 (コウタイシ) 〈N〉 crown prince [+eldest+child]
▶法皇 (ホウオウ) 〈N〉 Emperor retired to a monk's life《Jap. hist.》[dharma+]
〈Ir〉 天皇 (テンノウ) 〈N〉 Emperor of Japan [heaven+]

965 **執**

と-;
シツ, シッ-; **シュウ**

土 幸 幸 𡙇 執 執

執 執 執 執 執

execute

執る (とる) 〈V〉 execute, exert
執行 (シッコウ) 〈Nv〉 execution, performance《of one's duties》[+exert]
執筆 (シッピツ) 〈Nv〉 writing [+pen]

cling

執着 (シュウチャク/シュウジャク) 〈Nv〉 attachment, clinging [+contact]
執念 (シュウネン) 〈N〉 tenacity; spite [+sense]

966 **稲**

いな-, **いね**;
トウ

二 禾 秤 秤 稲 稲

稲 稲 稲 稲 稲

rice plant

稲 (いね) 〈N〉 rice plant
稲穂 (いなほ) 〈N〉 ear of rice [+ear]
稲刈り (いねかり) 〈N〉 rice reaping [+clip]
▶水稲 (スイトウ) 〈N〉 paddy rice [water+]

▶稲穂

967 **章**

ショウ

〈PN〉 あき, あきら

亠 立 产 音 章 章

章 章 章 章 章

chapter

章 (ショウ) 〈N〉 chapter
▶第…章 (ダイ…ショウ) 〈N〉 Chapter… [No.…+]
▷第一章 (ダイイッ～) Chapter one [+one+]

badge, mark

▶勲章 (クンショウ) 〈N〉 medal, order, star, decoration [merit+]
紋章 (モンショウ) 〈N〉 crest [crest+]

968 **欠**

か-, -**が**-, かけ;
ケツ, ケッ-

ノ ⺈ ケ 欠

欠 欠 欠 欠 欠

defect, lack

欠く (かく) 〈V〉 lack, devoid
欠ける (かける) 〈V〉 be missing, be short
欠乏 (ケツボウ) 〈Nv〉 shortage, deficiency [+scanty]
欠陥 (ケッカン) 〈N〉 defect, deficiency [+lapse in]
欠勤 (ケッキン) 〈Nv〉 absence《from one's office》[+serve]
欠席 (ケッセキ) 〈Nv〉 nonattendance [+seat]
欠点 (ケッテン) 〈N〉 fault, blemish [+point]

969 **夢**

ゆめ;
ム

dream

夢（ゆめ）〈N〉dream
夢中（ムチュウ）〈N〉absorption [+middle]
▶悪夢（アクム）〈N〉nightmare [bad+]

970 **拠**

キョ; -コ

base

拠点（キョテン）〈N〉base camp, bridgehead [+point]
▶根拠（コンキョ）〈N〉basis, ground [root+]
証拠（ショウコ）〈N〉evidence, proof [proof+]

971 **継**

つ-, -づ-, つぎ; まま-;
ケイ
〈PN〉つぐ

inherit, succeed to

継ぐ（つぐ）〈V〉inherit, succeed to
継続（ケイゾク）〈Nv〉continuation [+continue]
継母（ケイボ/ままはは）〈N〉stepmother [+mother]
▶後継者（コウケイシャ）〈N〉successor [after+～+person]
中継（チュウケイ）〈Nv〉relay [middle+]

972 **飾**

かざ-, かざり;
ショク, ショッ-

decorate

飾り（かざり）〈N〉decoration, ornament
飾る（かざる）〈V〉decorate
▶装飾（ソウショク）〈N〉decoration, ornament [ornament+]
服飾（フクショク）〈N〉clothing and accessories, outfit [clothes+]

973 **吹**

ふ-, -ぶ-, ふき;
スイ

⇒235 次

blow

吹く（ふく）〈V〉blow
吹奏（スイソウ）〈Nv〉blowing, playing《music》 [+play music]
吹雪（ふぶき）〈N〉snowstorm, blizzard [+snow]

974 **充**

あ-;
ジュウ
〈PN〉みつ, みつる

fill

充てる（あてる）〈V〉fill up, complement
充血（ジュウケツ）〈Nv〉congestion [+blood]
充実（ジュウジツ）〈Nv〉fullness, repletion [+fruit]
充電（ジュウデン）〈Nv〉electrification, charge [+electricity]
充分（ジュウブン）〈Q/Na〉full, enough [+portion]

975 薄

うす-;
ハク, -パク

⇒1380 簿

薄 薄 薄 薄 薄

thin
- 薄い（うすい）〈A〉 thin; light, pale
- 薄味（うすあじ）〈N〉 weak taste [+taste]
- 薄暗い（うすぐらい）〈A〉 gloomy, dimly-lit [+dark]
- 薄弱（ハクジャク）〈Na〉 feeble, flimsy [+weak]
- 薄情（ハクジョウ）〈N/Na〉 heartlessness [+emotion]

976 絵

エ; カイ

絵 絵 絵 絵 絵

picture
- 絵（エ）〈N〉 picture, drawing, painting
- …絵（…エ）〈N〉 …picture
  - ▷油絵（あぶら～）oil painting [oil+]
  - 浮世絵（うきよ～）*ukiyo-e* [secular world+]
  - 似顔絵（にがお～）portrait, caricature [portrait+]
- 絵画（カイガ）〈N〉 drawings and paintings [+draw a line]

977 預

あず-, あずか-;
ヨ

⇒1308 頂

預 預 預 預 預

deposit, entrust
- 預かる（あずかる）〈V〉 receive in trust
- 預ける（あずける）〈V〉 deposit; commit, entrust
- 預金（ヨキン）〈N〉 bank deposit [+money]

978 更

さら, -ざら; ふ-, ふか-, -ふけ;
コウ

更 更 更 更 更

shift, change
- 更新（コウシン）〈Nv〉 renewal, renovation [+new]
- 更迭（コウテツ）〈Nv〉 change, shake-up [+replace]
- ▶変更（ヘンコウ）〈Nv〉 (make) alteration, change [change+]

moreover
- 更に（さらに）〈Adv〉 moreover

grow late
- 更ける（ふける）〈V〉 grow late
- ▶夜更(け)（よふけ）〈N〉 deep in the night [night+]

979 娘

むすめ;
ジョウ†

娘 娘 娘 娘 娘

daughter
- 娘（むすめ）〈N〉 daughter

maiden
- 娘（むすめ）〈N〉 maiden, unmarried woman

980 菱

ひし, -びし;
リョウ†

菱 菱 菱 菱 菱

water chestnut
- 菱（ひし）〈N〉 water chestnut ➔SN

981 臣

シン, -ジン

〈PN〉 おみ

⇒[764]巨

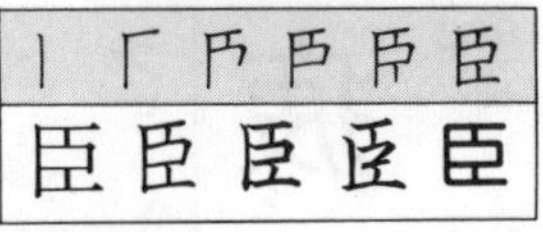

subject

▶大臣 (ダイジン) 〈N〉 minister《of state》 [great+]
忠臣 (チュウシン) 〈N〉 loyal retainer [loyalty+]
★大臣 replaces 省 of …省, Ministry of…, to mean Minister of….
e.g. [7]大蔵省 (おおくらショウ) → 大蔵大臣 (おおくらダイジン)

982 威

イ

⇒[115]成

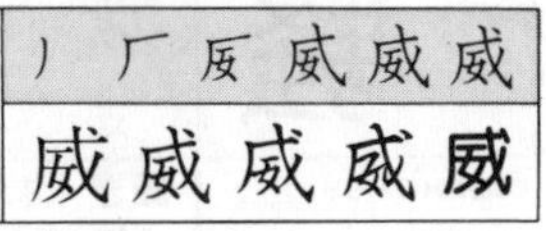

aggression

威厳 (イゲン) 〈N〉 dignity, majesty [+stern]
威信 (イシン) 〈N〉 prestige [+trust]
威力 (イリョク) 〈N〉 might [+power]
▶脅威 (キョウイ) 〈N〉 threat, menace [menace+]
権威 (ケンイ) 〈N〉 authority [right+]

983 礼

ライ-; レイ

⇒[811]札

bow

礼 (レイ) 〈N〉 bow
礼拝 (ライハイ/レイハイ) 〈Nv〉 prayer [+pray]

gratitude

礼 (レイ) 〈N〉 thanks; remuneration, reward
礼状 (レイジョウ) 〈N〉 letter of thanks [+document]
▶謝礼 (シャレイ) 〈N〉 gratitude; honorarium [thank+]

ceremony

礼儀 (レイギ) 〈N〉 etiquette [+ritual]
礼服 (レイフク) 〈N〉 formal suit [+clothes]
▶婚礼 (コンレイ) 〈N〉 marriage ceremony [wedding+]

984 祝

いわ-, いわい;
シュウ; シュク

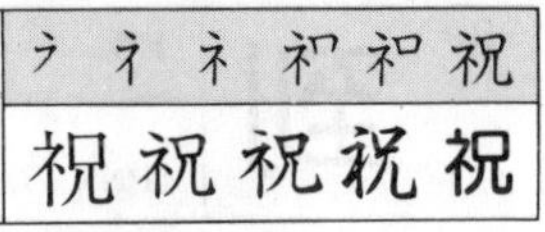

celebration

祝い (いわい) 〈N〉 celebration
祝う (いわう) 〈V〉 celebrate
祝儀 (シュウギ) 〈N〉 celebration; contribution to a celebration [+ritual]
祝日 (シュクジツ) 〈N〉 holiday [+day]
祝福 (シュクフク) 〈Nv〉 blessing, good wishes [+fortune]

985 操

あやつ-; みさお;
ソウ

⇒[1264]繰, [1565]燥

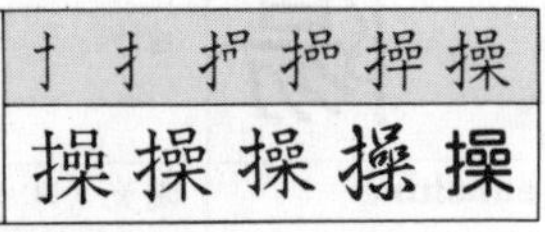

operate

操る (あやつる) 〈V〉 operate, handle, pull strings
操作 (ソウサ) 〈Nv〉 operation, manipulation [+make]
操縦 (ソウジュウ) 〈Nv〉 driving, steering [+freely]

constancy

操 (みさお) 〈N〉 chastity, virtue
▶節操 (セッソウ) 〈N〉 constancy, fidelity [moderate+]

986 疲	つか-, -づか-; ヒ-	广 疒 疒 疒 疒 疲 疲疲疲疲疲

fatigue, worn out
- 疲れ (つかれ) 〈N〉 fatigue, tiredness
- 疲れる (つかれる) 〈V〉 become tired/fatigued
- 疲労 (ヒロウ) 〈Nv〉 (fall into) exhaustion, weariness [+labor]

987 騒	さわ-; ソウ	丨 Π 馬 馭 騒 騒 騒騒騒騒騒

clamorous, noisy
- 騒ぎ (さわぎ) 〈N〉 outcry, uproar
- …騒ぎ (…さわぎ) 〈N〉 …clamor, …turmoil
  - ▷お祭(り)騒ぎ (おまつり～) 〈Nv〉 merrymaking [festival+]
  - 馬鹿騒ぎ (バか～) 〈Nv〉 spree, racket [fool+]
- 騒ぐ (さわぐ) 〈V〉 make a noise, clamor; get excited
- 騒音 (ソウオン) 〈N〉 noise [+sound]
- 騒々しい (ソウゾウしい) 〈A〉 noisy; unrestful [+*Rep*]
- 騒動 (ソウドウ) 〈N〉 turmoil, tumult [+move]

988 豆	まめ; ズ; トウ, -ドウ 〈Ir〉	一 戸 豆 豆 豆 豆 豆豆豆豆豆

bean, pea
- 豆 (まめ) 〈N〉 beans, peas
- 豆… (まめ…) small…, tiny…, little…; …kid
  - ▷豆台風 (～タイフウ) 〈N〉 small typhoon [+typhoon]
- 豆腐 (トウフ) 〈N〉 *tofu* [+rotten]
- ▶大豆 (ダイズ) 〈N〉 soybean [big+]
- 〈Ir〉 小豆 (あずき) 〈N〉 red bean [small+]

989 到	トウ 〈PN〉 いたる ⇒916致	一 ㄗ 五 至 到 到 到到到到到

reach; approach
- 到達 (トウタツ) 〈Nv〉 attainment [+attain]
- 到着 (トウチャク) 〈Nv〉 arrival [+reach]
- 到底 (トウテイ) 〈Adv〉 by any means, absolutely [+bottom]
- ▶殺到 (サットウ) 〈Nv〉 coming with a rush, stampede [deadly+]

990 陽	ひ; ヨウ	了 阝 阝 阝 陽 陽 陽陽陽陽陽

sunshine
- 陽光 (ヨウコウ) 〈N〉 sun ray [+light]
- 陽気 (ヨウキ) 〈N〉 climate, weather [+air]
- ▶太陽 (タイヨウ) 〈N〉 sun [big+]

positive
- 陽気 (ヨウキ) 〈Na〉 cheerful, merry [+air]
- 陽極 (ヨウキョク) 〈N〉 anode; plus terminal [+extreme]

〈Place〉
- ▶山陽 (サンヨウ) San'yo District

991 **環**
カン
〈PN〉 たま

ring, circle
- 環境 (カンキョウ) 〈N〉 environment [+boundary]
- 環状線 (カンジョウセン) 〈N〉 loop line/road [+state+line]

992 **悩**
なや-;
ノウ
⇨ [621]脳

affliction, agony
- 悩ます (なやます) 〈V〉 afflict, annoy
- 悩み (なやみ) 〈N〉 anguish, worry
- 悩む (なやむ) 〈V〉 be afflicted, be annoyed, be worried
- 悩殺 (ノウサツ) 〈Nv〉 enchantment, fascination [+kill]

993 **宙**
チュウ
⇨ [1563]寅

midair
- 宙 (チュウ) 〈N〉 midair, space
- 宙ぶらりん (チュウぶらりん) 〈N〉 hanging in midair; hanging in the balance [+(dangling)]
- ▶宇宙 (ウチュウ) 〈N〉 cosmos, outer space [sphere+]

994 **納**
おさ-, おさめ;
-トウ; ナ, ナッ-, ナン-; ノウ
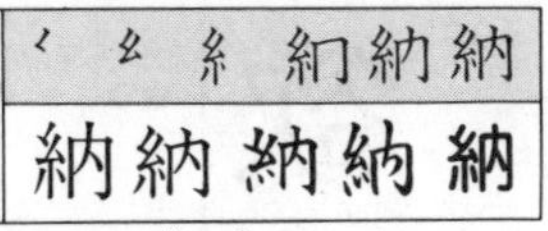

put in, store
- 納める (おさめる) 〈V〉 store, put in; supply; pay 《tax》
- 納屋 (ナや) 〈N〉 shed, barn [+house]
- 納豆 (ナットウ) 〈N〉 *natto*, fermented soybeans [+bean]
- 納得 (ナットク) 〈Nv〉 assent, accept [+satisfy]
- 納戸 (ナンど) 〈N〉 closet, wardrobe [+door]
- 納税 (ノウゼイ) 〈Nv〉 payment of taxes [+tax]
- 納入 (ノウニュウ) 〈Nv〉 payment 《of tax》; delivery 《of goods》 [+put in]
- ▶出納 (スイトウ) 〈N〉 revenue and expenditure, accounts [put out+]

995 **項**
コウ
⇨ [1308]頂, [1691]頃
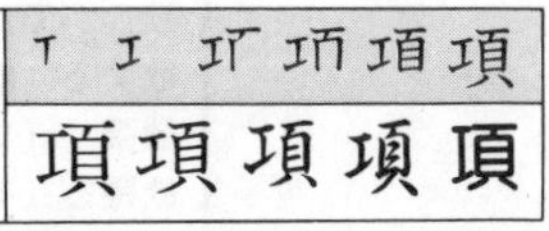

item
- 項 (コウ) 〈N〉 item, article
- 項目 (コウモク) 〈N〉 item, provision [+class]

996 **借**
か-, -が-, かり;
シャク, シャッ-
⇨ [1542]惜, [922]措
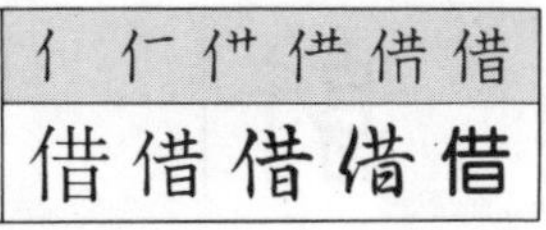

borrow, rent
- 借りる (かりる) 〈V〉 borrow, rent
- 借家 (シャクや) 〈N〉 rented house [+house]
- 借用 (シャクヨウ) 〈Nv〉 borrowing, loan [+use]
- 借金 (シャッキン) 〈Nv〉 debt, borrowing money [+money]

997 歯

は, -ば, -ぱ;
シ

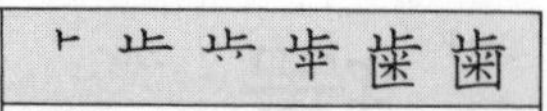

歯歯歯歯歯

tooth

歯 (は) 〈N〉 tooth
歯ブラシ (はブラシ) 〈N〉 toothbrush [+(brush)]
歯医者 (はイシャ) 〈N〉 dentist [+medical+person]
歯痛 (はいた/シツウ) 〈N〉 toothache [+pain]
歯車 (はぐるま) 〈N〉 gear [+wheel]
歯磨 (はみがき) 〈N〉 brushing one's teeth; toothpaste [+polish]
歯科医 (シカイ) 〈N〉 dentist [+division+doctor]

998 束

たば;
ソク, -ゾク
〈PN〉 つか ⇒''束

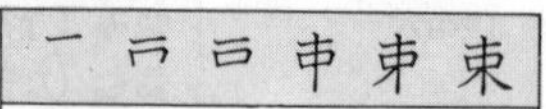

束束束束束

bundle

束 (たば) 〈N〉 bunch, bundle
…束 (…たば) 〈N〉 …bundle, …bunch
▷札束 (サツ～) roll of bills, sheaf of notes [banknote+]
花束 (はな～) bouquet of flowers [flower+]
束ねる (たばねる) 〈V〉 tie up in a bundle
束縛 (ソクバク) 〈Nv〉 restraint, fetter, shackle [+bind]

999 欲

ほ-, ほっ-;
ヨク, ヨッ-

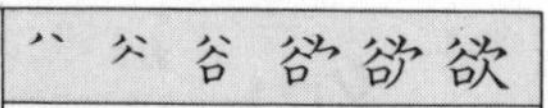

欲欲欲欲欲

desire

欲 (ヨク) 〈N〉 desire
…欲 (…ヨク) 〈N〉 …desire
▷金銭欲 (キンセン～) love of money [money+]
性欲 (セイ～) sexual desire [sex+]
知識欲 (チシキ～) thirst for knowledge [knowledge+]
独占欲 (ドクセン～) desire to monopolize [monopoly+]
名誉欲 (メイヨ～) quest for fame [honor+]
欲しい (ほしい) 〈A〉 desirable, wanted
欲しがる (ほしがる) 〈V〉 desire, want, need
欲する (ほっする) 〈V〉 desire, want, wish《literary》
欲張り (ヨクばり) 〈N〉 avarice, greed [+swell]
欲張る (ヨクばる) 〈V〉 get greedy/avaricious [+swell]
欲望 (ヨクボウ) 〈N〉 desire [+wish]
欲求不満 (ヨッキュウフマン) 〈N〉 frustration [+demand+dissatisfaction]

1000 射

い-;
シャ

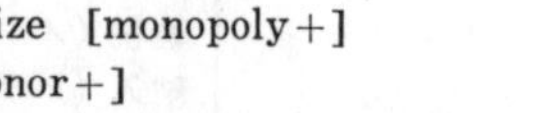

射射射射射

shoot

射る (いる) 〈V〉 shoot《arrow》
射撃 (シャゲキ) 〈Nv〉 firing, shooting [+fire]
射殺 (シャサツ) 〈Nv〉 shooting to death [+kill]
▶注射 (チュウシャ) 〈Nv〉 injection [pour+]

LEVEL 6

1001 **邦**

ホウ, -ポウ

〈PN〉 くに ⇒[1257]那

一 = 三 丰 邦 邦

邦 邦 邦 邦 邦

land, nation

▶**友邦** (ユウホウ) 〈N〉 **allied nation** [**friend**+]
連邦 (レンポウ) 〈N〉 **federation, union, commonwealth** [**link**+]

Japan

邦貨 (ホウカ) 〈N〉 **Japanese currency** [+**money**]
邦画 (ホウガ) 〈N〉 **Japanese movies** [+**picture**]
邦楽 (ホウガク) 〈N〉 **Japanese music** [+**music**]
邦人 (ホウジン) 〈N〉 **Japanese resident** [+**person**]

1002 **隣**

とな-, となり, -どなり;
リン

阝 阝 隣 隣 隣 隣

隣 隣 隣 隣 隣

nextdoor, neighbor

隣 (となり) 〈N〉 **next-door house; next seat**
…**隣** (…どなり) 〈N〉 …**-hand neighbor** →[240]側
▷**左隣** (ひだり～) **left side** [**left**+]
右隣 (みぎ～) **right side** [**right**+]
北隣 (きた～) **north side** [**north**+]
西隣 (にし～) **west side** [**west**+]
隣近所 (となりキンジョ) 〈N〉 **neighborhood** [+**vicinity**]
隣組 (となりぐみ) 〈N〉 **town-block association** [+**unite**]
隣国 (リンゴク) 〈N〉 **neighboring country** [+**country**]
隣人 (リンジン) 〈N〉 **neighbor, the neighborhood** [+**person**]
隣接 (リンセツ) 〈Nv〉 **contiguity, adjoining** [+**attach**]

1003 **幌**

ほろ;
コウ†

〈PN〉 -ぽろ

口 巾 巾 巾 幌 幌

幌 幌 幌 幌 幌

hood

幌 (ほろ) 〈N〉 **hood, cover** 《**of a carriage/wagon**》

〈Place〉

▶**札幌** (サッぽろ) **Sapporo City**

1004 **郷**

キョウ; ゴウ

〈PN〉 さと

く 乡 纟 组 郷 郷

郷 郷 郷 郷 郷

country, rural

郷土 (キョウド) 〈N〉 **one's native place, one's homeland** [+**land**]
郷里 (キョウリ) 〈N〉 **one's hometown** [+**village**]
▶**故郷** (コキョウ) 〈N〉 **one's hometown, one's native place** [**dear**+] [**old and**]
近郷 (キンゴウ) 〈N〉 **villages in the suburbs (of a city)** [**near**+]

1005 **縄**

なわ;
ジョウ

幺 糸 紀 紀 縄 縄

縄 縄 縄 縄 縄

rope

縄 (なわ) 〈N〉 **rope, cord**
縄張り (なわばり) 〈N〉 **territory, "turf"; roping off** [+**stretch**]
縄文式土器 (ジョウモンシキドキ) 〈N〉 **strawrope pattern pottery** [+**pattern**+**style**+**soil**+**container**] ➜**SN**

1006 **超**

こ-;
チョウ

超超超超超

super, ultra

超… (チョウ…) super..., ultra...
▷超特急 (〜トッキュウ) ⟨N⟩ super-express [+special express]
超満員 (〜マンイン) ⟨N⟩ overcrowdedness [+no vacancy]
超える (こえる) ⟨V⟩ cross over; exceed
超す (こす) ⟨V⟩ cross over; exceed; get ahead; go to live elsewhere
超過 (チョウカ) ⟨Nv⟩ excess [+exceed]

1007 **炭**

すみ, -ずみ;
タン

⇨1788灰

炭炭炭炭炭

charcoal

炭 (すみ) ⟨N⟩ charcoal
炭鉱 (タンコウ) ⟨N⟩ coal mine [+mine]
炭素 (タンソ) ⟨N⟩ carbon [+element]
▶石炭 (セキタン) ⟨N⟩ coal [stone+]

1008 **魚**

うお; さかな, -ざかな;
ギョ
⟨Ir⟩

魚魚魚魚魚

fish

魚 (うお/さかな) ⟨N⟩ fish
…魚 (…ギョ) ⟨N⟩ ...fish
▷熱帯魚 (ネッタイ〜) tropical fish [tropics+]
魚雷 (ギョライ) ⟨N⟩ torpedo [+thunder]
⟨Ir⟩ ▶雑魚 (ザこ) ⟨N⟩ small fish/fry [miscellaneous+]

1009 **梅**

うめ;
バイ
⟨Ir⟩

梅梅梅梅梅

***ume*, Japanese apricot**

梅 (うめ) ⟨N⟩ *ume*, Japanese apricot
梅干(し) (うめぼし) ⟨N⟩ pickled *ume* [+dry] ➡SN
梅毒 (バイドク) ⟨N⟩ syphilis [+poison]
⟨Ir⟩ 梅雨 (つゆ/バイウ) ⟨N⟩ spring rainy season《of Japan》 [+rain] ➡SN

1010 **絹**

きぬ, -ぎぬ;
ケン

絹絹絹絹絹

silk

絹 (きぬ) ⟨N⟩ silk
▶正絹 (ショウケン) ⟨N⟩ pure silk [just+]

1011 **需**

ジュ

需需需需需

demand

需給 (ジュキュウ) ⟨N⟩ supply and demand [+supply]
需要 (ジュヨウ) ⟨N⟩ demand, request [+indispensable]

1012 **宣**

セン

〈PN〉 のぶ，のり ⇨[1872]宜

宣宣宣宣宣

declare, publicate

宣教師（センキョウシ）〈N〉 missionary [+religion+master]
宣言（センゲン）〈Nv〉 declaration [+say]
宣告（センコク）〈Nv〉 sentence, pronouncement [+tell]
宣誓（センセイ）〈Nv〉 oath, vow [+oath]
宣伝（センデン）〈Nv〉 advertisement, propaganda [+transmit]

1013 **植**

う-，うえ；
ショク

植植植植植

plant

植える（うえる）〈V〉 plant
植木（うえき）〈N〉 garden plant [+tree]
植木屋（うえきや）〈N〉 gardener [+tree+shop]
植物（ショクブツ）〈N〉 plants [+thing]
植物園（ショクブツエン）〈N〉 botanical garden [+thing+garden]
植物学（ショクブツガク）〈N〉 botany [+thing+...studies]
植民地（ショクミンチ）〈N〉 colony [+people+ground]
植林（ショクリン）〈Nv〉 afforestation [+woods]

1014 **廃**

すた-；
ハイ，-パイ

廃廃廃廃廃

abolish, outdate

廃れる（すたれる）〈V〉 become outdated, decline
廃する（ハイする）〈V〉 abolish, repeal
廃棄（ハイキ）〈Nv〉 disuse, abrogation [+discard]
廃止（ハイシ）〈Nv〉 discontinuance (*vt.*), annulment [+stop]
廃品（ハイヒン）〈N〉 junk, disused articles [+goods]

1015 **看**

カン

⇨[314]着

看看看看看

look

看護（カンゴ）〈Nv〉 nursing, attending on [+guard]
看護婦（カンゴフ）〈N〉 nurse [+guard+woman]
看板（カンバン）〈N〉 signboard, billboard [+board]
看病（カンビョウ）〈Nv〉 nursing, care [+sick]

1016 **菌**

キン

菌菌菌菌菌

fungus, germ

菌（キン）〈N〉 fungus, germ
…菌（…キン）〈N〉 ...germ, ...bacillus
▷コレラ菌 cholera bacteria [(cholera)+]
乳酸菌（ニュウサン～） lactobacilli [lactic acid+]
▶細菌（サイキン）〈N〉 germ, bacterium; bacillus [minute+]

1017 徹	**テツ**, テッ- 〈PN〉 とおる ⇒[1289]撤	

throughout, complete
- 徹する (テッする) 〈V〉 do intently and exclusively
- 徹夜 (テツヤ) 〈Nv〉 sitting up all night [+night]
- 徹底 (テッテイ) 〈Nv〉 thoroughgoingness [+bottom]

1018 翼	**つばさ**; **ヨク**	

wing
- 翼 (つばさ) 〈N〉 wing
- ▶右翼 (ウヨク) 〈N〉 right wing; rightist [right+]
- 左翼 (サヨク) 〈N〉 left wing; leftist [left+]

1019 衣	**ころも**, -ごろも; **イ** 〈Ir〉 : 〈PN〉 きぬ	

clothes
- 衣 (ころも) 〈N〉 robe
- 衣装/裳 (イショウ) 〈N〉 costume [+dress/skirt]
- 衣食住 (イショクジュウ) 〈N〉 food, clothing, and shelter [+food+dwell]
- 衣類 (イルイ) 〈N〉 clothing [+sort]
- 〈Ir〉 ▶浴衣 (ゆかた) 〈N〉 *yukata*, bathrobe *kimono* [bathe+]

1020 荷	**に**; **カ**	

load
- 荷 (に) 〈N〉 load, burden, freight
- 荷台 (にダイ) 〈N〉 bed 《of a truck》, baggage rack [+platform]
- 荷造り (にづくり) 〈Nv〉 packing [+make]
- 荷物 (にモツ) 〈N〉 load, baggage, goods [+thing]
- ▶入荷 (ニュウカ) 〈Nv〉 arrival/receipt of goods [put in+]

1021 脚	あし; キャ, -ギャ; **キャク**, キャッ-	

leg
- 脚 (あし) 〈N〉 leg
- 脚立 (キャたつ) 〈N〉 stepladder [+stand]
- 脚注 (キャクチュウ) 〈N〉 footnote [+comment]
- ▶三脚 (サンキャク) 〈N〉 tripod [three+]

footing, position
- 脚色 (キャクショク) 〈Nv〉 dramatization [+feature]
- 脚本 (キャクホン) 〈N〉 script, scenario [+book]
- 脚光 (キャッコウ) 〈N〉 footlight [+light]
- ▶失脚 (シッキャク) 〈Nv〉 loss of position, one's downfall [lose+]

***Cs* chairs**
- …脚 (…キャク) 〈Q〉 …chairs; …desks; …tables
- ▷一脚 (イッ〜), 二脚 (ニ〜), 三脚 (サン〜)

1022 **湯**

ゆ；
トウ

⇒ 34場, 623温

hot water
- 湯 (ゆ) 〈N〉 hot water
- 湯気 (ゆゲ) 〈N〉 steam, vapor [+air]
- 湯飲み (ゆのみ) 〈N〉 teacup, mug, cup [+drink]
- 湯舟 (ゆぶね) 〈N〉 bathtub [+boat]
- ▶給湯器 (キュウトウキ) 〈N〉 hot-water system [supply+～+tool]
- 熱湯 (ネットウ) 〈N〉 boiled water [heat+]

hot spring
- 湯治 (トウジ) 〈N〉 hot-spring cure [+put in order]
- ▶銭湯 (セントウ) 〈N〉 public bath [money+]

1023 **宗**

シュウ；ソウ

〈PN〉 むね

⇒ 822奈

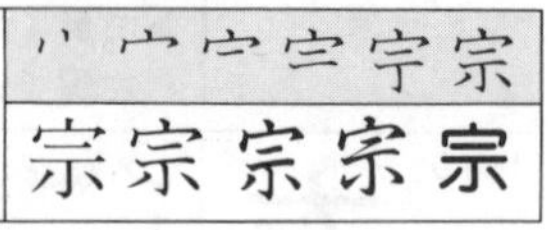

originator
- 宗教 (シュウキョウ) 〈N〉 religion [+teach]
- 宗家 (ソウケ) 〈N〉 head family [+home]

Buddhist sect
- …宗 (…シュウ) 〈N〉 …sect
  - ▷真宗 (シン～) *Shin* sect [true+] ➜SN
  - 禅宗 (ゼン～) *Zen* Buddhism [*Zen*+]
- 宗派 (シュウハ) 〈N〉 religious sect [+sect]
- ▶改宗 (カイシュウ) 〈Nv〉 conversion, getting proselyted [alter+]

1024 **帝**

テイ

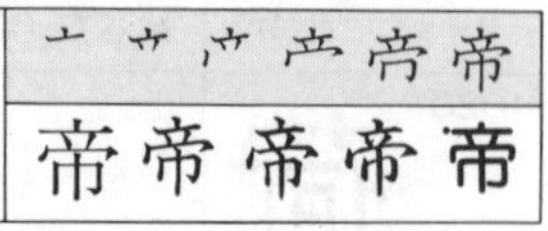

emperor
- 帝王 (テイオウ) 〈N〉 sovereign, monarch [+king]
- 帝王切開 (テイオウセッカイ) 〈N〉 Caesarean section [+king+incision]
- 帝国 (テイコク) 〈N〉 empire [+country]
- 帝国主義 (テイコクシュギ) 〈N〉 imperialism [+country+ism]
- ▶皇帝 (コウテイ) 〈N〉 emperor 《not of Japan》 [emperor+]

1025 **仙**

セン

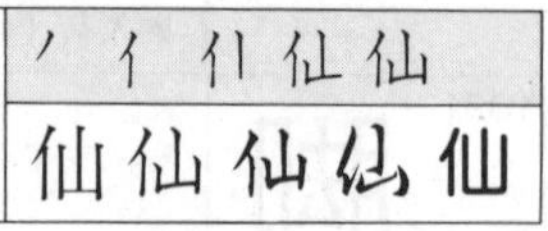

hermit
- 仙人 (センニン) 〈N〉 hermit [+person]

〈Place〉
- 仙台 (センダイ) Sendai City

1026 **徴**

チョウ

⇒ 1228微

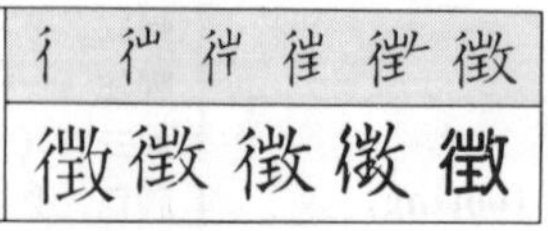

summon
- 徴収 (チョウシュウ) 〈Nv〉 collection, levy [+take in]
- 徴兵 (チョウヘイ) 〈N〉 conscription, military draft [+soldier]

sign, feature
- 徴候 (チョウコウ) 〈N〉 indication, symptom [+feature]
- ▶象徴 (ショウチョウ) 〈N〉 image, symbol [image+]
- 特徴 (トクチョウ) 〈N〉 feature, characteristic [special+]

1027 **酸**	す-; サン	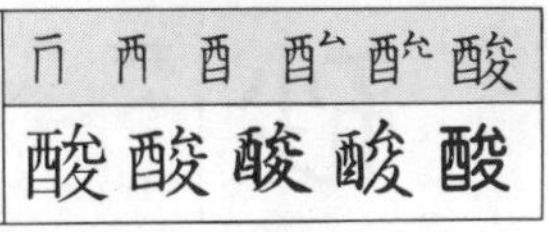

acid
- 酸 (サン) 〈N〉 acid
- …酸 (…サン) 〈N〉 …acid
  - ▷アミノ酸 amino acid [(amine)+]
- 酸い (すい) 〈A〉 sour, acid
- 酸っぱい (すっぱい) 〈A〉 sour, acid《colloquial》
- 酸化 (サンカ) 〈Nv〉 oxidation [+*Suf* conversion]
- 酸性 (サンセイ) 〈N〉 acidity [+character]
- 酸素 (サンソ) 〈N〉 oxygen [+element]
- ▶塩酸 (エンサン) 〈N〉 hydrochloric acid [salt+]
  - 青酸カリ (セイサンカリ) 〈N〉 potassium cyanide [blue+～+(potassium)]

1028 **湾**	ワン	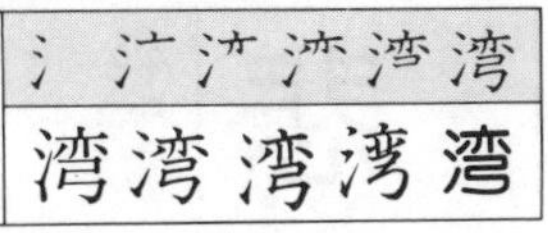

bay, gulf
- 湾 (ワン) 〈N〉 bay, gulf
- …湾 (…ワン) 〈N〉 …Bay, …Gulf
  - ▷ペルシア湾 Persian Gulf [(Persia)+]
  - 東京湾 (トウキョウ～) Tokyo Bay [Tokyo+]
- 湾曲 (ワンキョク) 〈Nv〉 curve, bend [+curve]

〈Place〉
- ▶台湾 (タイワン) Taiwan

1029 **鉱**	コウ	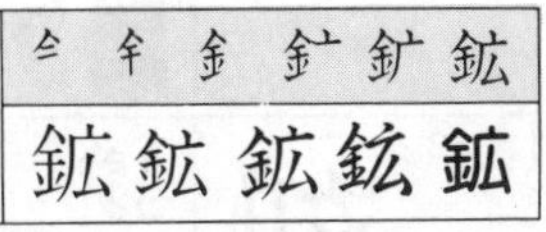

ore
- …鉱 (…コウ) 〈N〉 …ore
  - ▷ウラン鉱 uranium ore [(uranium)+]
- 鉱山 (コウザン) 〈N〉 mine [+mountain]
- 鉱石 (コウセキ) 〈N〉 ore [+stone]
- 鉱物 (コウブツ) 〈N〉 mineral [+thing]

mine
- …鉱 (…コウ) 〈N〉 …mine
  - ▷金鉱 (キン～) gold mine [gold+]
- 鉱業 (コウギョウ) 〈N〉 mining industry [+business]

1030 **歓**	よろこ-; カン ⇒1140 勧	

joy
- 歓喜 (カンキ) 〈Nv〉 (have) great joy, ecstasy [+joy]
- 歓迎 (カンゲイ) 〈Nv〉 welcome, reception [+welcome]
- 歓声 (カンセイ) 〈N〉 shout of joy, cheer [+voice]
- 歓送 (カンソウ) 〈Nv〉 sending off, farewell [+send]
- 歓待 (カンタイ) 〈Nv〉 warm reception [+hospitality]
- 歓談 (カンダン) 〈Nv〉 confabulation [+talk]
- 歓楽街 (カンラクガイ) 〈N〉 amusement quarter [+amuse+town]

1031 **砂**	すな, -ずな; サ; シャ 〈Ir〉	厂 石 石 矷 砂 砂 砂 砂 砂 砂 砂

sand

砂 (すな) 〈N〉 sand
砂場 (すなば) 〈N〉 sand pit [+place]
砂浜 (すなはま) 〈N〉 sand beach [+seashore]
砂丘 (サキュウ) 〈N〉 dune, sand hill [+hill]
砂金 (サキン) 〈N〉 gold dust [+gold]
砂糖 (サトウ) 〈N〉 sugar [+saccharic]
砂漠 (サバク) 〈N〉 desert [+unlimited]
〈Ir〉 砂利 (ジャリ) 〈N〉 gravel, small pebbles, ballast [+*Ph*] ➔SN
▶土砂 (ドシャ) 〈N〉 earth and sand [soil+]
土砂降り (ドシャぶり) 〈N〉 downpour [soil+～+descend]

1032 **悲**	かな-, -がな-; ヒ	丨 ヨ 引 非 悲 悲 悲 悲 悲 悲 悲

sorrow

悲しい (かなしい) 〈A〉 sad, sorrowful
悲しみ (かなしみ) 〈N〉 sorrow, grief
悲しむ (かなしむ) 〈V〉 grieve, feel sad
悲観 (ヒカン) 〈Nv〉 pessimism [+view]
悲観的 (ヒカンテキ) 〈Na〉 pessimistic [+view+*Suf Na*]
悲劇 (ヒゲキ) 〈N〉 tragedy [+drama]
悲惨 (ヒサン) 〈N/Na〉 misery [+misery]
悲鳴 (ヒメイ) 〈N〉 shriek, scream [+make a sound]

1033 **刻**	きざ-; コク, コッ-	亠 亥 亥 亥 亥 刻 刻 刻 刻 刻 刻

carve

刻む (きざむ) 〈V〉 carve, chop
▶深刻 (シンコク) 〈Na〉 serious, grave [deep+]
彫刻 (チョウコク) 〈Nv〉 sculpture [engrave+]

segment of time

刻々 (コクコク/コッコク) 〈T〉 moment by moment [+*Rep*]
▶時刻 (ジコク) 〈N〉 time, hour [time+]
即刻 (ソッコク) 〈T〉 instantly, immediately [immediate+]
遅刻 (チコク) 〈Nv〉 delayed arrival [late+]
夕刻 (ゆうコク) 〈T〉 dewfall [evening+]

1034 **樹**	ジュ 〈PN〉 き	木 桂 桔 桔 樹 樹 樹 樹 樹 樹 樹

tree

樹脂 (ジュシ) 〈N〉 resin, rosin [+grease]
樹木 (ジュモク) 〈N〉 trees [+tree]
樹立 (ジュリツ) 〈Nv〉 establishment, founding [+set up]
▶街路樹 (ガイロジュ) 〈N〉 roadside tree [street+]
果樹園 (カジュエン) 〈N〉 orchard [fruit+～+garden]

1035 詰

つ-, -づ-, つま-, -づま-, つみ, -づみ, つめ, -づめ;
キツ, キッ-

詰詰詰詰詰

pack, stuff up
- 詰(ま)る (つまる) 〈V〉 get blocked
- 詰める (つめる) 〈V〉 pack
- 詰(め)合(わ)せ (つめあわせ) 〈N〉 variety assortment [+gather]
- ▶缶詰(め) (カンづめ) 〈N〉 canned (thing), can packed [can+]

checkmate
- 詰む (つむ) 〈V〉 be checkmated
- 詰問 (キツモン) 〈Nv〉 severe inquiry [+question]
- ▶大詰(め) (おおづめ) 〈N〉 finale, catastrophe [great+]

1036 潟

かた, -がた;
セキ†

潟潟潟潟潟

lagoon
- 潟 (かた) 〈N〉 lagoon; tideland
- ▶干潟 (ひがた) 〈N〉 tideland [dry+]

〈Place〉
- ▶新潟 (にいがた) Niigata Pref./City

1037 貿

ボウ-

貿貿貿貿貿

trade
- 貿易 (ボウエキ) 〈Nv〉 international trading [+exchange]

1038 載

の-;
サイ

⇨1889戴

載載載載載

place, put on
- 載せる (のせる) 〈V〉 place, put on, load
- 載る (のる) 〈V〉 get into a journal, be printed in a book
- ▶記載 (キサイ) 〈Nv〉 description, mention [describe+]
- 掲載 (ケイサイ) 〈Nv〉 publication, insertion [put up+]
- 連載 (レンサイ) 〈Nv〉 serialization [link+]

1039 封

フウ, -プウ; ホウ

封封封封封

seal
- 封 (フウ) 〈N〉 seal, closing
- 封じる (フウじる) 〈V〉 seal, enclose
- 封印 (フウイン) 〈Nv〉 seal [+stamp]
- 封切(り) (フウきり) 〈Nv〉 cutting the seal; first-run《of film》 [+cut]
- 封鎖 (フウサ) 〈Nv〉 blockade [+chain]
- 封書 (フウショ) 〈N〉 sealed letter [+document]
- 封筒 (フウトウ) 〈N〉 envelope [+cylinder]
- ▶金一封 (キンイップウ) 〈N〉 an enclosure of money《as a gift》 [money+one+]
- 同封 (ドウフウ) 〈Nv〉 enclosure《in an envelope》 [accompanying+]

enfeoff
- 封建時代 (ホウケンジダイ) 〈T〉 feudal period [+settle+period]
- 封建的 (ホウケンテキ) 〈Na〉 feudalistic [+settle+*Suf Na*]

1040 **忠**

チュウ

〈PN〉 ただ, ただし ⇨[1138]患

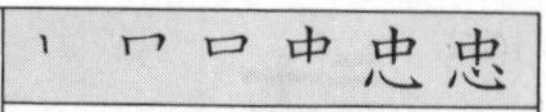

忠忠忠忠忠

loyalty

忠 (チュウ) 〈N〉 loyalty
忠義 (チュウギ) 〈N〉 allegiance [+righteous duty]
忠告 (チュウコク) 〈Nv〉 advice [+tell]
忠実 (チュウジツ) 〈N/Na〉 faithful [+real]
忠誠 (チュウセイ) 〈N〉 loyalty, fidelity [+true]

1041 **肩**

かた, -がた;
ケン

肩肩肩肩肩

shoulder

肩 (かた) 〈N〉 shoulder, back
肩書(き) (かたがき) 〈N〉 official title [+write]
肩代(わ)り (かたがわり) 〈Nv〉 subrogation, shouldering [+substitution]
▶双肩 (ソウケン) 〈N〉 one's shoulders [twin+]

1042 **兼**

か-, -が-, かね-;
ケン

兼兼兼兼兼

serve both

…兼… (…ケン…) …and…at the same time
▷書斎兼応接室 (ショサイ～オウセツシツ) 〈N〉 room serving both as a study and a drawing room [study+～+drawing room]
兼ねる (かねる) 〈V〉 serve both, double as
兼業 (ケンギョウ) 〈Nv〉 (do) dual businesses [+job]
兼任 (ケンニン) 〈Nv〉 (bear) dual responsibility [+appoint]

1043 **呈**

テイ

呈呈呈呈呈

present

呈 (テイ) 〈N〉 gift, present, free offer
呈する (テイする) 〈V〉 offer, present
▶進呈 (シンテイ) 〈Nv〉 presentation, giving [proceed+]
送呈 (ソウテイ) 〈Nv〉 sending as a present [send+]
贈呈 (ゾウテイ) 〈Nv〉 presentation, donation [gift+]

1044 **暗**

くら-;
アン

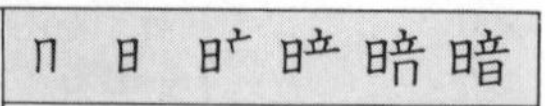

暗暗暗暗暗

dark

暗い (くらい) 〈A〉 dark, gloomy
暗闇 (くらやみ) 〈N〉 darkness [+darkness]
暗記 (アンキ) 〈Nv〉 memorization, learning by rote [+record]
暗殺 (アンサツ) 〈Nv〉 assassination [+kill]
暗示 (アンジ) 〈Nv〉 hint, suggestion [+indicate]
暗黙 (アンモク) 〈N〉 tacit [+silence]
暗躍 (アンヤク) 〈Nv〉 (engage in) secret maneuvers [+leap]

1045 **妙**

ミョウ

〈PN〉 たえ

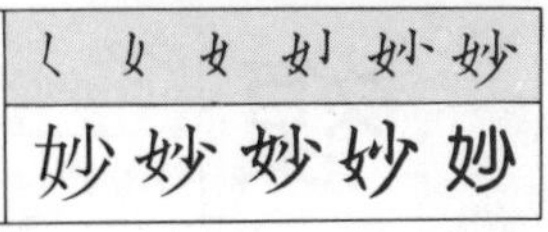

exquisite

妙 (ミョウ) 〈Na〉 exquisite, rare, strange
妙技 (ミョウギ) 〈N〉 exquisite performance [+skill]
▶奇妙 (キミョウ) 〈Na〉 strange, curious [odd+]
微妙 (ビミョウ) 〈Na〉 delicate, subtle [micro-+]

1046 **侵**

おか-;
シン

⇨ 1623 浸

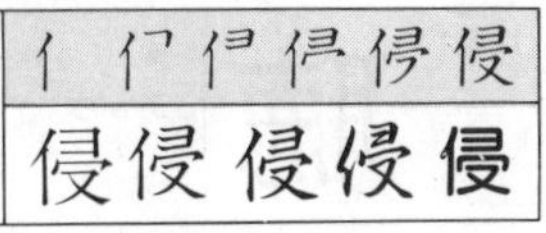

invade

侵す (おかす) 〈V〉 invade
侵害 (シンガイ) 〈Nv〉 infringement [+hurt]
侵入 (シンニュウ) 〈Nv〉 trespass, invasion [+enter]
侵犯 (シンパン) 〈Nv〉 invasion, violation [+violate]
侵略 (シンリャク) 〈Nv〉 aggression, raid, invasion [+aggression]

1047 **浮**

う-, うか-, うき-;
フ

〈Ir〉

float

浮かぶ (うかぶ) 〈V〉 float (*vi.*)
浮かべる (うかべる) 〈V〉 float (*vt.*), waft
浮かれる (うかれる) 〈V〉 make merry, be carried away
浮く (うく) 〈V〉 rise to the surface, float (*vi.*)
浮(き)世 (うきよ) 〈N〉 (transitory) secular world [+world]
浮(き)彫(り) (うきぼり) 〈N〉 relief [+engrave] ➜SN
浮世絵 (うきよエ) 〈N〉 *ukiyo-e* [+picture]
浮力 (フリョク) 〈N〉 buoyancy [+power]
〈Ir〉 浮気(うわキ) 〈Na/Nv〉 adultery, extramarital unfaithfulness [+mind]

1048 **律**

リチ-; リツ, リッ-

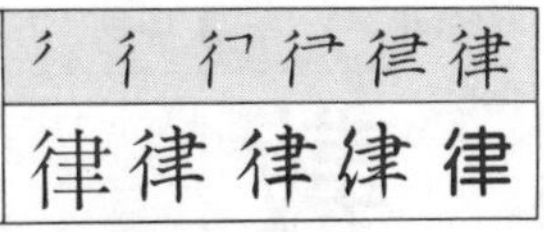

rule

律 (リツ) 〈N〉 law, rule, code
律する (リッする) 〈V〉 regulate, control
律義/儀 (リチギ) 〈N/Na〉 uprightness, honesty [+righteous duty/ritual]
▶一律 (イチリツ) 〈S〉 uniformity, evenness [one+]
法律 (ホウリツ) 〈N〉 law, legislation [law+]

1049 **兄**

あに;
キョウ-; ケイ

〈Ir〉

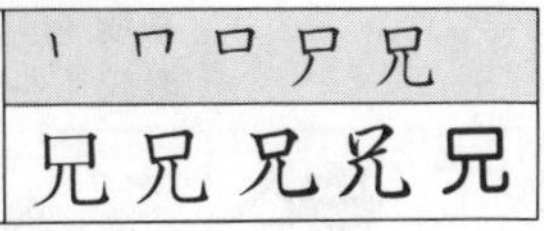

elder brother

兄 (あに) 〈N〉 elder brother
兄弟 (キョウダイ) 〈N〉 brothers [+younger brother]
〈Ir〉 お兄さん (おにいさん) 〈N〉 one's elder brother; 〈Cph〉 Mister [(*Pref honorific*)+]
▶父兄 (フケイ) 〈N〉 guardians [father+]

1050 複

フク, -プク

⇨585復, 1345腹

複 複 複 複 複

duplicate, double

複合（フクゴウ）〈Nv〉 complex, getting compound [+combine]
複雑（フクザツ）〈N/Na〉 complexity, complication [+miscellaneous]
複写（フクシャ）〈Nv〉 reproduction, photocopy [+copy]
複数（フクスウ）〈N〉 plural [+number]

1051 聴

き-, きき-;
チョウ

聴 聴 聴 聴 聴

listen

聴く（きく）〈V〉 listen →262聞く
聴取（チョウシュ）〈Nv〉 listening, audition [+get]
聴衆（チョウシュウ）〈N〉 audience [+crowd]
聴診器（チョウシンキ）〈N〉 stethoscope [+diagnosis+tool]
聴力（チョウリョク）〈N〉 sense of hearing, hearing [+power]
▶公聴会（コウチョウカイ）〈N〉 public hearing [public+～+meeting]

1052 即

すなわ-;
ソク, ソッ-

⇨1265既

即 即 即 即 即

immediate

即座（ソクザ）〈N〉 immediate, ready [+seat]
即死（ソクシ）〈Nv〉 instantaneous death [+death]
即時（ソクジ）〈T〉 instant, prompt [+time]
即日（ソクジツ）〈T〉 on the same day [+day]
即席（ソクセキ）〈N〉 impromptu, instant [+seat]
即売（ソクバイ）〈Nv〉 spot sale [+sell]
即興（ソッキョウ）〈N〉 improvisation [+emerge]
即決（ソッケツ）〈Nv〉 immediate decision [+determine]

ascend

即位（ソクイ）〈Nv〉 accession to the throne [+rank]

1053 敷

し-, -じ-, しき, -じき;
フ-

敷 敷 敷 敷 敷

spread, lay

敷く（しく）〈V〉 spread, lay
敷金（しきキン）〈N〉 deposit, caution money [+money]
敷地（しきチ）〈N〉 site《for a building》 [+ground]
敷布（しきフ）〈N〉 bed sheet [+cloth]
敷物（しきもの）〈N〉 carpet, rug [+thing]
敷設（フセツ）〈Nv〉 laying, construction [+found]

1054 齢

-**レイ**

齢 齢 齢 齢 齢

age

▶年齢（ネンレイ）〈N〉 one's age [year+]
老齢（ロウレイ）〈N〉 old age [aged+]

1055 **厳**

おごそ-; **きび-**;
ゲン; -ゴン
〈PN〉 いわ, いわお

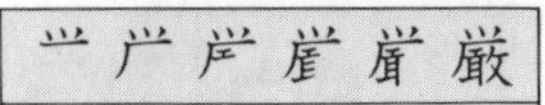

厳 厳 厳 厳 厳

solemn, stern

厳か (おごそか) 〈Na〉 solemn, majestic
厳しい (きびしい) 〈A〉 severe, stern
厳に (ゲンに) 〈Adv〉 strictly
厳格 (ゲンカク) 〈N/Na〉 strict, stern [+structure]
厳禁 (ゲンキン) 〈Nv〉 strict prohibition [+prohibit]
厳重 (ゲンジュウ) 〈N/Na〉 strict, rigid [+important]
厳密 (ゲンミツ) 〈N/Na〉 precision [+closeness]
▶荘厳 (ソウゴン) 〈N/Na〉 solemnity, sublimity [majestic+]

1056 **舎**

シャ, -ジャ
〈Ir〉 ⇨[667] 含

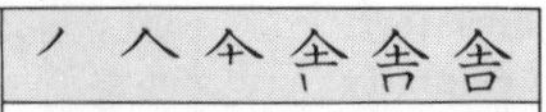

舎 舎 舎 舎 舎

house, hall

…舎 (…シャ) 〈N〉 …hall
▷寄宿舎 (キシュク～) dormitory, boarding house [draw to+lodging+]
市庁舎 (シチョウ～) city hall [city+government office+]
▶校舎 (コウシャ) 〈N〉 school building [school+]
宿舎 (シュクシャ) 〈N〉 lodgings, quarters [lodging+]
〈Ir〉 田舎 (いなか) 〈N〉 rural district; one's native place [rice field+]

1057 **敵**

かたき, -がたき;
テキ

敵 敵 敵 敵 敵

enemy

敵 (テキ; かたき) 〈N〉 enemy; foe, old enemy
敵対 (テキタイ) 〈Nv〉 (show) hostility [+against]
▶商売敵 (ショウバイがたき) 〈N〉 business rival/competitor [business+]

1058 **塩**

しお, -じお;
エン

塩 塩 塩 塩 塩

salt

塩 (しお) 〈N〉 salt
塩素 (エンソ) 〈N〉 chlorine [+element]
▶食塩 (ショクエン) 〈N〉 table salt [eat+]

1059 **訓**

クン

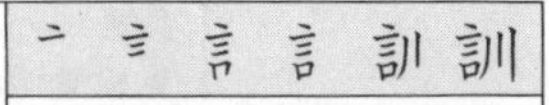

訓 訓 訓 訓 訓

admonish

訓辞 (クンジ) 〈N〉 admonition [+word]
訓練 (クンレン) 〈Nv〉 training, discipline [+knead]
▶教訓 (キョウクン) 〈N〉 lesson, teachings [teach+]

Japanese rendering of *kanji*

訓 (クン) 〈N〉 Japanese rendering of *kanji*
訓(読み) (クン(よみ)) 〈Nv〉 *kun* reading 《*kanji* pronunciation indigenous to Japanese》 [(+read)]
▶音訓 (オンクン) 〈N〉 pronunciation of *kanji* [sound+]

1060 **貯**

たくわ-;
チョ

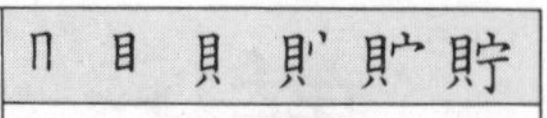

貯 貯 貯 貯 貯

reserve, save

貯える (たくわえる) 〈V〉 reserve, save
貯金 (チョキン) 〈Nv〉 saving money; money saved [+money]
貯蔵 (チョゾウ) 〈Nv〉 storage, storing [+stock]
貯蓄 (チョチク) 〈Nv〉 saving, storing up [+store]

1061 **災**

わざわ-;
サイ

⇒[1231] 炎

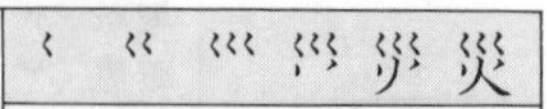

災 災 災 災 災

disaster, calamity

災い (わざわい) 〈N〉 misfortune, disaster
災害 (サイガイ) 〈N〉 calamity, disaster [+damage]
災難 (サイナン) 〈N〉 disaster, misfortune [+difficult]
▶火災 (カサイ) 〈N〉 conflagration, fire [fire+]
人災 (ジンサイ) 〈N〉 calamity attributable to human causes [human+]
天災 (テンサイ) 〈N〉 natural disaster [heaven+]

1062 **唱**

とな-;
ショウ

⇒[1698] 晶

唱 唱 唱 唱 唱

recite

唱える (となえる) 〈V〉 recite; advocate
唱歌 (ショウカ) 〈N〉 song with accompaniment [+song]
▶合唱 (ガッショウ) 〈Nv〉 chorus [gather+]
提唱 (テイショウ) 〈Nv〉 advocacy [propose+]
二重唱 (ニジュウショウ) 〈N〉 duet《singing》 [two+*Cs* layers+]

1063 **黄**

き, -ぎ, こ-;
オウ; コウ

黄 黄 黄 黄 黄

yellow

黄 (き) 〈N〉 yellow
黄色 (きいろ) 〈N〉 yellow color [+color]
黄色い (きいろい) 〈A〉 yellow [+color]
黄金 (こがね/オウゴン) 〈N〉 gold [+gold]
黄色人種 (オウショクジンシュ) 〈N〉 yellow race [+color+race]
黄葉 (コウヨウ) 〈Nv〉 yellow leaves, turning yellow [+leaf]
▶硫黄 (いオウ) 〈N〉 sulfur [sulfur+]

1064 **壁**

かべ;
ヘキ, -ペキ

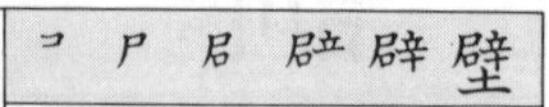

壁 壁 壁 壁 壁

wall

壁 (かべ) 〈N〉 wall
壁掛(け) (かべかけ) 〈N〉 tapestry; something hung on a wall [+hang]
壁紙 (かべがみ) 〈N〉 wallpaper [+paper]
壁画 (ヘキガ) 〈N〉 mural painting [+picture]
▶絶壁 (ゼッペキ) 〈N〉 precipice, cliff [terminate+]

1065 **摘**

つ-, つみ;
テキ

⇒ 663 適, 1750 滴

摘摘摘摘摘

pick
摘む (つむ) 〈V〉 pick, pluck
摘出 (テキシュツ) 〈Nv〉 extraction, taking out [+put out]
摘発 (テキハツ) 〈Nv〉 exposure《of a crime》 [+issue]

1066 **巡**

めぐ-;
ジュン

〈Ir〉

巡巡巡巡巡

patrol, tour
巡る (めぐる) 〈V〉 tour, go around
巡回 (ジュンカイ) 〈Nv〉 patrol, going round [+round]
巡業 (ジュンギョウ) 〈Nv〉 being on tour《of show business》 [+business]
巡査 (ジュンサ) 〈N〉 patrolman, policeman [+inspect]
巡視 (ジュンシ) 〈Nv〉 (make) tour of inspection [+observe]
巡礼 (ジュンレイ) 〈Nv〉 (make) pilgrimage [+bow]
〈Ir〉 お巡りさん (おまわりさん) 〈N〉 cop, patrolman

***Cs* rounds**
…巡 (…ジュン) 〈Q〉 …rounds
▷一巡 (イチ～), 二巡 (ニ～), 三巡 (サン～)

1067 **踏**

ふ-, -ぶ-, ふみ, -ぶみ;
トウ

踏踏踏踏踏

tread on, stamp
踏みはずす (ふみはずす) 〈V〉 miss one's step
踏む (ふむ) 〈V〉 tread on, stamp
踏切 (ふみきり) 〈N〉 railroad crossing [+cut]
踏(み)切る (ふみきる) 〈V〉 step out, take the plunge [+cut]
踏(み)倒す (ふみたおす) 〈V〉 trample down; bilk [+lean and fall]
踏襲 (トウシュウ) 〈Nv〉 following in someone's steps [+inherit]
踏破 (トウハ) 〈Nv〉 traverse, surmount [+break]

1068 **奪**

うば-;
ダツ, ダッ-

奪奪奪奪奪

snatch, rob
奪う (うばう) 〈V〉 rob, deprive
奪還 (ダッカン) 〈Nv〉 recapture, recovery [+circulate]
奪取 (ダッシュ) 〈Nv〉 capture, snatch [+acquire]

1069 **診**

み-;
シン

⇒ 1224 珍

診診診診診

diagnosis
診る (みる) 〈V〉 make a diagnosis
診察 (シンサツ) 〈Nv〉 medical examination [+discern]
診断 (シンダン) 〈Nv〉 diagnosis [+decisive]
診療 (シンリョウ) 〈Nv〉 diagnosis and treatment [+cure]
▶往診 (オウシン) 〈Nv〉 (doctor's) visit to a patient [go away+]

1070 **損**

そこ-, -ぞこ-;
ソン

扌 扌 扌 扌 損 損
損 損 損 損 損

loss, damage

損（ソン）〈N/Na〉 loss
損なう（そこなう）〈V〉 damage, spoil
損害（ソンガイ）〈N〉 damage [+damage]
損失（ソンシツ）〈N〉 loss [+loose]
損得（ソントク）〈N〉 plus and minus, gain and loss [+gain]

1071 **甲**

カン-; **コウ**

⇒[24]田, [347]申, [376]由

丨 冂 日 日 甲
甲 甲 甲 甲 甲

hard shell, hard back, armor

甲（コウ）〈N〉 back《of a hand》; instep; shell《of a turtle, etc.》
甲板（カンパン/コウハン）〈N〉 deck《of a ship》 [+board]
▶装甲車（ソウコウシャ）〈N〉 ironclad car [dress+～+car]

ko

甲（コウ）〈N〉 *ko*, 1st of the Chinese decimal counts; the one; A →App.
甲乙（コウオツ）〈N〉 A and B, distinction [+*otsu*]

1072 **照**

て-, -で-, てり-;
ショウ

〈PN〉 てる

日 日 日 日 昭 照
照 照 照 照 照

shine

照らす（てらす）〈V〉 shine on, illuminate (*vt.*)
照る（てる）〈V〉 shine (*vi.*)
照れる（てれる）〈V〉 get shy, blush
照会（ショウカイ）〈Nv〉 inquiry, reference [+meeting]
照合（ショウゴウ）〈Nv〉 collation, check [+suit]
照明（ショウメイ）〈Nv〉 illumination, lighting [+bright]

1073 **虫**

むし;
チュウ

〈PN〉 む

丶 口 口 中 虫 虫
虫 虫 虫 虫 虫

insect, worm, bug

虫（むし）〈N〉 insect, worm
…虫（…むし/チュウ）〈N〉 …insect, …worm
 ▷鈴虫（すずむし）"bell-ring" insect [bell+]
 寄生虫（キセイチュウ）parasite [parasitism+]
虫歯（むしば）〈N〉 decayed tooth [+tooth]
虫眼鏡（むしめがね）〈N〉 magnifying glass [+glasses]
虫垂炎（チュウスイエン）〈N〉 appendicitis [+droop+flame]
▶毛虫（けむし）〈N〉 hairy caterpillar [hair+]
 昆虫（コンチュウ）〈N〉 insect [multitude+]
 殺虫剤（サッチュウザイ）〈N〉 insecticide [kill+～+drug]
 水虫（みずむし）〈N〉 athlete's foot [water+]

monomania

…の虫（…のむし）〈N〉 …mania, person devoted to…
 ▷仕事の虫（シごと～）hard worker [job+]
▶泣き虫（なきむし）〈N〉 crybaby [weep+]
 弱虫（よわむし）〈N〉 coward [weak+]

1074 **摩**

マ

⇒1326魔, 1376磨

亠 广 庐 麻 麿 摩

摩 摩 摩 摩 摩

scrape
- 摩擦（マサツ）〈Nv〉 rubbing, friction [+rub]
- 摩天楼（マテンロウ）〈N〉 skyscraper [+heaven+tall building]
- 摩滅（マメツ）〈Nv〉 getting worn out [+perish]

1075 **弘**

ひろ；
コウ

〈PN〉 ひろし，ひろむ

コ コ 弓 弘 弘

弘 弘 弘 弘 弘

pervade†

〈Person〉
- 弘（ひろし） Hiroshi《male name》
- 弘子（ひろこ） Hiroko《female name》

1076 **彦**

ひこ，-びこ；
ゲン†

⇒142産

丶 亠 六 立 产 彦

彦 彦 彦 彦 彦

noble man
- ▶山彦（やまびこ）〈N〉 echo [mountain+]

〈Person〉
- ▶信彦（のぶひこ） Nobuhiko《male name》

1077 **里**

さと，-ざと；
リ

丨 冂 日 甲 甲 里

里 里 里 里 里

village
- 里（さと）〈N〉 village, hamlet
- ▶郷里（キョウリ）〈N〉 one's hometown [country+]

nursery
- 里親（さとおや）〈N〉 foster parent [+parent]

ri 《=4km》
- …里（…リ）〈Q〉 …*ri*
  ▷一里（イチ～）， 二里（ニ～）， 三里（サン～）
- ▶海里（カイリ）〈Q〉 nautical mile [sea+]

1078 **埼**

さき；
キ†

〈PN〉 さい-

⇒457崎

十 土 圹 坾 埼 埼

埼 埼 埼 埼 埼

spur†, brow†

〈Place〉
- 埼玉（さいたま） Saitama Pref.

1079 **寝**

ね；
シン

宀 宀 宇 寉 寑 寝

寝 寝 寝 寝 寝

sleep
- 寝る（ねる）〈V〉 sleep, go to bed; lie down
- 寝坊（ねボウ）〈Nv〉 lie-abed; oversleeping [+kid]
- 寝巻（ねまき）〈N〉 nightwear; sleeping *kimono* [+roll]
- 寝具（シング）〈N〉 bedclothes, bedding [+instrument]
- 寝室（シンシツ）〈N〉 bedroom [+room]
- 寝台（シンダイ）〈N〉 bed [+platform]
- 寝台車（シンダイシャ）〈N〉 sleeping car [+platform+car]

1080 **紳**

シン

紳 紳 紳 紳 紳

respectable

紳士 (シンシ) 〈N〉 gentleman [+brave man]
紳士服 (シンシフク) 〈N〉 men's suit [+brave man+clothes]

1081 **骨**

ほね, -ぼね;
コツ, コッ-

骨 骨 骨 骨 骨

bone

骨 (ほね) 〈N〉 bone
(お)骨 (おコツ) 〈N〉 post-cremation ashes
骨折り (ほねおり) 〈N〉 painstaking [+break]
骨組(み) (ほねぐみ) 〈N〉 skeleton, framework [+unite]
骨子 (コッシ) 〈N〉 essentials, general plan [+piece]
骨折 (コッセツ) 〈Nv〉 bone fracture [+break]

1082 **菊**

キク, -ギク, キッ-

菊 菊 菊 菊 菊

chrysanthemum

菊 (キク) 〈N〉 chrysanthemum
菊花 (キッカ) 〈N〉 chrysanthemum flower 《imperial crest of Japan》 [+flower]
▶白菊 (しらギク) 〈N〉 white chrysanthemum [white+]

◀imperial crest

1083 **飯**

めし;
ハン, -パン

〈PN〉 いい-

⇨[935]飲

飯 飯 飯 飯 飯

cooked rice, meal

飯 (めし) 〈N〉 cooked rice; meal
飯場 (ハンば) 〈N〉 workmen's temporary living quarters [+place]
▶御飯 (ゴハン) 〈N〉 cooked rice; meal [*honorific*+]
残飯 (ザンパン) 〈N〉 leftovers [remain+]
赤飯 (セキハン) 〈N〉 red rice 《usually served on festive occasions》 [red+]

1084 **免**

まぬか-, まぬが-;
メン

⇨[326]色

免 免 免 免 免

exempt

免れる (まぬかれる/まぬがれる) 〈V〉 be exempted, escape
…に免じて (…にメンじて) 〈Adv〉 out of consideration/regard for…
免疫 (メンエキ) 〈N〉 immunity, callousness [+plague]
免許 (メンキョ) 〈N〉 license [+permit]
免除 (メンジョ) 〈Nv〉 exemption, remission [+exclude]
免状 (メンジョウ) 〈N〉 diploma [+document]
免税 (メンゼイ) 〈N〉 duty-free, tax-free [+tax]
免税店 (メンゼイテン) 〈N〉 duty-free shop [+tax+shop]
▶御免 (ゴメン) 〈Cph〉 sorry [*honorific*+]

1085 **胸**
むな-, **むね**;
キョウ

Stroke order: 丿 月 肑 肑 胸 胸 胸 胸 胸 胸 胸

bosom, chest

胸 (むね) 〈N〉 breast, bosom, chest
胸毛 (むなげ) 〈N〉 hair on the chest [+hair]
胸中 (キョウチュウ) 〈N〉 inside《of a person》, mind; 〈Adv〉 at heart [+inside]
胸部 (キョウブ) 〈N〉 breast [+part]

1086 **湖**
みずうみ;
コ
〈PN〉 うみ
⇨1105潮

Stroke order: 氵 汁 沽 沽 湖 湖 湖 湖 湖 湖 湖

lake

湖 (みずうみ) 〈N〉 lake
…湖 (…コ) 〈N〉…lake; Lake…
▷**人造湖** (ジンゾウ～) artificial lake [man-made+]
山中湖 (やまなか～) Lake Yamanaka [*PN*+]
湖畔 (コハン) 〈N〉 lake shore [+levee]

1087 **腸**
チョウ
⇨1964腸

Stroke order: 月 肌 胆 胆 腸 腸 腸 腸 腸 腸 腸

intestines

腸 (チョウ) 〈N〉 intestines, entrails
▶**胃腸** (イチョウ) 〈N〉 stomach and intestines, bowels [stomach+]
小腸 (ショウチョウ) 〈N〉 small intestine [small+]
大腸 (ダイチョウ) 〈N〉 large intestine [big+]

1088 **霧**
きり, -ぎり;
ム

Stroke order: 雫 雫 雫 雫 霚 霧 霧 霧 霧 霧 霧

fog

霧 (きり) 〈N〉 fog
霧散 (ムサン) 〈Nv〉 dispersion, being dispelled [+disperse]
▶**濃霧** (ノウム) 〈N〉 dense fog [thick+]

1089 **慎**
つつし-;
シン

Stroke order: 忄 忄 忙 愃 愃 慎 慎 慎 慎 慎 慎

prudence, discretion

慎む (つつしむ) 〈V〉 be discreet, control oneself
慎み深い (つつしみぶかい) 〈A〉 prudent, cautious [+profound]
慎重 (シンチョウ) 〈N/Na〉 caution, carefulness [+grave]

1090 **弟**
おとうと;
-ダイ; デ-; **テイ**
〈PN〉テ
⇨76第

Stroke order: 丷 丷 丷 弚 弟 弟 弟 弟 弟 弟 弟

younger brother

弟 (おとうと) 〈N〉 younger brother
弟子 (デシ) 〈N〉 pupil, disciple [+child]
▶**兄弟** (キョウダイ) 〈N〉 brother [elder brother+]
子弟 (シテイ) 〈N〉 sons, children [child+]

1091 **岳**

たけ, -だけ;
ガク

⇒1666 缶

steep mountain

…岳 (…たけ/だけ) 〈N〉 Mt.…
　▷白馬岳 (しろうまだけ) Mt. Shirouma [*PN*+]
▶山岳 (サンガク) 〈N〉 mountains [mountain+]

1092 **矢**

や;
シ

⇒523 失

arrow

矢 (や) 〈N〉 arrow
矢先 (やさき) 〈N〉 arrowhead; 〈T〉 the point, the moment [+point]
矢印 (やじるし) 〈N〉 arrow mark [+mark]
▶一矢を報いる (イッシをむくいる) 〈V〉 take a fling, shoot back [one+～+reward]

1093 **至**

いた-, いたる;
シ, -ジ
〈Ir〉

reach the limit, extreme

至る (いたる) 〈V〉 reach, lead to
…の至り (…のいたり) 〈N〉 utmost limit of…, climax of…
至る所 (いたるところ) 〈N/Adv〉 everywhere, every corner [+place]
至急 (シキュウ) 〈N〉 urgency [+immediate]
至上命令 (シジョウメイレイ) 〈N〉 supreme order [+up+order]
至難 (シナン) 〈N〉 extreme difficulty [+difficult]
▶夏至 (ゲシ) 〈N〉 summer solstice [summer+]
　冬至 (トウジ) 〈N〉 winter solstice [winter+]

to

至… (いたる/シ…) 〈N〉 to… 《in a map, as a road sign》
　▷至箱根 (いたるはこね) This road to Hakone [+*PN*]
〈Ir〉 ▶自…至～ (ジ…シ～/…より～まで) 〈Adv〉 from…through～ [from+]
　▷自一時至三時 (…イチジ～サンジ) 1:00～3:00
　　自東京至大阪 (…トウキョウ～おおさか) from Tokyo to Osaka
★至… is usually used as a road sign or on a notice board and seldom pronounced.

1094 **詩**

シ

〈Ir〉 : 〈PN〉 うた

poem

詩 (シ) 〈N〉 poem
…詩 (…シ) 〈N〉 …poem
　▷現代詩 (ゲンダイ～) modern poetry [modern times+]
　　自由詩 (ジユウ～) free verse [freedom+]
　　定型詩 (テイケイ～) metered verse [fix+model+]
詩集 (シシュウ) 〈N〉 collection of poems [+collect]
詩情 (シジョウ) 〈N〉 poetical sentiment [+emotion]
詩人 (シジン) 〈N〉 poet [+person]
〈Ir〉 詩歌 (シイカ/シカ) 〈N〉 poetry [+song]

1095 忘	わす-; ボウ	忘忘忘忘忘

forget

- 忘れる (わすれる) 〈V〉 forget
- 忘れ物 (わすれもの) 〈V〉 forgotten items, lost of lost and found [+thing]
- 忘却 (ボウキャク) 〈Nv〉 oblivion, being oblivious [+throughout]
- 忘年会 (ボウネンカイ) 〈N〉 year-end party [+year+meeting]

1096 献	ケン; コン	献献献献献

offer, contribute

- 献金 (ケンキン) 〈Nv〉 contribution [+money]
- 献血 (ケンケツ) 〈Nv〉 blood donation [+blood]
- 献上 (ケンジョウ) 〈Nv〉 presentation [+up]
- 献身 (ケンシン) 〈Nv〉 devotion [+self]
- 献立 (コンだて) 〈N〉 menu [+set up]
- ▶貢献 (コウケン) 〈Nv〉 contribution [tribute+]
- 文献 (ブンケン) 〈N〉 text 《in philology》; literature (to be cited) [[literal+]

1097 銭	ぜに; セン	銭銭銭銭銭

money

- 銭 (ぜに) 〈N〉 money
- 銭湯 (セントウ) 〈N〉 public bath [+hot spring]
- ▶金銭 (キンセン) 〈N〉 money, monetary [money+]
- 小銭 (こぜに) 〈N〉 coin, change [small+]

▼ 銭湯

***sen* 《=1/100 yen》**

- …銭 (…セン) 〈Q〉 …*sen*
  ▷一銭 (イッ〜), 二銭 (ニ〜), 三銭 (サン〜)

1098 臓	ゾウ	臓臓臓臓臓

internal organs

- 臓器 (ゾウキ) 〈N〉 internal organs [+physical organ]
- 臓物 (ゾウモツ) 〈N〉 giblets, guts, pluck [+thing]
- ▶肝臓 (カンゾウ) 〈N〉 liver [liver+]
- 心臓 (シンゾウ) 〈N〉 heart 《organ》 [heart+]

1099 幼	おさな-; ヨウ ⇒1550 幻	幼幼幼幼幼

infant

- 幼い (おさない) 〈A〉 infantile; immature
- 幼児 (ヨウジ) 〈N〉 infant, baby [+child]
- 幼少 (ヨウショウ) 〈N〉 infancy, childhood [+young]
- 幼稚 (ヨウチ) 〈Na〉 childish, inexperienced [+childish]
- 幼稚園 (ヨウチエン) 〈N〉 kindergarten [+childish+garden]
- 幼虫 (ヨウチュウ) 〈N〉 larva [+worm]

1100 **紛**

まぎ-;
フン, -プン

⇨[1152]粉

紛紛紛紛紛

confused, mixed up, entangled

紛らす (まぎらす) 〈V〉 divert/distract oneself
紛らわしい (まぎらわしい) 〈A〉 confusing, ambiguous
紛れ (まぎれ) 〈N〉 complications
紛れる (まぎれる) 〈V〉 be confused, be entangled; be diverted
紛糾 (フンキュウ) 〈Nv〉 complication, tangle [+twine]
紛失 (フンシツ) 〈Nv〉 loss, losing [+lose]
紛争 (フンソウ) 〈Nv〉 strife, dispute [+struggle]

1101 **償**

つぐな-;
ショウ

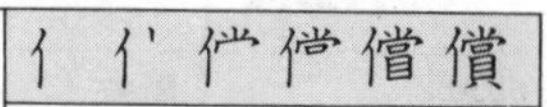

償償償償償

compensate

償い (つぐない) 〈N〉 compensation, indemnity
償う (つぐなう) 〈V〉 compensate, make up for
償還 (ショウカン) 〈Nv〉 repayment, redemption [+circulate]
償却 (ショウキャク) 〈Nv〉 repayment, depreciation [+throughout]
▶無償 (ムショウ) 〈N〉 gratuitousness, free of charge [non-+]

1102 **緑**

みどり;
リョク, リョッ-; ロク

⇨[1362]緑

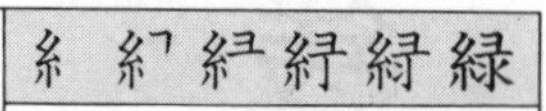

緑緑緑緑緑

green

緑 (みどり) 〈N〉 green color
緑色 (みどりいろ) 〈N〉 green color [+color]
緑化 (リョクカ/リョッカ) 〈Nv〉 afforestation 《typically in urban areas》 [+change itself]
緑地 (リョクチ) 〈N〉 green belt/zone [+ground]
緑茶 (リョクチャ) 〈N〉 green tea [+tea] →[927]紅茶
緑青 (ロクショウ) 〈N〉 verdigris [+blue]
▶常緑 (ジョウリョク) 〈N〉 evergreen [always+]

1103 **棄**

す-, すて-;
キ

⇨[405]棄

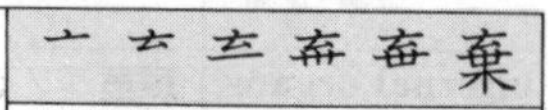

棄棄棄棄棄

discard

棄却 (キキャク) 〈Nv〉 rejection, dismissal [+throughout]
棄権 (キケン) 〈Nv〉 abstention [+right]
▶自暴自棄 (ジボウジキ) 〈N〉 self-abandonment [self+violent+self+]
廃棄 (ハイキ) 〈Nv〉 disuse, abrogation [abolish+]
放棄 (ホウキ) 〈Nv〉 abandonment, giving up [let go+]

1104 **柳**

やなぎ;
リュウ
〈PN〉 やな-, やぎ

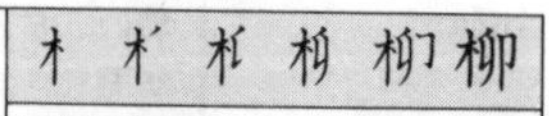

柳柳柳柳柳

willow

柳 (やなぎ) 〈N〉 weeping willow
▶川柳 (センリュウ) 〈N〉 *senryu*, satirical *haiku* [river+] ➜SN

1105 **潮**	しお; **チョウ** 〈PN〉 うしお ⇨[1086]湖	氵 汁 沽 淖 潮 潮 / 潮 潮 潮 潮 潮

tide
- 潮（しお）〈N〉 tide
- 潮干狩(り)（しおひがり）〈N〉 clamming at low tide [+dry+hunt]
- 潮流（チョウリュウ）〈N〉 tidal current [+flow]

1106 **奉**	たてまつ-; ブ; **ホウ**, -ポウ ⇨[845]奏	三 夫 夫 夫 叁 奉 / 奉 奉 奉 奉 奉

serve, revere
- 奉る（たてまつる）〈V〉 serve, revere; dedicate
- 奉行（ブギョウ）〈N〉 governor, magistrate《Jap. hist.》 [+exert]
- 奉仕（ホウシ）〈Nv〉 service [+serve]
- 奉納（ホウノウ）〈N〉 dedication《to a Shinto shrine》 [+put in]

1107 **驚**	おどろ-; **キョウ**	苟 苟 敬 敬 驚 驚 / 驚 驚 驚 驚 驚

surprise, astonish
- 驚き（おどろき）〈N〉 astonishment
- 驚く（おどろく）〈V〉 be surprised
- 驚異（キョウイ）〈N〉 miracle, wonder [+difference]
- 驚嘆（キョウタン）〈Nv〉 wonder [+sigh]

1108 **菜**	な; **サイ**	一 艹 艹 苎 苹 菜 / 菜 菜 菜 菜 菜

vegetable, greens
- 菜（な）〈N〉 green vegetable
- 菜っ葉（なっぱ）〈N〉 greens [+leaf]
- 菜園（サイエン）〈N〉 home garden [+garden]
- 菜食主義（サイショクシュギ）〈N〉 vegetarianism [+eat+ism]
- ▶野菜（ヤサイ）〈N〉 vegetable [field+]

1109 **促**	うなが-; **ソク** ⇨[768]徒	亻 佀 佀 佀 佀 促 / 促 促 促 促 促

urge, accelerate, stimulate
- 促す（うながす）〈V〉 urge, accelerate, stimulate
- 促進（ソクシン）〈Nv〉 fosterage, promotion [+proceed]
- ▶催促（サイソク）〈Nv〉 urgent request [provoke+]

1110 **竜**	たつ; **リュウ** 〈PN〉 リョウ ⇨[1111]童	亠 ㅗ 立 产 音 竜 / 竜 竜 竜 竜 竜

dragon
- 竜（たつ/リュウ）〈N〉 dragon
- 竜巻(き)（たつまき）〈N〉 tornado, waterspout [+roll]
- ▶恐竜（キョウリュウ）〈N〉 dinosaur [dreadful+]

▶竜

1111 **童**	わらべ; **ドウ** ⇒1110竜	亠 产 产 音 音 童 童童童童童

infant

童 (わらべ) 〈N〉 infant, child
童顔 (ドウガン) 〈N〉 boyish face [+face]
童心 (ドウシン) 〈N〉 child's innocence [+heart]
童謡 (ドウヨウ) 〈N〉 children's song, nursery rhyme [+chant]
童話 (ドウワ) 〈N〉 nursery tale [+tale]

1112 **包**	**つつ-**, -づつ-, つつみ, -づつみ; **ホウ**, -ポウ	ノ 勹 匂 匂 包 包包包包包

wrap

包み (つつみ) 〈N〉 wrapped package
包(み)紙 (つつみがみ) 〈N〉 wrapping paper [+paper]
包囲 (ホウイ) 〈Nv〉 encirclement, surround [+enclose]
包含 (ホウガン) 〈Nv〉 inclusion, comprise [+contain]
包装 (ホウソウ) 〈Nv〉 packing, wrapping [+ornament]
包装紙 (ホウソウシ) 〈N〉 wrapping paper [+ornament+paper]
包帯 (ホウタイ) 〈N〉 bandage [+belt]
▶小包 (こづつみ) 〈N〉 postal package [small+]

Ph 包丁 (ホウチョウ) 〈N〉 kitchen knife [+fellow]

1113 **紡**	つむ-; **ボウ** ⇒1508妨	𠃋 幺 糸 紆 紡 紡 紡紡紡紡紡

spin yarn

紡ぐ (つむぐ) 〈V〉 make yarn
紡績 (ボウセキ) 〈N〉 spinning [+make yarn]
▶混紡 (コンボウ) 〈N〉 mixed spinning [mix+]

1114 **腕**	**うで**; **ワン**	刀 月 肸 肸 腕 腕 腕腕腕腕腕

arm

腕 (うで) 〈N〉 arm
腕組み (うでぐみ) 〈Nv〉 folding one's arms [+unite]
腕時計 (うでどケイ) 〈N〉 wrist watch [+watch]
腕前 (うでまえ) 〈N〉 skill [+share]
腕力 (ワンリョク) 〈N〉 muscle, strong arm [+power]
▶手腕 (シュワン) 〈N〉 ability, skill [hand+]
右腕 (みぎうで) 〈N〉 right arm; one's right-hand man [right+]

1115 **伴**	**ともな-**; ハン, -パン; **バン** 〈PN〉とも ⇒290件, 961併	ノ 亻 亻' 亻' 伫 伴 伴伴伴伴伴

accompany

伴う (ともなう) 〈V〉 be accompanied by, go with
伴奏 (バンソウ) 〈Nv〉 accompaniment [+play music]
▶同伴 (ドウハン) 〈Nv〉 going with, accompanying [accompanying+]

1116 揚	あ-, あげ; ヨウ ⇨[34]場	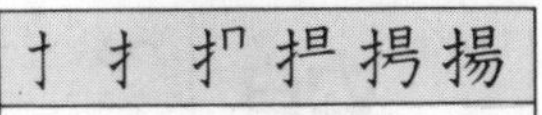 揚揚揚揚揚

raise, lift
- 揚がる (あがる) ⟨V⟩ rise
- 揚げる (あげる) ⟨V⟩ raise
- ▶意気揚々 (イキヨウヨウ) ⟨Nt⟩ triumphant [spirit+～+*Rep*]
- 掲揚 (ケイヨウ) ⟨Nv⟩ hoist 《of flags》 [put up+]

fry
- 揚げる (あげる) ⟨V⟩ fry
- ▶空揚げ (からあげ) ⟨N⟩ food deep-fried without batter [empty+]

earn
- 揚がり (あがり) ⟨N⟩ day's earn/profit
- ▶水揚げ (みずあげ) ⟨N⟩ take, earnings [water+]

1117 浴	あ-, あび-; ヨク, ヨッ- ⟨Ir⟩	 浴浴浴浴浴

bathe, shower
- …浴 (…ヨク) ⟨Nv⟩ …bathing
- ▷海水浴 (カイスイ～) swimming in the sea [sea+water+]
- 日光浴 (ニッコウ～) sunbathing [sunshine+]
- 浴びせる (あびせる) ⟨V⟩ shower (*vt.*), flood, spray
- 浴びる (あびる) ⟨V⟩ be flooded, be showered
- 浴室 (ヨクシツ) ⟨N⟩ bathroom [+room]
- 浴場 (ヨクジョウ) ⟨N⟩ public bath [+place]
- 浴槽 (ヨクソウ) ⟨N⟩ bathtub [+tub]
- ⟨Ir⟩ 浴衣 (ゆかた) ⟨N⟩ *yukata*, bathrobe *kimono* [+clothes]

1118 麻	あさ; マ ⟨Ir⟩	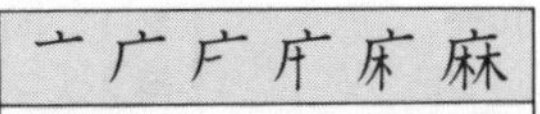 麻麻麻麻麻

flax, hemp
- 麻 (あさ) ⟨N⟩ flax, hemp, jute, ramie
- ⟨Ir⟩ 麻雀 (マアジャン) ⟨N⟩ mah-jongg [+sparrow]
- ▶大麻 (タイマ) ⟨N⟩ hemp, hashish [big+]

paralyze
- 麻酔 (マスイ) ⟨N⟩ anesthesia [+drunk]
- 麻痺 (マヒ) ⟨Nv⟩ paralysis [+numb]
- 麻薬 (マヤク) ⟨N⟩ narcotic, drug [+drug]

1119 貴	たっと-; とうと-; キ ⟨PN⟩ たか, たかし	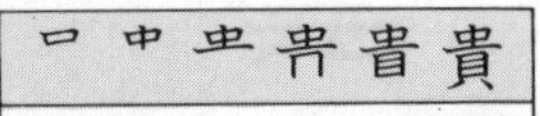 貴貴貴貴貴

precious, noble
- 貴い (とうとい/たっとい) ⟨A⟩ valuable, noble, august
- 貴ぶ (たっとぶ/とうとぶ) ⟨V⟩ value
- 貴金属 (キキンゾク) ⟨N⟩ precious metals [+metal]
- 貴族 (キゾク) ⟨N⟩ nobility, aristocracy [+tribe]
- 貴重 (キチョウ) ⟨Na⟩ precious, valuable [+important]
- 貴賓席 (キヒンセキ) ⟨N⟩ place for honored guests [+honored guest +seat]

your… 《honorific》
- 貴国 (キコク) ⟨N⟩ your country [+country]
- 貴社 (キシャ) ⟨N⟩ your company [+company]

1120 **鶴**

つる, -づる;
カク

鶴鶴鶴鶴鶴

crane

鶴（つる）〈N〉 crane
▶千羽鶴（センばづる）〈N〉 multifold *origami* cranes; string of many *origami* cranes [thousand＋*Cs* birds＋]

◀*origami* crane

1121 **桜**

さくら, -ざくら;
オウ

⇨[1905]楼

桜桜桜桜桜

cherry

桜（さくら）〈N〉 Japanese cherry
桜花（オウカ/さくらばな）〈N〉 cherry blossom [＋flower]

1122 **繊**

セン

⇨[753]織

繊繊繊繊繊

fiber

繊維（センイ）〈N〉 fiber [＋tight rope]
▶化繊（カセン）〈N〉 chemical/synthetic fiber [*Abbr* chemistry＋]

fine

繊細（センサイ）〈Na〉 delicacy [＋minute]

1123 **恋**

こ-, -ご-, こい, -ごい;
レン

⇨[324]変

恋恋恋恋恋

love

恋（こい）〈N〉 love《between a man and a woman》 →[436]愛
恋う（こう）〈V〉 long for
恋しい（こいしい）〈A〉 beloved, dear
恋敵（こいがたき）〈N〉 rival in love [＋enemy]
恋心（こいごころ）〈N〉 tender yearning [＋heart]
恋人（こいびと）〈N〉 lover, sweetheart [＋person]
恋愛（レンアイ）〈Nv〉 love affairs [＋affection]
▶初恋（はつこい）〈N〉 first love [first＋]

1124 **雲**

くも, -ぐも;
ウン

雲雲雲雲雲

cloud

雲（くも）〈N〉 cloud
雲行き（くもゆき）〈N〉 the way things go [＋go]
雲泥の差（ウンデイのサ）〈N〉 great difference [＋mud＋difference] ➜SN

1125 **糖**

トウ

糖糖糖糖糖

sugar, saccharic

糖衣錠（トウイジョウ）〈N〉 sugar-coated tablet [＋clothes＋tablet]
糖分（トウブン）〈N〉 amount of sugar [＋portion]

1126 **範**

ハン, -パン

〈PN〉 のり

⺮ 笇 笪 範 範 範
範 範 範 範 範

range

範囲（ハンイ）〈N〉 range, scope, sphere [+enclose]
▶規範（キハン）〈N〉 standard, norm [regulate+]

1127 **眼**

まなこ; **め**;
ガン; -ゲン

⇨[1298]眠

冂 目 目ˉ 目ヨ 眼 眼
眼 眼 眼 眼 眼

eye

眼（まなこ）〈N〉 eye《literary》 →[65] 目
眼科（ガンカ）〈N〉 ophthalmology [+division]
眼前（ガンゼン）〈N〉 before one's eyes [+before]
眼中（ガンチュウ）〈N〉 in one's eyes [+inside]
眼目（ガンモク）〈N〉 (main) point, essence [+eye]
眼鏡（めがね）〈N〉 glasses [+scope]
▶開眼（カイガン; カイゲン）〈N〉 gaining eyesight; (get) enlightenment [open+]

1128 **貫**

つらぬ-;
カン, -ガン

〈PN〉 つら, ぬき

⺃ 口 毌 毌 貫 貫
貫 貫 貫 貫 貫

pierce, penetrate

貫く（つらぬく）〈V〉 penetrate; carry through
貫通（カンツウ）〈Nv〉 penetration [+pass]
貫徹（カンテツ）〈Nv〉 carrying through [+throughout]
貫録（カンロク）〈N〉 gravity, dignity [+record]
▶一貫（イッカン）〈Nv〉 (have) consistency, coherence [one+]

kan 《=3.75 kg》

…貫（…カン/ガン）〈Q〉…*kan*
▷一貫（イッカン）, 二貫（ニカン）, 三貫（サンガン）

1129 **誤**

あやま-;
ゴ

⇨[1622]娯

言 言 訁 誤 誤 誤
誤 誤 誤 誤 誤

error

誤り（あやまり）〈N〉 error, mistake
誤る（あやまる）〈V〉 mistake, err
誤解（ゴカイ）〈Nv〉 misunderstanding [+dissolve]
誤差（ゴサ）〈N〉 error [+difference]
誤算（ゴサン）〈Nv〉 miscalculation [+count]
誤報（ゴホウ）〈Nv〉 (give) false report [+report]

1130 **肌**

はだ;
キ†

丿 刀 月 月 肌 肌
肌 肌 肌 肌 肌

surface of body

肌（はだ）〈N〉 skin, surface of body
肌荒れ（はだあれ）〈N〉 rash, skin irritations [+rough]
肌着（はだぎ）〈N〉 underwear [+wear]
▶山肌（やまはだ）〈N〉 surface of a mountain [mountain+]

1131 液	エキ	氵 汁 汴 液 液 液 液 液 液 液 液

liquid

液 (エキ) 〈N〉 liquid, solution
…液 (…エキ) 〈N〉…liquid, …solution
　▷消毒液 (ショウドク～) antiseptic solution [disinfection+]
液化 (エキカ) 〈Nv〉 liquefaction [+*Suf* conversion]
液体 (エキタイ) 〈N〉 liquid [+body]
▶血液 (ケツエキ) 〈N〉 blood [blood+]

1132 寿	ことぶき; ジュ 〈Ir〉 ; 〈PN〉ス, とし, ひさ, ひさし	一 三 声 耒 寿 寿 寿 寿 寿 寿 寿

longevity, felicitations
〈Ir〉

寿 (ことぶき) 〈N〉 congratulations, felicitations
寿命 (ジュミョウ) 〈N〉 longevity, life span [+life]
寿司 (スシ) 〈N〉 *sushi*, vinegared rice with raw fish, etc. [+manage]
　➡SN
▶長寿 (チョウジュ) 〈N〉 long life, longevity [long+]

1133 吸	す-, すい; キュウ	١ ㄇ 口 叨 吸 吸 吸 吸 吸 吸 吸

suck, inhale

吸う (すう) 〈V〉 suck, inhale; smoke《tobacco》
吸(い)殻 (すいがら) 〈N〉 cigarette stub [+shell]
吸血鬼 (キュウケツキ) 〈N〉 vampire [+blood+ogre]
吸収 (キュウシュウ) 〈Nv〉 absorb [+take in]
吸盤 (キュウバン) 〈N〉 sucker《of an octopus, etc.》 [+disc]

1134 撮	と-, -ど-; サツ	扌 扣 担 撮 撮 撮 撮 撮 撮 撮 撮

take (photos)

撮る (とる) 〈V〉 take (photos)
撮影 (サツエイ) 〈Nv〉 photography, filming [+image]
▶…枚撮り (…マイどり) 〈N〉 …exposures [*Cs* sheets+]
　▷12枚撮り (ジュウニ～), 36枚撮り (サンジュウロク～)

1135 杯	さかずき; ハイ, -バイ, -パイ ⇨[420]林	十 木 朩 杯 杯 杯 杯 杯 杯 杯 杯

cup

杯 (さかずき/ハイ) 〈N〉 *sake* cup/bowl; a cup of *sake*
…杯 (…ハイ) 〈N〉 …Cup, …Trophy
　▷天皇杯 (テンノウ～) Emperor's Trophy [Emperor of Japan+]
▶乾杯 (カンパイ) 〈Nv〉 drinking a toast; 〈Cph〉 Cheers! [dry+]
　祝杯 (シュクハイ) 〈N〉 celebratory drink [celebration+]

***Cs* cups**

…杯 (…ハイ/バイ/パイ) 〈Q〉 …cups, …glasses
　▷一杯 (イッパイ), 二杯 (ニハイ), 三杯 (サンバイ)

1136 **繁**

ハン，-パン

〈PN〉 しげ，しげる　⇨ 912 緊

luxuriant, rampant
- 繁栄（ハンエイ）〈Nv〉 prosperity, thrive [+prosperity]
- 繁華街（ハンカガイ）〈N〉 downtown, bustling street [+flower+quarters]
- 繁雑（ハンザツ）〈N/Na〉 complication, complex [+miscellaneous]
- 繁盛（ハンジョウ）〈Nv〉 prosperity, thriving [+thrive]
- 繁殖（ハンショク）〈Nv〉 propagation, propagating (life) [+propagate]

1137 **為**

-ため，-だめ；
イ

〈Ir〉

do
- 為政者（イセイシャ）〈N〉 administrator [+administration+person]

〈Ir〉
- 為替（かわせ）〈N〉 money exchange; money order [+substitute]
- ▶行為（コウイ）〈N〉 act, conduct, deed [exert+]

money order
- ▶外為（ガイため）〈N〉 foreign exchange [foreign+] ➜SN

sake, benefit
- 為（ため）〈N〉 sake, benefit, advantage

1138 **患**

わずら-；
カン

⇨ 1040 忠

affliction, sickness
- 患い（わずらい）〈N〉 affliction, sickness
- 患う（わずらう）〈V〉 be afflicted, be sick, suffer
- 患者（カンジャ）〈N〉 patient [+person]
- 患部（カンブ）〈N〉 diseased part [+part]

1139 **還**

カン

circulate
- 還元（カンゲン）〈Nv〉 restoration, recycling [+origin]
- 還暦（カンレキ）〈N〉 60th birthday [+calendar] →App.
- ▶生還（セイカン）〈Nv〉 returning alive [live+]

1140 **勧**

すす-；
カン

⇨ 1030 歓

recommend, urge
- 勧める（すすめる）〈V〉 recommend, urge, advise, counsel
- 勧告（カンコク）〈Nv〉 advice, counsel [+tell]
- 勧誘（カンユウ）〈Nv〉 invitation, canvassing [+tempt]

1141 **鹿**

しか，-じか；か；
ロク

deer
- 鹿（しか）〈N〉 deer

Ph
- ▶馬鹿（バか）〈N/Na〉 fool [*Ph*+]

〈Place〉
- 鹿児島（かごしま）Kagoshima Pref./City

1142 **燃**

も-;
ネン

blaze

- 燃える（もえる）〈V〉 burn (*vi.*)
- 燃やす（もやす）〈V〉 burn (*vt.*)
- 燃焼（ネンショウ）〈Nv〉 combustion [+burn]
- 燃費（ネンピ）〈N〉 (automobile) mileage [+expense]
- 燃料（ネンリョウ）〈N〉 fuel [+material]
- ▶不燃性（フネンセイ）〈N〉 noninflammability [un-+～+*Suf abstract noun*]

1143 **閉**

し-, しまる; と-, とじる;
ヘイ, -ペイ

⇒[1645]閑

close

- 閉まる（しまる）〈V〉 be closed
- 閉める（しめる）〈V〉 close, slam
- 閉ざす（とざす）〈V〉 block out, shut out
- 閉じる（とじる）〈V〉 close, shut, lock
- 閉会（ヘイカイ）〈Nv〉 closing a session [+meeting]
- 閉口（ヘイコウ）〈Nv〉 being dumbfounded [+mouth]
- 閉鎖（ヘイサ）〈Nv〉 closing, lockout [+chain]
- 閉鎖的（ヘイサテキ）〈Na〉 isolated, closed [+chain+*Suf Na*]
- 閉店（ヘイテン）〈Nv〉 shop closing [+shop]

1144 **露**

つゆ, -づゆ;
ロ; ロウ

dew

- 露（つゆ）〈N〉 dew

expose

- 露見/顕（ロケン）〈Nv〉 (fall into) detection, exposure, being exposed《of crimes, etc.》 [+see/manifest]
- 露骨（ロコツ）〈Na〉 naked, plain, undisguised, broad [+bone]
- 露出（ロシュツ）〈Nv〉 exposure [+put out]
- 露出狂（ロシュツキョウ）〈N〉 flasher, exhibitionist [+put out+crazy]
- ▶披露（ヒロウ）〈Nv〉 announcement [uncover+]

Russia

- ▶日露戦争（ニチロセンソウ）〈N〉 Russo-Japanese War [Japan+～+war]

1145 **魅**

ミ

charm

- 魅する（ミする）〈V〉 enchant
- 魅力（ミリョク）〈N〉 charm, attraction [+power]
- 魅惑（ミワク）〈Nv〉 fascination, lure [+misguide]

1146 **旭**

あさひ;
キョク, キョッ-

〈PN〉 あきら

rising sun

- 旭日（キョクジツ）〈N〉 rising sun [+sun]

〈Place〉

- 旭川（あさひかわ） Asahikawa City

1147 **煙**

けむ-，けむり；
エン
〈Ir〉

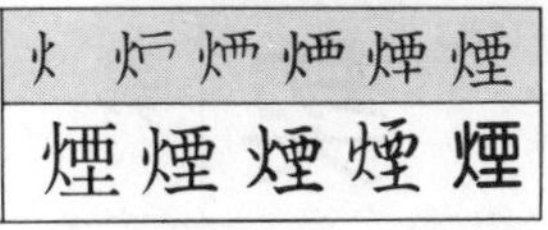

smoke

煙（けむり）〈N〉 smoke
煙たい（けむたい）〈A〉 smoky; of oppressive atmosphere
煙突（エントツ）〈N〉 chimney [+poke]
〈Ir〉 煙草（たばこ）〈N〉 tobacco, cigarette [+grass]
▶禁煙（キンエン）〈N〉 no smoking; 〈Nv〉 abstinence from smoking [[prohibit+]

1148 **熊**

くま，-ぐま；
ユウ
⇒354 態

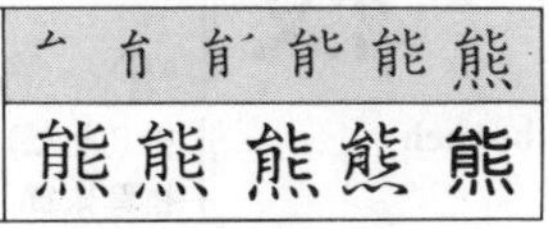

bear
熊（くま）〈N〉 bear《animal》
〈Place〉 熊本（くまもと）Kumamoto Pref./City

1149 **硬**

かた-；
コウ

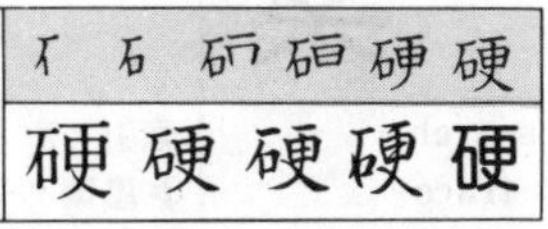

hard, stiff

硬い（かたい）〈A〉 hard, stiff →834 固い，914 堅い
硬さ（かたさ）〈N〉 rigidity, hardness
硬化（コウカ）〈Nv〉 stiffen, harden [+change itself]
硬貨（コウカ）〈N〉 coin [+currency]

1150 **沼**

ぬま；
ショウ

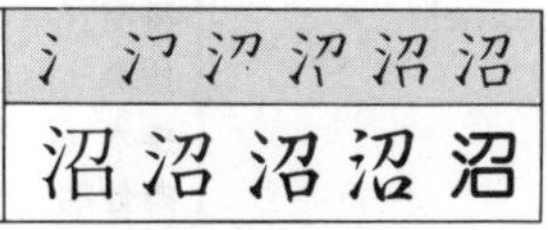

swamp

沼（ぬま）〈N〉 swamp
沼沢（ショウタク）〈N〉 marsh, bog [+dale]

1151 **旨**

むね；
シ，-ジ

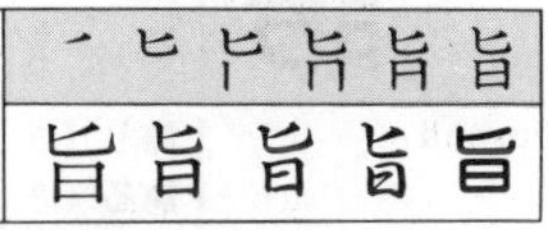

purport

旨（むね）〈N〉 purport, effect, gist
▶主旨（シュシ）〈N〉 essence, gist, point [main+]
趣旨（シュシ）〈N〉 intention, purport [inclination+]
要旨（ヨウシ）〈N〉 point, gist, summary [essential+]

1152 **粉**

こ；こな，-ごな；
フン，-プン
⇒1100 紛

powder

粉（こ/こな）〈N〉 powder, flour
…粉（…こ）〈N〉 …powder
▷パン粉 bread crumbs [(bread)+]
小麦粉（こむぎ～）flour [wheat+]
粉砕（フンサイ）〈Nv〉 pulverization [+shatter]
粉末（フンマツ）〈N〉 powder, dust [+dust]

1153
契
ちぎ-;
ケイ

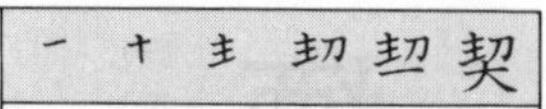

契契契契契

pledge, contract
- 契る（ちぎる）〈V〉 plight, contract
- 契機（ケイキ）〈N〉 chance, turning point [+chance]
- 契約（ケイヤク）〈Nv〉 contract [+promise]

1154
枝
えだ;
シ
〈PN〉 -え
⇨[387]技

枝枝枝枝枝

branch
- 枝（えだ）〈N〉 branch, twig, bough
- 枝葉末節（シヨウマッセツ）〈N〉 trivial details [+leaf+end+joint]

1155
索
サク

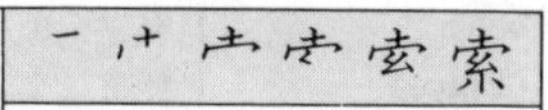

索索索索索

search, trace
- 索引（サクイン）〈N〉 index [+draw]
- ▶思索（シサク）〈Nv〉 speculation, contemplation [think+]

1156
排
ハイ
⇨[1280]俳

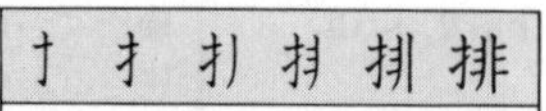

排排排排排

expel
- 排気（ハイキ）〈Nv〉 exhaust gas [+air]
- 排除（ハイジョ）〈Nv〉 elimination, exclusion [+exclude]
- 排水（ハイスイ）〈Nv〉 drain [+water]
- 排他的（ハイタテキ）〈Na〉 exclusive [+other+*Suf Na*]

1157
誇
ほこ-, -ぼこ-;
コ
⇨[1196]誘

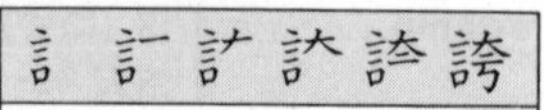

誇誇誇誇誇

proud
- 誇り（ほこり）〈N〉 pride
- 誇る（ほこる）〈V〉 boast, be proud of
- 誇示（コジ）〈Nv〉 ostentatious display [+indicate]

magnify
- 誇大（コダイ）〈Na〉 overstatement [+big]
- 誇張（コチョウ）〈Nv〉 exaggeration [+stretch]

1158
桂
かつら;
ケイ
⇨[1385]柱

桂桂桂桂桂

Judas tree
- 桂（かつら）〈N〉 Japanese Judas tree
- ▶月桂樹（ゲッケイジュ）〈N〉 bay/laurel tree [moon+～+tree]

1159
幡
ハン; バン; **マン**
〈PN〉 はた, -わた

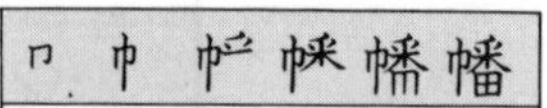

幡幡幡幡幡

banner†
- ▶八幡（ハチマン）〈N〉 *Hachiman* 《god of war》 [eight+]

1160 **惑**

まど-;
ワク

⇒283感

惑惑惑惑惑

misguide, astray

惑う (まどう) 〈V〉 be misguided, be lost
惑わす (まどわす) 〈V〉 misguide, delude, captivate
惑星 (ワクセイ) 〈N〉 planet [+star]
▶誘惑 (ユウワク) 〈Nv〉 temptation [allure+]
Ph ▶思惑 (おもワク) 〈N〉 fancy, speculation [think+] ➜SN

1161 **染**

し-, -じ-, -じみ;
そ-, -ぞ-, そめ, -ぞめ;
セン, -ゼン

染染染染染

dye, stain

染みる (しみる) 〈V〉 be imbued
染まる (そまる) 〈V〉 be dyed; be influenced, be tainted
染める (そめる) 〈V〉 dye, stain
染料 (センリョウ) 〈N〉 dyes [+ingredients]
▶汚染 (オセン) 〈Nv〉 pollution, contamination [dirty+]
伝染 (デンセン) 〈Nv〉 contagion, infection [transmit+]
馴染(み) (なじみ) 〈N〉 intimacy; customer [tamed+]

1162 **謝**

あやま-;
シャ

〈PN〉 さ

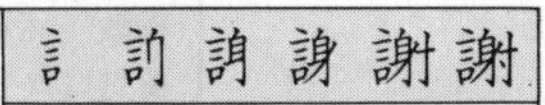

謝謝謝謝謝

apologize

謝る (あやまる) 〈V〉 apologize
謝罪 (シャザイ) 〈Nv〉 apology [+sin]

thank

謝恩会 (シャオンカイ) 〈N〉 thank-you party [+dues+meeting]
謝礼 (シャレイ) 〈N〉 gratitude; honorarium [+gratitude]
▶月謝 (ゲッシャ) 〈N〉 monthly fee/tuition [month+]

1163 **銃**

ジュウ

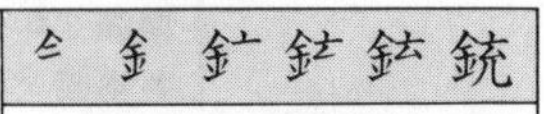

銃銃銃銃銃

gun

銃 (ジュウ) 〈N〉 gun
…銃 (…ジュウ) 〈N〉…gun
▷ライフル銃 rifle [(rifle)+]
機関銃 (キカン〜) machine gun [mechanism+joint+]
銃殺 (ジュウサツ) 〈Nv〉 execution by shooting [+kill]
銃声 (ジュウセイ) 〈N〉 gun report [+voice]

1164 **暖**

あたた-;
ダン

⇒582援, 1267緩

暖暖暖暖暖

warm

暖かい (あたたかい) 〈A〉 warm, mild
暖める (あたためる) 〈V〉 warm, heat up
暖冬 (ダントウ) 〈N〉 mild/warm winter [+winter]
暖房 (ダンボウ) 〈N〉 heating [+chamber]

1165 **毒**

ドク, ドッ-

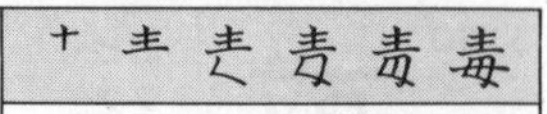

毒毒毒毒毒

poison

毒 (ドク) 〈N〉 poison
毒ガス (ドクガス) 〈N〉 poison gas [+(gas)]
毒舌 (ドクゼツ) 〈N〉 spiteful tongue [+tongue]
▶気の毒 (キのドク) 〈N/Na〉 pitiful, miserable [mind+] ➔SN

1166 **茂**

しげ-;
モ
〈PN〉 しげ, しげる

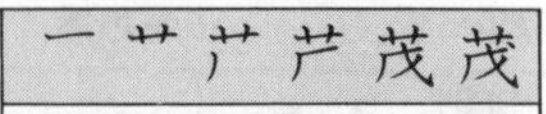

茂茂茂茂茂

thrive

茂み (しげみ) 〈N〉 bush
茂る (しげる) 〈V〉 grow thick
▶繁茂 (ハンモ) 〈Nv〉 luxuriance [luxuriant+]

1167 **勇**

いさ-;
ユウ
〈PN〉 いさむ

勇勇勇勇勇

brave

勇ましい (いさましい) 〈A〉 brave
勇敢 (ユウカン) 〈Na〉 brave, gallant [+venture]
勇気 (ユウキ) 〈N〉 bravery, courage [+spirit]

1168 **腰**

こし, -ごし;
ヨウ

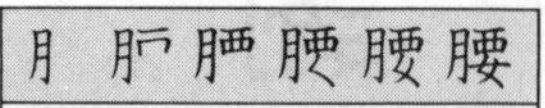

腰腰腰腰腰

waist

腰 (こし) 〈N〉 waist, hips
腰掛け (こしかけ) 〈N〉 stool, chair [+hang]
腰抜け (こしぬけ) 〈N〉 coward [+pull out] ➔SN
腰痛 (ヨウツウ) 〈N〉 lumbago [+pain]
▶本腰 (ホンごし) 〈N〉 in good earnest [true+]

1169 **丘**

おか;
キュウ

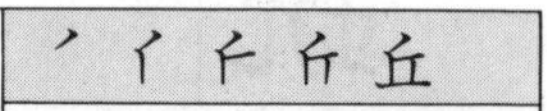

丘丘丘丘丘

hill

丘 (おか) 〈N〉 hill →370 岡
丘陵 (キュウリョウ) 〈N〉 hills, heights [+mound]

1170 **懇**

ねんご-;
コン
⇨1962 墾

懇懇懇懇懇

cordial, intimate

懇ろ (ねんごろ) 〈Na〉 cordial, intimate, kindhearted
懇意 (コンイ) 〈Na〉 intimate [+intention]
懇願 (コンガン) 〈Nv〉 entreaty, solicitation [+beseech]
懇親会 (コンシンカイ) 〈N〉 social meeting, social [+friendly+meeting]
懇切 (コンセツ) 〈Na〉 kind, cordiality [+moderate]
懇談 (コンダン) 〈Nv〉 (have) informal talk, confabulation [+talk]

1171 **鑑**

カン

鑑鑑鑑鑑鑑

inspect
鑑賞（カンショウ）〈N〉 appreciation [+prize]
鑑定（カンテイ）〈Nv〉 judgment《by connoisseurs》 [+fix]

reference book
▶図鑑（ズカン）〈N〉 illustrated book [diagram+]
年鑑（ネンカン）〈N〉 yearbook, annual [year+]

1172 **詳**

くわ-;
ショウ

詳詳詳詳詳

detail
詳しい（くわしい）〈A〉 detailed
詳細（ショウサイ）〈N/Na〉 details [+minute]

1173 **遭**

あ-;
ソウ

遭遭遭遭遭

encounter
遭う（あう）〈V〉 encounter, come across →[12]会う
遭遇（ソウグウ）〈Nv〉 encounter [+encounter]
遭難（ソウナン）〈Nv〉 meeting disaster, being wrecked [+difficult]

1174 **旗**

はた，-ばた;
キ

旗旗旗旗旗

flag
旗（はた）〈N〉 flag, pennant
…旗（…キ）〈N〉 …flag, …pennant
▷日章旗（ニッショウ～）national flag of Japan [sun+mark+]
優勝旗（ユウショウ～）championship banner [victory+]

1175 **晩**

バン

晩晩晩晩晩

late hours
晩（バン）〈T〉 evening, night
晩御飯（バンゴハン）〈N〉 supper [+*honorific*+meal]
晩婚（バンコン）〈N〉 late marriage [+wedding]
晩年（バンネン）〈N〉 one's later years [+year]
▶早晩（ソウバン）〈Adv〉 sooner or later [early+]

1176 **紋**

モン

⇨[1825]紋

紋紋紋紋紋

crest
紋（モン）〈N〉 crest, insignia
紋付(き)（モンつき）〈N〉 *montsuki*, formal *kimono* [+put on] ➔SN
▶小紋（こモン）〈N〉 fine-patterned *kimono* [small+]
指紋（シモン）〈N〉 fingerprint [finger+]
波紋（ハモン）〈N〉 ripple; sensation [wave+]

1177 **依**

よ-;
イ; エ
〈PN〉 より

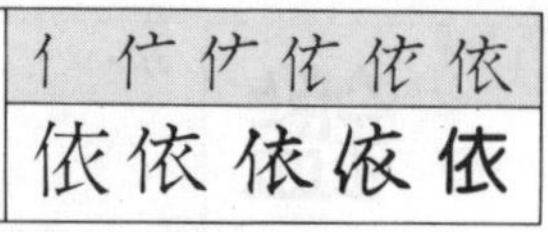

depend | 依る (よる) 〈V〉 depend on
依存 (イゾン) 〈Nv〉 dependence, reliance [+exist]
依頼 (イライ) 〈Nv〉 request, entrusting [+rely]
▶帰依 (キエ) 〈Nv〉 homage, conversion [return+]
intact | 依然 (イゼン) 〈Nt/Adv〉 still now, as before [+*Suf* state]

1178 **双**

ふた-;
ソウ

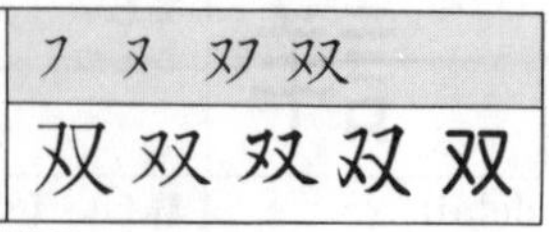

twin | 双子 (ふたご) 〈N〉 twins《colloquial》 [+child]
双眼鏡 (ソウガンキョウ) 〈N〉 binocular [+eye+scope]
双生児 (ソウセイジ) 〈N〉 twins《literary》 [+birth+child]
双方 (ソウホウ) 〈N〉 both parties/sides [+direction]

1179 **干**

ひ-; ほ-, -ぼ-, ほし, -ぼし;
カン
⇨79 千

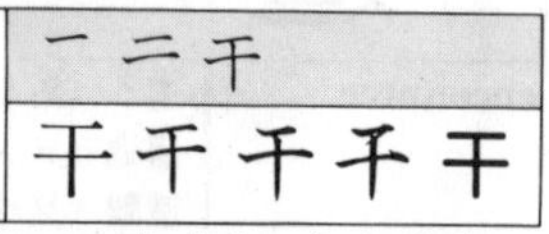

dry | 干からびる (ひからびる) 〈V〉 be dried up, be parched, be shriveled
干す (ほす) 〈V〉 dry (*vt.*), air (*vt.*); drain off; drink up
干物 (ひもの) 〈N〉 dried fish [+thing]
干拓地 (カンタクチ) 〈N〉 reclaimed land [+stretch+ground]
engage | 干渉 (カンショウ) 〈Nv〉 interference [+cross]
bar | ▶欄干 (ランカン) 〈N〉 railing《along a balcony, etc.》 [column+]
Ph | ▶若干 (ジャッカン) 〈Q〉 a few, a little, some [a few+]

1180 **遣**

つか-, -づか-, つかい, -づかい;
ケン
⇨780 遺

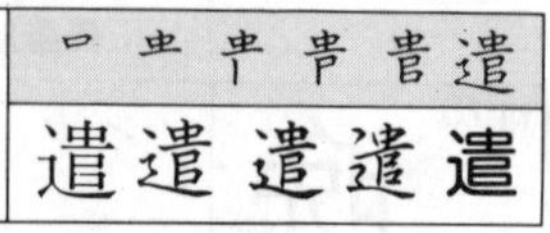

spend | 遣う (つかう) 〈V〉 spend, consume
▶小遣(い) (こづかい) 〈N〉 pocket/spending money [small+]
mission | ▶派遣 (ハケン) 〈Nv〉 dispatch, sending [derive+]

1181 **帳**

チョウ
〈Ir〉
⇨462 張

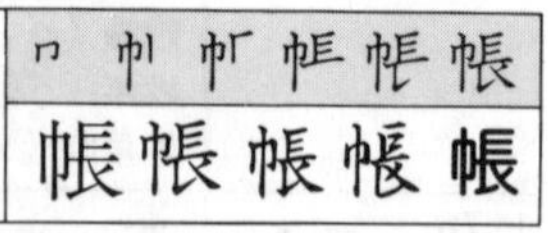

notebook | …帳 (…チョウ) 〈N〉 …notebook, …book
▷サイン帳 autograph book [(signature)+]
雑記帳 (ザッキ～) book of jottings [miscellaneous+record+]
日記帳 (ニッキ～) diary [diary+]
帳消し (チョウけし) 〈N〉 cancellation, writing off [+erase]
帳簿 (チョウボ) 〈N〉 account book [+notebook]
▶手帳 (てチョウ) 〈N〉 appointment calendar, pocket diary [hand+]
drapery 〈Ir〉 | ▶蚊帳 (かや) 〈N〉 mosquito net [mosquito+]

1182 銘	メイ	𠂉 牟 金 釒 鈫 銘 銘 銘 銘 銘 銘

inscribe
- 銘 (メイ) 〈N〉 inscription; signature《on pottery, ect.》; motto
- 銘じる (メイじる) 〈V〉 impress, engrave
- 銘柄 (メイがら) 〈N〉 brand; (stock) issue [+pattern]
- 銘記 (メイキ) 〈Nv〉 imprinting [+record]
- ▶感銘 (カンメイ) 〈Nv〉 being touched/impressed [feel+]

1183 掛	か-, -が-, かか-, -がか-, かかり, -がかり, かけ, -がけ; カイ†	扌 扌 拄 挂 掛 掛 掛 掛 掛 掛 掛

hang
- 掛かる (かかる) 〈V〉 hang (*vi.*), be suspended
- 掛ける (かける) 〈V〉 hang (*vt.*), suspend
- …掛(け) (…かけ) 〈N〉 …rack
  - ▷タオル掛(け) towel rail [(towel)+]
  - 帽子掛(け) (ボウシ〜) hat rack [hat+]

catch
- 掛かる (かかる) 〈V〉 be trapped, be locked, be caught
- 掛ける (かける) 〈V〉 trap, lock, catch

cover, spread
- 掛かる (かかる) 〈V〉 be covered, be splashed
- 掛ける (かける) 〈V〉 cover, spread, splash
- 掛け布団 (かけブトン) 〈N〉 coverlet, bedspread [+*futon*]

charge, occupy
- 掛かる (かかる) 〈V〉 cost《money》; take《time》
- 掛け (かけ) 〈N〉 credit account《at a shop, etc.》
- 掛ける (かける) 〈V〉 spend
- …掛(り) (…かかり/がかり) 〈N〉 …section; person in charge of…
  - ▷乗客掛 (ジョウキャクがかり) passenger agent, conductor [passenger+]
- ▶月掛け (つきがけ) 〈N〉 monthly installment [month+]

begin
- …掛ける (…かける) 〈V〉 begin to…
  - ▷出掛ける (で〜) go out, set off [go out+]
  - 言い掛ける (いい〜) be about to say [say+]

test
- 掛かる (かかる) 〈V〉 be tested, be checked
- 掛ける (かける) 〈V〉 test, check

call
- 掛かる (かかる) 〈V〉 be called
- 掛ける (かける) 〈V〉 call up
- 掛け合う (かけあう) 〈V〉 negotiate [+meet]
- 掛け声 (かけごえ) 〈N〉 hail, shout [+voice]

1184 冊	サク, -ザク; **サツ**, サッ- ⇨ 1263 丹	丨 冂 冂 冊 冊 冊 冊 冊 冊 冊

volume, book
- 冊子 (サッシ) 〈N〉 pamphlet [+tiny thing]
- ▶別冊 (ベッサツ) 〈N〉 separate supplement [separately classified+]

***Cs* books**
- …冊 (…サツ) 〈Q〉…volumes, …books
  - ▷一冊 (イッ〜), 二冊 (ニ〜), 三冊 (サン〜)

card
- ▶短冊 (タンザク) 〈N〉 strip of paper《for writing poetry, etc.》 [short+]

1185 **濃**

こ-;
ノウ

〈PN〉 ノ

thick, dense

濃い (こい) 〈A〉 thick, dense; deep, dark
濃縮 (ノウシュク) 〈Nv〉 condensation, enrichment [+shrink]
濃霧 (ノウム) 〈N〉 dense fog [+fog]

1186 **鳴**

な-, なき-;
メイ

〈PN〉 なる

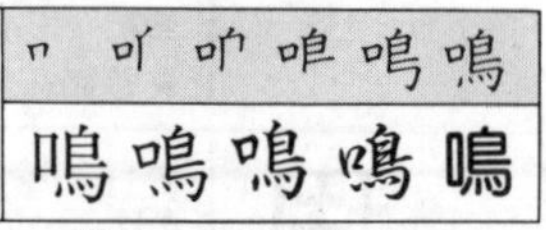

make a sound

鳴く (なく) 〈V〉 bark; mew; bellow; neigh; gibber; squeak; crow; cackle; coo; honk; twitter
鳴らす (ならす) 〈V〉 sound (*vt.*), ring, chime, blow
鳴る (なる) 〈V〉 sound (*vi.*), ring, chime, blow; thunder
▶共鳴 (キョウメイ) 〈Nv〉 resonance [together+]
　悲鳴 (ヒメイ) 〈N〉 shriek, scream [sorrow+]

1187 **称**

とな-;
ショウ

⇨1536弥

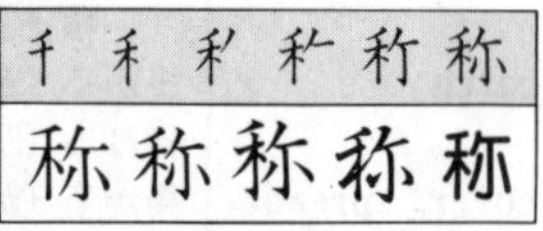

denominate

称する (ショウする) 〈V〉 plead, call
称号 (ショウゴウ) 〈N〉 title, appellation [+naming]
▶愛称 (アイショウ) 〈N〉 nickname [affection+]
　敬称 (ケイショウ) 〈N〉 courtesy/honorific title [respect+]
　自称 (ジショウ) 〈N〉 self-styled, self-appointed [self+]
　通称 (ツウショウ) 〈N〉 popular name, alias [pass+]

1188 **倒**

たお-, -だお-;
トウ, -ドウ

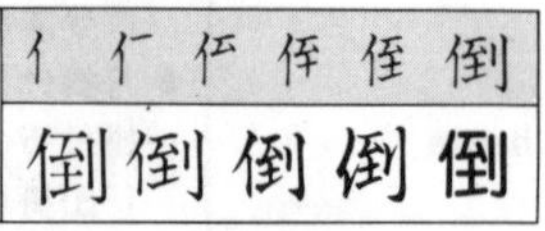

lean and fall

倒す (たおす) 〈V〉 bring down, knock over (*vt.*)
倒れる (たおれる) 〈V〉 fall down (*vi.*)
倒錯 (トウサク) 〈Nv〉 perversion [+confuse]
倒産 (トウサン) 〈Nv〉 bankruptcy [+property]
▶卒倒 (ソットウ) 〈Nv〉 faint [sudden finish+]
Ph ▶面倒 (メンドウ) 〈N/Na〉 trouble, difficulty [*Ph*+]

1189 **奇**

キ

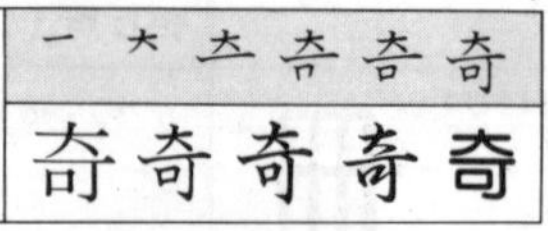

odd, strange

奇 (キ) 〈N〉 singularity, novelty
奇怪 (キカイ) 〈Na〉 weird, mysterious; outrageous [+mysterious]
奇行 (キコウ) 〈N〉 eccentric conduct [+conduct]
奇跡 (キセキ) 〈N〉 miracle [+trace]
奇抜 (キバツ) 〈Na〉 novel, uncommon [+pull out]
奇妙 (キミョウ) 〈Na〉 strange, curious [+exquisite]

1190 **踊**

おど-, おどり;
ヨウ

Stroke order: 足 足 足 踊 踊 踊
Forms: 踊 踊 踊 踊 踊

dance
踊(り) (おどり) 〈N〉 dance
踊る (おどる) 〈V〉 dance
踊(り)子 (おどりこ) 〈N〉 dancer [+child]
▶舞踊 (ブヨウ) 〈N〉 dancing [dance+]

1191 **戒**

いまし-;
カイ

Stroke order: 一 二 开 戒 戒 戒
Forms: 戒 戒 戒 戒 戒

admonish
戒め (いましめ) 〈N〉 admonition
戒める (いましめる) 〈V〉 admonish
戒厳令 (カイゲンレイ) 〈N〉 martial law [+stern+command]

1192 **泣**

な-, なき-;
キュウ

Stroke order: 氵 氵 汁 汴 泣 泣
Forms: 泣 泣 泣 泣 泣

weep
泣く (なく) 〈V〉 cry, weep
▶号泣 (ゴウキュウ) 〈Nv〉 wailing, weeping bitterly [shout+]

1193 **趣**

おもむき;
シュ

Stroke order: 土 走 走 赶 趄 趣
Forms: 趣 趣 趣 趣 趣

inclination
趣 (おもむき) 〈N〉 taste, elegance; purport
趣向 (シュコウ) 〈N〉 plan, device [+direction]
趣旨 (シュシ) 〈N〉 intention, purport [+purport]
趣味 (シュミ) 〈N〉 taste, hobby [+taste]

1194 **殿**

との, -どの;
テン; **デン**

Stroke order: 尸 尸 屏 展 殿 殿
Forms: 殿 殿 殿 殿 殿

palace, hall
殿下 (デンカ) 〈N〉 Your/His/Her Highness [+under] ➜SN
殿堂 (デンドウ) 〈N〉 palace [+hall]

lord
殿 (との) 〈N〉 Your/His Lordship
…殿 (…どの) 〈CF〉 …Esq.; 〈Cph〉 Mr.…, Ms.… 《ceremonious, historical》
▷大久保正義殿 (おおクボまさよし~) Masayoshi Okubo, Esq. [*PN*+]
殿方 (とのがた) 〈N〉 gentlemen [+*Suf* plurality]

1195 **寒**

さむ, -ざむ;
カン

Stroke order: 宀 宀 宙 寉 実 寒
Forms: 寒 寒 寒 寒 寒

cold
寒い (さむい) 〈A〉 cold 《felt all over the body》 →[607]冷たい
寒さ (さむさ) 〈N〉 coldness
寒波 (カンパ) 〈N〉 cold wave, freezing weather [+wave]

miserable
寒村 (カンソン) 〈N〉 remote/humble village [+village]

1196 **誘**

さそ-;
ユウ

⇒1157誇

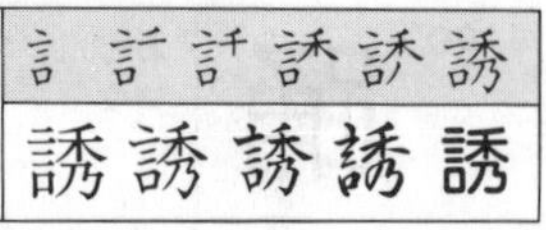

tempt, allure

誘い (さそい) 〈N〉 temptation, enticement
誘う (さそう) 〈V〉 tempt
誘拐 (ユウカイ) 〈Nv〉 kidnaping [+cheat]
誘致 (ユウチ) 〈Nv〉 luring, attraction [+attain]
誘導 (ユウドウ) 〈Nv〉 induction [+lead]
誘惑 (ユウワク) 〈Nv〉 temptation [+misguide]

1197 **覧**

ラン

⇒537監

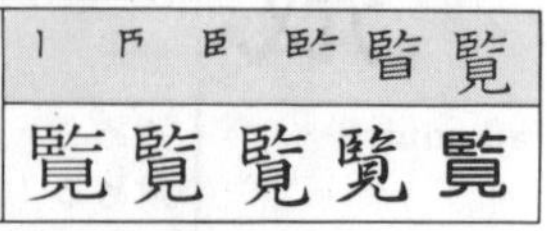

view, survey

▶一覧 (イチラン) 〈Nv〉 a look, a summary [one+]
回覧 (カイラン) 〈Nv〉 circulation 《of a letter, etc.》 [round+]
御覧 (ゴラン) 〈N〉 see, look 《honorific》 [your/his/her+]
展覧会 (テンランカイ) 〈N〉 exhibition 《of works of art》 [wide-spread+～+meeting]
博覧会 (ハクランカイ) 〈N〉 exhibition 《of products, etc.》 [extensive+～+meeting]
便覧 (ビンラン) 〈N〉 guide book, manual [convenience+]
遊覧船 (ユウランセン) 〈N〉 excursion ship [fun+～+ship]

1198 **泳**

およ-, -およぎ;
エイ

swim

泳ぐ (およぐ) 〈V〉 swim
▶水泳 (スイエイ) 〈Nv〉 swimming [water+]

1199 **軟**

やわ-;
ナン

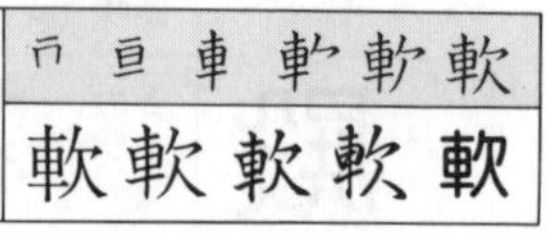

soft, flexible

軟らかい (やわらかい) 〈A〉 soft, tender
軟化 (ナンカ) 〈Nv〉 being softened [+change itself]
軟着陸 (ナンチャクリク) 〈Nv〉 soft landing [+landing]

1200 **昔**

むかし;
-ジャク; セキ

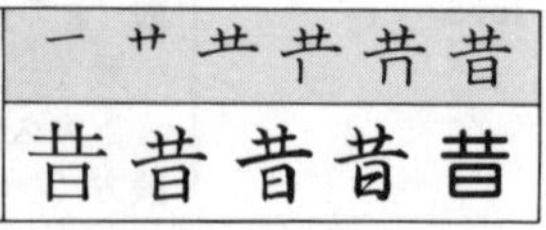

long time ago

昔 (むかし) 〈T〉 long time ago
昔話 (むかしばなし) 〈N〉 old tale; reminiscences [+tale]
昔々 (むかしむかし) 〈T〉 once upon a time [+*Rep*]
昔日 (セキジツ) 〈N〉 former years/times [+day]
▶大昔 (おおむかし) 〈T〉 long long ago [great+]
今昔 (コンジャク) 〈N〉 past and present [now+]
一昔 (ひとむかし) 〈N〉 a decade ago [one+]
二昔 (ふたむかし) 〈N〉 scores of years ago [two+]

LEVEL

7,8,9,10

1201 **穴** あな; **ケツ**, ケッ-

hole
- 穴（あな）〈N〉hole
- 穴場（あなば）〈N〉good but obscure place [+place]
- 穴居（ケッキョ）〈Nv〉cave dwelling [+reside]
- ▶落(と)し穴（おとしあな）〈N〉pitfall, trap [fall+]

1202 **焦** あせ-; こ-; **ショウ**

scorch, burn
- 焦げる（こげる）〈V〉scorch (*vi.*)
- 焦点（ショウテン）〈N〉focus [+point]

haste, irritate
- 焦り（あせり）〈N〉irritation
- 焦る（あせる）〈V〉be hasty, be impatient

1203 **坊** **ボウ**, ボッ-

lodge
- 坊主（ボウズ）〈N〉Buddhist monk/priest; 〈Cph〉kid [+lord] ➜SN

kid
- 坊や（ボウや）〈N〉little boy
- 坊ちゃん（ボッちゃん）〈N〉someone else's kid
- ▶赤ん坊（あかんボウ）〈N〉baby [red+]

1204 **妹** いもうと; **マイ** 〈PN〉いも

younger sister
- 妹（いもうと）〈N〉younger sister
- ▶姉妹（シマイ）〈N〉sisters [elder sister+]

1205 **輝** かがや-; キ 〈PN〉てる

bright
- 輝かしい（かがやかしい）〈A〉brilliant
- 輝き（かがやき）〈N〉radiance
- 輝く（かがやく）〈V〉shine, brighten
- 輝石（キセキ）〈N〉pyroxene [+stone]

1206 **零** **レイ** ⇨1941 雰

zero
- 零（レイ）〈Nu〉zero
- 零細（レイサイ）〈Na〉petty, trifling [+minute]
- 零時（レイジ）〈N〉12 o'clock [+o'clock]

1207 **鬼** おに; **キ**

ogre, fiend
- 鬼（おに）〈N〉ogre, fiend
- 鬼才（キサイ）〈N〉genius; versatile talent [+talent]

1208 **荘** ショウ; **ソウ**

country-house, villa
- …荘（…ソウ）〈N〉…villa
- 荘園（ショウエン）〈N〉manor [+garden]
- ▶山荘（サンソウ）〈N〉mountain cottage [mountain+]
- 別荘（ベッソウ）〈N〉villa [separate+]

majestic
- 荘厳（ソウゴン）〈Na〉solemn, sublime [+solemn]

1209 **栃** **とち**

buckeye 〈Place〉
- 栃（とち）〈N〉horse chestnut
- 栃木（とちぎ）Tochigi Pref.

1210 **据** **す-**, すえ-; キョ†

lay, fix, place
- 据える（すえる）〈V〉lay, place
- 据(え)置(き)（すえおき）〈N〉keeping as is [+place]
- 据(え)置く（すえおく）〈V〉maintain as is [+place]

1211 **鋭** するど-; **エイ**

sharp
- 鋭い（するどい）〈A〉sharp
- 鋭意（エイイ）〈S〉eagerness, assiduousness [+intention]
- 鋭利（エイリ）〈Na〉sharp, pointed [+effective]

1212 甘 あま-; カン

sweet 甘い（あまい）〈A〉 sweet
甘える（あまえる）〈V〉 be indulged, take advantage of one's "little-brother" status
甘やかす（あまやかす）〈V〉 spoil, overprotect
甘言（カンゲン）〈N〉 sweet talk [+say]

1213 遇 グウ

encounter ▶遭遇（ソウグウ）〈Nv〉 encounter [encounter+]
treat 遇する（グウする）〈V〉 treat, entertain
▶冷遇（レイグウ）〈Nv〉 cold treatment [cold+]

1214 釈 シャク
〈PN〉 シャ-

disentangle 釈放（シャクホウ）〈Nv〉 release, acquittal [+release]
▶解釈（カイシャク）〈Nv〉 interpretation [dissolve+]

1215 滞 とどこお-; タイ

stagnate 滞る（とどこおる）〈V〉 stagnate
滞在（タイザイ）〈Nv〉 stay, sojourn [+stay]

1216 畑 はた, -ばた, -ぱた; はたけ, -ばたけ

cultivated field 畑（はたけ/はた）〈N〉 vegetable field
▶花畑（はなばたけ）〈N〉 flower field [flower+]

1217 砲 ホウ, -ポウ

gun …砲（…ホウ）〈N〉 …gun
砲火（ホウカ）〈N〉 gunfire [+fire]

1218 粧 ショウ

adorn ▶化粧（ケショウ）〈Nv〉 make-up, ornament [change itself+]
化粧室（ケショウシツ）〈N〉 toilet, rest room [+change itself+～+room]

1219 似 に; ジ ⇒[157]以

resemble 似る（にる）〈V〉 be alike
似顔（にがお）〈N〉 portrait, likeness [+face]
▶類似（ルイジ）〈Nv〉 resemblance [genus+]

1220 尊 たっと-; とうと-; ソン, -ゾン
〈PN〉 たか, たかし

respect 尊い（たっとい/とうとい）〈A〉 respectable, valuable→[1119]貴
尊敬（ソンケイ）〈Nv〉 respect, reverence [+respect]
尊重（ソンチョウ）〈Nv〉 esteem [+important]

1221 掲 かか-; ケイ ⇒[1951]渇

put up, display 掲げる（かかげる）〈V〉 put up, display
掲示（ケイジ）〈Nv〉 notice, bulletin [+indicate]

1222 氷 こおり, -ごおり; ひ-; ヒョウ, -ピョウ ⇒[690]永

ice 氷（こおり）〈N〉 ice
氷雨（ひさめ）〈N〉 chill rain [+rain]
氷山（ヒョウザン）〈N〉 iceberg [+mountain]

1223 捨 す-, -ず-, すて-; シャ ⇒[1599]拾

throw away 捨てる（すてる）〈V〉 cast away
▶取捨（シュシャ）〈Nv〉 selection [get+]

1224 珍	めずら-; チン ⇒1069診

rare 珍しい(めずらしい)〈A〉rare, precious, unusual
珍重(チンチョウ)〈Nv〉valuing highly [+important]

1225 釣	つ-, -づ-, つり, -づり; チョウ

angle, fish 釣(り)(つり)〈N〉fishing
釣る(つる)〈V〉fish, angle
釣果(チョウカ)〈N〉catch of fish [+fruit]
balance 釣(り)合う(つりあう)〈V〉be balanced [+suit]
釣(り)(銭)(つり(セン))〈N〉change《money returned as balance of that tendered in payment》[(+money)]

1226 埋	う-, うめ; マイ

bury 埋める(うめる)〈V〉bury
埋(め)立(て)地(うめたてチ)〈N〉reclaimed land [+set up+ground]
埋葬(マイソウ)〈Nv〉burial [+entomb]

1227 励	はげ-; レイ

encourage 励ます(はげます)〈V〉encourage
励む(はげむ)〈V〉devote oneself
励行(レイコウ)〈Nv〉carrying out strictly [+conduct]

1228 微	ビ ⇒1026徵

micro- 微笑(ビショウ)〈Nv〉smile [+laugh]
微生物(ビセイブツ)〈N〉microorganism [+living thing]
微妙(ビミョウ)〈Na〉delicate, subtle [+exquisite]

1229 抱	いだ-; かか-, -がか-; だ-, だき-; ホウ ⇒1611拘

embrace 抱く(だく/いだく)〈V〉embrace, hold
抱える(かかえる)〈V〉hold in one's arms; hold under one's arm
抱負(ホウフ)〈N〉aspiration, ambition [+bear]

1230 厘	リン

1/100 …厘(…リン)〈Q〉…/100
▷九分九厘(クブク〜) 99%
1/1000 …厘(…リン)〈Q〉…/1000
▷一割二分三厘(イチわりニブサン〜) 0.123 (=12.3%)
rin …厘(…リン)〈Q〉…*rin*《Jap. currency unit》
▷一円三十七銭五厘(イチエンサンジュウななセンゴ〜) 1.375 yen

1231 炎	ほのお; エン ⇒1061災

flame 炎(ほのお)〈N〉flame, blaze
…炎(…エン)〈N〉…inflammation
▷肺炎(ハイ〜) pneumonia [lung+]
炎天下(エンテンカ)〈N〉under the scorching sun [+heaven+under]

1232 拒	こば-; キョ

reject 拒む(こばむ)〈V〉refuse
拒否(キョヒ)〈Nv〉denial, veto [+negate]

1233 巣	す; ソウ ⇒1616菓

nest 巣(す)〈N〉nest; lair; web; hive
▶卵巣(ランソウ)〈N〉ovary [egg+]

1234 **獲** え-; カク ⇒[1683]穫

seize 獲る (える) 〈V〉 capture
獲物 (えもの) 〈N〉 game, spoils [+thing]
獲得 (カクトク) 〈Nv〉 obtaining, acquirement [+gain]

1235 **掃** は-, はき-; ソウ ⇒[454]帰, [481]婦

sweep 掃く (はく) 〈V〉 sweep
掃除 (ソウジ) 〈Nv〉 sweep, clean [+exclude]

1236 **較** カク

contrast ▶比較 (ヒカク) 〈Nv〉 comparison [compare+]

1237 **郊** コウ ⇒[515]効

suburb 郊外 (コウガイ) 〈N〉 suburbs [+outer]
▶近郊 (キンコウ) 〈N〉 environs《of a city》 [near+]

1238 **抽** チュウ ⇒[587]押

extract 抽象的 (チュウショウテキ) 〈Na〉 abstract [+image+*Suf Na*]
抽出 (チュウシュツ) 〈Nv〉 extraction [+put out]
抽選 (チュウセン) 〈Nv〉 drawing, lottery [+select]

1239 **探** さが-; さぐ-; タン ⇒[552]深

explore 探す (さがす) 〈V〉 search for
探る (さぐる) 〈V〉 spy
探究 (タンキュウ) 〈Nv〉 investigation, search [+carry to extremity]
探検/険 (タンケン) 〈Nv〉 exploration [+investigate/venture]

1240 **床** とこ, -どこ; ゆか; ショウ

floor, bed 床 (ゆか) 〈N〉 floor
床の間 (とこのま) 〈N〉 *tokonoma* alcove [+space] ➡SN
床屋 (とこや) 〈N〉 barber's shop [+shop]
▶温床 (オンショウ) 〈N〉 hotbed [warm+]
病床 (ビョウショウ) 〈N〉 sickbed [sick+]

1241 **挑** いど-; チョウ ⇒[1642]桃

challenge 挑む (いどむ) 〈V〉 challenge
挑戦 (チョウセン) 〈Nv〉 challenge, defiance [+battle]

1242 **泊** と-, -ど-, とま-, -どま-; ハク, -パク

lodge, stay 泊まる (とまる) 〈V〉 pass a night, stay, lodge
泊める (とめる) 〈V〉 shelter for the night

***Cs* nights stay** …泊 (…ハク/パク) 〈Nv〉 … nights stay
▷一泊二日 (イッパクふつか) two-day (trip) [+2 days]

1243 **牧** まき; ボク, ボッ-; 〈PN〉 まい, モク

pasture 牧場 (ボクジョウ; まきば) 〈N〉 ranch; pasture [+place]

1244 **誠** まこと; セイ

true, unfalse 誠に (まことに) 〈Adv〉 truly
誠意 (セイイ) 〈N〉 sincerity [+intention]
誠実 (セイジツ) 〈N/Na〉 faithfulness, integrity [+fruit]

1245 **距** キョ

distance 距離 (キョリ) 〈N〉 distance [+separate]

1246 **汚** きたな-, -ぎたな-; けが-; よご-; オ ⇒[1434]汗

dirty
汚い（きたない）〈A〉 dirty
汚す（よごす; けがす） 〈V〉 make dirty, pollute; dishonor, profane
汚れ（よごれ; けがれ）〈N〉 dirt; filth, impurity
汚らわしい（けがらわしい）〈A〉 filthy, vile
汚職（オショク） 〈N〉 corruption, bribery [+job]
汚染（オセン）〈Nv〉 pollution, contamination [+stain]

1247 **敬** うやま-; ケイ 〈PN〉 さとし

respect
敬う（うやまう）〈V〉 revere
敬具（ケイグ）〈CF〉 Respectfully/Sincerely yours [+instrument]
敬語（ケイゴ） 〈N〉 honorific [+word]
敬称（ケイショウ） 〈N〉 courtesy title [+denominate]

1248 **剣** つるぎ; ケン

sword
剣（ケン; つるぎ）〈N〉 sword; saber
剣道（ケンドウ） 〈N〉 *kendo*, Japanese fencing [+way of man]

1249 **孝** コウ 〈PN〉 たか, たかし ⇒[191]考

filial piety
孝行（コウコウ）〈N/Na〉 filial duty [+conduct]
▶不孝（フコウ）〈N/Na〉(filial) impiety [un-+]

1250 **綱** つな, -づな; コウ ⇒[1279]網

rope, code
綱（つな）〈N〉 rope
綱紀（コウキ）〈N〉 moral fiber, code [+morality]

1251 **迷** まよ-; メイ 〈Ir〉

stray
迷う（まよう）〈V〉 wander, vacillate
迷宮（メイキュウ）〈N〉 labyrinth, maze [+court]
迷信（メイシン） 〈N〉 superstition [+believe]
迷惑（メイワク）〈Nv/Na〉 trouble, bother [+misguide]
〈Ir〉 迷子（まいご）〈N〉 stray child, lost child [+child]

1252 **却** キャク, キャッ-

retrocede
却下（キャッカ） 〈Nv〉 rejection, dismissal [+down]
▶償却（ショウキャク） 〈Nv〉 repayment, depreciation [compensate+]

throughout
▶売却（バイキャク）〈Nv〉 selling off [sell+]
冷却（レイキャク）〈Nv〉 refrigeration [cold+]

1253 **賦** フ, -プ

levy
▶月賦（ゲップ）〈N〉 monthly installment [month+]

1254 **暑** あつ-; ショ

hot
暑い（あつい）〈A〉 hot ➜SN
暑さ（あつさ）〈N〉 heat, hot weather
暑中見舞(い) （ショチュウみまい）〈N〉 inquiry after someone's health in midsummer [+middle+ask after]

1255 **隆** リュウ 〈PN〉 たか, たかし ⇒[787]降

rise
隆起（リュウキ）〈Nv〉 upheaval, rise [+rise]
隆盛（リュウセイ） 〈N〉 prosperity [+thrive]

1256 触 — **さわ-**, -ざわ-; **ふ-**, -ぶ-, ふれ-; **ショク**, ショッ-

touch, feel 触る (さわる) 〈V〉 touch《for a while》, feel
触れる (ふれる) 〈V〉 touch《for a moment》, feel; refer
触媒 (ショクバイ) 〈N〉 catalyst [+medium]

1257 那 — **ナ** ⇒1001邦

fertile†
Ph ▶旦那 (ダンナ) 〈N〉 master; patron [*Ph*+]
〈Place〉 那覇 (ナハ) Naha City

1258 句 — **ク** ⇒937旬

phrase 句 (ク) 〈N〉 phrase; *haiku* poem
▶俳句 (ハイク) 〈N〉 *haiku*, 5-7-5-syllable poem [witty+]
Cs haiku …句 (…ク) 〈Q〉
▷一句 (イッ～), 二句 (ニ～), 三句 (サン～)

1259 棋 — **キ-**, -ギ

***go/shogi* game** 棋士 (キシ) 〈N〉 player of *go/shogi* [+expert]
▶将棋 (ショウギ) 〈N〉 *shogi*, Japanese chess [general+]
➜SN

1260 軒 — **のき**; **ケン**, -ゲン

eaves 軒 (のき) 〈N〉 eaves
軒並(み) (のきなみ) 〈N〉 row of houses; 〈S〉 all down the line [+line up]
restaurant …軒 (…ケン) 〈N〉 the … Restaurant
***Cs* houses** …軒(…ケン/ゲン)〈Q〉…houses
▷一軒 (イッケン), 二軒 (ニケン), 三軒 (サンゲン)

1261 刷 — **す-**, -ず-, すり-, -ずり; **サツ**, サッ-

print 刷る (する) 〈V〉 print, strike off
…刷(り) (…ずり) 〈N〉 …print
▷色刷(り) (いろ～) color printing [color+]
scour 刷新 (サッシン) 〈Nv〉 reform, innovation [+new]

1262 襲 — **おそ-**; **シュウ**

assault 襲う (おそう) 〈V〉 attack, raid
襲撃 (シュウゲキ) 〈Nv〉 attack, onslaught [+attack]
inherit ▶世襲 (セシュウ) 〈Nv〉 hereditary transmission [generation+]

1263 丹 — **タン** 〈PN〉 に ⇒1184冊

cinnabar, red 丹頂(鶴)(タンチョウ(づる))〈N〉 (Japanese) redcrest crane [+summit(+crane)]
sincere 丹念 (タンネン)〈Na〉assiduous, careful [+sense]

1264 繰 — **く-**, -ぐ-, くり, -ぐり; ソウ ⇒985操

reel 繰る (くる) 〈V〉 wind, reel; turn over《pages》
繰(り)上げる (くりあげる) 〈V〉 advance, carry up [+up]
繰(り)返す (くりかえす) 〈V〉 repeat [+back]
繰(り)言 (くりごと) 〈N〉 tedious and useless talk [+say]

1265 既 — すで-; **キ** ⇒1052即

already 既に (すでに) 〈Adv〉 already
既婚 (キコン) 〈N〉 married [+wedding]
既製 (キセイ) 〈N〉 ready-made [+manufacture]

1266 壊	こわ-; カイ ⇨[1736]懐

destroy — 壊す（こわす）〈V〉destroy
壊滅（カイメツ）〈Nv〉(suffer) annihilation [+perish]

1267 緩	ゆる-; カン ⇨[1164]暖, [582]援

loose — 緩める（ゆるめる）〈V〉loosen
緩やか（ゆるやか）〈Na〉gentle《slow, not steep》
緩和（カンワ）〈Nv〉relief, mitigation [+peace]

1268 礎	いしずえ; ソ ⇨[1518]礎

footstone — 礎（いしずえ）〈N〉footstone
礎石（ソセキ）〈N〉cornerstone [+stone]

1269 茨	いばら; シ†

thorns — 茨（いばら）〈N〉thorns, wild rose
〈Place〉 茨城（いばらき）Ibaraki Pref.

1270 卸	おろ-, おろし; シャ†

wholesale — 卸(し)売(り)（おろしうり）〈Nv〉wholesale [+sell]

1271 雅	ガ 〈PN〉まさ ⇨[1368]稚

grace — 雅楽（ガガク）〈N〉*gagaku*, Japanese (imperial) court music/dance [+music]
▶優雅（ユウガ）〈Na〉elegant, graceful [superior+]

1272 垣	かき, -がき; エン†

fence — 垣（かき）〈N〉fence, hedge
▶生(け)垣（いけがき）〈N〉hedge [live+]
石垣（いしがき）〈N〉stone wall [stone+]

1273 耐	た-, たえ-; タイ

endure — 耐える（たえる）〈V〉endure
耐久力（タイキュウリョク）〈N〉durability [+long time + power]
耐熱（タイネツ）〈N〉heatproof [+heat]

1274 凍	こお-, -ごお-; こご-; トウ

frozen — 凍る（こおる）〈V〉be frozen
凍える（こごえる）〈V〉be chilled
凍結（トウケツ）〈Nv〉freeze [+formation]

1275 懸	か-, -が-, かけ-; ケ-; ケン

pendent — 懸かる（かかる）〈V〉hang on/over →[1183]掛かる
懸念（ケネン）〈Nv〉anxiety [+sense]
懸案（ケンアン）〈N〉pending question [+idea]
懸賞（ケンショウ）〈N〉award [+prize]
懸命（ケンメイ）〈N/Na〉enthusiasm [+life]

1276 掘	ほ-, -ぼ-, ほり-; クツ, クッ- ⇨[941]堀

dig — 掘る（ほる）〈V〉dig
掘(り)下げる（ほりさげる）〈V〉dig down; probe [+down]
掘(り)出(し)物（ほりだしもの）〈N〉find; good buy [+put out+thing]
▶発掘（ハックツ）〈Nv〉excavation [issue+]

1277 鎌	かま, -がま; レン†

sickle — 鎌（かま）〈N〉sickle
〈Place〉 鎌倉（かまくら）Kamakura City

1278 **邸** テイ

residence …邸 (…テイ) 〈N〉 …residence ▷田中邸 (たなか～) the Tanaka residence [*PN*+]

▶官邸 (カンテイ) 〈N〉 official residence [official+]

1279 **網** あみ; モウ ⇨1250綱

net 網 (あみ) 〈N〉 net

…網 (…モウ) 〈N〉…network ▷交通網 (コウツウ～) traffic network [traffic+]

網羅 (モウラ) 〈Nv〉 covering all《facts, etc.》 [+netting] ➜SN

1280 **俳** ハイ-, -パイ ⇨1156排

witty 俳句 (ハイク) 〈N〉 *haiku*, Japanese 5-7-5-syllable poem [+phrase]

俳優 (ハイユウ) 〈N〉 actor, actress [+actor]

Abbr 俳句 俳人 (ハイジン) 〈N〉 *haiku* poet [+person]

1281 **克** コク, コッ- 〈PN〉 かつ

overcome 克服 (コクフク) 〈Nv〉 overcome [+obey]

▶相克 (ソウコク) 〈N〉 conflict [mutual+]

1282 **貧** まず-; ヒン, -ピン; ビン-

poor 貧しい (まずしい) 〈A〉 poor

貧血 (ヒンケツ) 〈Nv〉 anemia [+blood]

貧困 (ヒンコン) 〈N/Na〉 needy, destitute [+trouble]

貧弱 (ヒンジャク) 〈Na〉 poor, meager, shabby [+weak]

貧乏 (ビンボウ) 〈Nv/Na〉 poverty [+shortage]

1283 **往** オウ ⇨248住

go away 往生 (オウジョウ) 〈Nv〉 death, passing away [+life]

往診 (オウシン) 〈Nv〉 (doctor's) visit to a patient [+diagnosis]

往復 (オウフク) 〈Nv〉 going and returning [+again]

往来 (オウライ) 〈N〉 traffic; street [+come]

1284 **携** たずさ-; ケイ

carry 携える (たずさえる) 〈V〉 carry in one's hand

携帯 (ケイタイ) 〈Nv〉 portable [+belt]

be engaged 携わる (たずさわる) 〈V〉 be engaged in

▶提携 (テイケイ) 〈Nv〉 cooperation, tie-up [carry+]

1285 **滝** たき, -だき; ロウ†

waferfall 滝 (たき) 〈N〉 waterfall

1286 **誕** タン

be born 誕生 (タンジョウ) 〈Nv〉 birth [+life]

誕生日 (タンジョウび) 〈N〉 birthday [+life+day]

1287 **蓄** たくわ-; チク ⇨1729畜

store, stock 蓄える (たくわえる) 〈V〉 stock, save

▶貯蓄 (チョチク) 〈Nv〉 saving《of money》 [save+]

1288 **亀** かめ, -がめ; キ

turtle 亀 (かめ) 〈N〉 turtle, tortoise

▶海亀 (うみがめ) 〈N〉 sea turtle [sea+]

1289 撤	テツ，テッ- ⇨1017徹

withdraw
撤回（テッカイ）〈Nv〉retraction [+turn]
撤去（テッキョ）〈Nv〉(make) removal, withdrawal [+leave]
撤退（テッタイ）〈Nv〉(take) evacuation, withdrawal [+retreat]
撤廃（テッパイ）〈Nv〉abolition, removal [+abolish]
撤兵（テッペイ）〈Nv〉evacuating troops [+soldier]

1290 灯	ひ；トウ

light, lamp
灯（ひ）〈N〉light
…灯（…トウ）〈N〉…lamp
▷水銀灯（スイギン～）mercury lamp [mercury+]
灯台（トウダイ）〈N〉lighthouse [+platform]
灯明（トウミョウ）〈N〉light offered to gods or Buddha [+light]
灯油（トウユ）〈N〉kerosene [+oil]

1291 柔	やわ-，やわら；ジュウ；ニュウ-

flexible, soft
柔らか（やわらか）〈Na〉flexible, soft
柔らかい（やわらかい）〈A〉flexible, soft
柔道（ジュウドウ）〈N〉*judo* [+way of man] ➔SN
柔軟（ジュウナン）〈Na〉flexible [+flexible]
柔和（ニュウワ）〈Na〉gentle [+peace]

1292 犠	ギ-

sacrifice
犠牲（ギセイ）〈N〉sacrifice [+victim]

1293 慣	な-，なれ；カン

accustom
慣れる（なれる）〈V〉become accustomed, get used to
慣行（カンコウ）〈N〉traditional practice [+exert]
慣習（カンシュウ）〈N〉habit, common practice [+practice]
慣例（カンレイ）〈N〉usage, established practice [+example]

1294 煮	に；シャ-

boil, simmer, stew
煮る（にる）〈V〉cook in seasoned stock
煮魚（にざかな）〈N〉fish boiled with soy and other seasonings [+fish]
煮物（にもの）〈N〉food cooked in stock [+thing]
煮沸（シャフツ）〈Nv〉heating to boil [+boil]

1295 犬	いぬ；ケン ⇨343太

dog
犬（いぬ）〈N〉dog
…犬（…ケン/いぬ）〈N〉…dog
▷秋田犬（あきたいぬ/ケン）*Akita* breed [Akita+]
番犬（バンケン）watchdog [watch+]
負け犬（まけいぬ）underdog [defeated+]
犬猿の仲（ケンエンのなか）〈N〉cat-and-dog relationship [+monkey+relation]

1296 緒	お；ショ；-チョ

string
緒（お）〈N〉cord, strip
▶情緒（ジョウショ/ジョウチョ）〈N〉emotion, sentiment [emotion+]

Ph
▶一緒（イッショ）〈N〉together; same [one+]

1297 **哲**	**テツ**，テッ-

philosophy 哲学（テツガク）〈N〉 philosophy [+-logy]

1298 **眠**	**ねむ-**，ねむり-；**ミン** ⇒[1127]眠

sleep 眠い（ねむい）〈A〉 sleepy, drowsy
眠たい（ねむたい）〈A〉 sleepy, somnolent
眠る（ねむる）〈V〉 sleep
▶永眠（エイミン）〈Nv〉 last sleep, death [long time+]
睡眠（スイミン）〈N〉 sleep, slumber [slumber+]

1299 **艦**	**カン**

battleship …艦（…カン）〈N〉…battleship
▷駆逐艦（クチク～）destroyer [expulsion+]
艦隊（カンタイ）〈N〉 fleet [+troop]

1300 **畳**	**たた-**；たたみ，-だたみ；**ジョウ**

fold 畳む（たたむ）〈V〉 fold (*vt.*)
tatami 畳（たたみ）〈N〉 *tatami* mat 《=90×180cm》
▶石畳（いしだたみ）〈N〉 stone pavement [stone+]
Cs tatami …畳（…ジョウ）〈Q〉 …-*tatami* 《as room sizes》
▷六畳（ロク～）about 10 m^2

1301 **控**	**ひか-**，-びか-，ひかえ；コウ

reserve 控える（ひかえる）〈V〉 hold back; note down
stand by 控える（ひかえる）〈V〉 stand by, wait
控(え)室（ひかえシツ）〈N〉 waiting room [+room]
indict 控訴（コウソ）〈Nv〉 intermediate appeal [+appeal]

1302 **潜**	ひそ-；**もぐ-**；**セン**

latent 潜む（ひそむ）〈V〉 lurk
潜る（もぐる）〈V〉 dive
潜在（センザイ）〈Nv〉 latent [+exist]
潜水艦（センスイカン）〈N〉submarine [+water+battleship]
潜水夫（センスイフ）〈N〉 diver [+water+man]
潜入（センニュウ）〈Nv〉 smuggling oneself, infiltration [+enter]
潜伏（センプク）〈Nv〉 latency, being latent [+lie down]

1303 **陳**	**チン** ⇒[823]陣

display 陳述（チンジュツ）〈Nv〉 statement [+statement]
陳情（チンジョウ）〈Nv〉 petition [+state of affairs]
陳列（チンレツ）〈Nv〉 display, exhibition [+line]
old 陳腐（チンプ）〈Na〉 trite, out-of-date [+rotten]

1304 **宴**	**エン**

banquet …宴（…エン）〈N〉 …banquet
▷披露宴（ヒロウ～） feast for announcement 《of marriage/inauguration, etc.》 [announcement+]
宴会（エンカイ）〈N〉 dinner party [+meeting]

1305 **舗**	**ホ**，-ポ

pave 舗装（ホソウ）〈Nv〉 paving [+dress]
舗道（ホドウ）〈N〉 pavement [+way]
shop ▶店舗（テンポ）〈N〉 shop [shop+]

1306 聖 セイ
〈PN〉ショウ，ひじり

holy 聖…（セイ…）St.…
▷聖ヨハネ〈N〉 St. John [＋(John)]
聖書（セイショ）〈N〉 Bible [＋book]
聖人（セイジン）〈N〉 sage [＋person]
聖地（セイチ）〈N〉sacred place [＋ground]

1307 翌 ヨク-

following, the next 《time》 翌…（ヨク…）the following…
▷翌1980年（～センキュウヒャクハチジュウネン）〈T〉 the next year, 1980
翌日（ヨクジツ）〈T〉 the next day [＋day]
翌週（ヨクシュウ）〈T〉the next week [＋week]
翌年（ヨクネン/ヨクとし）〈T〉 the next year [＋year]

1308 頂 いただ-，いただき；
チョウ
⇨977 頃，995 項

summit 頂（いただき）〈N〉 top
頂上（チョウジョウ）〈N〉peak, summit [＋up]

receive 《hon.》 頂く（いただく）〈V〉 be honored to receive, be granted
頂戴する（チョウダイする）〈V〉 be bestowed [＋be crowned]

1309 勘 カン

count 勘定（カンジョウ）〈Nv〉account, bill [＋settle]
▶割勘（わりカン）〈N〉 Dutch treat [divide＋]

intuition 勘（カン）〈N〉 6th sense, intuition
▶山勘（やまカン）〈N〉 speculation, guesswork [mountain＋] ➡SN

1310 泰 タイ
〈PN〉やす，やすし

composure 泰然（タイゼン）〈Nt〉 perfect calm 《of mind》 [＋*Suf* state]

1311 儀 ギ

ritual 儀式（ギシキ）〈N〉 rite [＋ceremony]
儀礼的（ギレイテキ）〈Na〉 formal, perfunctory [＋ceremony＋*Suf Na*]

1312 勲 クン
〈PN〉いさお

merit, exploit 勲一等（クンイットウ）〈N〉 1st Order of Merit [＋first rank]
勲章（クンショウ）〈N〉 medal, decoration [＋badge]

1313 葛 くず；
カツ，カッ-
〈PN〉かつら，カ

kuzu 葛（くず）〈N〉 *kuzu*, Japanese arrowroot
葛藤（カットウ）〈N〉 conflict [＋wistaria] ➡SN

1314 椎 しい；
ツイ
⇨635 推

pasania 椎（しい）〈N〉 pasania
椎茸（しいたけ）〈N〉 *shiitake* mushroom [＋fungus]

vertebra ▶腰椎（ヨウツイ）〈N〉 lumbar vertebra [waist＋]

1315 瞬 またた-；
シュン

wink 瞬く（またたく）〈V〉 wink, twinkle
瞬間（シュンカン）〈T〉 instant [＋interval]
▶一瞬（イッシュン）〈T〉 an instant, a flash, a wink [one＋]

1316 墜	ツイ

crash, fall 墜落（ツイラク）〈Nv〉crash, fall [＋fall]
▶失墜（シッツイ）〈Nv〉fall, loss《of one's influence, etc.》[lose＋]

1317 丈	たけ，-だけ；ジョウ

height 丈（たけ）〈N〉height, length《of a body/*kimono*》
jo†《≒3m》丈夫（ジョウブ）〈Na〉stout, strong [＋man] ➜SN
▶大丈夫（ダイジョウブ）〈Na〉all right;〈Cph〉Don't worry. [big＋～＋man] ➜SN

1318 貞	テイ 〈PN〉さだ

chastity 貞節（テイセツ）〈N/Na〉faithful [＋moderate]
貞操（テイソウ）〈N〉chastity [＋constancy]

1319 沈	しず-；チン

sink 沈む（しずむ）〈V〉sink
沈没（チンボツ）〈Nv〉sinking《of a ship》[＋sink]
沈黙（チンモク）〈Nv〉silence [＋silence]

1320 己	おのれ；-キ；-コ 〈PN〉み ⇨[1697]巳

self 己（おのれ）〈N〉self
▶自己（ジコ）〈N〉self [self＋]
知己（チキ）〈N〉acquaintance [know＋]

1321 俊	シュン 〈PN〉とし

alert 俊英（シュンエイ）〈N〉man of talent [＋superb]
〈Person〉俊夫（としお） Toshio《male》

1322 仮	かり；カ-；ケ-

provisional, temporary 仮（かり）〈N〉provisional, temporary, interim
仮…（かり…）temporary…
▷仮免許（～メンキョ）〈N〉temporary license, learner's permit [＋license]
仮定（カテイ）〈Nv〉supposition [＋fix]
仮面（カメン）〈N〉mask [＋face]
pretended 仮名（カな）〈N〉*kana*, Japanese syllabic letter [＋name] ➜SN
仮病（ケビョウ）〈N〉feigned illness [＋sick]

1323 耳	みみ；ジ ⇨[65]目

ear 耳（みみ）〈N〉ear
耳鼻科（ジビカ）〈N〉otorhinology [＋nose＋division]

1324 皆	みな，みんな；カイ

all 皆（みな/みんな）〈Q〉all; everyone
皆様（みなさま）〈Q〉everyone [＋Dear]
皆勤（カイキン）〈Nv〉perfect attendance, not missing a single day [＋serve]

1325 祖	ソ，-ゾ ⇨[1481]租

ancestor 祖国（ソコク）〈N〉one's motherland [＋country]
祖先（ソセン）〈N〉ancestry [＋previous]
祖父（ソフ）〈N〉grandfather [＋father]
祖母（ソボ）〈N〉grandmother [＋mother]
▶先祖（センゾ）〈N〉ancestor [previous＋]

1326 魔	マ

demon …魔 (…マ) 〈N〉 …devil, …maniac
▷電話魔 (デンワ～) telephone maniac [phone+]
放火魔 (ホウカ～) incendiary maniac [incendiarism+]
魔の (マの) 〈Adj〉 cursed
魔術 (マジュツ) 〈N〉 magic, witchcraft [+art]
魔女 (マジョ) 〈N〉 witch [+woman]
魔性 (マショウ) 〈N〉 charm, devilishness [+character]
魔法 (マホウ) 〈N〉 magic [+method]
魔法瓶 (マホウビン) 〈N〉 vacuum thermos bottle [+method+bottle]
魔力 (マリョク) 〈N〉 magical power [+power]

1327 縫	ぬ-, ぬい; ホウ

sew 縫う (ぬう) 〈V〉 sew
▶裁縫 (サイホウ) 〈Nv〉 sewing, dressmaking [tailor+]

1328 概	ガイ ⇒[1797]慨

approximate 概して (ガイして) 〈Adv〉 in general
概況 (ガイキョウ) 〈N〉 general situation [+state of things]
概算 (ガイサン) 〈Nv〉 estimate [+calculate]
概説 (ガイセツ) 〈Nv〉 general statement [+explain]
概念 (ガイネン) 〈N〉 notion, concept [+sense]
概要 (ガイヨウ) 〈N〉 epitome [+essential]
概略 (ガイリャク) 〈N〉 outline [+abbreviate]

1329 姉	あね; シ 〈Ir〉

elder sister 姉 (あね) 〈N〉 elder sister
姉妹 (シマイ) 〈N〉 sisters [+younger sister]
〈Ir〉 お姉さん (おねえさん) 〈N〉 one's elder sister; 〈Cph〉 Miss [(*Pref honorific*)+]

1330 殊	こと; シュ

distinctive 殊に (ことに) 〈Adv〉 especially
殊の外 (ことのほか) 〈Adv〉 unusually [+outer]
殊勝 (シュショウ) 〈Na〉 admirable [+excel]

1331 亜	ア

sub-, pseudo- 亜… (ア…) sub-…
▷亜熱帯 (～ネッタイ) 〈N〉 subtropics [+tropics]
亜硫酸 (～リュウサン) 〈N〉 sulfurous acid [+sulfuric acid]
亜鉛 (アエン) 〈N〉 zinc [+lead]
亜流 (アリュウ) 〈N〉 bad second, epigone [+class]
Asia ▶東亜 (トウア) 〈N〉 East Asia [east+]

1332 裂	さ-, -ざ-; -レツ, レッ-

tear, rend 裂く (さく) 〈V〉 tear, rend
▶分裂 (ブンレツ) 〈Nv〉 (take) dissolution, fission, disunion [division+]

1333 塗	ぬ-, ぬり; ト

plaster 塗る (ぬる) 〈V〉 paint, plaster
塗装 (トソウ) 〈Nv〉 coating with paint [+ornament]
塗料 (トリョウ) 〈N〉 paint [+ingredients]

1334 舟 ふな-, **ふね**, -ぶね; シュウ

boat
舟 (ふね) 〈N〉 boat →[313]船
舟遊び(ふなあそび) 〈N〉 party on barge; boat ride [+fun]
▶呉越同舟 (ゴエツドウシュウ) 〈N〉 traveling together with a foe《by fate》 [Wu+Yueh+same+] ➜SN

1335 酔 **よ-**, よい, よっ-; **スイ**

drunk
…酔(い)(…よい) 〈N〉…drunk; …sick
▷二日酔(い) (ふつか～) hang-over [two days+]
船酔(い) (ふな～) seasick [ship+]
酔う (よう) 〈V〉 get drunk; feel sick
酔(っ)払い (よっぱらい) 〈N〉 drunkard [+pay out]
▶麻酔 (マスイ) 〈N〉 anesthesia [hemp+] ➜SN

1336 叫 **さけ-**; **キョウ** ⇨[640]呼

shout
叫び (さけび) 〈N〉 cry
叫ぶ (さけぶ) 〈V〉 shout
▶絶叫 (ゼッキョウ) 〈Nv〉 scream, exclamation [extremity+]

1337 粛 **シュク**

strain
粛正 (シュクセイ) 〈Nv〉 purification [+just]
粛清 (シュクセイ) 〈Nv〉 purge [+clean]
▶自粛 (ジシュク) 〈Nv〉 self-control [self+]

1338 彰 **ショウ** 〈PN〉 あき, あきら ⇨[630]影

publicize
▶表彰 (ヒョウショウ) 〈Nv〉 award [display+]

1339 芳 かんば-; **ホウ** 〈PN〉 よし

aromatic
芳しい (かんばしい) 〈A〉 fragrant, aromatic
芳香 (ホウコウ) 〈N〉 scent [+fragrance]
芳名 (ホウメイ) 〈N〉 honorable name [+name]

1340 稿 **コウ** ⇨[272]橋

draft
稿 (コウ) 〈N〉 draft, manuscript
▶原稿 (ゲンコウ) 〈N〉 manuscript, draft [origin+]

1341 彩 いろど-; **サイ** ⇨[910]杉

hue
彩り (いろどり) 〈N〉 coloring
▶異彩 (イサイ) 〈N〉 conspicuous color [difference+]
色彩 (シキサイ) 〈N〉 color, hue, tint [color+]
水彩画 (スイサイガ) 〈N〉 watercolor [water+～+picture]

1342 序 **ジョ**

preface
序 (ジョ) 〈N〉 preface
序曲 (ジョキョク) 〈N〉 overture [+melody]
序文 (ジョブン) 〈N〉 foreword [+sentence]
序幕 (ジョマク) 〈N〉 prologue [+act]

grade
序列 (ジョレツ) 〈N〉 ranking, order [+rank]

1343 妥 **ダ-**

moderate
妥協 (ダキョウ) 〈Nv〉 compromise [+cooperate]
妥結 (ダケツ) 〈Nv〉 (reach) agreement [+conclude]
妥当 (ダトウ) 〈Na〉 proper [+hit]

1344 髪 かみ, -がみ; ハツ, -パツ ⟨Ir⟩

hair 髪（かみ）⟨N⟩ hair
▶金髪（キンパツ）⟨N⟩ blond [gold+]
散髪（サンパツ）⟨Nv⟩ (have) haircut [disperse+]
理髪店（リハツテン）⟨N⟩ barber's shop [manage+~+shop]
⟨Ir⟩ 白髪（しらが）⟨N⟩ gray hair [white+]

1345 腹 はら, -ばら, -ぱら; フク, フッ-, -プク ⇨585復, 1050複

abdomen 腹（はら）⟨N⟩ belly; mind, heart
腹心（フクシン）⟨N⟩ one's confidant [+heart]
腹痛（フクツウ/はらいた）⟨N⟩ stomachache [+pain]
▶空腹（クウフク）⟨N/Na⟩ hunger [empty+]
満腹（マンプク）⟨Nv⟩ (have) full stomach [fill+]

1346 仁 ジン; ニ- ⟨PN⟩ ひと, ひとし, ニン

affection 仁義（ジンギ）⟨N⟩ humanity and justice, benevolence and righteousness [+righteousness]
Ph 仁王（ニオウ）⟨N⟩ *nio*, a pair of guardian gods at the gate of Buddhist temples [+king] ➔SN

1347 抵 テイ ⇨518低

hamper 抵抗（テイコウ）⟨Nv⟩ resistance [+protest]
抵触（テイショク）⟨Nv⟩ incompatibility, contradiction [+touch]
fix 抵当（テイトウ）⟨N⟩ mortgage [+hit]

1348 廊 ロウ

corridor 廊下（ロウカ）⟨N⟩ corridor [+down]
▶画廊（ガロウ）⟨N⟩ picture gallery [picture+]

1349 墓 はか; ボ ⇨710募, 915暮

grave, tomb 墓（はか）⟨N⟩ grave, tomb
墓穴（ボケツ）⟨N⟩ one's own grave/ruin [+hole]
墓地（ボチ）⟨N⟩ cemetery [+ground]

1350 漫 マン ⇨1438慢

rambling 漫画（マンガ）⟨N⟩ cartoon [+picture]
漫才（マンザイ）⟨N⟩ *manzai*, comic dialogue [+*Ph*] ➔SN

1351 裕 ユウ ⟨PN⟩ ひろ, ひろし

liberal, generous 裕福（ユウフク）⟨Na⟩ affluent, well-off [+fortune]

1352 狂 くる-, -ぐる-; キョウ

crazy …狂（…キョウ）⟨N⟩ …fad, …maniac
▷カメラ狂 camera nut [(camera)+]
露出狂（ロシュツ~）flasher, compulsive exposure [exposure+]
狂う（くるう）⟨V⟩ be crazy; get out of order
狂気（キョウキ）⟨N⟩ insanity [+mind]
狂犬（キョウケン）⟨N⟩ rabid/mad dog [+dog]
狂言（キョウゲン）⟨N⟩ *kyogen* farce; fake [+say]
狂人（キョウジン）⟨N⟩ lunatic [+person]

1353 恩	オン ⇨149思, 875恵

owe, debt 恩 (オン) 〈N〉 obligation, due, debt of gratitude
恩知らず (オンしらず) 〈N/Na〉 ungrateful [+know+(not)]
恩返し (オンがえし) 〈Nv〉 repayment of debt of gratitude [+return]
恩給 (オンキュウ) 〈N〉 pension [+supply]
恩師 (オンシ) 〈N〉 one's respected/honored teacher [+master]
恩人 (オンジン) 〈N〉 benefactor [+person]

1354 坪	つぼ; ヘイ†

tsubo 《=3.3m²》 …坪 (…つぼ) 〈Q〉 …*tsubo*
▷一坪 (ひと~)
二坪 (ふた~)
三坪 (み~/サン~)
▶建坪 (たてつぼ) 〈N〉 floor space [build+]

1355 乾	かわ-, -がわ-; カン 〈PN〉 いぬい ⇨761幹

dry 乾く (かわく) 〈V〉 get dry
乾燥 (カンソウ) 〈Nv〉 dryness, aridity [+parch]
乾杯 (カンパイ) 〈Nv〉 drinking a toast; 〈Cph〉 Cheers! [+cup]

1356 孫	まご; ソン ⇨263係

grandchild 孫 (まご) 〈N〉 grandchild
▶子孫 (シソン) 〈N〉 offspring, descendant [child+]

1357 誉	ほま-; ヨ 〈PN〉 ほまれ ⇨439挙

fame 誉れ (ほまれ) 〈N〉 fame
▶名誉 (メイヨ) 〈N〉 honor [famous+]

1358 鏡	かがみ; キョウ 〈Ir〉

mirror 鏡 (かがみ) 〈N〉 mirror
鏡台 (キョウダイ) 〈N〉 dresser [+table]
scope ▶顕微鏡 (ケンビキョウ) 〈N〉 microscope [manifest+micro-+]
双眼鏡 (ソウガンキョウ) 〈N〉 binoculars [twin+eye+]
望遠鏡 (ボウエンキョウ) 〈N〉 telescope [view+far+]
〈Ir〉 眼鏡 (めがね/ガンキョウ) 〈N〉 glasses [eye+]

1359 卵	たまご; ラン

egg 卵 (たまご) 〈N〉 egg
卵子 (ランシ) 〈N〉 ovum [+tiny thing]

1360 涙	なみだ; ルイ

tears 涙 (なみだ) 〈N〉 tears
涙ぐましい (なみだぐましい) 〈A〉 pathetic, touching
涙ぐむ (なみだぐむ) 〈V〉 have liquid eyes
▶催涙ガス (サイルイガス) 〈N〉 tear gas [provoke+~+(gas)]

1361 霊	たま, -だま; リョウ; レイ

soul 霊 (レイ) 〈N〉 departed soul
霊園 (レイエン) 〈N〉 cemetery [+garden]
霊柩車 (レイキュウシャ) 〈N〉 hearse [+coffin+car]
▶悪霊 (アクリョウ) 〈N〉 evil spirit [bad+]
生(き)霊 (いきリョウ) 〈N〉 wraith, departed soul of a living person [live+]
言霊 (ことだま) 〈N〉 miraculous power of spell, soul of word [say+]

1362 縁 ふち, -ぶち; エン ⇒[1102]緑

hem
縁 (ふち) 〈N〉 hem, frame, rim, brim

veranda
縁(側) (エン(がわ)) 〈N〉 veranda, porch [(+side)]

relation, connection
縁 (エン) 〈N〉 relation, connection
縁起 (エンギ) 〈N〉 omen, portent [+rise]
縁談 (エンダン) 〈N〉 matchmaking [+talk]

1363 斎 サイ
〈PN〉 いつき ⇒[1528]斉

purify
斎場 (サイジョウ) 〈N〉 crematorium [+place]

cabin
▶書斎 (ショサイ) 〈N〉 one's private library, study [book+]

1364 随 ズイ

accompany, follow
随意 (ズイイ) 〈S〉 option; as you please [+intention]
随一 (ズイイチ) 〈N〉 outstanding, solo [+one]
随行 (ズイコウ) 〈Nv〉 accompanying [+go]
随時 (ズイジ) 〈T〉 anytime [+time]
随筆 (ズイヒツ) 〈N〉 essay, random notes [+pen]

1365 析 セキ ⇒[830]折, [1573]祈

analyze
▶分析 (ブンセキ) 〈Nv〉 analysis [division+]

1366 彫 ほ-, -ぼ-, ほり-, -ぼり; チョウ

engrave
彫る (ほる) 〈V〉 engrave
彫刻 (チョウコク) 〈Nv〉 sculpture [+carve]
▶浮(き)彫(り) (うきぼり) 〈N〉 relief [float+]

1367 怪 あや-; カイ

mysterious
怪しい (あやしい) 〈A〉 mysterious, suspicious
怪獣 (カイジュウ) 〈N〉 imaginary dinosaur; monster [+beast]
怪物 (カイブツ) 〈N〉 monster [+thing]
怪談 (カイダン) 〈N〉 ghost story [+talk]

1368 稚 チ
〈PN〉 わっかナイ (稚内) ⇒[1314]椎, [1271]雅

childish
稚拙 (チセツ) 〈Na〉 inexperienced and unskillful [+unskillful]
▶幼稚 (ヨウチ) 〈Na〉 infant; childish [infant+]

1369 峰 みね; ホウ, -ポウ

peak, ridge
峰 (みね) 〈N〉 mountain peak
▶処女峰 (ショジョホウ) 〈N〉 virgin mountain [virgin+]

1370 狭 せま-, -ぜま; せば-; キョウ
〈PN〉 さ ⇒[1923]挟, [1954]峡

narrow
狭い (せまい) 〈A〉 narrow, not spacious
狭める (せばめる) 〈V〉 narrow (*vt.*)
狭心症 (キョウシンショウ) 〈N〉 heart attack [+heart+disease]
狭量 (キョウリョウ) 〈N/Na〉 narrow-minded [+quantity]

1371 忙 いそが-; ボウ

busy
忙しい (いそがしい) 〈A〉 busy, occupied
忙殺される (ボウサツされる) 〈V〉 be deadly busy [+deadly]
▶多忙 (タボウ) 〈N/Na〉 very busy [much+]

1372 諮	はか-; シ-

counsel 諮る(はかる)〈V〉consult
諮問(シモン)〈Nv〉inquiry [+inquire]

1373 忍	しの-; ニン 〈PN〉しのぶ

endure 忍ぶ(しのぶ)〈V〉endure
忍耐(ニンタイ)〈Nv〉endurance, patience [+endure]
lurk 忍び足(しのびあし)〈N〉stealthy steps [+foot]
忍び込む(しのびこむ)〈V〉steal/sneak in [+into]
忍者(ニンジャ)〈N〉*ninja*, secret agent《Jap. hist.》[+person]

1374 罰	バチ; **バツ**, バッ- ⇨[928]罪

penalty 罰(バチ)〈N〉retribution, divine punishment
罰(バツ)〈N〉punishment
罰金(バッキン)〈N〉fine, penalty [+money]
罰則(バッソク)〈N〉penal regulations [+rules]

1375 糧	かて; **リョウ**; -ロウ

provisions, food 糧(かて)〈N〉food, provisions
▶食糧(ショクリョウ)〈N〉provisions, rations, food [food+]
兵糧(ヒョウロウ)〈N〉provisions [soldier+]

1376 磨	**みが-**, みがき; **マ** ⇨[1074]摩, [1326]魔

polish, burnish 磨く(みがく)〈V〉polish, burnish; brush《of teeth》
磨滅(マメツ)〈Nv〉abrasion, being worn out [+perish]
▶歯磨(はみがき)〈N〉tooth paste [tooth+]

1377 阻	はば-; ソ

hinder 阻む(はばむ)〈V〉obstruct, prevent
阻害(ソガイ)〈Nv〉impediment, hindering [+hurt]
阻止(ソシ)〈Nv〉block, obstruction [+stop]

1378 猛	**モウ** 〈Ir〉: 〈PN〉たけ, たけし

violent, fierce 猛…(モウ…) violent…
▷猛練習(〜レンシュウ)〈N〉relentless practice [+practice]
猛獣(モウジュウ)〈N〉fierce animal [+beast]
猛暑(モウショ)〈N〉terrible heat《of weather》[+hot]
猛烈(モウレツ)〈Na〉violent, intense [+furious]
〈Ir〉 猛者(モサ)〈N〉plucky man [+person]

1379 沿	**そ-**, -ぞ-; **エン-** ⇨[181]治

alongside …沿い(…ぞい)〈N〉along…
▷川沿い(かわ〜) along the river [river+]
沿う(そう)〈V〉be alongside
沿岸(エンガン)〈N〉coast, shore [+shore]
沿線(エンセン)〈N〉along the railroad line [+line]

1380 簿	**ボ** ⇨[975]薄

notebook …簿(…ボ)〈N〉…notebook
▷家計簿(カケイ〜) household budget account book [household economy+]
簿記(ボキ)〈N〉bookkeeping [+record]
▶名簿(メイボ)〈N〉name list, directory [name+]

1381 敏 ビン
〈PN〉とし

acute 敏感(ビンカン)〈Na〉sensitive [+feel]

1382 烈 レツ, レッ-

furious ▶強烈(キョウレツ)〈Na〉intense, vigorous [strong+]
痛烈(ツウレツ)〈Na〉sharp, keen [pain+]

1383 縦 たて;
ジュウ

length, vertical 縦(たて)〈N〉lengthwise, vertical →[297]横
縦横(ジュウオウ)〈N〉vertical and horizontal, in every direction [+horizontal]

freely ▶操縦(ソウジュウ)〈Nv〉driving, steering [operate+]

1384 壇 -タン-; ダン

platform 壇(ダン)〈N〉platform, stage, terrace
▶花壇(カダン)〈N〉flower bed [flower+]
土壇場(ドタンば)〈N〉critical moment [soil+～+place] ➜SN
仏壇(ブツダン)〈N〉household Buddhist altar [Buddha+]

circle, world ▶文壇(ブンダン)〈N〉literary world [literal+]

donation 壇家(ダンカ)〈N〉supporter of a Buddhist temple [+family]

1385 柱 はしら, -ばしら;
チュウ
⇒[1158]柱

pole, pillar 柱(はしら)〈N〉pole, column
▶電柱(デンチュウ)〈N〉electric pole [electricity+]

1386 騰 トウ
⇒[1988]謄

rise, go up ▶高騰(コウトウ)〈Nv〉sudden rise《in prices》 [high+]
沸騰(フットウ)〈Nv〉boiling up, seething [boil+]

1387 滅 ほろ-;
メツ, メッ-
⇒[533]滅

perish 滅びる(ほろびる)〈V〉go to ruin
滅亡(メツボウ)〈Nv〉perish } [+lost]
▶不滅(フメツ)〈N〉immortality [un-+]

1388 顧 かえり-;
コ

retrospect 顧みる(かえりみる)〈V〉look back, recollect
顧客(コキャク)〈N〉customer, patron [+visitor]
顧問(コモン)〈N〉adviser, brain [+inquire]

1389 薦 すす-;
セン

recommend 薦める(すすめる)〈V〉recommend
▶推薦(スイセン)〈Nv〉recommendation [recommend+]

1390 怒 いか-; おこ-;
ド
〈PN〉ぬ

fury, anger 怒り(いかり)〈N〉anger
怒る(いかる)〈V〉be furious
怒る(おこる)〈V〉get mad
怒号(ドゴウ)〈N〉outcry [+shout]

1391 篇 ヘン, -ペン

book, volume …篇(…ヘン/ペン)〈N〉Book …, Volume…
▶前篇(ゼンペン)〈N〉the 1st volume《of a 2-volumed book》 [previous+]

1392 **我** わ-, わが-, われ; ガ 〈PN〉 あ

I, my, me 我(が)国 (わがくに) 〈N〉 our country [+country]
我々 (われわれ) 〈N〉 we [+*Rep*]
我慢 (ガマン) 〈Nv〉 self-restraint [+haughty]
▶自我 (ジガ) 〈N〉 ego [self+]
無我夢中 (ムガムチュウ) 〈N〉 forgetful of oneself [non+~+in dream]

1393 **吾** わ-, わが-, われ; ゴ 〈PN〉 あ

I, my, me 吾(が)輩 (わがハイ) 〈N〉 I [+fellows]

1394 **漢** カン ⇒1789漢

Han dynasty, China 漢詩 (カンシ) 〈N〉 Chinese classic poetry [+poem]
漢字 (カンジ) 〈N〉 Chinese characters [+letter] ➔SN
漢文 (カンブン) 〈N〉 prose in the classical Chinese style [+sentence]
漢方薬 (カンポウヤク) 〈N〉 oriental herb medicine [+direction+medicine]
漢和辞典 (カンワジテン) 〈N〉 Chinese character dictionary in Japanese [+Japan+dictionary]

guy ▶悪漢 (アッカン) 〈N〉 rascal, scoundrel [bad+]
痴漢(チカン) 〈N〉 sex offender [unsound+]

1395 **揃** そろ-, -ぞろ-, そろい, -ぞろい, そろえ, -ぞろえ; セン†

sort, set 揃う (そろう) 〈V〉 be sorted/aligned/complete
揃える (そろえる) 〈V〉 sort, align, put together
▶一揃 (ひとそろい/ひとそろえ) 〈Q〉 a set, a outfit [one+]

1396 **添** そ-, -ぞ-, そい-, そえ-; テン

append 添える (そえる) 〈V〉 attach, append
添加物 (テンカブツ) 〈N〉 additive [+add+thing]
添削 (テンサク) 〈Nv〉 correcting composition [+scrape]
添付 (テンプ) 〈Nv〉 appending [+put on]

1397 **潔** いさぎよ-; -ケツ, ケッ- 〈PN〉 きよ, きよし

clean 潔い (いさぎよい) 〈A〉 pure, upright; once for all
潔白 (ケッパク) 〈N/Na〉 innocence, clean-handed [+white]
潔癖 (ケッペキ) 〈N/Na〉 spotless, mysophobic [+peculiarity]

1398 **肥** こ-, -ご-, こえ, -ごえ; ヒ, -ピ

fertile, fat 肥える (こえる) 〈V〉 grow fertile; get fat
肥満 (ヒマン) 〈Nv〉 obesity [+full]
肥料 (ヒリョウ) 〈N〉 manure, fertilizer [+ingredients]

1399 **抑** おさ-; ヨク ⇒1658仰

inhibit 抑える (おさえる) 〈V〉 restrain
抑止力 (ヨクシリョク) 〈N〉 deterrent potential [+stop+power]
抑制 (ヨクセイ) 〈Nv〉 control, restraint [+regulate]

1400 **腐** くさ-, -ぐさ-; フ, -プ

rotten 腐る (くさる) 〈V〉 get rotten
腐食 (フショク) 〈Nv〉 corrosion, erosion, rot [+eat]
腐敗 (フハイ) 〈Nv〉 decomposition [+be spoiled]

1401 唯 ユイ-, イ
〈PN〉 ただ

yes 唯々諾々 (イイダクダク) 〈Nt〉 quite willing [*Rep*+assent +*Rep*]

only 唯一 (ユイイツ) 〈N〉 only one [+one]

1402 圏 ケン
⇨[412]園

zone, sphere …圏 (…ケン) 〈N〉 …zone, …sphere
▷大気圏 (タイキ〜) atmosphere [air+]

1403 恒 コウ-
〈PN〉 つね, ひさし
⇨[1272]垣

constant 恒久 (コウキュウ) 〈N〉 eternity [+long time]
恒星 (コウセイ) 〈N〉 fixed star [+star]
恒例 (コウレイ) 〈N〉 established custom [+example]

1404 是 ゼ
〈PN〉 これ
⇨[305]足

right, correct 是正 (ゼセイ) 〈Nv〉 rectification [+correct]
是非 (ゼヒ) 〈N〉 yes or no; 〈Adv〉 by all means [+no good]

1405 隻 セキ, セッ-
⇨[168]集

one of a pair 隻眼 (セキガン) 〈N〉 one-eyed [+eye]

***Cs* ships** …隻 (…セキ) 〈Q〉 …ships
▷一隻 (イッ〜), 二隻 (ニ〜), 三隻 (サン〜)

1406 弊 ヘイ, -ペイ
⇨[1902]幣

spoil, damage 弊害 (ヘイガイ) 〈N〉 ill effect [+hurt]

our 《**hon.**》 弊社 (ヘイシャ) 〈N〉 our company [+company]

1407 譜 フ, -プ

note, record ▶音譜 (オンプ) 〈N〉 musical note [sound+]
楽譜 (ガクフ) 〈N〉 musical score [music+]
系譜 (ケイフ) 〈N〉 family record, genealogy [lineage +]

1408 陰 かげ; イン

shade 陰 (かげ) 〈N〉 shade
陰口 (かげぐち) 〈N〉 backbiting, gossip [+mouth]
陰険 (インケン) 〈Na〉 insidious [+venture]
陰部 (インブ) 〈N〉 pubic region [+part]
陰謀 (インボウ) 〈N〉 intrigue [+scheme]

negative 陰気 (インキ) 〈Na〉 gloomy, dismal [+atmosphere]
陰陽 (インヨウ/オンヨウ) 〈N〉 yin and yang [+positive] →App.

1409 臭 くさ-, -ぐさ; シュウ

stench 臭い (くさい) 〈A〉 stinking; suspicious
▶悪臭 (アクシュウ) 〈N〉 offensive odor, stink [bad+]
体臭 (タイシュウ) 〈N〉 body odor [body+]
脱臭剤 (ダッシュウザイ) 〈N〉 deodorant [drop out+〜+drug]

1410 肝 きも, -ぎも; カン

liver 肝 (きも) 〈N〉 liver
肝心 (カンジン) 〈N/Na〉 essential [+heart] ➜SN
肝臓 (カンゾウ) 〈N〉 liver [+internal organs]

1411 **麦** むぎ; バク, バッ-

barley, wheat

麦(むぎ)〈N〉barley, wheat
麦芽(バクガ)〈N〉malt, germ wheat [+sprout]
▶大麦(おおむぎ)〈N〉barley [big+]
小麦(こむぎ)〈N〉wheat [small+]

1412 **伏** ふ-, -ぶ-, ふし-, -ぶし, ふせ; フク, -ブク, -プク, フッ- ⇨[1990]伐

prostrate, lie down

伏す(ふす)〈V〉prostrate
伏せる(ふせる)〈V〉lie down; lay; conceal
伏線(フクセン)〈N〉subplot [+line]
伏(し)目(ふしめ)〈N〉downcast eyes [+eye]
▶山伏(やまぶし)〈N〉Buddhist mountain priest/exorciser [mountain+]

1413 **択** タク

select

▶選択(センタク)〈Nv〉selection, choice [select+]

1414 **炉** ロ

furnace

炉(ロ)〈N〉furnace
▶原子炉(ゲンシロ)〈N〉nuclear reactor [atom+]

1415 **拓** タク

stretch

拓本(タクホン)〈N〉rubbing [+book]
▶開拓(カイタク)〈Nv〉development, cultivation [open+]

1416 **智** チ 〈PN〉とも

wisdom

智(チ)〈N〉wisdom
★智 is commonly seen in given names. e.g. 美智子(ミチこ)

1417 **披** ヒ

uncover

披露(ヒロウ)〈Nv〉announcement [+expose]

1418 **黙** だま-; モク, モッ-

silence

黙る(だまる)〈V〉fall silent, shut up
黙殺(モクサツ)〈Nv〉ignoring [+kill]
黙認(モクニン)〈Nv〉tacit approval [+approve]
黙秘(モクヒ)〈Nv〉(the right of) being silent [+secret]
黙々(モクモク)〈Nt〉tacit, quiet [+*Rep*]
▶暗黙(アンモク)〈N〉tacitness [dark+]

1419 **雇** やと-, やとい; コ

employ

雇う(やとう)〈V〉employ
雇用(コヨウ)〈Nv〉employment [+use]
雇用者(コヨウシャ)〈N〉employer [+use+person]
▶解雇(カイコ)〈Nv〉dismissal, discharge [dissolve+]
日雇(い)(ひやとい)〈N〉being a day laborer [day+]

1420 **牲** セイ

victim

▶犠牲(ギセイ)〈N〉sacrifice, victim [sacrifice+]

1421 **脅** おど-; おびや-; キョウ-

menace

脅かす(おびやかす)〈V〉menace
脅す(おどす)〈V〉threaten
脅威(キョウイ)〈N〉threat [+aggression]
脅迫(キョウハク)〈Nv〉intimidation, threat [+press]

1422 呉	ゴ 〈PN〉くれ

Wu, Cathay 呉服（ゴフク）〈N〉 *kimono*; textile of *kimono* [+dress] ➜SN
呉越同舟（ゴエツドウシュウ）〈N〉 traveling together with a foe《by fate》 [+Yueh+same+boat] ➜SN

1423 僧	ソウ，-ゾウ

monk, priest 僧（ソウ）〈N〉 monk, priest
僧正（ソウジョウ）〈N〉 high priest, bishop [+just]
僧侶（ソウリョ）〈N〉 Buddhist priest, bonze [+fellow]
▶小僧（こゾウ）〈N〉 young Buddhist priest; boy, shaver [small+] →1203 坊主

1424 棒	ボウ ⇨1914 俸

stick, rod 棒（ボウ）〈N〉 stick, rod, pole, cudgel
▶鉄棒（テツボウ）〈N〉 iron bar; horizontal bar [iron+]
Ph ▶泥棒（どろボウ）〈N〉 thief [mud+]
用心棒（ヨウジンボウ）〈N〉 bodyguard; bouncer [caution+] ➜SN

1425 鐘	かね，-がね； ショウ

bell, chime 鐘（かね）〈N〉 bell, chime
▶警鐘（ケイショウ）〈N〉 alarm bell [warn+]

1426 兆	きざ-； チョウ ⇨491 非

trillion 兆（チョウ）〈Nu/Q〉 trillion, 10^{12}
omen 兆し（きざし）〈N〉 omen, sign
兆候（チョウコウ）〈N〉 portent, symptom [+feature]

1427 遂	と-； スイ ⇨1984 逐

accomplish 遂げる（とげる）〈V〉 achieve, accomplish, attain
遂行（スイコウ）〈Nv〉 execution [+exert]
▶未遂（ミスイ）〈N〉 attempted, uncommitted [not yet+]

1428 卓	タク，タッ- 〈PN〉すぐる

prominence 卓越（タクエツ）〈Nv〉 excellence [+go beyond]
table 卓球（タッキュウ）〈N〉 table tennis, ping-pong [+ball]
▶食卓（ショクタク）〈N〉 dining table [eat+]

1429 艇	テイ

boat …艇（…テイ）〈N〉 …boat
▷巡視艇（ジュンシ～） patrol boat [inspection+]
▶競艇（キョウテイ）〈N〉 motorboat race [compete+]

1430 欄	ラン

column 欄（ラン）〈N〉 column《in a newspaper, etc.》
欄外（ランガイ）〈N〉 margin [+outer]
欄干（ランカン）〈N〉 railing《along a balcony, etc.》 [+bar]

1431 墨	すみ，-ずみ； ボク，ボッ- ⇨648 塁

ink 墨（すみ）〈N〉 *sumi*, India ink
▶水墨画（スイボクガ）〈N〉 India ink painting [water+～+picture] ➜SN
白墨（ハクボク）〈N〉 chalk [white+]
入(れ)墨（いれずみ）〈Nv〉 tattoo [put in+]

1432 飼 か-, -が-, かい; シ-

raise, breed
飼う (かう) 〈V〉 breed
飼(い)犬 (かいいぬ) 〈N〉 kept/house dog [+dog]
飼(い)慣らす (かいならす) 〈V〉 domesticate, tame [+accustom]
飼育 (シイク) 〈Nv〉 breeding [+breed]
飼料 (シリョウ) 〈N〉 feed, fodder [+ingredients]

1433 岐 キ
〈PN〉 ギ

diverge, fork
岐路 (キロ) 〈N〉 forked road [+route]

〈Place〉
岐阜 (ギフ) Gifu Pref./City

1434 汗 あせ; カン
⇨1246 汚, 1502 汁

sweat
汗 (あせ) 〈N〉 sweat
汗ばむ (あせばむ) 〈V〉 be slightly sweaty

khan
…汗 (…カン) 〈N〉 …Khan
▷ジンギス汗 Genghis Khan [(Genghis)+]

1435 咲 さ-, -ざ-, -ざき; ショウ†
〈PN〉 さき

bloom
…咲(き) (…ざき) 〈N〉 …flowering, …blooming
▷五分咲(き) (ゴブ〜) half-blooming《of cherry blossoms》 [five+tenth+]
早咲(き) (はや〜) precocious [early+]
咲く (さく) 〈V〉 bloom

1436 葬 ほうむ-; ソウ

bury, entomb
葬る (ほうむる) 〈V〉 bury
葬儀 (ソウギ) 〈N〉 funeral service [+ritual]
葬式 (ソウシキ) 〈N〉 funeral ceremony [+ceremony]

1437 銅 ドウ

copper
銅 (ドウ) 〈N〉 copper
銅像 (ドウゾウ) 〈N〉 bronze statue [+image]
▶青銅 (セイドウ) 〈N〉 bronze [blue+]

1438 慢 マン
⇨1350 漫

haughty
▶高慢 (コウマン) 〈N/Na〉 arrogance, haughtiness [high+]
自慢 (ジマン) 〈Nv〉 boast, self-conceit [self+]

dull, obtuse
慢性 (マンセイ) 〈N〉 chronicity [+character]

1439 謀 はか-; ボウ; ム-
⇨1862 媒

scheme, plot
謀る (はかる) 〈V〉 plot
謀議 (ボウギ) 〈Nv〉 conspiring [+debate]
謀略 (ボウリャク) 〈N〉 intrigue [+plot]
謀反 (ムホン) 〈N〉 rebellion [+opposite]
▶参謀 (サンボウ) 〈N〉 staff officer; advisor [join+]
無謀 (ムボウ) 〈N/Na〉 rashness, recklessness [nil+]

1440 孤 コ
⇨1958 弧

solitude
孤児 (コジ) 〈N〉 orphan [+child]
孤島 (コトウ) 〈N〉 solitary island [+island]
孤独 (コドク) 〈N/Na〉 solitude, loneliness [+alone]
孤立 (コリツ) 〈Nv〉 isolation [+stand]

1441 祉 -シ
⇨30 社

grace
▶福祉 (フクシ) 〈N〉 welfare [blessing+]

1442 扇	おうぎ; セン ⇨[1838]扉

fan

扇(おうぎ)〈N〉(folding) fan

扇子(センス)〈N〉folding fan [+piece]

扇動(センドウ)〈Nv〉agitation [+move]

扇風機(センプウキ)〈N〉electric fan [+wind+machinery]

▶換気扇(カンキセン)〈N〉ventilation fan [ventilation+]

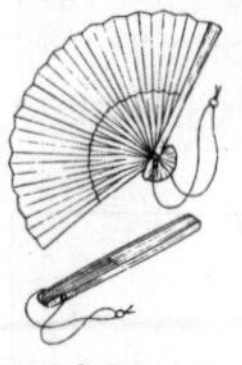

▲扇子

1443 喫	キツ, キッ-

inhale

喫煙(キツエン)〈Nv〉smoking [+smoke]

drink

喫茶(キッサ)〈N〉drinking tea; soft drinks [+tea]

喫茶店(キッサテン)〈N〉tea house, coffee shop [+tea+shop]

1444 巧	たく-, -だく-; コウ ⇨[765]功, [1827]朽

deft

巧み(たくみ)〈Na〉dexterous

巧者(コウシャ)〈N〉clever/skillful person;〈Na〉clever [+person]

巧妙(コウミョウ)〈N/Na〉skillfulness [+exquisite]

1445 浪	ロウ 〈PN〉なみ, なにわ(浪速)

billow, surf

▶波浪注意報(ハロウチュウイホウ)〈N〉high sea warning [wave+～+attention+report]

rove

浪人(ロウニン)〈Nv〉masterless *samurai*; one who does not "belong" anywhere《said of a student/worker》[+person]

浪費(ロウヒ)〈Nv〉waste, dissipation [+spend]

1446 靴	くつ, -ぐつ; カ

shoe

靴(くつ)〈N〉shoe

靴下(くつした)〈N〉socks, stockings [+inner]

1447 棺	カン

coffin

棺(カン)〈N〉coffin

1448 班	ハン, -パン

squad, team

班(ハン)〈N〉troupe, group

…班(…ハン/パン)〈N〉…party, …squad, …team

▷海外取材班(カイガイシュザイハン) overseas' reportage team [oversea+coverage+]

1449 壮	ソウ

magnificent

壮観(ソウカン)〈N〉grand sight [+view]

壮大(ソウダイ)〈Na〉grand [+big]

壮年(ソウネン)〈N〉prime of manhood [+age]

1450 朗	ほが-; ロウ 〈PN〉あき, あきら ⇨[237]郎

bright, clear

朗らか(ほがらか)〈Na〉bright, cheerful

朗読(ロウドク)〈Nv〉reading aloud [+read]

朗報(ロウホウ)〈N〉good news [+report]

▶明朗(メイロウ)〈Na〉sunny, bright [bright+]

1451 径	ケイ ⇨[135]経

lane, path

▶直径(チョッケイ)〈N〉diameter [straight+]

半径(ハンケイ)〈N〉radius [half+]

1452 **啓** ケイ

inspire, inform
啓示（ケイジ）〈N〉 revelation [＋indicate]
啓蒙（ケイモウ）〈Nv〉 enlightenment [＋ignorant]
▶拝啓（ハイケイ）〈CF〉 Dear, Dear Sir [be honored to do＋]

1453 **削** けず-; サク

scrape, shave
削る（けずる）〈V〉 scrape, sharpen; cut off
削減（サクゲン）〈Nv〉 cut, curtailment [＋decrease]
削除（サクジョ）〈Nv〉 elimination, deletion [＋exclude]
▶鉛筆削り（エンピツけずり）〈N〉 pencil sharpener [pencil＋]

1454 **脈** ミャク

vein, nerve
脈（ミャク）〈N〉 pulse
▶山脈（サンミャク）〈N〉 mountain range [mountain＋]
静脈（ジョウミャク）〈N〉 vein [still ＋]
動脈（ドウミャク）〈N〉 artery [move＋]
乱脈（ランミャク）〈N/Na〉 disorder, chaos [confusion＋]

1455 **痢** リ

diarrhea
▶下痢（ゲリ）〈Nv〉 diarrhea [down＋]
赤痢（セキリ）〈N〉 dysentery [red＋]

1456 **舶** ハク, -パク, ハッ-

ship, vessel
舶来（ハクライ）〈N〉 imported (goods) [＋come]
▶船舶（センパク）〈N〉 shipping, vessels [ship＋]

1457 **閥** バツ

clique, sect
閥（バツ）〈N〉 clique
▶学閥（ガクバツ）〈N〉 clique from the same alma mater [school＋]
財閥（ザイバツ）〈N〉 *zaibatsu*, financial clique [finance＋]
派閥（ハバツ）〈N〉 (political) faction, sect [sect＋]

1458 **秩** チツ
〈PN〉 チチ

system, order
秩序（チツジョ）〈N〉 order, regulation [＋grade]

1459 **鼻** はな, -ばな, -ぱな; ビ

nose
鼻（はな）〈N〉 nose
鼻声（はなごえ）〈N〉 nasal voice [＋voice]
▶耳鼻科（ジビカ）〈N〉 otorhinology [ear＋～＋branch]

1460 **又** また; ユウ†

another
又（また）〈Adv〉 and, again, also, further
又は（または）〈Adv〉 or

1461 **愉** ユ

delight
愉悦（ユエツ）〈N〉 joy, ecstasy [＋joy]
愉快（ユカイ）〈Na〉 joyful, pleasant [＋pleasant]

1462 **寮** リョウ
⇒837療

dormitory
寮（リョウ）〈N〉 dormitory, hostel
…寮（…リョウ）〈N〉 …dormitory
▷女子寮（ジョシ～）girl's dorm [girl＋]

1463 **籍** セキ

tome ▶書籍（ショセキ）〈N〉 books [book＋]

register 籍（セキ）〈N〉 register, registration

▶戸籍（コセキ）〈N〉 census register [house＋]

国籍（コクセキ）〈N〉 nationality [nation＋]

本籍（ホンセキ）〈N〉 one's permanent domicile [origin＋]

1464 **詐** サ

falsity 詐欺（サギ）〈N〉 fraud, imposture [＋deceive]

詐欺師（サギシ）〈N〉 impostor, con man [＋deceive＋master]

詐称（サショウ）〈Nv〉 false statement《of one's own name, etc.》 [＋denominate]

1465 **欺** あざむ-；ギ

deceive 欺く（あざむく）〈V〉 deceive, cheat

欺瞞（ギマン）〈N〉 deceit [＋dupe]

1466 **慰** なぐさ-；イ

console, soothe 慰める（なぐさめる）〈V〉 comfort, soothe; cheer up

慰安（イアン）〈Nv〉 relaxation, recreation [＋safe]

慰留（イリュウ）〈Nv〉 dissuasion from resigning [＋stay]

慰霊祭（イレイサイ）〈N〉 memorial service [＋soul＋festival]

慰労（イロウ）〈Nv〉 recognition of another's service [＋labor]

1467 **握** にぎ-；アク

grasp 握る（にぎる）〈V〉 grip, hold

握り(寿司)（にぎり(ズシ)）〈N〉 hand-shaped *sushi* [(＋*sushi*)]

握手（アクシュ）〈Nv〉 handshake [＋hand]

1468 **滑** すべ-；なめ-；カツ，カッ-；〈PN〉 なめり

slide 滑る（すべる）〈V〉 slide; slip

滑らか（なめらか）〈Na〉 smooth

滑空（カックウ）〈Nv〉 glide [＋sky]

滑車（カッシャ）〈N〉 pulley [＋wheel]

滑走（カッソウ）〈Nv〉 taxiing [[＋run]]

滑走路（カッソウロ）〈N〉 runway, landing strip [＋run＋road]

1469 **嫁** とつ-；よめ；カ

bride, young wife 嫁（よめ）〈N〉 bride; wife; one's son's wife

嫁ぐ（とつぐ）〈V〉 marry, be married《woman》

嫁ぎ先（とつぎさき）〈N〉 family/place into which a woman marries [＋the other party]

嫁入り（よめいり）〈Nv〉 getting married《woman》 [＋enter]

▶転嫁（テンカ）〈Nv〉 imputation [turn＋] ➜SN

花嫁（はなよめ）〈N〉 bride [flower＋] ➜SN

1470 **惨** みじ-；サン；ザン

misery 惨め（みじめ）〈Na〉 pitiable, miserable

惨事（サンジ）〈N〉 disaster [＋affair]

atrocity 惨殺（ザンサツ）〈Nv〉 slaughter [＋kill]

1471 寛 カン
〈PN〉 ひろ，ひろし ⇒896覚

generous 寛大 (カンダイ) 〈Na〉 magnanimous [+great]
寛容 (カンヨウ) 〈N/Na〉 tolerance [+admit]

1472 頁 ページ；ケツ†
⇒473負

page 頁 (ページ) 〈N〉 page ➜SN
***Cs* pages** …頁 (…ページ) 〈Q〉 …pages
▷一頁 (イッ～), 二頁 (ニ～), 三頁 (サン～)

1473 召 め-，めし；ショウ

summon 召す (めす) 〈V〉 summon
召集 (ショウシュウ) 〈Nv〉 convoking [+collect]
take, get 《hon.》 召す (めす) 〈V〉 take; put on, wear
召(し)上がる (めしあがる) 〈V〉 eat [+up]

1474 辻 つじ

cross-roads 辻 (つじ) 〈N〉 junction of roads
▶四つ辻 (よつつじ) 〈N〉 crossroads [four+]

1475 拝 おが-；ハイ，-パイ

pray 拝む (おがむ) 〈V〉 pray, worship
▶参拝 (サンパイ) 〈Nv〉 going to worship [go to pray+]
be honored to do 拝啓 (ハイケイ) 〈CF〉 Dear, Dear Sir [+inform] ➜SN
拝見 (ハイケン) 〈Nv〉 being allowed to see [+see]
拝借 (ハイシャク) 〈Nv〉 being allowed to borrow [+borrow]
拝聴 (ハイチョウ) 〈Nv〉 being allowed to hear [+hear]

1476 湿 しめ-；シツ，シッ-
⇒623温

humid, moist 湿る (しめる) 〈V〉 become damp
湿度 (シツド) 〈N〉 humidity [+degree]
湿気 (シッケ/シッキ) 〈N〉 dampness, moisture [+air]

1477 駆 か-，-が-，かけ，-がけ；ク

drive 駆ける (かける) 〈V〉 run, canter, gallop
駆る (かる) 〈V〉 drive, urge on
駆(け)落(ち) (かけおち) 〈Nv〉 elopement [+drop]
駆使 (クシ) 〈Nv〉 best possible use [+use]
▶先駆者 (センクシャ) 〈N〉 pioneer [previous+～+person]

1478 淡 あわ-；タン

light, faint 淡い (あわい) 〈A〉 light, pale, faint
淡水 (タンスイ) 〈N〉 fresh water [+water]
淡々 (タンタン) 〈Nt〉 unconcerned, cool [+*Rep*]
淡泊 (タンパク) 〈Na〉 light, plain; indifferent [+plain]
▶冷淡 (レイタン) 〈Na〉 cold-hearted [cold+]

1479 悟 さと-，-ざと-；ゴ
〈PN〉 さとる

realize, discern 悟り (さとり) 〈N〉 comprehension; spiritual enlightenment
悟る (さとる) 〈V〉 realize, discern, comprehend; be spiritual awakened
▶覚悟 (カクゴ) 〈Nv〉 resolve; (have) resignation to one's fate [awake+]

1480 **泥** どろ；デイ

mud 泥（どろ）〈N〉mud
泥沼（どろぬま）〈N〉bog [＋swamp]
泥棒（どろボウ）〈N〉thief [＋*Ph*] ➜SN

worm† 泥酔（デイスイ）〈Nv〉stinking drunkenness [＋drunk]➜SN

1481 **租** ソ

⇒[1325]祖

tribute 租税（ソゼイ）〈N〉taxes, levies [＋tax]

1482 **曽** ソ, -ゾ-; ソウ-

former, past 曽祖父（ソウソフ）〈N〉great-grandfather [＋grandfather]
▶未曽有（ミゾウ）〈N〉unprecedented, unheard-of [not yet＋～＋exist]

1483 **冒** おか-；ボウ

risk, dare 冒す（おかす）〈V〉risk, dare, venture
冒険（ボウケン）〈Nv〉adventure [＋venture]

cap 冒頭（ボウトウ）〈S〉beginning, opening [＋head]

1484 **陛** ヘイ-

⇒[253]階, [651]陸

steps 陛下（ヘイカ）〈N〉Your/His Majesty [＋under] ➜SN
▶天皇陛下（テンノウヘイカ）〈N〉His Majesty the Emperor [Emperor＋～＋under]

1485 **穂** ほ, -ぼ；スイ

ear, head 穂（ほ）〈N〉ear《of a plant》
▶稲穂（いなほ）〈N〉ear of rice [rice plant＋]

1486 **琴** こと, -ごと；キン

koto 琴（こと）〈N〉*koto*

▼琴

▶木琴（モッキン）〈N〉xylophone [wood＋]

1487 **梨** なし；り

pear 梨(なし)〈N〉Japanese pear

▲梨

▶西洋梨（セイヨウなし）〈N〉pear [the West＋]

〈Place〉 ▶山梨（やまなし）Yamanashi Pref.

1488 **賢** かしこ-, -がしこ-；ケン

wise 賢い（かしこい）〈A〉wise
賢者（ケンジャ）〈N〉sage, wise man [＋person]
賢明（ケンメイ）〈N/Na〉wise, judicious [＋bright]

1489 **紫** むらさき；シ

purple, violet 紫（むらさき）〈N〉purple, violet
紫外線（シガイセン）〈N〉ultraviolet rays [＋outer＋line]

1490 **涼** すず-；リョウ

cool 涼しい（すずしい）〈A〉cool, refreshing
▶清涼飲料水（セイリョウインリョウスイ）〈N〉refreshing beverage [clean＋～＋drinkable water]
納涼（ノウリョウ）〈N〉enjoying the cool breeze《on a summer evening》[put in＋]

1491 匠 — **ショウ**
〈PN〉 たくみ

maestro
▶巨匠(キョショウ)〈N〉maestro [gigantic+]
師匠(シショウ)〈N〉master, teacher《not of a school》[master+]

1492 征 — **セイ**
〈PN〉 まさ, ゆき

conquer
征服(セイフク)〈Nv〉conquest [+obey]
▶遠征(エンセイ)〈Nv〉expedition [far+]

1493 廷 — **テイ**
⇒[7587]延

court
▶宮廷(キュウテイ)〈N〉Court [imperial+]
朝廷(チョウテイ)〈N〉(Imperial) Court《Jap. hist.》[dynasty+]
法廷(ホウテイ)〈N〉court of justice [law+]

1494 刀 — **かたな, -がたな; トウ**
〈Ir〉 ⇒[69]力, [1526]刃

sword, blade
刀(かたな)〈N〉sword
▶小刀(こがたな)〈N〉knife [small+]
短刀(タントウ)〈N〉dagger [short+]
日本刀(ニホントウ)〈N〉Japanese sword [Japan+]
〈Ir〉 太刀(タち)〈N〉long sword [big+]

1495 袖 — **そで; シュウ**

sleeve
袖(そで)〈N〉sleeve
袖口(そでぐち)〈N〉cuff [+mouth]
▶半袖(ハンそで)〈N〉short sleeve [half+]
振袖(ふりそで)〈N〉long-sleeved *kimono*《for misses》[swing+]

1496 亭 — **テイ**

inn
亭主(テイシュ)〈N〉host; husband [+lord]
▶料亭(リョウテイ)〈N〉exclusive Japanese restaurant [ingredients+] ➜SN

1497 撲 — **ボク**
〈Ir〉 ⇒[1522]僕

beat
撲滅(ボクメツ)〈Nv〉eradication [+perish]
〈Ir〉 ▶相撲(すもう)〈N〉*sumo* [mutual+]

1498 俗 — **ゾク, ゾッ-**

vulgar, popular
俗(ゾク)〈N/Na〉worldly, vulgar, unsophisticated
俗説(ゾクセツ)〈N〉vulgar belief [+explain]
俗物(ゾクブツ)〈N〉worldling, snob [+figure]
俗名(ゾクミョウ)〈N〉secular name [+name] ➜SN
▶低俗(テイゾク)〈Na〉cheap, vulgar [low+]

custom
▶風俗(フウゾク)〈N〉mores, folkways [style+]
民俗(ミンゾク)〈N〉folklore, folk customs [folk+]
民俗学(ミンゾクガク)〈N〉folklore studies [folk+~+-logy]

1499 盲 — **めくら; モウ**

blind
盲(めくら)〈N〉blind man
盲従(モウジュウ)〈Nv〉blind obedience [+follow]
盲人(モウジン)〈N〉blind person [+person]
盲点(モウテン)〈N〉blind point, fallacy [+point]
盲目(モウモク)〈N〉blindness [+eye]

1500 硫	リュウ; 〈Ir〉

sulfur 硫酸（リュウサン）〈N〉 sulfuric acid [+acid]
〈Ir〉 硫黄（いオウ）〈N〉 sulfur [+yellow]

1501 奮	ふる-; フン, -プン

inspire, stir 奮う（ふるう）〈V〉 be inspired, be enlivened
奮起（フンキ）〈Nv〉 stirring up [+rise]
▶興奮（コウフン）〈Nv〉 (feel) excitement [emerge+]

1502 汁	しる, -じる; ジュウ ⇨ 1434 汗

juice, soup 汁（しる）〈N〉 juice, broth
…汁（…じる/しる）〈N〉 …juice, …soup, …broth
▷すまし汁（～じる） clean soup [(clear)+]
みそ汁（～しる） *miso* soup [(*miso*)+]
▶果汁（カジュウ）〈N〉 fruit juice [fruit+]

1503 函	はこ, -ばこ; カン

case, bin 函（はこ）〈N〉 case, bin
函数（カンスウ）〈N〉 function《math.》 [+number] ➜SN
〈Place〉 函館（はこだて） Hakodate City

1504 購	コウ- ⇨ 649 講

purchase 購読（コウドク）〈Nv〉 subscription《of a newspaper/magazine》 [+read]
購入（コウニュウ）〈Nv〉 purchase, buy [+put in]
購買力（コウバイリョク）〈N〉 purchasing power [+buy+power]

1505 脂	あぶら; シ

fat, grease 脂（あぶら）〈N〉 fat, grease
脂肪（シボウ）〈N〉 adipose, fat, grease [+fat]

1506 漂	ただよ-; ヒョウ-

drift 漂う（ただよう）〈V〉 be adrift
漂白（ヒョウハク）〈Nv〉 bleaching [+white]
漂流（ヒョウリュウ）〈Nv〉 drift [+flow]

1507 凡	ハン-; ボン

general 凡例（ハンレイ）〈N〉 introductory remarks [+example]
mediocre 凡人（ボンジン）〈N〉 ordinary person, mediocrity [+person]
▶非凡（ヒボン）〈N/Na〉 uncommon, distinct [not+]

1508 妨	さまた-; ボウ- ⇨ 325 防, 1113 紡

obstruct, interrupt 妨げ（さまたげ）〈N〉 interference, obstacle
妨げる（さまたげる）〈V〉 disturb, obstruct
妨害（ボウガイ）〈Nv〉 obstruction [+hurt] ➜SN

1509 呂	ロ

spine†
Ph ▶風呂（フロ）〈N〉 bath [air+] ➜SN
風呂敷（フロしき）〈N〉 wrapping cloth [air+～+spread] ➜SN

1510 窪	くぼ; ワ†

hollow 窪む（くぼむ）〈V〉 become hollow/depressed, pit

1511 隠	かく-; イン; オン 〈PN〉 オキ(隠岐) ⇨ 1631 穏

conceal, hide 隠す (かくす) 〈V〉 conceal
隠れる (かくれる) 〈V〉 conceal oneself
隠居 (インキョ) 〈Nv〉 (go into) retirement from public life; 〈N〉 person withdrawn from active life [+stay]
隠語 (インゴ) 〈N〉 jargon, cant, argot [+word]

1512 錦	にしき; キン

brocade 錦 (にしき) 〈N〉 brocade
錦絵 (にしきエ) 〈N〉 Japanese colored wood block print [+picture] ➜SN
錦鯉 (にしきごい) 〈N〉 multi-colored carp [+carp]

1513 憩	いこ-, いこい; ケイ

relax 憩(い) (いこい) 〈N〉 relaxation, rest
憩う (いこう) 〈V〉 relax, rest
▶休憩 (キュウケイ) 〈Nv〉 (take) rest, break [rest+]

1514 玄	ゲン 〈Ir〉

recondite 玄関 (ゲンカン) 〈N〉 front door, hall; foyer [+fort] ➜SN
〈Ir〉 玄人 (くろうと) 〈N〉 expert, professional [+person] → 717 素人 (しろうと)
▶幽玄 (ユウゲン) 〈N/Na〉 profound, subtle and enchanting [dim+]

1515 阿	ア

hill†
〈Place〉 阿蘇山 (アソサン) Mt. Aso
〈Person〉 阿部 (アベ) Abe 《surname》

1516 塔	トウ

tower, pagoda 塔 (トウ) 〈N〉 tower, pagoda
…塔 (…トウ) 〈N〉 …tower, …pagoda, …monument
▷テレビ塔 TV tower [(television)+]
管制塔 (カンセイ〜) control tower [control+]
五重の塔 (ゴジュウの〜) five-storied pagoda [five-storied+] ➜SN

1517 熟	う-, うれ-; ジュク, ジュッ- ⇨ 1727 塾

mature 熟れる (うれる) 〈V〉 ripen
熟す(る) (ジュクす(る)) 〈V〉 mature
熟語 (ジュクゴ) 〈N〉 idiom [+word]
熟睡 (ジュクスイ) 〈Nv〉 deep sleep [+slumber]
熟読 (ジュクドク) 〈Nv〉 careful reading [+read]
熟練 (ジュクレン) 〈Nv〉 dexterity [+knead]
熟考 (ジュッコウ) 〈Nv〉 deliberation [+think]
▶早熟 (ソウジュク) 〈N/Na〉 precocity [early+]
未熟 (ミジュク) 〈N/Na〉 immaturity, unskilled [not yet+]

1518 磯	いそ; キ† ⇨ 1268 礎

rocky beach 磯 (いそ) 〈N〉 stony beach, rocky shore

1519 駒	こま, -ごま; ク†

horse 駒 (こま) 〈N〉 horse, pony 《archaic》
***shogi* piece** 駒 (こま) 〈N〉 *shogi* piece; chessman

▲駒

1520 鎮 しず-; チン

quell 鎮まる（しずまる）〈V〉 be tranquilized, subside
鎮める（しずめる）〈V〉 calm, tranquilize, quell
鎮圧（チンアツ）〈Nv〉 quelling [+pressure]
鎮火（チンカ）〈Nv〉 extinction [+fire]
鎮痛剤（チンツウザイ）〈N〉 anodyne [+pain+drug]

1521 如 ジョ; ニョ
〈PN〉 ゆき

state, -wise ▶欠如（ケツジョ）〈Nv〉 deficiency [defect+]
突如（トツジョ）〈S〉 sudden, unexpected [sudden+]

like... 如実（ニョジツ）〈Na〉 realistic [+real]

1522 僕 ボク ⇨[1497]撲

slave, servant 僕（ボク）〈N〉 I, me《male》
僕ら（ボクら）〈N〉 we, us《male》
僕達（ボクたち）〈N〉 we, us《male》 [+*Suf plurality*]
▶公僕（コウボク）〈N〉 public servant [public+]

1523 寸 スン, -ズン ⇨[639]才

measure 寸法（スンポウ）〈N〉 measurements, specifications [+regulations]

brief 寸暇（スンカ）〈N〉 brief respite [+leisure]
寸劇（スンゲキ）〈N〉 skit, short play [+drama]
寸前（スンゼン）〈N/T〉 just before [+before]

***sun* 《=3.03 cm》** …寸（…スン/ズン）〈Q〉 …*sun*
▷一寸（イッスン), 二寸（ニスン), 三寸（サンズン）

1524 雷 かみなり; ライ ⇨[125]電

thunder 雷（かみなり）〈N〉 thunder
雷雨（ライウ）〈N〉 thundershower [+rain]
雷名（ライメイ）〈N〉 resounding name [+name]
▶魚雷（ギョライ）〈N〉 torpedo [fish+] ➔SN

1525 粒 つぶ; リュウ

grain 粒（つぶ）〈N〉 grain
粒子（リュウシ）〈N〉 particle, grain [+tiny thing]

***Cs* grains, pills** …粒（…つぶ）〈Q〉 …grains
▷一粒（ひと～), 二粒（ふた～), 三粒（み～）

1526 刃 は, -ば; -ジン ⇨[1494]刀

blade, edge 刃（は）〈N〉 blade, edge
刃物（はもの）〈N〉 cutlery [+thing]
▶替(え)刃（かえば）〈N〉 spare blade [substitute+]
自刃（ジジン）〈Nv〉 (commit) suicide with a sword [self+]

1527 俵 たわら, -だわら; ヒョウ, -ビョウ, -ピョウ

straw bag 俵（たわら）〈N〉 straw bag
▶土俵（ドヒョウ）〈N〉 *sumo* ring《dirt circled with straw bags》 [soil+]

***Cs* straw bags** …俵（…ヒョウ/ビョウ/ピョウ）〈Q〉 …bags
▷一俵（イッピョウ）
二俵（ニヒョウ）
三俵（サンビョウ）

▲俵

▲土俵

1528 斉 — **セイ**
〈PN〉 ひとし，なり，サイ
⇨[1363]斎

same — 斉唱（セイショウ）〈Nv〉 singing in unison [+recite]
▶一斉（イッセイ）〈N〉 as one, in chorus [one+]

1529 拍 — **ハク**，-パク；
ヒョウ-，-ビョウ-

beat — 拍車（ハクシャ）〈N〉 rowel, spur [+wheel]
拍手（ハクシュ）〈Nv〉 applause, clap [+hand]
拍子（ヒョウシ）〈N〉 rhythm, beat [+piece]

***Cs* beats** — …拍（…ハク/パク）〈Q〉 … beats
▷一拍（イッパク），二拍（ニハク），三拍（サンパク）

1530 霞 — **かす-**，かすみ，-がすみ；
カ

haze, mist — 霞（かすみ）〈N〉 haze, (vernal) mist
霞む（かすむ）〈V〉 get hazy, get misty
▶雲霞（ウンカ）〈N〉 clouds and fogs; swarms [cloud+]

1531 謡 — うた-，うたい；
ヨウ

chant, song — 謡（うたい）〈N〉 *noh* song
謡曲（ヨウキョク）〈N〉 *noh* song [+melody]
▶歌謡曲（カヨウキョク）〈N〉 Japanese popular song [song+～+melody]
民謡（ミンヨウ）〈N〉 folk song [folk+]

1532 偉 — **えら-**；
イ
⇨[1680]緯

great — 偉い（えらい）〈A〉 great
偉業（イギョウ）〈N〉 great achievement, feat [+work]
偉大（イダイ）〈Na〉 great, grand [+great]

1533 涯 — **ガイ**

end — ▶生涯（ショウガイ）〈T〉 life, lifetime, all one's life [life+]
天涯孤独（テンガイコドク）〈N〉 absolute solitude [heaven+～+solitude]

1534 姫 — **ひめ**；
キ

princess — 姫（ひめ）〈N〉 princess
〈Place〉 — 姫路（ひめじ）Himeji City

1535 肯 — **コウ**
⇨[796]背

nod — 肯定（コウテイ）〈Nv〉 affirmation [+settle]
▶首肯（シュコウ）〈Nv〉 assent [head+]

1536 弥 — **や**；
ミ
⇨[1187]称

still more†
〈PN〉 — 弥生（やよい）〈N〉 Yayoi《person, place, period》

1537 粋 — いき；
スイ

essence — 粋（スイ）〈N〉 essence, pith
▶国粋主義（コクスイシュギ）〈N〉 chauvinism [nation+～+-ism]
純粋（ジュンスイ）〈N/Na〉 pureness [pure+]
抜粋（バッスイ）〈Nv〉 extraction, excerpt [pull out+]

chic — 粋（いき/スイ）〈N/Na〉 smart, chic, gallant, refined

1538 淵 — **ふち**；
エン
〈PN〉 -ぶち

abyss — 淵（ふち）〈N〉 deep water
▶深淵（シンエン）〈N〉 abyss [deep+]

1539 弓	ゆみ; キュウ 〈PN〉 ゆ

bow, archery
弓 (ゆみ) 〈N〉 bow
弓道 (キュウドウ) 〈N〉 Japanese archery [+way of man]
▶洋弓 (ヨウキュウ) 〈N〉 (Western) archery [Occidental+]

1540 珠	シュ, -ジュ 〈Ir〉 : 〈PN〉 たま, -だま

bijou, bead
珠玉 (シュギョク) 〈N〉 jewel [+gem]
▶真珠 (シンジュ) 〈N〉 pearl [genuine+]
〈Ir〉 数珠 (ジュズ) 〈N〉 rosary, string of beads [number+] ➜SN

1541 碁	ゴ

***go* game**
碁 (ゴ) 〈N〉 *go* game
碁石 (ごいし) 〈N〉 *go* stone [+stone]
碁盤 (ゴバン) 〈N〉 *go* game board [+board]
▶囲碁 (イゴ) 〈N〉 game of *go* match [enclose+]

1542 惜	お-, おし-; セキ ⇨[996]借

regret, grudge, stingy
惜しい (おしい) 〈A〉 regrettable, ill-spared
惜しむ (おしむ) 〈V〉 regret, spare, grudge
惜別 (セキベツ) 〈Nv〉 (get) regretful separation [+part with]

1543 尿	ニョウ

urine
尿 (ニョウ) 〈N〉 urine
尿素 (ニョウソ) 〈N〉 urea [+element]
▶糖尿病 (トウニョウビョウ) 〈N〉 diabetes [sugar+～+sick]

1544 輩	ハイ, -パイ

fellows
輩出 (ハイシュツ) 〈Nv〉 successive emergence [+come out]
▶後輩 (コウハイ) 〈N〉 one's junior 《at school or work》 [after+]
先輩 (センパイ) 〈N〉 one's senior 《at school or work》 [previous+]

1545 諭	さと-; ユ 〈PN〉 さとし ⇨[267]論

admonish
諭す (さとす) 〈V〉 admonish
▶教諭 (キョウユ) 〈N〉 schoolteacher 《formal》 [teach+]

1546 剰	ジョウ

excess, surplus
剰余 (ジョウヨ) 〈N〉 surplus [+surplus]

1547 暇	ひま; カ

leisure
暇 (ひま) 〈N/Na〉 leisure, free time
▶余暇 (ヨカ) 〈N〉 leisure, free time [surplus+]

1548 冠	かんむり; カン

crown
冠 (かんむり) 〈N〉 crown
冠たる (カンたる) 〈Adj〉 crowned, crowning
▶栄冠 (エイカン) 〈N〉 garland, laurels [glory+]
王冠 (オウカン) 〈N〉 crown; bottle top [king+]

1549 祥	ショウ 〈PN〉 -ジョウ, よし

omen
▶吉祥 (キッショウ) 〈N〉 good omen [good omen+]
不祥事 (フショウジ) 〈N〉 accursed event [un-+～+happening]

1550 幻	まぼろし； ゲン ⇒[1099]幼

illusion
幻（まぼろし）〈N〉 phantom
幻覚（ゲンカク）〈N〉 hallucination [+sense]
幻想（ゲンソウ）〈N〉 fantasy [+image]
幻滅（ゲンメツ）〈Nv〉 (have) disillusionment [+perish]
幻惑（ゲンワク）〈Nv〉 fascinating [+misguide]

1551 禅	ゼン

Zen
禅（ゼン）〈N〉 *Zen* Buddhism
禅僧（ゼンソウ）〈N〉 *Zen* priest [+monk]
▶坐/座禅（ザゼン）〈N〉 *Zen* meditation [sit/seat+]

1552 昌	ショウ，-ジョウ 〈PN〉あき，ひさ，まさ，よし

bright†
〈Person〉 昌子（まさこ；あきこ）Masako; Akiko《female》
昌一（ショウイチ；まさかず）Shoichi; Masakazu《male》

1553 也	-なり； ヤ

be
…也（…なり）〈N〉 be《literal definition》
▷金五万円也（キンゴマンエン～）¥50,000《no more or less》[money+¥50,000+]
〈Person〉 達也（タツヤ）Tatsuya《male》
▶美也子（ミヤこ）Miyako《female》

1554 靖	やす-； セイ 〈PN〉やすし

pacify
靖国神社（やすくにジンジャ）〈N〉 Yasukuni Shrine [+nation+Shinto shrine]
〈Person〉 靖（やすし）Yasushi《male》
靖子（やすこ）Yasuko《female》

1555 堤	つつみ，-づつみ； テイ ⇒[378]提

bank, levee
堤（つつみ）〈N〉 bank, levee
堤防（テイボウ）〈N〉 bank, levee [+defend]
▶防波堤（ボウハテイ）〈N〉 breakwater [defend+wave+]

1556 帽	ボウ

hat, cap
…帽（…ボウ）〈N〉 ...hat, ...cap
▷ゴルフ帽 golf cap [(golf)+]
野球帽（ヤキュウ～）baseball cap [baseball+]
帽子（ボウシ）〈N〉 hat, cap [+piece]
▶赤帽（あかボウ）〈N〉 red cap; porter《JNR》[red+]
脱帽（ダツボウ）〈Nv〉 taking off one's cap [undress+]

1557 豚	ぶた； トン

swine
豚（ぶた）〈N〉 swine, pig, hog
豚カツ（トンカツ）〈N〉 pork cutlet [+(cutlet)]
豚肉（ぶたニク）〈N〉 pork [+meat]

1558 虎	とら，-どら； コ

tiger
虎（とら）〈N〉 tiger, tigress
虎の巻（とらのまき）〈N〉 key, crib [+volume] ➜SN
虎口（ココウ）〈N〉 tiger's mouth; danger [+mouth]

1559 浄	ジョウ 〈PN〉きよ，きよし

purity
浄化（ジョウカ）〈Nv〉 purification, cleanup [+change itself]
浄土（ジョウド）〈N〉 Paradise《Buddhism》[+land]

1560 **唆** そそのか-; サ

suggest, abet
唆す（そそのかす）〈V〉 abet
▶教唆（キョウサ）〈Nv〉 abetment, instigation [teach+]
示唆（シサ）〈Nv〉 suggestion, hinting [indicate+]

1561 **桑** くわ; ソウ

mulberry
桑（くわ）〈N〉 mulberry
桑畑（くわばたけ）〈N〉 mulberry field [+cultivated field]

1562 **辰** たつ; シン

tatsu →App.
辰（たつ）〈N〉 *tatsu*; dragon†
辰年（たつどし）〈N〉 year of *tatsu* [+year]

1563 **寅** とら; イン ⇨[993]宙

tora →App.
寅（とら）〈N〉 *tora*; tiger†
寅年（とらどし）〈N〉 year of *tora* [+year]

1564 **胴** ドウ

torso, body
胴（ドウ）〈N〉 trunk of body
胴上げ（ドウあげ）〈Nv〉 tossing (a person into the air in triumph) [+up]
胴体（ドウタイ）〈N〉 torso, trunk of body [+body]

1565 **燥** ソウ ⇨[985]操, [1264]繰

parch
▶乾燥（カンソウ）〈Nv〉 dryness, aridity [dry+]
焦燥（ショウソウ）〈N〉 fretfulness [irritate+]

1566 **藩** ハン, -パン

han 《domain》
藩（ハン）〈N〉 *han*, feudal domain/clan 《Jap. hist.》

1567 **筒** つつ, -づつ; トウ

cylinder
筒（つつ）〈N〉 cylinder, tube
▶水筒（スイトウ）〈N〉 canteen, water bottle [water+]
封筒（フウトウ）〈N〉 envelope [seal+]

1568 **柿** かき, -がき; -シ

persimmon
柿（かき）〈N〉 Japanese persimmon ➜SN
▶干(し)柿（ほしがき）〈N〉 dried persimmon [dry+]

1569 **桐** きり, -ぎり; トウ

paulownia
桐（きり）〈N〉 paulownia
桐箱（きりばこ）〈N〉 box made of paulownia [+box] ➜SN

1570 **鴨** かも, -がも; オウ†

wild duck
鴨（かも）〈N〉 wild duck

1571 **栗** くり, -ぐり; リツ

chestnut
栗（くり）〈N〉 chestnut
▶甘栗（あまぐり）〈N〉 sweet broiled chestnut [sweet+]

1572 **貢** みつ-, みつぎ; ク, -グ; コウ 〈PN〉 みつぐ

tribute
貢ぐ（みつぐ）〈V〉 contribute, dedicate, aid
貢献（コウケン）〈Nv〉 contribution [+offer]
▶年貢（ネング）〈N〉 land tax 《Jap. hist.》 [year+]

1573 **祈** いの-; キ- ⇨[1365]析

pray
祈り（いのり）〈N〉 prayer
祈る（いのる）〈V〉 pray
祈願（キガン）〈Nv〉 prayer [+beg]

1574 叙	ジョ

rank, order 叙する（ジョする）〈V〉 confer a rank/decoration
叙勲（ジョクン）〈Nv〉 conferment of a decoration [+merit]

sequence 叙事詩（ジョジシ）〈N〉 epic [+affair+poem]
叙述（ジョジュツ）〈Nv〉 description [+mention]
▶自叙伝（ジジョデン）〈N〉 autobiography [self+～+legend]

1575 升	ます； ショウ，-ジョウ ⇨[793]弁

measure 升（ます）〈N〉 box measure

sho 《≒1.8*l*》 …升（…ショウ/ジョウ）〈Q〉 …*sho*
▷一升（イッショウ）
二升（ニショウ）
三升（サンジョウ）
▶一升瓶（イッショウビン）〈N〉 1-*sho* bottle [one+～+bottle]

1576 麗	うるわ-； レイ

beautiful, graceful 麗しい（うるわしい）〈A〉 beautiful, graceful
▶華麗（カレイ）〈Na〉 splendid, gorgeous [flower+]

1577 衰	おとろ-； スイ ⇨[1670]哀

decline, decay 衰える（おとろえる）〈V〉 decay (*vi.*), decline (*vi.*)
衰弱（スイジャク）〈Nv〉 debility [+weak]

1578 嵐	あらし； ラン 〈PN〉 いがらし（五十嵐）

storm 嵐（あらし）〈N〉 storm

1579 没	ボツ，ボッ-

sink 没する（ボッする）〈V〉 sink
没落（ボツラク）〈Nv〉 downfall, ruin [+drop]
没頭（ボットウ）〈Nv〉 being absorbed in… [+head]
▶日没（ニチボツ）〈N〉 sunset [sun+]

nullify 没収（ボッシュウ）〈Nv〉 forfeiture [+take in]

die 没後（ボツゴ）〈T〉 after one's death, posthumous [+after]
▶戦没者（センボツシャ）〈N〉 fallen soldier, the war dead [war+～+person]

1580 劣	おと-； レツ，レッ-

inferior 劣る（おとる）〈V〉 be inferior
劣悪（レツアク）〈Na〉 inferior, coarse [+bad]
劣勢（レッセイ）〈N〉 inferiority in strength [+force]
劣等感（レットウカン）〈N〉 inferiority complex [+rank+feel]
▶下劣（ゲレツ）〈Na〉 mean, sordid [inferior+]

1581 逸	イツ，イッ- 〈PN〉 はや

flee, lose 逸脱（イツダツ）〈Nv〉 deviation [+drop out]
逸話（イツワ）〈N〉 anecdote, episode [+tale]

superb 逸品（イッピン）〈N〉 superb article [+article]

1582 奨	ショウ

urge 奨学金（ショウガクキン）〈N〉 scholarship [+study+money]
奨励（ショウレイ）〈Nv〉 encourage [+encourage]

1583 脇 わき; キョウ

side, flank 脇（わき）〈N〉 side
脇の下（わきのした）〈N〉 armpit [+inner]
脇腹（わきばら）〈N〉 side, flank [+abdomen]
脇役（わきやく）〈N〉 supporting actor/actress [+role]

1584 屈 クツ, クッ-

stoop, bend 屈する（クッする）〈V〉 bend, succumb, submit
屈辱（クツジョク）〈N〉 humiliation [+insult]
屈服（クップク）〈Nv〉 submission, surrender [+obey]
▶窮屈（キュウクツ）〈N/Na〉 crampedness, narrowness, stiffness [reach limits+]

cavity, maze ▶理屈（リクツ）〈N〉 reason, pretext [reason+] ➔SN

1585 耕 たがや-; コウ

cultivate 耕す（たがやす）〈V〉 till
耕作（コウサク）〈Nv〉 cultivation [+produce]
耕地（コウチ）〈N〉 arable/tilled land [+land]

1586 訂 テイ

revise 訂正（テイセイ）〈Nv〉 correction [+correct]
▶改訂（カイテイ）〈Nv〉 revision [reform+]

1587 乏 とぼ-; ボウ ⇨[697]之

shortage, scanty 乏しい（とぼしい）〈A〉 scarce, impoverished
▶欠乏（ケツボウ）〈Nv〉 shortage, deficiency [defect+]

1588 虚 むな-; キョ; コ- ⇨[1806]虐

empty, vain 虚栄（キョエイ）〈N〉 vanity [+glory]
虚偽（キョギ）〈N〉 falsehood [+false]
虚構（キョコウ）〈N〉 fiction [+structure]
虚弱（キョジャク）〈Na〉 frail, feeble [+weak]
虚勢（キョセイ）〈N〉 bluff [+force]
虚空（コクウ）〈N〉 empty sky [+sky]

1589 膨 ふく-, -ぶく-; ボウ-

swell 膨らむ（ふくらむ）〈V〉 dilate (*vi.*), distend
膨れる（ふくれる）〈V〉 expand (*vi.*), swell
膨大（ボウダイ）〈Na〉 swelling, bulky [+big]
膨張（ボウチョウ）〈Nv〉 expansion, swelling [+stretch]

1590 貝 かい, -がい; バイ ⇨[48]見

shelled mollusk 貝（かい）〈N〉 shellfish
…貝（…がい）〈N〉 ...shell
▷真珠貝（シンジュ〜） mother-of-pearl [pearl+]

1591 駄 タ; ダ

useless 駄作（ダサク）〈N〉 poor stuff, trash [+produce]
駄目（ダめ）〈N〉 *dame* 《useless point in a *go* game》; 〈Na〉 useless, no good [+cross]
▶無駄（ムダ）〈N/Na〉 useless, waste [void+]

footwear ▶下駄（ゲタ）〈N〉 *geta*, Japanese clogs [under+]

▲下駄

1592 **透** すー, すき; **トウ** 〈PN〉 とおる

trans-parent
- 透ける (すける) 〈V〉 be diaphanous
- 透き通る (すきとおる) 〈V〉 be transparent [+let pass]
- 透視 (トウシ) 〈Nv〉 seeing through [+sight]
- 透明 (トウメイ) 〈N/Na〉 transparence [+light]
- ▶半透明(ハントウメイ)〈N/Na〉 translucence [half+~+light]

1593 **怖** こわー; **フ**, ープ

dread
- 怖い (こわい) 〈A〉 dreadful, fearful
- 怖がる (こわがる) 〈V〉 fear, dread
- ▶恐怖 (キョウフ) 〈N〉 terror, horror [dreadful+]

1594 **嘆** なげー; **タン**

sigh
- 嘆く (なげく) 〈V〉 sigh, lament
- 嘆願 (タンガン) 〈Nv〉 supplication [+beseech]

1595 **匹** ひき, ーびき, ーぴき; **ヒツ**, ヒッー ⇒[18]四

parallel
- 匹敵 (ヒッテキ) 〈Nv〉 rival, parallel [+enemy]

***Cs* small animals**
- …匹 (…ひき/びき/ぴき) 〈Q〉 …animals, …insects, …fish ▷一匹 (イッぴき), 二匹 (ニひき), 三匹 (サンびき)

1596 **陶** **トウ**

ceramic
- 陶器 (トウキ) 〈N〉 ceramics, earthenware [+tool]
- 陶芸 (トウゲイ) 〈N〉 ceramic art [+art]

rapt
- 陶酔 (トウスイ) 〈Nv〉 trance [+drunk]

1597 **潤** うるー, うるおー; **ジュン**

moist, wet, damp, not dry, enriched
- 潤い (うるおい) 〈N〉 moisture; richness, luster
- 潤う (うるおう) 〈V〉 be moistened; benefit
- 潤す (うるおす) 〈V〉 moisten; benefit, enrich
- 潤む (うるむ) 〈V〉 be tear-filled, be tear-stained
- 潤滑剤 (ジュンカツザイ) 〈N〉 lubricant [+slide+drug]
- 潤色 (ジュンショク) 〈Nv〉 embellishment [+color]
- ▶利潤 (リジュン) 〈N〉 profit, margin [profit+]

1598 **蒲** かば; がま; **フ**, ーブ; **ホ**, ーボ 〈PN〉 かま, かんー

cattail
- 蒲 (がま/かば) 〈N〉 cattail
- 蒲焼き (かばやき) 〈N〉 cat-tail-ear-shaped roast fish 《typically of an eel》 [+burn]

1599 **拾** ひろー, ーびろー; **シュウ**; ジュウ ⇒[1223]拾

pick up, gather
- 拾う (ひろう) 〈V〉 pick up, gather, glean
- 拾い物 (ひろいもの) 〈N〉 find, acquisition [+thing]
- ▶収拾 (シュウシュウ) 〈Nv〉 settlement 《of a difficult situation》 [take in+]

ten 《archaic》
- 拾万円 (ジュウマンエン) 〈Q〉 100,000 yen [+ten thousand+yen]

1600 **獣** けもの; **ジュウ**

beast
- 獣 (けもの) 〈N〉 beast
- 獣医 (ジュウイ) 〈N〉 veterinarian [+doctor]
- ▶猛獣 (モウジュウ) 〈N〉 fierce animal [fierce+]
- 野獣 (ヤジュウ) 〈N〉 wild beast [wild+]

1601 **傑** | **ケツ**, ケッ-

eminent 傑物 (ケツブツ) 〈N〉 outstanding man [+figure]
傑作 (ケッサク) 〈N〉 masterpiece [+produce]
傑出 (ケッシュツ) 〈Nv〉 (win) preeminence [+come out]
▶豪傑 (ゴウケツ) 〈N〉 stout fellow [brave+]

1602 **酵** | **コウ**

ferment 酵素 (コウソ) 〈N〉 enzyme [+element]
酵母 (コウボ) 〈N〉 yeast, barm [+mother]
▶発酵 (ハッコウ) 〈Nv〉 fermentation [issue+]

1603 **尽** | **つ-**, -づ-, つく-, -づく-; **ジン** ⇨903 冬

exhaust 尽きる (つきる) 〈V〉 be exhausted, be used up
尽(く)す (つくす) 〈V〉 exhaust, use up; exert oneself; render service
尽力 (ジンリョク) 〈Nv〉 exertion, striving [+power]
▶理不尽 (リフジン) 〈Na〉 unreasonable, unfair [reason+un-+]

1604 **揺** | **ゆ-**; **ヨウ**

shake 揺さぶる (ゆさぶる) 〈V〉 shake, sway
揺らぐ (ゆらぐ) 〈V〉 be shaken, be swayed
揺るぐ (ゆるぐ) 〈V〉 waver, shake
揺れる (ゆれる) 〈V〉 quake, pitch, roll
▶動揺 (ドウヨウ) 〈Nv〉 (feel) perturbation, agitation [move+]

1605 **鎖** | **くさり**, -ぐさり; **サ**

chain 鎖 (くさり) 〈N〉 chain
▶連鎖反応 (レンサハンノウ) 〈N〉 chain reaction [link+~+reaction]

block, lockout 鎖国 (サコク) 〈Nv〉 national isolation 《Jap. hist.》 [+country]
▶閉鎖 (ヘイサ) 〈Nv〉 closing, lockout [close+]

1606 **佳** | **カ** 〈PN〉 よし ⇨248 住

fine, fair 佳境 (カキョウ) 〈N〉 climax [+boundary]
佳作 (カサク) 〈N〉 fairly good work [+produce]

1607 **謙** | **ケン**

humble 謙虚 (ケンキョ) 〈Na〉 modest [+empty]
謙譲 (ケンジョウ) 〈N〉 modesty, condescension [+concede]
謙遜 (ケンソン) 〈Nv〉 being modest, humility [+give way]

1608 **隔** | **へだ-**, へだた-; **カク**

distant, apart 隔(た)り (へだたり) 〈N〉 distance
隔(た)る (へだたる) 〈V〉 be distant, be apart
隔てる (へだてる) 〈V〉 set apart, estrange
隔離 (カクリ) 〈Nv〉 isolation, segregation [+separate]
▶遠隔 (エンカク) 〈N〉 far-off, remote [far+]

every other... 隔日 (カクジツ) 〈N〉 every other day [+day]
隔年 (カクネン) 〈N〉 every other year [+year]

1609 嬢 ジョウ ⇨[960]譲, [1886]壌

young lady …嬢（…ジョウ）〈N〉 Miss…
▷メアリー(=スミス)嬢 Miss Mary (Smith)
お嬢さん（おジョウさん）〈N〉 young lady; your/his/her daughter; 〈Cph〉 Miss. [(*Pref honorific*)+]
▶令嬢（レイジョウ）〈N〉 your/his/her daughter; young lady [honorable+]

1610 机 つくえ, -づくえ; キ

desk 机（つくえ）〈N〉 desk, table
机上（キジョウ）〈N〉 on the desk [+on]

1611 拘 コウ ⇨[1229]抱

hold, seize 拘束（コウソク）〈Nv〉 restraint [+bundle]
拘置（コウチ）〈Nv〉 detention [+put]
拘泥（コウデイ）〈Nv〉 sticking to, being bound to [+mud]

1612 尚 ショウ 〈PN〉 なお, ひさ ⇨[217]向

lofty ▶高尚（コウショウ）〈Na〉 highbrow [high+]
still more 尚早（ショウソウ）〈Na〉 premature, too early [+early]

1613 怠 おこた-; なま-; タイ

lazy 怠ける（なまける）〈V〉 laze
怠る（おこたる）〈V〉 be negligent, be remiss
怠惰（タイダ）〈N/Na〉 laziness, sloth [+inert]
怠慢（タイマン）〈N/Na〉 negligence, remissness [+dull]
▶倦怠（ケンタイ）〈Nv〉 (feel) languor [tired of+]

1614 喪 も; ソウ ⇨[1986]衷

lose, miss 喪失（ソウシツ）〈Nv〉 loss, lapse [+lose]
mourning 喪（も）〈N〉 mourning
喪中（もチュウ）〈N〉 in mourning [+*Suf* duration]
喪服（もフク）〈N〉 mourning dress [+clothes]

1615 培 つちか-; バイ ⇨[809]倍

nurture 培う（つちかう）〈V〉 foster, cultivate
培養（バイヨウ）〈Nv〉 culture, nurture [+feed]

1616 菓 カ ⇨[1233]巣

confection 菓子（カシ）〈N〉 candy, sweet, cookie [+piece]
▶製菓（セイカ）〈N〉 confectionery [manufacture+]

1617 弦 つる, -づる; ゲン

string 弦（つる）〈N〉 bowstring
弦（ゲン）〈N〉 bowstring; string; chord《math.》
弦楽器（ゲンガッキ）〈N〉 string instrument [+musical instrument]
▶管弦楽（カンゲンガク）〈N〉 orchestral music [pipe+~+music]

1618 掌 ショウ ⇨[1803]裳

palm 掌握（ショウアク）〈Nv〉 hold, grasp, seizure [+grasp]
▶合掌（ガッショウ）〈Nv〉 clasping one's hands [combine+]
conduct ▶車掌（シャショウ）〈N〉 conductor《of a train, etc.》 [vehicle+]

1619 粗 あら-; ソ

coarse, crude
粗い(あらい)〈A〉 coarse
粗鋼(ソコウ)〈N〉 blister steel [+steel]
粗品(ソしな)〈N〉 gift, present《humble》[+goods]➜SN
粗食(ソショク)〈N〉 plain food [+food]
粗末(ソマツ)〈Na〉 coarse, crude, plain [+end]
粗野(ソヤ)〈Na〉 rude, rough, rustic [+untamed]

1620 穀 コク ⇨1869 殼

cereals
穀倉(コクソウ)〈N〉 granary [+storehouse]
穀物(コクモツ)〈N〉 grain, cereals [+thing]
▶五穀(ゴコク)〈N〉 five main cereals《rice, barley, foxtail millet, Chinese millet, bean》 [five+]

1621 釜 かま, -がま; フ, -プ ⇨59 金

cauldron, iron pot
釜(かま)〈N〉 cauldron, iron pot; boiler
▶電気釜(デンキがま)〈N〉 electric rice cooker [electricity+]

1622 娯 ゴ ⇨1129 誤

enjoy
娯楽(ゴラク)〈N〉 amusement, recreation [+amuse]

1623 浸 ひた-, -びた-; シン- ⇨1046 侵

soak
浸す(ひたす)〈V〉 dip (*vt.*), soak, steep
浸水(シンスイ)〈Nv〉 (suffer) submergence [+water]
浸透(シントウ)〈Nv〉 (make) permeation [+transparent]

1624 詞 シ

word
▶歌詞(カシ)〈N〉 libretto, lyrics [song+]
作詞(サクシ)〈Nv〉 writing lyrics [make+]

part of speech《grammar》
▶感動詞(カンドウシ)〈N〉 interjection [being moved+]
疑問詞(ギモンシ)〈N〉 interrogative [doubt+]
形容詞(ケイヨウシ)〈N〉 adjective [qualification+]
形容動詞(ケイヨウドウシ)〈N〉 Na adjective [qualification+move+]
指示詞(シジシ)〈N〉 demonstrative [indication+]
助詞(ジョシ)〈N〉 postposition [assist+]
助数詞(ジョスウシ)〈N〉 counter suffix [assist+number+]
助動詞(ジョドウシ)〈N〉 auxiliary verb [assist+move+]
数詞(スウシ)〈N〉 numeral [number+]
接続詞(セツゾクシ)〈N〉 conjunction [connection+]
代名詞(ダイメイシ)〈N〉 pronoun [substitution+name+]
品詞(ヒンシ)〈N〉 part of speech [article+]
副詞(フクシ)〈N〉 adverb [vice-+]
名詞(メイシ)〈N〉 noun [name+]
連体詞(レンタイシ)〈N〉 pre-noun adjectival [link+body+]

1625 滋 ジ 〈PN〉 シ, しげる

nutritious
滋養(ジヨウ)〈N〉 nourishment, nutrition [+nourish]

〈Place〉
滋賀(シガ) Shiga Pref.

1626 懲 こ-, -ご-; **チョウ**

chastise, punish

懲らしめる（こらしめる）〈V〉 chastise, punish
懲りる（こりる）〈V〉 learn a bitter lesson from experience
懲役（チョウエキ）〈N〉 penal servitude [+duty]
懲罰（チョウバツ）〈N〉 discipline, punishment [+penalty]

1627 憂 う-, うき-; うれ-; **ユウ** ⇒[580]夏

pensive, worry

憂い（うれい）〈N〉 trouble, anxiety, pensiveness
憂える（うれえる）〈V〉 worry, be anxious
憂(き)目（うきめ）〈N〉 bitter experience/plight [+sight]
憂鬱（ユウウツ）〈N/Na〉 melancholy [+gloomy]
憂慮（ユウリョ）〈Nv〉 (have) anxiety, concern, worry [+consider]

1628 辛 から-, -がら-, かろ-; **シン** ⇒[683]幸

acrid, salty, bitter, severe

辛い（からい）〈A〉 acrid, salty, bitter, severe
辛うじて（かろうじて）〈Adv〉 narrowly, barely
辛子（からシ）〈N〉 mustard [+piece] ➡SN
辛党（からトウ）〈N〉 heavy drinker [+party]
辛苦（シンク）〈N〉 hardship [+bitter]
辛抱（シンボウ）〈Nv〉 patience, perseverance [+embrace]
辛辣（シンラツ）〈Na〉 acrid, pungent [+pricking]
▶塩辛い（しおからい）〈A〉 salty, briny [salt+]

1629 軌 **キ**

track

軌跡（キセキ）〈N〉 trace; locus《math.》 [+trace]
軌道（キドウ）〈N〉 tracks, orbit, course [+way]
▶常軌（ジョウキ）〈N〉 beaten track, common practice [ordinary+]

1630 霜 しも, -じも; ソウ

frost

霜（しも）〈N〉 frost
霜柱（しもばしら）〈N〉 frost columns [+pole]
▶星霜（セイソウ）〈N〉 years [star+] ➡SN

1631 穏 おだ-; **オン** ⇒[1511]隠

placid, mild

穏やか（おだやか）〈Na〉 calm, mild, temperate
穏健（オンケン）〈Na〉 moderate [+sound]
▶不穏（フオン）〈Na〉 disquieting, disconcerting [un-+]

1632 戯 たわむ-; **ギ**

play, jest

戯れ（たわむれ）〈N〉 jest, play; freak
戯れる（たわむれる）〈V〉 play, joke; flirt
戯画（ギガ）〈N〉 caricature [+picture]
戯曲（ギキョク）〈N〉 drama, play [+melody]
▶遊戯（ユウギ）〈Nv〉 child's play, game [play+]

1633 酢 す; **サク**

acetic

酢（す）〈N〉 vinegar
酢酸（サクサン）〈N〉 acetic acid [+acid]

1634 覆	おお-; くつがえ-; フク, -プク

cover, veil　覆う (おおう) 〈V〉 cover, veil
覆面 (フクメン) 〈Nv〉 mask, veil [+face]

upset　覆す (くつがえす) 〈V〉 upset, overturn (*vt.*)
覆る (くつがえる) 〈V〉 be overturned, be overruled
▶転覆 (テンプク) 〈Nv〉 upset, overturn [revolt+]

1635 噴	ふ-; フン

spurt, emit　噴く (ふく) 〈V〉 gush, spout, send off
噴煙 (フンエン) 〈N〉 smoke 《of a volcano》 [+smoke]
噴火 (フンカ) 〈Nv〉 eruption [+fire]
噴射 (フンシャ) 〈Nv〉 jet [+shoot]
噴出 (フンシュツ) 〈Nv〉 ejection [+go out]
噴水 (フンスイ) 〈N〉 fountain, jet of water [+water]
噴霧器 (フンムキ) 〈N〉 spray 《tool》 [+fog+tool]

1636 款	カン

articles　▶借款 (シャッカン) 〈N〉 (bilateral) loan, credit [rent+]
定款 (テイカン) 〈N〉 articles of association, company charter [settle+]

1637 澄	す-, -ず-; チョウ 〈PN〉 すみ

limpid, serene　澄ます (すます) 〈V〉 look solemn/grave, be composed
澄む (すむ) 〈V〉 become lucid, become serene
▶清澄 (セイチョウ) 〈Na〉 serene, limpid [pure+]

1638 擁	ヨウ

embrace　擁する (ヨウする) 〈V〉 embrace
擁護 (ヨウゴ) 〈Nv〉 protection, support [+guard]
擁立 (ヨウリツ) 〈Nv〉 support, back [+set up]

1639 偽	いつわ-; にせ; ギ

false　偽 (にせ) 〈N〉 spurious
偽り (いつわり) 〈N〉 falsehood
偽る (いつわる) 〈V〉 falsify, feign, pretend
偽札 (にせサツ) 〈N〉 counterfeit note [+banknote]
偽物 (にせもの) 〈N〉 imitation, sham [+thing]
偽者 (にせもの) 〈N〉 charlatan, pretender [+person]
偽証 (ギショウ) 〈Nv〉 perjury [+evidence]
偽証罪 (ギショウザイ) 〈N〉 perjury [+evidence+crime]
偽善 (ギゼン) 〈N〉 hypocrisy [+good]
偽善者 (ギゼンシャ) 〈N〉 hypocrite [+good+person]
偽造 (ギゾウ) 〈Nv〉 forgery [+make]
偽名 (ギメイ) 〈N〉 alias [+name]
▶虚偽 (キョギ) 〈N〉 falsehood [empty+]
真偽 (シンギ) 〈N〉 whether true or not [true+]

1640 盾	たて, -だて; ジュン

shield　盾 (たて) 〈N〉 buckler
▶後(ろ)盾 (うしろだて) 〈N〉 backing, backer [back+]
矛盾 (ムジュン) 〈Nv〉 (be in) contradiction [pike+]

1641 覇 ハ, -パ

domination

覇権 (ハケン) 〈N〉 domination, hegemony [+right]
覇者 (ハシャ) 〈N〉 supreme ruler [+person]
▶制覇 (セイハ) 〈Nv〉 conquest [regulate+]

1642 桃 もも; トウ ⇒[1241]挑

peach

桃 (もも) 〈N〉 peach
桃色 (ももいろ) 〈N〉 pink [+color]
▶白桃 (ハクトウ) 〈N〉 white peach [white+]

1643 邪 ジャ 〈Ir〉

evil

邪悪 (ジャアク) 〈N/Na〉 wickedness, vice [+ill]
邪心 (ジャシン) 〈N〉 wicked heart [+heart]
邪推 (ジャスイ) 〈Nv〉 (entertain) groundless suspicion [+presume]
邪念 (ジャネン) 〈N〉 evil thought [+sense]
邪魔 (ジャマ) 〈Na/Nv〉 hindrance, obstruction, bother [+demon] ➜SN
〈Ir〉 ▶風邪 (かぜ) 〈N〉 cold [wind+]
無邪気 (ムジャキ) 〈N/Na〉 innocence, naivety [nil+~+mind]

1644 獄 ゴク

prison

獄中 (ゴクチュウ) 〈N〉 in prison [+inside]
▶疑獄 (ギゴク) 〈N〉 political scandal [doubt+]
地獄 (ジゴク) 〈N〉 hell, inferno [ground+]
脱獄 (ダツゴク) 〈Nv〉 prison breaking [desert+]

1645 閑 カン ⇒[104]関, [1143]閉

not busy/ occupied

閑散 (カンサン) 〈Nt〉 deserted, quiet [+disperse]
閑職 (カンショク) 〈N〉 easy post [+job] ⎫[+still]
閑静 (カンセイ) 〈Na〉 secluded ⎭

1646 幾 いく-; キ ⇒[1684]畿

how many/ much

幾つ (いくつ) 〈Q〉 how many
幾ら (いくら) 〈Q〉 how much
幾… (いく…) 〈Q〉 how many; many…, much…
▷幾年月 (~としつき) for many years [+years]
幾人 (~ニン) how many persons [+*Cs* persons]
幾何 (キカ) 〈N〉 geometry [+what] ➜SN

1647 殖 ふ-; ショク

propagate, accrue

殖える (ふえる) 〈V〉 accrue, propagate (*vi.*)
殖やす (ふやす) 〈V〉 let accrue, propagate (*vt.*)
▶生殖 (セイショク) 〈N〉 procreation [birth+]
繁殖 (ハンショク) 〈Nv〉 propagation [luxuriant+]
養殖 (ヨウショク) 〈Nv〉 culture, breeding [feed+]
利殖 (リショク) 〈N〉 money-making [profit+]

1648 旋 セン ⇒[451]施

whirl, revolve

旋回 (センカイ) 〈Nv〉 circling, revolution [+turn]
旋盤 (センバン) 〈N〉 lathe [+disk]
旋風 (センプウ) 〈N〉 whirlwind, cyclone [+wind]
旋律 (センリツ) 〈N〉 melody [+rule]

1649 **偏** かたよ-; ヘン, -ベン ⇒[495]編

partial, one-sided

偏(ヘン)⟨N⟩ left radical《of a *kanji*》
偏る(かたよる)⟨V⟩ be one-sided, be partial
偏屈(ヘンクツ)⟨N/Na⟩ eccentricity [+bend]
偏見(ヘンケン)⟨N⟩ prejudice, bias [+view]
偏向(ヘンコウ)⟨Nv⟩ partiality [+orientate]
偏重(ヘンチョウ)⟨Nv⟩ partial emphasis/overestimate [+important]

1650 **狩** か-, -が-, かり, -がり; シュ-

hunt, chase

狩(り)(かり)⟨N⟩ hunting
…狩(り)(…がり)⟨N⟩ …hunting
▷猛獣狩(り)(モウジュウ〜) big game hunting [fierce animal+]
松茸狩(り)(まつたけ〜) *matsutake*-mushroom gathering / harvesting [*matsutake*+]
狩る(かる)⟨V⟩ hunt
狩(り)出す(かりだす)⟨V⟩ hunt out [+put out]
狩猟(シュリョウ)⟨N⟩ venery [+shooting]

1651 **皿** さら, -ざら; ベイ† ⇒[637]血

dish, flatware

皿(さら)⟨N⟩ dish, plate
…皿(…ざら)⟨N⟩ …dish, …plate, …tray
▷ケーキ皿 cake plate [(cake)+]
ペン皿 pen tray [(pen)+]
▶受(け)皿(うけざら)⟨N⟩ saucer [receive+]
大皿(おおざら)⟨N⟩ platter [big+]

1652 **誰** た-; だれ; スイ

who

誰(だれ)⟨N⟩ who
誰々(だれだれ)⟨N⟩ (Mr./Ms.) So and So [+*Rep*]

1653 **符** フ, -プ

tally

…符(…フ)⟨N⟩ …mark
▷終止符(シュウシ〜) period, full stop [end+]
符号(フゴウ)⟨N⟩ mark, sign [+naming]
符合(フゴウ)⟨Nv⟩ coincidence [+suit]
▶切符(きっぷ)⟨N⟩ ticket [cut+]

1654 **伎** キ; ギ

artiste

伎楽(ギガク)⟨N⟩ *gigaku*, old masked dance [+music]
▶歌舞伎(カブキ)⟨N⟩ *kabuki* drama [song+dance+]

▲mask of 伎楽

1655 **魂** たましい, -だましい; コン ⇒[1946]塊

soul, spirit

魂(たましい)⟨N⟩ soul, spirit; ghost
…魂(…だましい)⟨N⟩ …spirit, …soul
▷大和魂(やまと〜) the Japanese spirit [Japan+]
魂胆(コンタン)⟨N⟩ secret design, plot [+gall bladder]
▶商魂(ショウコン)⟨N⟩ commercial spirit [commerce+]
闘魂(トウコン)⟨N⟩ fighting spirit [fight+]

1656 **阜** フ, -プ

hill ⟨Place⟩

▶岐阜(ギフ) Gifu Pref./City

1657 履
はｰ, ｰばｰ, はき, ｰばき;
リ

wear 《shoes, etc.》
履く (はく) 〈V〉 put on 《shoes, socks, pants, etc.》
履(き)物 (はきもの) 〈N〉 footwear [+thing]

carry on/out
履行 (リコウ) 〈Nv〉 performance, carrying out [+exert]
履修 (リシュウ) 〈Nv〉 finish 《of a college unit》 [+master]
履歴書 (リレキショ) 〈N〉 curriculum vitae [+career +document]

1658 仰
あおｰ; おおｰ;
ギョウ; ｰコウ
⇒[1399]抑

look up to
仰ぐ (あおぐ) 〈V〉 look up
仰せ (おおせ) 〈N〉 your/his order/wish
仰向け (あおむけ) 〈N〉 supine [+direction]
仰天 (ギョウテン) 〈Nv〉 (be filled with) astonishment [+heaven] ➜SN
▶信仰 (シンコウ) 〈Nv〉 faith, belief [believe+]

1659 架
かｰ, かかｰ;
カ

lay across, bridge, beam
架ける (かける) 〈V〉 span with, stretch across (*vt.*)
架橋 (カキョウ) 〈Nv〉 bridging [+bridge]
架空 (カクウ) 〈N〉 fictitiousness [+air]
架設 (カセツ) 〈Nv〉 bridging, wiring [+found]
▶高架 (コウカ) 〈N〉 overhead; elevated bridge [high+]
十字架 (ジュウジカ) 〈N〉 cross, crucifix [cross+]
書架 (ショカ) 〈N〉 bookshelf [book+]
担架 (タンカ) 〈N〉 stretcher, litter [bear+]

1660 胆
タン
⇒[673]担

gall bladder
胆石 (タンセキ) 〈N〉 gallstone; chololithiasis [+stone]
▶大胆 (ダイタン) 〈Na〉 bold, daring, adventurous [big+]
落胆 (ラクタン) 〈Nv〉 (fall into) discouragement [fall+]

1661 尼
あま;
ニ

nun
尼 (あま) 〈N〉 nun
…尼 (…ニ) 〈N〉 Sister… 《in Buddhism》
▷寂聴尼 (ジャクチョウ〜) Sister Jakucho [*PN*+]
尼寺 (あまでら) 〈N〉 nunnery [+temple]
尼僧 (ニソウ) 〈N〉 nun; priestess [+priest]

1662 憶
オク

memory
▶記憶 (キオク) 〈Nv〉 (have) memory [record+]
追憶 (ツイオク) 〈Nv〉 (afford) reminiscence [follow+]

timid
憶測 (オクソク) 〈Nv〉 (have) conjecture [+measure]
憶病 (オクビョウ) 〈N/Na〉 cowardice, timidity [+sick]

1663 溶
とｰ;
ヨウ

melt, dissolve
溶かす (とかす) 〈V〉 melt (*vt.*), dissolve
溶ける (とける) 〈V〉 melt (*vi.*), dissolve
溶液 (ヨウエキ) 〈N〉 solution 《liquid》 [+liquid]
溶解 (ヨウカイ) 〈Nv〉 melting, solution [+dissolve]
溶接 (ヨウセツ) 〈Nv〉 welding [+connect]

1664 括 — カツ，カッ-

bundle, bunch

括弧（カッコ）〈N〉 parenthesis; bracket [+arc]

▶一括（イッカツ）〈Nv〉 lumping together [one+]

総括（ソウカツ）〈Nv〉 synthesis, summarization [whole+]

1665 瓶 — ビン

〈PN〉 へい

bottle

瓶（ビン）〈N〉 bottle

…瓶（…ビン）〈N〉 …bottle

▷一升瓶（イッショウ～）1.8*l* bottle [1*sho*+]

瓶詰(め)（ビンづめ）〈N〉 bottled (thing) [+pack]

▶花瓶（カビン）〈N〉 vase [flower+]

1666 缶 — カン

⇨[1091]岳

can, tin

缶（カン）〈N〉 can, tin

缶ビール（カンビール）〈N〉 canned beer [+(beer)]

缶入(り)（カンいり）〈N〉 canned (thing) [+put in]

缶詰(め)（カンづめ）〈N〉 canned (thing) [+pack]

1667 徐 — ジョ

⇨[688]除

slowly

徐行（ジョコウ）〈Nv〉 going slowly [+go]

徐々に（ジョジョに）〈Adv〉 gradually, slowly [+*Rep*]

1668 唐 — から；トウ

Tang, Cathay, overseas

唐（トウ）〈N〉 Tang dynasty

唐草(模様)（からくさ（モヨウ））〈N〉 arabesque [+grass(+pattern)]

唐辛子（トウがらシ）〈N〉 cayenne pepper [+mustard]

1669 鶏 — とり，-どり；にわとり；ケイ

chicken

鶏（とり）〈N〉 chicken

鶏（にわとり）〈N〉 cock; hen

▶養鶏場（ヨウケイジョウ）〈N〉 chicken farm [feed+～+place]

1670 哀 — あわ-；アイ

⇨[1577]衰

pathos

哀れ（あわれ）〈N/Na〉 pathos, sorrow, pity

哀れみ（あわれみ）〈N〉 pity, compassion

哀れむ（あわれむ）〈V〉 commiserate

哀願（アイガン）〈Nv〉 supplication [+beg]

哀愁（アイシュウ）〈N〉 pathos [+plaintive]

▶喜怒哀楽（キドアイラク）〈N〉 human passions《joy, anger, sorrow, comfort》 [joy+fury+～+comfort]

1671 伯 — ハク，-パク

〈Ir〉：〈PN〉 えき

lord, master

▶画伯（ガハク）〈N〉 great artist, master, painter [picture+]

eldest

伯仲（ハクチュウ）〈Nv〉 equally-matched [+second eldest] ➜SN

〈Ir〉 伯父（おじ）〈N〉 uncle older than one's parent [+father] ➜SN

〈Ir〉 伯母（おば）〈N〉 aunt older than one's parent [+mother] ➜SN

1672 矛 — ほこ，-ぼこ；ム-

⇨[160]予

pike

矛（ほこ）〈N〉 pike, halberd

矛盾（ムジュン）〈Nv〉 (be in) contradiction [+shield] ➜SN

1673 妊 ニン

pregnancy 妊娠（ニンシン）〈Nv〉(undergo) pregnancy [＋gravidity]
妊婦（ニンプ）〈N〉 pregnant woman [＋woman]
▶避妊（ヒニン）〈Nv〉(practice) contraception [avoid＋]
不妊（フニン）〈N〉 sterility [un-＋]

1674 循 ジュン

circulate 循環（ジュンカン）〈Nv〉 circulation, rotation [＋circle]
循環器（ジュンカンキ）〈N〉 circulatory organ [＋circle＋physical organ]

1675 訟 ショウ

dispute ▶訴訟（ソショウ）〈Nv〉 lawsuit, litigation [appeal＋]

1676 芽 め；ガ

sprout 芽（め）〈N〉 sprout
芽生える（めばえる）〈V〉 bud, sprout [＋growth]
▶新芽（シンめ）〈N〉 new shoot, sprout [new＋]
発芽（ハツガ）〈Nv〉 germination, budding [issue＋]

1677 諾 ダク

assent 諾否（ダクヒ）〈N〉 yes or no, assent or dissent [＋deny]
▶快諾（カイダク）〈Nv〉 willing consent [pleasant＋]
承諾（ショウダク）〈Nv〉 consent [receive＋]
内諾（ナイダク）〈Nv〉 informal consent [inside＋]

1678 陥 おちい-；カン

fall in, lapse in 陥る（おちいる）〈V〉 fall in
陥没（カンボツ）〈Nv〉 sinking, subsidence, depression [＋sink]
陥落（カンラク）〈Nv〉 fall, surrender [＋fall]
▶欠陥（ケッカン）〈N〉 defect [defect＋]

1679 虜 リョ ⇨925慮

captive 虜囚（リョシュウ）〈N〉 captive [＋prisoned]
▶捕虜（ホリョ）〈N〉 prisoner, captive [catch＋]

1680 緯 イ ⇨1532偉

latitude line 緯度（イド）〈N〉 latitude [＋degree]
▶南緯（ナンイ）〈N〉 south lat., ～° south [south＋]
北緯三十五度（ホクイサンジュウゴド）〈N〉 35° north《at lat.》 [north＋～＋degree]

1681 鉛 なまり；エン

lead, plumbum 鉛（なまり）〈N〉 lead
鉛管（エンカン）〈N〉 lead pipe [＋pipe]
鉛筆（エンピツ）〈N〉 pencil [＋pen]
▶亜鉛（アエン）〈N〉 zinc [pseudo-＋]

1682 顕 ケン
〈PN〉 あき

manifest 顕著（ケンチョ）〈Na〉 notable, conspicuous [＋distinguished]
顕微鏡（ケンビキョウ）〈N〉 microscope [＋micro-＋scope]

1683 穫 カク ⇨1234 獲

harvest ▶収穫(シュウカク)〈Nv〉harvest [collect+]

1684 畿 キ ⇨1646 幾

capital suburbs† 〈Place〉 ▶近畿(キンキ) Kinki District

1685 巾 はば; キン

cloth ▶雑巾(ゾウキン)〈N〉mop; duster [rough+]

width 巾(はば)〈N〉width, range →682 幅

1686 隅 すみ, -ずみ; グウ ⇨1708 偶

corner, nook 隅(すみ)〈N〉nook, corner
▶一隅(イチグウ)〈N〉a corner, a nook [one+]
片隅(かたすみ)〈N〉a (out-of-the-way/small) corner/nook [remote+]

1687 瑞 ズイ 〈PN〉みず

auspicious 瑞兆(ズイチョウ)〈N〉good omen [+omen]
瑞宝章(ズイホウショウ)〈N〉Order of the Sacred Treasure [+treasure+badge]

1688 貌 -ボウ

aspect, look ▶全貌(ゼンボウ)〈N〉whole aspect [all+]
美貌(ビボウ)〈N〉good looks, beautiful face [beautiful+]
変貌(ヘンボウ)〈Nv〉transfiguration [change+]
容貌(ヨウボウ)〈N〉one's looks [appearance+]

1689 傍 かたわ-, かたわら; ボウ

aside 傍(ら)(かたわら)〈N〉aside
傍観者(ボウカンシャ)〈N〉onlooker [+observe+person]
傍系(ボウケイ)〈N〉collateral, not lineal [+lineage]
傍証(ボウショウ)〈N〉supporting evidence [+evidence]
傍聴(ボウチョウ)〈Nv〉audit, attend《as an observer》[+listen]

1690 悦 エツ ⇨383 税

joy 悦楽(エツラク)〈N〉rapture [+amuse]
▶御満悦(ゴマンエツ)〈N〉his/her satisfaction [his/her+full+]

1691 頃 ころ, -ごろ; ケイ† ⇨995 項

around, about 頃(ころ)〈T〉time, days
▶この頃(このころ/このごろ)〈T〉these days [(this)+]
近頃(ちかごろ)〈T〉recently, lately [recent+]
手頃(てごろ)〈Na〉handy; moderate [hand+]
年頃(としごろ)〈N〉age, generation; marriageable age, adolescence [age+]
日頃(ひごろ)〈T〉ordinary, every day [day+]

1692 笛 ふえ, -ぶえ; テキ ⇨1767 苗

flute, pipe, whistle 笛(ふえ)〈N〉flute, pipe, whistle, clarinet
▶口笛(くちぶえ)〈N〉(lip) whistle [mouth+]
警笛(ケイテキ)〈N〉horn, klaxon [warn+]
指笛(ゆびぶえ)〈N〉whistle《on fingers》[finger+]

1693 匿 トク

conceal

匿名（トクメイ）〈N〉 anonymity [＋name]

▶隠匿（イントク）〈Nv〉 concealment, secretion [conceal＋]

1694 衡 コウ

〈PN〉 ひら ⇒[918]衡

balance

▶均衡（キンコウ）〈N〉 balance [level＋]

平衡（ヘイコウ）〈N〉 equilibrium [even＋]

1695 砕 くだ-；
サイ

shatter

砕く（くだく）〈V〉 shatter, break into pieces

砕ける（くだける）〈V〉 be shattered

砕氷船（サイヒョウセン）〈N〉 ice breaker [＋ice＋ship]

▶粉砕（フンサイ）〈Nv〉 pulverization [powder＋]

1696 棚 たな，-だな；
ホウ†

shelf

棚（たな）〈N〉 shelf, rack

…棚（…だな）〈N〉 ...shelf

▷網棚（あみ～） basket rack [net＋]

神棚（かみ～） household altar [god＋] ➔SN

食器棚（ショッキ～） cupboard [utensils＋]

本棚（ホン～） bookshelf [book＋]

▶戸棚（とだな）〈N〉 cabinet, cupboard [door＋]

1697 巳 み；
シ ⇒[1320]己

mi
→App.

巳（み）〈N〉 *mi*; snake†

巳年（みどし）〈N〉 year of *mi* [＋year]

1698 晶 ショウ

〈PN〉 あきら，あき ⇒[138]品，[1062]唱

crystal

▶結晶（ケッショウ）〈Nv〉 crystallization; crystal [formation＋]

水晶（スイショウ）〈N〉 quartz crystal [water＋]

1699 濯 すす-；
タク

rinse

濯ぐ（すすぐ）〈V〉 rinse

▶洗濯（センタク）〈Nv〉 laundry, wash [wash＋]

1700 崩 くず-；
ホウ-，-ポウ
〈Ir〉

crumble

崩す（くずす）〈V〉 level, crumble, pull down, break into pieces

崩れる（くずれる）〈V〉 break down, collapse

崩壊（ホウカイ）〈Nv〉 demolition [＋destroy]

〈Ir〉 ▶雪崩（なだれ）〈N〉 snowslide, avalanche [snow＋]

1701 庶 ショ

various, diverse, general

庶民（ショミン）〈N〉 ordinary people [＋folk]

庶務（ショム）〈N〉 general affairs [＋duty]

1702 酷 コク，コッ-

harsh

酷（コク）〈Na〉 harsh

酷使（コクシ）〈Nv〉 hard driving [＋use]

酷薄（コクハク）〈Na〉 inhuman, cold-blooded [＋thin]

▶過酷（カコク）〈Na〉 harsh, rigorous [exceed＋]

残酷（ザンコク）〈N/Na〉 cruel, inhuman [merciless＋]

冷酷（レイコク）〈N/Na〉 cold-hearted [cold＋]

1703 **羊** ひつじ; ヨウ ⇨[224]半

sheep
羊（ひつじ）〈N〉sheep
羊飼い（ひつじかい）〈N〉shepherd [+breed]
羊毛（ヨウモウ）〈N〉wool [+fur]

1704 **尻** しり, -じり; コウ†

buttocks, backside, tail, rear
尻（しり）〈N〉buttocks, hips, bottom
▶目尻（めじり）〈N〉outside corner of the eye [eye+]

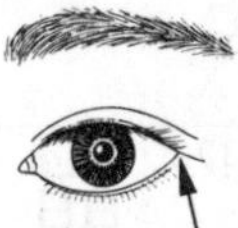

▲目尻

1705 **栽** サイ ⇨[498]裁

prune, trim
栽培（サイバイ）〈Nv〉cultivation [+foster]
▶盆栽（ボンサイ）〈N〉*bonsai* [tray+]

◀盆栽

1706 **溝** みぞ; コウ ⇨[446]構, [649]講

ditch, trench
溝（みぞ）〈N〉ditch; groove; gutter
…溝（…コウ）〈N〉…ditch
▷排水溝（ハイスイ～）waterway, drainage [drain+]

1707 **沸** わ-, わく; フツ, フッ-

boil
沸かす（わかす）〈V〉boil (water); heat (the bath)
沸く（わく）〈V〉be boiled, get hot
沸騰（フットウ）〈Nv〉boiling up, seething [+go up]

1708 **偶** グウ ⇨[1686]隅

alter ego, twin
偶数（グウスウ）〈N〉even number [+number]
偶像（グウゾウ）〈N〉idol [+image]
▶土偶（ドグウ）〈N〉clay figure [soil+] ➜SN

▲土偶

配偶者（ハイグウシャ）〈N〉spouse [mate+～+person]

fortuity
偶然（グウゼン）〈S〉chance, fortuity [+*Suf* state]
偶発（グウハツ）〈Nv〉happening, incidental occurrence [+issue]

1709 **裸** はだか, -ぱだか; ラ

naked
裸（はだか）〈N〉naked
裸体（ラタイ）〈N〉naked body, nude [+body]
▶素っ裸（スっぱだか）〈N〉stark-nakedness [natural+]

1710 **恥** は-, はじ, -ぱじ; チ

shame
恥（はじ）〈N〉shame
恥じる（はじる）〈V〉be ashamed
恥ずかしい（はずかしい）〈A〉shy; shameful
恥ずかしがる（はずかしがる）〈V〉be shy
恥知らず（はじしらず）〈N/Na〉shameless [+know+(not)]
恥辱（チジョク）〈N〉disgrace, shame [+insult]
恥部（チブ）〈N〉private parts; skeleton in the closet [+part]
▶破廉恥（ハレンチ）〈Na〉infamous, gross, shameless [break+decent+]

1711 舌	した, -じた; ゼツ, ゼッ- ⇒[373]古

tongue 舌(した)〈N〉tongue
舌足らず(したたらず)〈N/Na〉 lisping, tongue-tied; laconic, lame [+suffice+(not)]
舌禍(ゼッカ)〈N〉slip of the tongue [+calamity]
▶毒舌(ドクゼツ)〈N〉slanderous/stinging tongue [poison+]
猫舌(ねこじた)〈N〉unable to eat thermally hot foods [cat+]

1712 肖	ショウ

alike, resemble 肖像(ショウゾウ)〈N〉portrait [+image]
▶不肖(フショウ)〈N〉unworthy of one's father; trivial, unworthy [un-+]

1713 乙	おと; オツ

otsu →App. 乙(オツ)〈N〉the 2nd of Chinese decimal counts; the other; the party of the second part →[1071]甲
younger 乙女(おとめ)〈N〉maid, virgin [+woman]

1714 恭	うやうや-; キョウ, -ギョウ

revere 恭しい(うやうやしい)〈A〉 reverent, respectful
恭順(キョウジュン)〈N/Na〉 allegiance, submission [+order]

1715 暫	ザン-

awhile 暫時(ザンジ)〈Q〉momentary [+time]
暫定(ザンテイ)〈N〉temporary, provisional [+fix]

1716 垂	た-, -だ-, たれ; スイ 〈PN〉たる ⇒[359]乗

droop, hang down 垂らす(たらす)〈V〉hang down, slouch (*vt.*)
垂れる(たれる)〈V〉hang down, droop (*vi.*)
垂直(スイチョク)〈N〉vertical [+straight]

1717 猿	さる, -ざる; エン

monkey 猿(さる)〈N〉monkey
▶類人猿(ルイジンエン)〈N〉ape [sort+man+]

1718 碑	ヒ, -ビ, -ピ

stone inscription 碑(ヒ)〈N〉monolith, cenotaph, stone monument
…碑(…ヒ)〈N〉…stone inscription
▷記念碑(キネン〜) monument [commemoration+]
▶墓碑(ボヒ)〈N〉gravestone [tomb+]
歌碑(カヒ)〈N〉monument of *tanka* [song+]

1719 軸	ジク

axis 軸(ジク)〈N〉axis, axle, shaft, spindle, pivot
軸受(け)(ジクうけ)〈N〉bearing [+receive]
▶掛(け)軸(かけジク)〈N〉*kakejiku*, hanging picture in *tokonoma* [hang+] ➜SN
車軸(シャジク)〈N〉wheel axle [wheel+]

1720 朱	シュ 〈PN〉あけ ⇒[801]未

cinnabar 朱(シュ)〈N〉vermillion
朱肉(シュニク)〈N〉cinnabar signet ink [+meat]

1721 蒸	む-, むし; ジョウ

vapor, steam 蒸す (むす) 〈V〉 steam
蒸(し)暑い (むしあつい) 〈A〉 muggy 《weather》 [+hot]
蒸(し)風呂 (むしブロ) 〈N〉 sauna bath [+bath]
蒸気 (ジョウキ) 〈N〉 steam [+air]
蒸発 (ジョウハツ) 〈Nv〉 being evaporated [+issue]

1722 刈	か-, -が-, かり, -がり; カイ†

clip, mow …刈(り) (…がり) 〈N〉 …cut 《hair style》
▷角刈り (カク～) crew cut [square+]
刈る (かる) 〈V〉 clip, crop, shear, reap, mow, trim (*vt.*)
刈(り)入れ (かりいれ) 〈N〉 harvesting [+put in]
▶稲刈り(いねかり)〈Nv〉 reaping rice [rice+]
草刈り (くさかり) 〈Nv〉 mowing [grass+]

1723 搬	ハン, -パン

convey, transport 搬入 (ハンニュウ) 〈Nv〉 carrying/bringing in [+put in]
▶運搬(ウンパン) 〈Nv〉 transfer, transportation [carry+]
伝搬 (デンパン) 〈Nv〉 propagation [hand over+]

1724 疾	-シツ, シッ-

sick, disease 疾患 (シッカン) 〈N〉 affection [+affliction]
疾病 (シッペイ) 〈N〉 disease [+sick]
▶廃疾 (ハイシツ) 〈N〉 disablement [abolish+]

urgent 疾走 (シッソウ) 〈Nv〉 rush, dash [+run]

1725 凶	キョウ ⇨[67]区

sinister, evil 凶 (キョウ) 〈N〉 ill luck
凶悪 (キョウアク) 〈Na〉 heinous [+bad]
凶器 (キョウキ) 〈N〉 lethal weapon [+tool]
凶作 (キョウサク) 〈N〉 lean crop, failure of crops [+produce]
凶暴 (キョウボウ) 〈Na〉 fierce, ferocious [+violent]
▶元凶 (ゲンキョウ) 〈N〉 ringleader [origin+]

1726 肛	コウ

anal 肛門 (コウモン) 〈N〉 anus [+gate]

1727 塾	ジュク ⇨[1517]熟

private school 塾 (ジュク) 〈N〉 private supplementary school
…塾 (…ジュク) 〈N〉…school
▷そろばん塾 extracurricular *soroban* classes [(*soroban*)+]
英語塾 (エイゴ～) supplemental English school [English+]
進学塾 (シンガク～) cram school for entrance exams [advance+school+]

1728 鍋	なべ; カ†

pot, pan 鍋 (なべ) 〈N〉 pot, pan; *nabe*, dish served in the pot
…鍋 (…なべ) 〈N〉 …*nabe*; …pot
▷鶏鍋 (とり～) chicken *nabe* [chicken+]
圧力鍋 (アツリョク～) pressure cooker [pressure+]

1729 畜	チク ⇒[1287]蓄

tame stock 畜産（チクサン）〈N〉livestock industry [+produce]
畜産学（チクサンガク）〈N〉animal husbandry [+produce+…studies]
畜生（チクショウ）〈N〉beast; 〈Cph〉Damn! [+life]
▶家畜（カチク）〈N〉livestock, domestic animal [house+]
人畜無害（ジンチクムガイ）〈N〉harmless to man and beast; useless [person+～+harmlessness]

1730 樽	たる, -だる; ソン†

cask, barrel 樽（たる）〈N〉cask, barrel
▶ビア樽（ビアだる）〈N〉barrel of beer [(beer)+]
酒樽（さかだる）〈N〉*sake* cask/tun [*sake*+]

1731 鈍	にぶ-; ドン

dull 鈍い（にぶい）〈A〉dull
鈍る（にぶる）〈V〉become dull/blunt
鈍感（ドンカン）〈Na〉insensible, insensitive [+sense]
鈍器（ドンキ）〈N〉blunt weapon [+tool]
鈍重（ドンジュウ）〈Na〉thick-headed, dull-witted [+heavy]

1732 汽	キ- ⇒[77]気

steam 汽車（キシャ）〈N〉steam train; train [+car]
汽船（キセン）〈N〉steamboat [+ship]
汽笛（キテキ）〈N〉steam whistle [+whistle]

1733 鍛	きた-; タン

anneal 鍛える（きたえる）〈V〉anneal
鍛錬/練（タンレン）〈Nv〉discipline, annealing [+forge/knead]

1734 騎	キ

equestrian 騎士（キシ）〈N〉knignt [+brave man]
騎手（キシュ）〈N〉jockey [+person]
騎馬（キバ）〈N〉mounted [+horse]
騎兵隊（キヘイタイ）〈N〉cavalry [+soldier+troop]

***Cs* mounted horses** …騎（…キ）〈Q〉…horses
▷一騎（イッ～）, 二騎（ニ～）, 三騎（サン～）

1735 薫	かお-; クン 〈PN〉かおる

aroma 薫る（かおる）〈V〉be aromatic
薫陶（クントウ）〈N〉instruction《honorific》[+rapt]

1736 懐	なつ-, なつか-; ふところ; カイ ⇒[1266]壊

embrace, hold 懐（ふところ）〈N〉inside breast pocket-fold《of *kimono*》
懐疑的（カイギテキ）〈Na〉skeptical [+doubt+*Suf Na*]
懐中（カイチュウ）〈N〉in the pocket [+inside]
懐中電灯（カイチュウデントウ）〈N〉in-pocket flashlight [+inside+electric light]

yearning 懐(か)しい（なつかしい）〈A〉fondly remembered, old and dear
懐(か)しむ（なつかしむ）〈V〉look back with nostalgia
懐古（カイコ）〈Nv〉yearning for days bygone [+old]

1737 愁 うれ-; シュウ

plaintive 愁い (うれい) 〈N〉 plaintiveness, pensiveness
▶哀愁 (アイシュウ) 〈N〉 pathos [pathos+]
郷愁 (キョウシュウ) 〈N〉 nostalgia [country+]
憂愁 (ユウシュウ) 〈N〉 melancholy [pensive+]

1738 紺 コン

deep blue 紺 (コン) 〈N〉 deep blue, navy blue
紺色 (コンいろ) 〈N〉 deep blue [+color]

1739 糾 キュウ

twine ▶紛糾 (フンキュウ) 〈Nv〉 tangle, complication [confused+]
denounce 糾弾 (キュウダン) 〈Nv〉 denunciation [+rebuke]
糾明 (キュウメイ) 〈Nv〉 minute examination [+clear]

1740 酬 シュウ

repay, return ▶応酬 (オウシュウ) 〈Nv〉 exchange; mutual retort [respond+]
報酬 (ホウシュウ) 〈N〉 remuneration, reward [reward+]

1741 槽 ソウ

tub, tank ▶浄化槽 (ジョウカソウ) 〈N〉 septic tank [purification+]
水槽 (スイソウ) 〈N〉 water tank [water+]
浴槽 (ヨクソウ) 〈N〉 bathtub [bathe+]

1742 睡 スイ

slumber 睡魔 (スイマ) 〈N〉 Morpheus, sandman [+demon]
睡眠 (スイミン) 〈N〉 sleep, slumber [+sleep]
▶一睡 (イッスイ) 〈Nv〉 a wink of sleep [one+]
昏睡 (コンスイ) 〈Nv〉 coma [dark+]
熟睡 (ジュクスイ) 〈Nv〉 deep sleep [mature+]

1743 誓 ちか-; セイ

oath, swear 誓い (ちかい) 〈N〉 oath, vow
誓う (ちかう) 〈V〉 swear, pledge, vow
誓約 (セイヤク) 〈Nv〉 pledge [+promise]
▶宣誓 (センセイ) 〈Nv〉 oath, vow [declare+]

1744 挿 さ-, -ざ-, さし, -ざし; ソウ
⇨[587]押, [701]捜

insert, interpose 挿(し)絵 (さしエ) 〈N〉 illustration [+picture]
挿画 (ソウガ) 〈N〉 illustration [+picture]
挿入 (ソウニュウ) 〈Nv〉 insertion [+put in]

1745 猟 リョウ

venery, hunt 猟 (リョウ) 〈N〉 hunting
猟奇的 (リョウキテキ) 〈Na〉 curiosity-seeking [+odd+*Suf Na*]
猟師 (リョウシ) 〈N〉 professional hunter [+master]
猟銃 (リョウジュウ) 〈N〉 hunting gun [+gun]
▶禁猟 (キンリョウ) 〈N〉 hunting ban [prohibit+]
狩猟 (シュリョウ) 〈N〉 venery [hunt+]

1746 冗 ジョウ

redundant 冗談（ジョウダン）〈N〉joke, jest [+talk]
冗長（ジョウチョウ）〈Na〉prolix [+long]

1747 暁 あかつき; ギョウ 〈PN〉あき

dawn 暁（あかつき）〈N〉dawn
暁天（ギョウテン）〈N〉dawn sky [+heaven]
▶今暁（コンギョウ）〈T〉dawn today [now+]

1748 扶 フ-

aid 扶助（フジョ）〈Nv〉aid, help, relief [+support]
扶養（フヨウ）〈Nv〉supporting a family [+feed]
扶養家族（フヨウカゾク）〈N〉family, dependents [+feed +family]

1749 篤 トク 〈PN〉あつ，あつし

grave 篤志家（トクシカ）〈N〉charitable person [+ambition +*Suf* specialist]
▶危篤（キトク）〈N〉critical condition, dangerously ill [danger+]

1750 滴 しずく; したた-; テキ ⇒663 適, 1065 摘

drop 滴（しずく）〈N〉drop
滴る（したたる）〈V〉drip
▶水滴（スイテキ）〈N〉drop [water+]
点滴（テンテキ）〈N〉intravenous drip [point+]

***Cs* drops** …滴（…テキ）〈Q〉...drops
▷一滴（イッ～）
二滴（ニ～）
三滴（サン～）

1751 峠 とうげ

mountain pass 峠（とうげ）〈N〉mountain pass 《especially the highest point in passing over a mountain ridge》

1752 廉 レン 〈PN〉やす，やすし

cheap, bargain 廉価（レンカ）〈N〉bargain price [+price]
▶大廉売（ダイレンバイ）〈N〉bargain sale [big+～+sell]

decent, ungreedy ▶破廉恥（ハレンチ）〈Na〉infamous, gross, shameless [break+～+shame]

1753 禍 カ

calamity 禍根（カコン）〈N〉root of evil/calamity [+root]
▶惨禍（サンカ）〈N〉dire disaster [misery+]
筆禍（ヒッカ）〈N〉serious slip of the pen [pen+]
輪禍（リンカ）〈N〉traffic accident [wheel+]

1754 摂 セツ，セッ-

adopt 摂取（セッシュ）〈Nv〉intake, ingestion [+get]
摂政（セッショウ）〈N〉regent [+administration]

rule, control 摂理（セツリ）〈N〉Providence [+reason]
摂生（セッセイ）〈Nv〉watching one's health, regimen [+life]

Ph 摂氏…（セッシ…）〈N〉centigrade [+clan] ➔SN

1755 孔 あな; コウ

hole 孔（あな）〈N〉hole →1201 穴

〈Person〉孔子（コウシ）Confucius

1756 洞 ほら；ドウ 〈PN〉 トウ

cavity 洞穴（ほらあな/ドウケツ）〈N〉 cave, grotto [+hole]
洞窟（ドウクツ）〈N〉 cave, cavern [+cavity]
▶空洞（クウドウ）〈N〉 hollow, emptied of all contents [empty+]

impel 洞察（ドウサツ）〈Nv〉 insight [+discern]

1757 斜 なな-；シャ

oblique 斜め（ななめ）〈N〉 oblique
斜面（シャメン）〈N〉 slope, slant [+surface]
▶傾斜（ケイシャ）〈Nv〉 inclination, slant, slope [lean+]

1758 闇 やみ；アン ⇨[27]間

darkness 闇（やみ）〈N〉 darkness; black-marketing
闇取引（やみとりひき）〈N〉 black-market trade [+trade]
闇夜（やみよ）〈N〉 dark night [+night]
▶暗闇（くらやみ）〈N〉 darkness [dark+]

1759 后 ゴ；コウ，-ゴウ ⇨[503]右

queen consort ▶皇后（コウゴウ）〈N〉 empress [emperor+]

after ▶午后（ゴゴ）〈T〉 p.m. [noon+]

1760 妃 きさき；ヒ

queen consort ▶王妃（オウヒ）〈N〉 queen consort [king+]
皇太子妃（コウタイシヒ）〈N〉 Crown Princess consort [Crown Prince+]

1761 賓 ヒン

honored guest 賓客（ヒンキャク）〈N〉 honored guest [+guest]
▶貴賓室（キヒンシツ）〈N〉 reception room for honored guests [noble+～+room]
迎賓館（ゲイヒンカン）〈N〉 reception hall [welcome+～+hall]

1762 羅 ラ

netting ▶網羅（モウラ）〈Nv〉 covering all 《facts, etc.》 [net+]

enumerate 羅列（ラレツ）〈N〉 enumeration, listing up [+line]

1763 猫 ねこ；ビョウ ⇨[920]描

cat 猫（ねこ）〈N〉 cat
猫舌（ねこじた）〈N〉 unable to eat thermally hot foods [+tongue]
▶愛猫家（アイビョウカ）〈N〉 lover of cats [love+～+*Suf* specialist]
子猫（こねこ）〈N〉 kitten [[child+]]

1764 胞 ホウ，-ボウ

theca 胞子（ホウシ）〈N〉 spore [+child]
▶細胞（サイボウ）〈N〉 cell [[minute+]]

1765 尉 イ

lieutenant ▶大尉（タイイ）〈N〉 captain; lieutenant [big+]
中尉（チュウイ）〈N〉 first lieutenant; lieutenant junior grade [middle+]
少尉（ショウイ）〈N〉 second lieutenant; ensign [young+]

1766 姓 -ショウ; **セイ**

surname
姓（セイ）〈N〉 surname
姓名（セイメイ）〈N〉 one's full name [+name]
▶百姓（ヒャクショウ）〈N〉 peasant; 〈Nv〉 agriculture [hundred+] ➔SN

1767 苗 **なえ**, なわ-; **ビョウ**; ミョウ ⇨1692笛

seedling
苗（なえ）〈N〉 sapling
苗代（なわしろ）〈N〉 rice nursery [+generation]
苗字（ミョウジ）〈N〉 family name [+letter] ➔SN
▶種苗（シュビョウ）〈N〉 seeds and saplings [seed+]

1768 鯨 **くじら**; **ゲイ**

whale
鯨（くじら）〈N〉 whale
▶捕鯨船（ホゲイセン）〈N〉 whaleboat [whaling+]

1769 践 **セン**

exert
▶実践（ジッセン）〈Nv〉 putting (a theory) into practice [real+]

1770 郭 **カク**

circumvallation
▶外郭（ガイカク）〈N〉 contour, outlines [outer+]
輪郭（リンカク）〈N〉 outline [hoop+]

1771 蚊 **か**; ブン†

mosquito
蚊（か）〈N〉 mosquito
蚊取(り)線香（かとりセンコウ）〈N〉 mosquito-repellent incense [+get+incense stick]
蚊帳（かや）〈N〉 mosquito net [+drapery] ➔SN

1772 娠 **-シン**

gravidity
▶妊娠（ニンシン）〈Nv〉 (undergo) pregnancy [pregnancy+]

1773 准 **ジュン**

sub-
准尉（ジュンイ）〈N〉 warrant officer [+lieutenant]

accept, confirm
▶批准（ヒジュン）〈Nv〉 ratification [criticize+]

1774 炊 **た-**, -だ-, たき, -だき; **スイ**

boil (rice)
炊く（たく）〈V〉 boil (rice)
炊事（スイジ）〈Nv〉 cooking [+affair]
炊飯器（スイハンキ）〈N〉 rice cooker [+cooked rice+tool]
▶自炊（ジスイ）〈Nv〉 cooking for oneself [self+]

1775 憎 **にく-**; **ゾウ**

hatred
憎い（にくい）〈A〉 hateful
憎しみ（にくしみ）〈N〉 hatred
憎む（にくむ）〈V〉 hate
憎悪（ゾウオ）〈Nv〉 hatred, abhorrence [+detestable]

1776 吐 **は-**; **ト**

vomit
吐く（はく）〈N〉 vomit, spew
吐き気（はきケ）〈Nv〉 (feel) nausea [+spirit]
吐息（トいき）〈N〉 sigh [+breath]

1777 醸 かも-; **ジョウ**

brewing
醸す（かもす）〈V〉 brew
醸造（ジョウゾウ）〈Nv〉 brewing, distillation [+make]

1778 肺 ハイ, -パイ

lung
- 肺（ハイ）〈N〉 lungs
- 肺炎（ハイエン）〈N〉 pneumonia [＋flame]

1779 翻 ひるがえ-; ホン-, -ポン

rearrange
- 翻訳（ホンヤク）〈Nv〉 translation [＋interpret]

turn over
- 翻す（ひるがえす）〈V〉 turn round; change

1780 賠 バイ-

compensate
- 賠償（バイショウ）〈Nv〉 compensation [＋compensate]

1781 泡 あわ; ホウ, -ポウ

bubbles, foam
- 泡（あわ）〈N〉 bubbles
- 泡沫（ホウマツ）〈N〉 foam; trivial thing [＋spray]

1782 斗 ト

ladle
- ▶北斗七星（ホクトシチセイ）〈N〉 Great Bear [north＋~＋seven＋star]

to 《=18*l*》
- …斗（…ト）〈Q〉 …*to*
  ▷一斗（イッ～）, 二斗（ニ～）, 三斗（サン～）
- ★斗 is sometimes used as an symplified form of [654] 闘.

1783 枯 か-, -が-, かれ, -がれ; コ

wither
- 枯れる（かれる）〈V〉 wither (*vi.*)
- 枯(れ)木（かれき）〈N〉 withered tree [＋tree]
- 枯(れ)葉（かれは）〈N〉 withered leaf [＋leaf]
- 枯渇（コカツ）〈Nv〉 drying up, exhaustion [＋thirst]

1784 某 なにがし; ボウ

a certain
- 某氏（ボウシ）〈N〉 Mr. X [＋clan]
- 某所（ボウショ）〈N〉 a certain place [＋place]

1785 拙 つたな-; セツ, セッ-

unskillful
- 拙い（つたない）〈A〉 unskillful
- 拙速（セッソク）〈N/Na〉 rough and ready, hasty [＋speedy]
- ▶稚拙（チセツ）〈Na〉 inexperienced and unskillful [childish＋]

1786 疎 うと-; ソ

estrange
- 疎んじる（うとんじる）〈V〉 estrange
- 疎外（ソガイ）〈Nv〉 alienation, leaving out [＋out]
- 疎略（ソリャク）〈Na〉 negligent,slovenly[＋abbreviate]
- ▶過疎（カソ）〈N〉 depopulation [exceed＋]

1787 濁 にご-; ダク

muddy, unclear
- 濁す（にごす）〈V〉 make turbid; equivocate
- 濁る（にごる）〈V〉 become turbid/impure
- 濁流（ダクリュウ）〈N〉 muddy stream [＋current]

1788 灰 はい, -ばい; カイ ⇒[1007] 炭

ashes
- 灰（はい）〈N〉 ashes
- 灰色（はいいろ）〈N〉 gray, ash color [＋color]
- 灰皿（はいざら）〈N〉 ashtray [＋dish]
- ▶石灰（セッカイ/いしばい）〈N〉 lime [stone＋]

1789 漠 バク ⇒[1394]漢

unlimited, boundless 漠然（バクゼン）〈Nt〉 vague, indefinable [+*Suf* state]
漠大（バクダイ）〈Na〉 vast, enormous [+big]
▶砂漠（サバク）〈N〉 desert [sand+]

1790 罷 ヒ-

abandon 罷免（ヒメン）〈Nv〉 dismissal [+exempt]

1791 轄 -カツ

control ▶管轄（カンカツ）〈Nv〉 jurisdiction [control+]

1792 礁 -ショウ

reef ▶さんご礁（さんごショウ）〈N〉 coral reef [(coral)+]
座礁（ザショウ）〈Nv〉 stranding, running aground [seat+]

1793 暦 こよみ，-ごよみ；レキ ⇒[692]歴

calendar 暦（こよみ）〈N〉 calendar
▶太陰暦（タイインレキ）〈N〉 lunar calendar [big+negative+]
太陽暦（タイヨウレキ）〈N〉 solar calendar [big+positive/sun+]

1794 錯 サク，サッ-

confuse, disorder 錯誤（サクゴ）〈N〉 mistake, error [+error]
錯覚（サッカク）〈Nv〉 hallucination, illusion; misjudge [+sense]
▶倒錯（トウサク）〈Nv〉 perversion [lean and fall+]

1795 倫 リン 〈PN〉 とも

ethics 倫理（リンリ）〈N〉 morals, ethics [+ration]
▶不倫（フリン）〈N/Na〉 immoral, illicit [un-+]

1796 憤 いきどお-；フン，-プン

resent 憤る（いきどおる）〈V〉 resent
憤慨（フンガイ）〈Nv〉 (burn with) indignation [+regret]

1797 慨 ガイ

regret 慨嘆（ガイタン）〈Nv〉 deploring, lament [+sigh]

1798 該 ガイ

inclusive, whole 該当（ガイトウ）〈Nv〉 conforming to, corresponding to, applying to [+hit]
▶当該（トウガイ）〈N〉 said, in question, concerned [concerned+]

1799 宛 あて；エン†

address …宛（…あて）〈N/Adv〉 for..., bound for... 《mailing》
▷会社宛（カイシャ〜）addressed to the company [company+]
宛先（あてさき）〈N〉 addressee [+point]
宛名（あてな）〈N〉 name of addressee [+name]

1800 憾 カン

resentment, regret ▶遺憾（イカン）〈N/Na〉 regret, repent, deplorable [remains+]

1801 胎 — タイ

fetal
胎児（タイジ）〈N〉 embryo, fetus [+child]
胎動（タイドウ）〈Nv〉 fetal movement [+move]
▶受胎（ジュタイ）〈Nv〉 conception [receive+]

1802 痔 — ジ

hemorrhoids
痔（ジ）〈N〉 piles
痔核（ジカク）〈N〉 hemorrhoids [+core]

1803 裳 — ショウ
⇨[356]常, [1618]掌

skirt
▶衣裳（イショウ）〈N〉 costume [clothes+]

1804 畔 — あぜ; ハン

levee, ridge
畔（あぜ）〈N〉 rice field ridge

◀畔

▶湖畔（コハン）〈N〉 lakeshore [lake+]

1805 吟 — ギン

croon, mutter
吟味（ギンミ）〈Nv〉 polishing a poem aloud; selecting carefully; investigation, inquiry [+taste]

1806 虐 — しいた-; ギャク
⇨[1588]虚

torture, cruel
虐げる（しいたげる）〈V〉 persecute, tyrannize
虐殺（ギャクサツ）〈Nv〉 slaughter [+kill]
虐待（ギャクタイ）〈Nv〉 cruel treatment [+hospitality]

1807 謎 — なぞ; メイ†

riddle
謎（なぞ）〈N〉 enigma, mystery
謎々（なぞなぞ）〈N〉 riddle [+*Rep*]

1808 鷹 — たか, -だか; オウ

hawk
鷹（たか）〈N〉 small hawk, falcon
鷹揚（オウヨウ）〈Na〉 magnanimous [+lift] ➔SN

1809 漏 — も-, もれ; ロウ

leak
漏らす（もらす）〈V〉 leak (*vt.*)
漏る（もる）〈V〉 leak (*vi.*)
漏れる（もれる）〈V〉 leak out
漏水（ロウスイ）〈Nv〉(there be) water leakage [+water]
漏電（ロウデン）〈Nv〉 short-circuiting [+electricity]

1810 猶 — ユウ-
〈PN〉 なお

dawdle
猶予（ユウヨ）〈Nv〉 postponement, grace, reprieve [+preparatory]

1811 累 — ルイ

cumulate
累計（ルイケイ）〈Nv〉 sum total [+measure]
累積（ルイセキ）〈Nv〉 accumulation [+pile]
累々（ルイルイ）〈Nt〉 in heaps [+*Rep*]

1812 敢 — カン
〈PN〉 いさむ

venture, dare
敢行（カンコウ）〈Nv〉 carrying out decisively [+conduct]
敢然（カンゼン）〈Nt〉 braveness [+*Suf* state]

1813 云 い-; ウン 〈Ir〉 ⇨618 去

say 云う (いう) 〈V〉 say

〈Ir〉 云々 (ウンヌン) 〈N/Adv〉 so and so, and thus; 〈Nv〉 mention, comment [+*Rep*]

1814 噂 **うわさ**; ソン†

rumor 噂 (うわさ) 〈Nv〉 rumor, gossip

噂話 (うわさばなし) 〈N〉 gossip [+tale]

1815 閲 **エツ**, エッ-

inspect 閲覧 (エツラン) 〈Nv〉 inspection, perusal [+view]

閲覧室 (エツランシツ) 〈N〉 reading room《in a library》 [+view+room]

閲兵 (エッペイ) 〈Nv〉 review 《troops》 [+soldier]

▶検閲 (ケンエツ) 〈Nv〉 censorship [censor+]

1816 賄 まかな-; **ワイ**

accommodate 賄う (まかなう) 〈V〉 provide, board, supply

bribe 賄賂 (ワイロ) 〈N〉 bribery [+bribe]

1817 腺 **セン**

gland …腺 (…セン) 〈N〉 …gland

▷リンパ腺 lymph gland [(lymph)+]

唾液腺 (ダエキ～) salivary gland [saliva+]

1818 膚 はだ; **フ**, -プ

skin, derma 膚 (はだ) 〈N〉 skin, surface of body

▶皮膚 (ヒフ) 〈N〉 derma, skin [skin+]

1819 忌 い-, いま-, いみ; **キ**

taboo 忌(ま)わしい (いまわしい) 〈A〉 ominous; abominable

忌む (いむ) 〈V〉 abhor, abominate

忌中 (キチュウ) 〈N〉 mourning term《usually 49 days in Buddhism》 [+*Suf* duration]

忌避 (キヒ) 〈Nv〉 evasion, objection [+avoid]

1820 岬 **みさき**; コウ

cape 岬 (みさき) 〈N〉 cape《in geography》

1821 窮 きわ-; **キュウ**

reach limits 窮まる (きわまる) 〈V〉 reach an extreme

窮屈 (キュウクツ) 〈N/Na〉 crampedness, narrowness, stiffness [+bend]

窮状 (キュウジョウ) 〈N〉 tight circumstances, straits [+state]

窮地 (キュウチ) 〈N〉 predicament [+ground]

窮乏 (キュウボウ) 〈N〉 destitution [+shortage]

1822 渓 **ケイ**

ravine 渓谷 (ケイコク) 〈N〉 gorge [+valley]

渓流 (ケイリュウ) 〈N〉 mountain torrent [+stream]

1823 侍 **さむらい**, -ざむらい; **ジ** ⇨374 待

attend on, serve 侍従 (ジジュウ) 〈N〉 chamberlain [+follow]

warrior 侍 (さむらい) 〈N〉 *samurai* 《Jap. hist.》

1824 鍵	かぎ; ケン

key

鍵（かぎ）〈N〉key

鍵穴（かぎあな）〈N〉key hole [+hole]

鍵盤（ケンバン）〈N〉keyboard《piano》 [+board]

1825 絞	し-, -じ-, -じめ; しぼ-, しぼり; コウ- ⇒[1176]紋

wring, tighten

絞める（しめる）〈V〉tighten, tie up; strangle

絞(り)（しぼり）〈N〉tie-died cloth; iris《of a camera》

お絞り（おしぼり）〈N〉damp towel [(*Pref honorific*)+]

絞る（しぼる）〈V〉squeeze, extract, tighten

絞殺（コウサツ）〈Nv〉strangulation [+kill]

絞首刑（コウシュケイ）〈N〉death by hanging [+neck +punishment]

1826 宰	サイ

supervise

宰相（サイショウ）〈N〉head/leader of the nation [+minister]

▶主宰者（シュサイシャ）〈N〉leader, president [chief+～+person]

1827 朽	く-, くち-; キュウ ⇒[1444]巧

rot, decay

朽ちる（くちる）〈V〉decay (*vi.*)

▶不朽（フキュウ）〈N〉immortal [un-+]

老朽（ロウキュウ）〈N〉superannuation [aged+]

1828 媛	ひめ; エン†

princess†

〈Place〉 ▶愛媛（えひめ）Ehime Pref.

1829 慈	いつく-; ジ 〈PN〉よし, しげ

affection

慈しむ（いつくしむ）〈V〉treat tenderly/affectionately

慈善（ジゼン）〈N〉charity [+good]

慈悲（ジヒ）〈N〉mercy, compassion [+sorrow]

1830 囚	シュウ ⇒[646]因, [860]困

prisoned

…囚（…シュウ）〈N〉…prisoner, …criminal

▷死刑囚（シケイ～）condemned criminal [capital punishment+]

囚人（シュウジン）〈N〉prisoner [+person]

1831 尋	たず-; ジン 〈PN〉ひろ, ひろし

inquire

尋ねる（たずねる）〈V〉ask

尋問（ジンモン）〈Nv〉query, examination [+question]

1832 爽	さわ-; ソウ 〈PN〉あき, あきら

refresh

爽やか（さわやか）〈Na〉bracing

爽快（ソウカイ）〈Na〉invigorating [+pleasant]

1833 髄	ズイ

marrow

髄（ズイ）〈N〉marrow

▶真髄（シンズイ）〈N〉essence, gist [true+]

1834 疫	エキ; ヤク-

plague

疫病（エキビョウ）〈N〉epidemic [+sick]

疫病神（ヤクビョウがみ）〈N〉a Jonah [+sick+god]

▶免疫（メンエキ）〈N〉immunity [exempt+]

1835 謹
つつし-；
キン ⇒[750]勤
〈PN〉すすむ，ちか，のり

humble oneself
謹んで（つつしんで）〈Adv〉 reverently
謹賀新年（キンガシンネン）〈CF〉 Happy New Year [+congratulate + new+year]
謹慎（キンシン）〈Nv〉 being confined to one's home [+prudence]

1836 鼓
つづみ；
コ

hand drum
鼓（つづみ）〈N〉 Japanese hand drum
鼓動（コドウ）〈N〉 beating, pulsation [+move]
▶太鼓（タイコ）〈N〉 drum [big+]

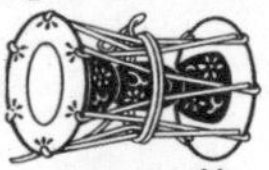
▲鼓
▼太鼓
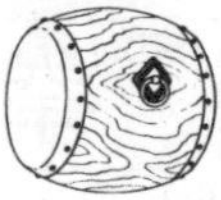

1837 昆
コン
〈Ir〉

multitude
昆虫（コンチュウ）〈N〉 insect [+insect]
〈Ir〉 昆布（コンブ/コブ）〈N〉 kelp [+cloth]

1838 扉
とびら；
ヒ，-ピ ⇒[1442]扇

door
扉（とびら）〈N〉 door
▶自動扉（ジドウとびら）〈N〉 automatic door [automatic+]
門扉（モンピ）〈N〉 gate door [gate+]

1839 枢
スウ

pivot
枢軸（スウジク）〈N〉 axis 《figurative》 [+axis]
▶中枢（チュウスウ）〈N〉 core, nucleus [center+]

1840 〆
しめ

close
〆切(り)（しめきり）〈N〉 closed, not for use; deadline [+cut]
〆切る（しめきる）〈V〉 close up; stop accepting 《of applications》 [+cut]
★〆 is written to seal an envelope; More formally 緘 or 封.

1841 漬
つ-，つけ-，-づけ；
シ† ⇒[509]清

soak
漬ける（つける）〈V〉 steep (*vt.*), pickle
漬物（つけもの）〈N〉 pickles [+thing]
▶茶漬（チャづけ）〈N〉 *chazuke*, tea-soaked rice [tea+]

1842 尺
シャク，-ジャク，シャッ-

shaku 《≒30cm》
…尺（…シャク/ジャク）〈Q〉 …*shaku*
▷一尺（イッシャク）
二尺（ニシャク）
三尺（サンジャク）
尺八（シャクハチ）〈N〉 *shakuhachi*, Japanese bamboo flute [+eight]
➜SN

▲尺八

measure
尺度（シャクド）〈N〉 measure, barometer [+degree]

1843 倦
ケン

tired of
倦怠（ケンタイ）〈N〉 languor, tedium [+lazy]

1844 睦
ボク
〈PN〉むつ，むつみ

harmonious, intimate
▶親睦（シンボク）〈N〉 intimate friendship [familiar+]

1845 凝 こ-; ギョウ ⇒1851擬

coagulate, curdle
凝る（こる）〈V〉 get stiff《of shoulders, etc.》; be absorbed in a pursuit
凝結（ギョウケツ）〈Nv〉 coagulation, being curdled [+formation]
凝視（ギョウシ）〈Nv〉 stare, gaze [+observe]
凝縮（ギョウシュク）〈Nv〉 condensation [+shrink]

1846 泌 ヒ, -ピ; ヒツ, -ピツ ⇒865秘

ooze, exude, excrete
泌尿器科（ヒニョウキカ）〈N〉 urology [+urine+physical organ+division]
▶分泌（ブンピツ/ブンピ）〈Nv〉 secrete [part+]

1847 錬 レン

forge, work
錬達（レンタツ）〈N〉 well-trained, skilled [+reach]
▶鍛錬（タンレン）〈Nv〉 training [anneal+]

1848 蔭 かげ; イン

shade
▶木蔭（こかげ）〈N〉 shade of a tree [tree+]
日蔭（ひかげ）〈N〉 shade [sun+]

protection
お蔭（おかげ）〈N〉 someone's protection [(*Pref hon.*)+]
お蔭さまで（おかげさまで）〈Cph〉Thanks to you. [(*Pref hon.*)+～+(*Suf hon.*)]

1849 旦 タン; ダン-

dawn
▶元旦（ガンタン）〈N〉 dawn of the year [origin+]

Ph
旦那（ダンナ）〈N〉 patron, master, sir [+*Ph*] ➜SN

1850 渦 うず; カ

whirl
渦（うず）〈N〉 whirl
渦巻く（うずまく）〈V〉 whirl, swirl; curl [+roll]
渦中（カチュウ）〈N〉 in the vortex《figurative》 [+inside]

1851 擬 ギ ⇒1845凝

mimic
擬音（ギオン）〈N〉 imitation sound, sound effects [+sound]
擬音語（ギオンゴ）〈N〉 onomatopoeia [+sound+word]
擬装（ギソウ）〈Nv〉 camouflage, disguise [+dress]
▶模擬（モギ）〈N〉 mock, sham [model+]

1852 拳 ケン

fist
拳銃（ケンジュウ）〈N〉 pistol [+gun]

1853 坑 コウ ⇒784抗

adit, pit
坑道（コウドウ）〈N〉 adit, pit, drift way [+way]
坑夫（コウフ）〈N〉 pitman [+man]
▶炭坑（タンコウ）〈N〉 colliery [charcoal+]

1854 剛 ゴウ
〈PN〉 つよし, たけし

hard
剛健（ゴウケン）〈N/Na〉 virility [+sound]

1855 崇 スウ
〈PN〉 たか, たかし

adore
崇高（スウコウ）〈Na〉 lofty, admirable [+high]
崇拝（スウハイ）〈Nv〉 worship [+pray]

1856 傘	かさ, -がさ; サン

umbrella 傘（かさ）〈N〉 umbrella
…傘（…がさ）〈N〉 …umbrella
▷折りたたみ傘（おりたたみ～）collapsable umbrella [fold up+]
日傘（ひ～） parasol [sun+]
蛇の目傘（ジャのめ～）umbrella with a bull's-eye design [snake eye+]
▶落下傘（ラッカサン） 〈N〉 parachute [drop down+]

1857 淑	シュク 〈PN〉よし, とし

genteel 淑女（シュクジョ）〈N〉 lady [+woman]

1858 眺	なが-, ながめ; チョウ-

prospect, view 眺め（ながめ）〈N〉 view
眺める（ながめる）〈V〉 view
眺望（チョウボウ）〈N〉 view, landscape [+view]

1859 粘	ねば-; ネン

viscid 粘り（ねばり）〈N〉 stickiness, viscosity
粘る（ねばる）〈V〉 stick to (to the last)
粘々する（ねばねばする）〈V〉 be gummy/sticky [+*Rep*]
粘り強い（ねばりづよい）〈A〉 tenacious [+strong]
粘着性（ネンチャクセイ）〈N〉 viscidity [+contact+character]
粘土（ネンド）〈N〉clay [+soil]

1860 朋	ホウ, -ポウ 〈PN〉とも ⇒[84]明

fellow ▶同朋（ドウホウ）〈N〉 compatriots [same+]

1861 遍	ヘン, -ベン, -ペン

all round 遍歴（ヘンレキ）〈Nv〉 itineration, wandering round [+one after another]
▶普遍的（フヘンテキ）〈Na〉 universal [common+～+*Suf Na*]

***Cs* frequency** …遍（…ヘン/ベン/ペン）〈Q〉 …times
▷一遍（イッペン), 二遍（ニヘン), 三遍（サンベン）

1862 媒	バイ ⇒[1439]謀

medium 媒介（バイカイ）〈Nv〉 intervention [+intermediate]
媒酌（バイシャク）〈Nv〉matchmaking[+serve *sake*]➡SN
媒酌人（バイシャクニン）〈N〉 matchmaker [+serve *sake* +person]
▶触媒（ショクバイ）〈N〉 catalyst [touch+]

1863 帆	ほ; ハン, -パン

sail 帆（ほ）〈N〉sail, canvas
帆船（ハンセン）〈N〉 sailing ship [+ship]
▶出帆（シュッパン） 〈Nv〉 setting sail [go out+]

1864 赴	おもむ-; フ, -ブ 〈PN〉ゆき, はや

repair, go 赴く（おもむく）〈V〉 repair to
赴任（フニン）〈Nv〉 leaving for one's new post [+appoint]

1865 綬	ジュ

cordon, ribbon ▶紫綬褒章（シジュホウショウ）〈N〉 Purple Ribbon Medal [purple+～+medal of merit]

1866 奔	ホン，-ポン

dash 奔走（ホンソウ）〈Nv〉 bustling about [+run]
奔放（ホンポウ）〈Na〉 unrestrained [+let go]

1867 漸	ゼン

gradual 漸次（ゼンジ）〈S〉 gradually [+following]
漸進（ゼンシン）〈Nv〉 steady advance [+proceed]

1868 酪	ラク

dairy 酪農（ラクノウ）〈N〉 dairy farming [+agriculture]

1869 殻	から，-がら； カク ⇒[1620]殼

shell 殻（から）〈N〉 shell; chaff; husk
▶貝殻（かいがら）〈N〉 valve of mollusk [shelled mollusk+]
地殻（チカク）〈N〉 lithosphere [ground+]

1870 俺	おれ； エン†

I, me 俺（おれ）〈N〉 I, me
★Used exclusively by men. 《slang》 →[1522]僕

1871 寂	さび； ジャク，ジャッ-；セキ

solitary, quiet 寂（さび；セキ）〈N〉 *sabi*, elegant simplicity; 〈Nt〉 hushed, silent, still
寂しい（さびしい）〈A〉 solitary, lonesome
寂れる（さびれる）〈V〉 decline, be deserted
▶静寂（セイジャク）〈N/Na〉 still [silent+]

1872 宜	よろ-； ギ 〈PN〉よし，のり ⇒[1012]宣

suitable 宜しく（よろしく）〈Adv〉 properly; 〈Cph〉 Best regards.
▶適宜（テキギ）〈S〉 suitably; at one's discretion [proper+]
便宜（ベンギ）〈N〉 convenience [convenience+]

1873 盆	ボン

tray 盆（ボン）〈N〉 server, salver
盆栽（ボンサイ）〈N〉 *bonsai* [+trim]
盆景（ボンケイ）〈N〉 tray landscape [+scene]

Bon 盆（ボン）〈N〉 *Bon* Festival ➜SN
盆踊り（ボンおどり）〈N〉 folk dance in *Bon* [+dance]

◀盆踊り

1874 坐	すわ-，-ずわ-，すわり-； ザ

sit 坐る（すわる）〈V〉 sit
坐視（ザシ）〈Nv〉 standing by 《as a spectator》 [+observe]

1875 逓	テイ

relay 逓信事務（テイシンジム）〈N〉 postal and telegraphic service [+message+clerical work]

1876 幽	ユウ

dim, obscure 幽玄（ユウゲン）〈N/Na〉 profound, subtle and enchanting [+recondite]
幽霊（ユウレイ）〈N〉 ghost [+soul]

1877 但
ただ-;
タン†
〈PN〉 たじま(但馬)

excepting that...
但し(ただし)〈Adv〉 excepting that...
但し書(き)(ただしがき) 〈N〉 proviso [+write]

1878 偵
テイ

spy upon, scout
偵察(テイサツ)〈Nv〉 reconnaissance [+discern]
▶探偵 (タンテイ) 〈Nv〉 private eye, detective, spy [explore+]

1879 迭
テツ, テッ-
⇨[220]送

alternate
▶更迭 (コウテツ) 〈Nv〉 change, reshuffle, shake-up [change+]

1880 耗
コウ; -モウ

lessen, diminish
▶消耗 (ショウモウ/ショウコウ) 〈Nv〉 consumption [diminish+]

1881 悠
ユウ
〈PN〉 ユ

composed, calm
悠然(ユウゼン)〈Nt〉 perfect composure [+*Suf* state]
悠々 (ユウユウ) 〈Nt/Adv〉 self-composed [+*Rep*]

1882 稼
かせ-;
カ

earn one's living, work
稼ぐ(かせぐ)〈V〉 earn
稼業(カギョウ)〈N〉 business, trade [+job]
稼動/働(カドウ)〈Nv〉 (be at) work《of a machine, etc.》 [+move/labor]
▶出稼ぎ(でかせぎ)〈N〉 being at work in another part of the country [go out+]

1883 褒
ほ-, -ぼ-, ほめ-;
ホウ, -ポウ

admire
褒める(ほめる)〈V〉 admire
褒賞 (ホウショウ)〈N〉 prize, reward [+prize]

1884 愚
おろ-;
グ

stupid
愚か(おろか)〈Na〉 foolish
愚かさ (おろかさ) 〈N〉 stupidity ⎡[+person]
愚か者(おろかもの)〈N〉 fool
愚妻 (グサイ)〈N〉 my wife《humble》 [+wife]
愚痴 (グチ)〈N〉 idle complaint, grumble[+unsound]
愚問(グモン)〈N〉 silly question [+question]
▶暗愚(アング)〈N/Na〉 imbecility [dark+]

1885 殉
ジュン

martyrdom, self-immolation
殉じる(ジュンじる) 〈V〉 sacrifice oneself, suffer martyrdom
殉教者 (ジュンキョウシャ) 〈N〉 martyr [+religion+person]
殉死 (ジュンシ) 〈Nv〉 self-immolation (on the death of one's lord)《hist.》 [+death]
殉職 (ジュンショク) 〈Nv〉 dying a martyr to one's duty [+profession]

1886 壌
ジョウ
⇨[960]譲, [1609]嬢

arable soil
▶土壌(ドジョウ)〈N〉 agricultural land [soil+]

1887 狙
ねら-;
ソ

aim, watch
狙う(ねらう)〈V〉 sight, stalk
狙撃 (ソゲキ) 〈Nv〉 sniping [+shoot]

1888 妖 あや-; ヨウ

mysterious, weird
妖しい (あやしい) 〈A〉 weird, uncanny
妖艶 (ヨウエン) 〈Na〉 of voluptuous beauty [+beautiful]
妖精 (ヨウセイ) 〈N〉 fairy, elf [+spirit]

1889 戴 いただ-; タイ, -ダイ ⇨[1038] 載

be crowned
戴く (いただく) 〈V〉 be crowned; be conferred
戴冠式 (タイカンシキ) 〈N〉 coronation [+crown+ceremony]

1890 嘱 ショク

commission, charge
嘱託 (ショクタク) 〈Nv〉 commission; 〈N〉 part-timer, nonregular employee [+entrust]

1891 奴 やつ; やっこ; ド 〈PN〉 ヌ

servant
奴 (やつ) 〈N〉 fellow, guy
奴 (やっこ) 〈N〉 footman 《Jap. hist.》
奴隷 (ドレイ) 〈N〉 slave [+slave]

◀奴

1892 溜 た-, -だ-, たま-, -だま-, ため, -だめ; リュウ

accumulate, reserve
溜まる (たまる) 〈V〉 collect (*vi.*), accumulate; stand 《of tears, etc.》
溜(め)息 (ためいき) 〈N〉 sigh [+breath]
溜(め)池 (ためいけ) 〈N〉 reservoir [+pond]
▶蒸溜 (ジョウリュウ) 〈Nv〉 distillation [vapor+]

1893 鋳 い-; チュウ

mint, cast
鋳る (いる) 〈V〉 cast 《in bronze, etc.》
鋳型 (いがた) 〈N〉 mold, cast [+model]
鋳物 (いもの) 〈N〉 cast-metal [+thing]
鋳造 (チュウゾウ) 〈Nv〉 cast, found, mint [+make]

1894 蛮 バン ⇨[1925] 蛍

barbarous
▶南蛮 (ナンバン) 〈N〉 Europe 《Jap. hist.》 [south+] ➜SN
野蛮 (ヤバン) 〈Na〉 barbarous, savagery [untamed+]

1895 慕 した-; ボ

long for
慕う (したう) 〈V〉 yearn for, idolize, adore
慕情 (ボジョウ) 〈N〉 longing, affection [+emotion]
▶敬慕 (ケイボ) 〈Nv〉 love and respect [respect+]

1896 朴 ボク ⇨[420] 林

artless
▶純朴 (ジュンボク) 〈Na〉 simple and honest [pure+]
素朴 (ソボク) 〈Na〉 naive, simple [natural+]

1897 膜 マク

membrane
膜 (マク) 〈N〉 membrane
▶鼓膜 (コマク) 〈N〉 eardrum [drum+]
粘膜 (ネンマク) 〈N〉 mucous membrane [viscid+]

1898 附 フ

annex
附属 (フゾク) 〈Nv〉 annex, affiliation [+belong]

1899 棟 むな-, むね; **トウ**

roof-ridge 棟 (むね) 〈N〉 roof-ridge
棟上げ (むねあげ) 〈Nv〉 raising the beams/ridges for a house [+up]

***Suf* building of building complex** …棟 (…トウ) 〈N〉 Bldg.…
▷B棟 Bldg. B
三号棟 (サンゴウ～) Bldg. #3 [No.3+]

1900 侮 あなど-; **ブ** ⇨1950侮

despise 侮る (あなどる) 〈V〉 despise, disdain
侮辱 (ブジョク) 〈Nv〉 insult [+insult]

1901 墳 **フン**, -プン

tomb ▶古墳 (コフン) 〈N〉 old mound/tomb [old+]

1902 幣 **ヘイ**, -ペイ
〈PN〉 しで ⇨1406弊

money ▶貨幣 (カヘイ) 〈N〉 coinage [coin+]
紙幣 (シヘイ) 〈N〉 banknote [paper+]
造幣局 (ゾウヘイキョク) 〈N〉 Mint Bureau [make+～+bureau]

1903 癖 **くせ**, -ぐせ; **ヘキ**, -ペキ

habit, peculiarity 癖 (くせ) 〈N〉 habit, peculiarity, trait
▶なまけ癖 (なまけぐせ) 〈N〉 indolence, lazy/idle habit [(lazy)+]
悪癖 (アクヘキ) 〈N〉 bad habit, vice [bad+]
口癖 (くちぐせ) 〈N〉 private cliché [mouth+]
潔癖 (ケッペキ) 〈N/Na〉 spotless, mysophobic [clean+]

1904 辱 はずかし-; **ジョク**, ジョッ-

insult 辱める (はずかしめる) 〈V〉 insult, shame
▶屈辱 (クツジョク) 〈N〉 humiliation, insult [stoop+]

1905 楼 **ロウ** ⇨1121桜

tall building 楼閣 (ロウカク) 〈N〉 many-storied building [+cabinet]
▶摩天楼 (マテンロウ) 〈N〉 skyscraper [scrape+heaven+]

1906 飽 **あ-**; **ホウ**, -ポウ

cloyed, satiate 飽きる (あきる) 〈V〉 get tired of
enough 飽和 (ホウワ) 〈N〉 saturation [+peace]

1907 肪 **ボウ**

fat, grease ▶脂肪 (シボウ) 〈N〉 adipose, fat, grease [fat+]

1908 剖 **ボウ**

cut off ▶解剖 (カイボウ) 〈Nv〉 dissection, autopsy [dissolve+]

1909 庸 **ヨウ**

common ▶中庸 (チュウヨウ) 〈N〉 moderation, middle-of-the-road [middle+]
凡庸 (ボンヨウ) 〈Na〉 mediocre [mediocre+]

1910 隷 **レイ**

slave 隷属 (レイゾク) 〈Nv〉 subordination [+belong]
▶奴隷 (ドレイ) 〈N〉 slave [servant+]

1911 吏 リ ⇒563史

public servant ▶官吏（カンリ）〈N〉 public official [official＋]

1912 陵 みささぎ; リョウ

mound, hill ▶丘陵（キュウリョウ）〈N〉 hillock, hills [hill＋]

1913 倣 なら-; ホウ

emulate 倣う（ならう）〈V〉 emulate, imitate

▶模倣（モホウ）〈Nv〉 imitation [model＋]

1914 俸 ホウ, -ポウ ⇒1424棒

salary 俸給（ホウキュウ）〈N〉 salary [＋be granted]

▶年俸（ネンポウ）〈N〉 annual salary [year＋]

1915 厄 ヤク, ヤッ-

calamity 厄よけ（ヤクよけ）〈N〉 protection against evils [＋(keep away)]

厄介（ヤッカイ）〈Na〉 annoyance, trouble [＋intermediate]

1916 蛇 へび; ジャ; ダ

snake 蛇（へび）〈N〉 snake

蛇の目傘（ジャのめがさ）〈N〉 umbrella with a bull's-eye design [＋eye＋umbrella]

▲蛇の目傘

蛇行（ダコウ）〈Nv〉 zigzag, meander [＋go]

蛇足（ダソク）〈N〉 superfluity [＋foot]

1917 宵 よい; ショウ

evening 宵（よい）〈N〉 early evening

▶徹宵（テッショウ）〈Nv〉 all-night vigil [throughout＋]

1918 洪 コウ 〈PN〉ひろ, ひろし

flood 洪水（コウズイ）〈N〉 flood [＋water]

洪積層（コウセキソウ）〈N〉 diluvium [＋accumulate＋layer]

1919 酌 く-; シャク, -ジャク

serve *sake* 酌（シャク）〈N〉 serving *sake*

酌む（くむ）〈V〉 have a drink (together)

▶晩酌（バンシャク）〈Nv〉 (have) evening drink [late hours＋]

1920 凹 オウ

concave 凹凸（オウトツ）〈N〉 unevenness, bumpiness [＋convex]

1921 凸 トツ, トッ-

convex 凸レンズ（トツレンズ）〈N〉 convex lens [＋(lens)]

凸版（トッパン）〈N〉 anastatic《printing》 [＋print]

1922 頑 ガン

firm 頑強（ガンキョウ）〈Na〉 stubborn, dogged [＋strong]

頑健（ガンケン）〈Na〉 stout [＋sound]

頑固（ガンコ）〈N/Na〉 obstinacy [＋solid]

頑張る（ガンばる）〈V〉 persevere, persist [＋tighten]

1923 挟	はさ-, -ばさ-, はさみ, -ばさみ; キョウ ⇒1370 狭

interpose, insert 挟む (はさむ) 〈V〉 interpose
挟撃 (キョウゲキ) 〈Nv〉 attack on both sides, pincers movement [+attack]

1924 襟	えり; キン

collar 襟 (えり) 〈N〉 collar
▶開襟 (カイキン) 〈N〉 open-necked [open+]

1925 蛍	ほたる, -ぼたる; ケイ- ⇒1894 蛮

firefly 蛍 (ほたる) 〈N〉 firefly
蛍光灯 (ケイコウトウ) 〈N〉 fluorescence lamp [+light +lamp]

1926 把	ハ, -バ, -パ, -ワ

grasp 把握 (ハアク) 〈Nv〉 grip, grasp [+grasp]
***Cs* bunches** …把(…ワ/パ/バ)〈Q〉…bunches
▷一把 (イチワ), 二把 (ニワ), 三把 (サンワ/サンバ)

1927 遮	さえぎ-; シャ

inter-rupt 遮る (さえぎる) 〈V〉 block
遮断 (シャダン) 〈Nv〉 interception [+cut off]

1928 頻	ヒン, -ピン

frequent 頻度 (ヒンド) 〈N〉 frequency [+degree]
頻発 (ヒンパツ) 〈Nv〉 frequent occurence [+issue]

1929 唇	くちびる; シン

lip 唇 (くちびる) 〈N〉 lip
▶口唇 (コウシン) 〈N〉 lips 《anatomy》 [mouth+]

1930 甚	はなは-; ジン

immense 甚だ (はなはだ) 〈Adv〉 immensely, very much
甚だしい (はなはだしい) 〈A〉 immense, extreme
甚大 (ジンダイ) 〈Na〉 immense [+big]
▶幸甚 (コウジン) 〈CF〉 deem it an honor/favor, very glad [happy+]

1931 嫌	きら-, -ぎら-; いや; ケン, -ゲン

hate 嫌 (いや) 〈Na〉 disgusting
嫌い (きらい) 〈Na〉 hateful
嫌悪 (ケンオ) 〈Nv〉 disgust, hate [+detestable]
▶機嫌 (キゲン) 〈N〉 temper, mood [machinery+]
大嫌い (ダイきらい) 〈Na〉 detestable [great+]

1932 肢	シ

limb 肢体 (シタイ) 〈N〉 human body [+body]
▶四肢 (シシ) 〈N〉 limbs, members [four+]

1933 栓	セン

cork, stopper, cock 栓 (セン) 〈N〉 cork, stopper, cock
栓抜き (センぬき) 〈N〉 bottle opener [+pull out]
▶消火栓 (ショウカセン) 〈N〉 hydrant, fireplug [fire extinguishing+]

1934 癒	ユ

cure 癒着 (ユチャク) 〈Nv〉 adhesion, conglutination [+contact]
▶治癒 (チユ) 〈Nv〉 healing up, cure [put in order+]

1935 寡 カ ⇒[710]募

scarce, alone
寡婦（カフ）〈N〉 widow [＋wife]
寡黙（カモク）〈Na〉 taciturn, reticent [＋silence]

1936 鉢 ハチ，-バチ，-パチ；-ハツ

bowl, pot
鉢（ハチ）〈N〉 bowl, pot
▶衣鉢（イハツ）〈N〉 secrets passed down from one's master [clothes＋] ➜SN
植木鉢（うえきバチ）〈N〉 flowerpot [garden plant＋]

1937 妄 ボウ；モウ

random, disorder
妄言（ボウゲン/モウゲン）〈N〉 irresponsible utterance [＋say]
妄信（モウシン）〈Nv〉 blind belief [＋believe]
妄想（モウソウ）〈N〉 wild fancy [＋image]

1938 壱 イチ，イッ- ⇒[131]売

one 《archaic》
壱万円（イチマンエン）〈Q〉 10,000 yen [＋ten thousand＋yen]

1939 姻 イン

matrimony
▶婚姻（コンイン）〈N〉 marriage [wedding＋]

1940 韻 イン

rhyme
韻（イン）〈N〉 rhyme
韻文（インブン）〈N〉 verse [＋sentence]
韻律（インリツ）〈N〉 rhythm, meter [＋rule]
▶余韻（ヨイン）〈N〉 reverberation [remains＋]

1941 雰 フン-，-プン ⇒[1206]零

mist, air
雰囲気（フンイキ）〈N〉 atmosphere, mood [＋enclose＋air]

1942 詠 よ-；エイ

chant
詠む（よむ）〈V〉 compose a poem
詠嘆（エイタン）〈Nv〉 exclamation; lament [＋sigh]
▶御詠歌（ゴエイカ）〈N〉 *goeika*, pilgrim's Buddhistic hymn [His＋～＋song]
朗詠（ロウエイ）〈Nv〉 recitation [clear＋]

1943 箇 カ

item, piece
箇所（カショ）〈N〉 spot, point [＋place]

Infix for Q
…箇…（…カ…）〈Q〉
▷一箇月（イッ～ゲツ） one month [one＋～＋month]
二箇所（ニ～ショ） two spots/places [two＋～＋place]
★This 箇 can be replaced by ヶ. ヶ looks very similar to the *katakana* ケ but is a corrupt form of the *kanji* 个.

1944 逝 ゆ-；セイ

pass away
逝く（ゆく）〈V〉 pass away, die
逝去（セイキョ）〈Nv〉 passing away [＋leave]
▶急逝（キュウセイ）〈Nv〉 untimely death [sudden＋]

1945 迄 まで；キツ[†]

until
迄（まで）〈Postp〉 until; up to

1946 塊	かたまり; **カイ** ⇨[1655]魂

lump, clod

塊 (かたまり) 〈N〉 lump

▶金塊 (キンカイ) 〈N〉 nugget [gold+]

山塊 (サンカイ) 〈N〉 mountain mass [mountain+]

1947 飢	う-, うえ-; **キ**

starve, famish

飢え (うえ) 〈N〉 starvation, hunger

飢える (うえる) 〈V〉 starve, famish

飢餓 (キガ) 〈N〉 starvation, famine [+hunger]

1948 餓	**ガ**

hunger

餓鬼 (ガキ) 〈N〉 hungry ghost; little devil 《figurative》 [+ogre]

▲餓鬼

餓死 (ガシ) 〈Nv〉 death from hunger [+death]

1949 倹	**ケン** ⇨[351]検, [616]険

reserve, save

倹約 (ケンヤク) 〈Nv〉 economization [+abbreviate]

1950 悔	く-, くや-; **カイ** ⇨[1900]侮

repent, regret

悔い (くい) 〈N〉 regret

悔いる (くいる) 〈V〉 repent, regret

悔しい (くやしい) 〈A〉 vexatious, regrettable

お悔(や)み (おくやみ) 〈N〉 condolence [(*Pref honorific*)+]

悔やむ (くやむ) 〈V〉 repent, rue

▶後悔 (コウカイ) 〈Nv〉 penitence [later+]

1951 渇	かわ-; **カツ**, カッ- ⇨[1221]掲, [1996]褐

thirst

渇き (かわき) 〈N〉 thirst

渇く (かわく) 〈V〉 be thirsty

渇望 (カツボウ) 〈Nv〉 craving, thirst [+wish]

▶枯渇 (コカツ) 〈Nv〉 drying up, exhaustion [wither+]

1952 享	**キョウ-** ⇨[16]京 〈PN〉 あき, あきら, すすむ

be endowed

享受 (キョウジュ) 〈Nv〉 enjoyment 《of health, etc.》 [+receive]

享有 (キョウユウ) 〈Nv〉 enjoyment 《of rights, etc.》, being possessed of [+have]

享楽的 (キョウラクテキ) 〈Na〉 pleasure-seeking [+pleasant+*Suf Na*]

1953 喚	**カン**

summon

喚起 (カンキ) 〈Nv〉 arousing, evocation [+rise]

喚問 (カンモン) 〈Nv〉 summons [+inquire]

1954 峡	**キョウ** ⇨[1370]狭

glen, valley

峡谷 (キョウコク) 〈N〉 canyon [+valley]

▶海峡 (カイキョウ) 〈N〉 straits, channel [sea+]

1955 擦	す-, -ず-, すり; **サツ**, サッ-

rub, chafe

擦る (する) 〈V〉 rub, chafe, rasp

擦(り)傷 (すりきず) 〈N〉 abrasion [+wound]

▶靴擦れ (くつずれ) 〈Nv〉 shoe sore [shoe+]

摩擦 (マサツ) 〈Nv〉 rubbing, friction; trouble [scrape+]

1956 慌	あわ-; コウ

flurried, hurried 慌ただしい (あわただしい) 〈A〉 flurried, bustling

慌てる (あわてる) 〈V〉 be hasty

▶恐慌 (キョウコウ) 〈N〉 panic [terrible+]

1957 恨	うら-; コン ⇨535 根

grudge 恨み (うらみ) 〈N〉 grudge

恨む (うらむ) 〈V〉 bear a grudge

恨めしい (うらめしい) 〈A〉 reproachful

▶遺恨 (イコン) 〈N〉 bitter enmity [remains+]

悔恨 (カイコン) 〈N〉 remorse, repentance [regret+]

1958 弧	コ ⇨1440 孤

arc 弧 (コ) 〈N〉 arc

▶括弧 (カッコ) 〈N〉 parenthesis; bracket [bundle+]

★Japanese quotation marks 「 」 and 『 』 are also called *kakko*, and sometimes *kagi-kakko* to distinguish them from parenthesis or brackets.

1959 雌	め-; めす; シ-

female 雌 (めす) 〈N〉 female

雌… (めす…) she-...

▷雌犬 (~いぬ) 〈N〉 bitch [+dog]

雌牛 (めうし) 〈N〉 cow [+cattle]

雌伏 (シフク) 〈Nv〉 remaining passive, lying low [+lie down]

雌雄 (シユウ) 〈N〉 male and female; victory or defeat [+male]

1960 乃	の; ナイ ⇨748 及

of†

Ph 乃至 (ナイシ) 〈Adv〉 ...or... 《←from...to...》 [+reach the limit]

1961 拷	ゴウ-

thrash 拷問 (ゴウモン) 〈Nv〉 torture [+inquire]

1962 墾	コン ⇨1170 懇

plow ▶開墾 (カイコン) 〈Nv〉 cultivation《of land》 [+open]

1963 伺	うかが-, うかがい; シ ⇨471 何

ask 伺う (うかがう) 〈V〉 ask; be told

visit 伺う (うかがう) 〈V〉 visit

伺候 (シコウ) 〈Nv〉 (make) courtesy call/visit [+serve]

1964 賜	たま-, たまわ-; シ ⇨1087 腸

be granted 賜(わ)る (たまわる) 〈V〉 be gifted, be granted

賜杯 (シハイ) 〈N〉 trophy/cup given by the Emperor [+cup]

1965 磁	ジ ⇨1518 磯

magnet 磁気 (ジキ) 〈N〉 magnetism [+anima]

磁石 (ジシャク) 〈N〉 magnet; compass [+stone]

porcelain 磁器 (ジキ) 〈N〉 porcelain [+container]

★磁器 is fired at a higher temperature than 陶器 *toki*.

▶陶磁器 (トウジキ) 〈N〉 ceramics [ceramic+~+container]

1966 漆 うるし; シツ, シッ-

lacquer, japan

漆(うるし)〈N〉 lacquer

漆芸(シツゲイ)〈N〉 japan art [+art]

漆器(シッキ)〈N〉 japan ware [+container]

1967 赦 シャ

pardon

▶特赦(トクシャ)〈N〉 amnesty [special+]

容赦(ヨウシャ)〈Nv〉 pardon, (have) mercy [admit+]

1968 儒 ジュ

Confucian

儒教(ジュキョウ)〈N〉 Confucianism [+religion]

1969 醜 みにく-; シュウ

ugly

醜い(みにくい)〈A〉 ugly

醜悪(シュウアク)〈Na〉 ugly [+detestable]

醜態(シュウタイ)〈N〉 shameful conduct [+attitude]

醜聞(シュウブン)〈N〉 scandal [+hear]

▶美醜(ビシュウ)〈N〉 beauty or ugliness, fair or foul [beauty+]

1970 抄 ショウ ⇒831 秒

extract, excerpt

抄本(ショウホン)〈N〉 extract, abstract, copy [+book]

抄訳(ショウヤク)〈N〉 summary translation [+translate]

抄録(ショウロク)〈Nv〉(make) extracts; (write) epitome [+record]

▶詩抄(シショウ)〈N〉 selected poems [poem+]

1971 迅 ジン

swift

迅速(ジンソク)〈Na〉 speedy [+speedy]

1972 婿 むこ; セイ

groom, son-in-law

婿(むこ)〈N〉 groom, son-in-law

▶女婿(ジョセイ)〈N〉 one's son-in-law [daughter+]

花婿(はなむこ)〈N〉 bridegroom [flower+]

1973 斥 セキ, セッ-

expel

▶排斥(ハイセキ)〈Nv〉 expulsion, exclusion [expel+]

disclose, spy

斥候(セッコウ)〈N〉 scout, patrol [+serve]

1974 窃 セツ, セッ-

steal

窃盗(セットウ)〈N〉 theft [+rob]

1975 遷 セン

transposition

▶左遷(サセン)〈N〉 relegation, demotion [left+] ➜SN

変遷(ヘンセン)〈N〉 transition, change [change+]

1976 痴 チ

unsound

痴漢(チカン)〈N〉 sex offender [+guy]

▶音痴(オンチ)〈N〉 tone deafness [sound+]

愚痴(グチ)〈N〉 idle complaint, grumble [stupid+]

方向音痴(ホウコウオンチ)〈N〉 having no sense of direction [direction+sound+]

1977 繕	つくろ-, -づくろ-; ゼン

repair

繕う (つくろう) 〈V〉 repair, mend

▶営繕 (エイゼン) 〈N〉 repair work [carry on+]

修繕 (シュウゼン) 〈Nv〉 repair [amend+]

1978 惰	ダ

inert

惰性 (ダセイ) 〈N〉 inertia [+character]

惰力 (ダリョク) 〈N〉 inertia, momentum [+power]

▶怠惰 (タイダ) 〈N/Na〉 laziness [lazy+]

1979 堕	ダ-

fall, degrade

堕する (ダする) 〈V〉 descend to, lapse into

堕胎 (ダタイ) 〈Nv〉 (have) abortion [+fetal]

堕落 (ダラク) 〈Nv〉 (fall into) depravity [+drop]

1980 跳	と-, とび; は-; チョウ-

leap, jump

跳ぶ (とぶ) 〈V〉 leap, jump

跳ねる (はねる) 〈V〉 jump, hop, spring

跳躍 (チョウヤク) 〈Nv〉 leap, jump [+leap]

1981 弐	ニ ⇨185式, 448武

two 《archaic》

弐万円 (ニマンエン) 〈Q〉 20,000 yen [+ten thousand+yen]

1982 寧	ネイ 〈PN〉 やす, やすし

calm

▶安寧 (アンネイ) 〈N〉 (public) security [safe+]

丁寧 (テイネイ) 〈N/Na〉 polite, courteous [polite+]

1983 縛	しば-, -じば-; バク

bind, fetter

縛る (しばる) 〈V〉 bind up

▶束縛 (ソクバク) 〈Nv〉 restraint, fetter [bundle+]

1984 逐	チク ⇨1427遂

follow, pursue

逐一 (チクイチ) 〈Adv〉 one by one [+one]

逐次 (チクジ) 〈Adv〉 one after another [+next]

逐年 (チクネン) 〈N〉 year by year [+year]

▶駆逐 (クチク) 〈Nv〉 expulsion, driving away [drive+]

1985 窒	チツ, チッ- ⇨421室, 917窓

suffocate

窒素 (チッソ) 〈N〉 nitrogen [+element]

窒息 (チッソク) 〈Nv〉 suffocation [+breath]

1986 衷	チュウ ⇨1614喪

inner

衷心 (チュウシン) 〈N〉 innermost heart [+heart]

▶折衷 (セッチュウ) 〈Nv〉 compromise, blend [fold+]

1987 弔	とむら-; チョウ

mass

弔う (とむらう) 〈V〉 condole; hold a mass

弔辞 (チョウジ) 〈N〉 memorial address 《in a funeral service》 [+word]

弔問 (チョウモン) 〈Nv〉 condolence [+inquire]

1988 謄	トウ ⇨1386騰

copy

謄本 (トウホン) 〈N〉 copy, tenor [+book]

1989 悼 いた-; トウ

grief, lament

悼む (いたむ) 〈V〉 lament, grieve

▶哀悼 (アイトウ) 〈N〉 condolence [pathos+]

1990 伐 バツ, バッ-

⇒[68]代, [1412]伏

chop

伐採 (バッサイ) 〈Nv〉 felling, lumbering [+pick up]

▶殺伐 (サツバツ) 〈Nt〉 warlike, rough [kill+]

征伐 (セイバツ) 〈Nv〉 subjugation; chastisement [conquer+]

1991 煩 わずら-; ハン; ボン-

troublesome, cumbersome

煩わしい (わずらわしい) 〈A〉 cumbersome

煩雑 (ハンザツ) 〈Na〉 intricate [+miscellaneous]

煩悩 (ボンノウ) 〈N〉 lust, worldly desire [+agony]

1992 頒 ハン-

⇒[338]領

distribute

頒布 (ハンプ) 〈Nv〉 distribution [+expand]

1993 矯 た-; キョウ

⇒[272]橋

rectify

矯正 (キョウセイ) 〈Nv〉 correction [+correct]

1994 叔 シュク

〈Ir〉

second youngest

〈Ir〉 叔父 (おじ) 〈N〉 uncle younger than one's parent [+father] ➔SN

〈Ir〉 叔母 (おば) 〈N〉 aunt younger than one's parent [+mother] ➔SN

1995 茎 くき, -ぐき; ケイ

stalk

茎 (くき) 〈N〉 stalk

▶地下茎 (チカケイ) 〈N〉 subterranean stem [underground+]

歯茎 (はぐき) 〈N〉 gums, gingiva [tooth+]

1996 褐 カツ, カッ-

⇒[1951]渇

brown

褐色 (カッショク) 〈N〉 brown color [+color]

1997 硝 ショウ-

nitric

硝酸 (ショウサン) 〈N〉 nitric acid [+acid]

硝石 (ショウセキ) 〈N〉 saltpeter [+stone]

1998 塀 ヘイ, -ベイ

⇒[941]塀

wall

塀 (ヘイ) 〈N〉 wall, fence

▶土塀 (ドベイ) 〈N〉 mud wall [soil+]

▼土塀

1999 賊 ゾク

burglar, rebel

賊 (ゾク) 〈N〉 burglar, robber, rebel

▶海賊 (カイゾク) 〈N〉 pirate [sea+]

山賊 (サンゾク) 〈N〉 bandit [mountain+]

盗賊 (トウゾク) 〈N〉 thieves 《in group》 [steal+]

2000 峻 シュン

〈PN〉 たか, たかし

lofty

峻厳 (シュンゲン) 〈Na〉 lofty and strict [+solemn]

●LIST of *kanji* in the official "ordinary use" list but not included in this dictionary.

芋	いも	potato
謁	エツ，エッ-	have an audience with
殴	オウ	thrash
翁	オウ	old man
虞	おそれ	fear, anxiety
拐	カイ	abduct
劾	ガイ	accuse
嚇	カク	browbeat
喝	カツ，カッ-	shout
且	か-	besides
堪	た-；カン	bear, brook
斤	キン	*kin* (=0.601*kg*)
繭	まゆ；ケン	cocoon
侯	コウ	marquis; lord
搾	しぼ-；サク	wring
桟	サン	trestlework
蚕	かいこ；サン	silkworm
嗣	シ	inherit
璽	ジ	(Imperial) seal
勺	シャク	*shaku*《=0.018*l*/0.33m^2》
爵	シャク	peerage
遵	ジュン	abide by
詔	みことのり；ショウ	(Imperial) edict
薪	たきぎ；シン	firewood
帥	スイ	(supreme) command
錘	つむ；スイ	spindle
畝	うね；せ	ridge; *se* (=99.17m^2)
銑	セン	pig iron
塑	ソ	plastic (image)
曹	ソウ	officer
藻	も；ソウ	alga
嫡	チャク	heir
脹	チョウ	swell
勅	チョク	edict
朕	チン	we《royal》
痘	トウ	pox
搭	トウ	board, embark
屯	トン	station, quarter
婆	バ	old woman
陪	バイ	attend on
卑	いや-；ヒ	mean, humble
丙	ヘイ	*hei*《→甲，乙》
抹	マツ，マッ-	grind
匁	もんめ	*monme* (=3.750*g*)
窯	かま；ヨウ	kiln
濫	ラン	overflow
枠	わく	framework

●LIST of *kanji* included in this dictionary but not in the official "ordinary use" list.

阿	1515	亀	1288	虎	1558	昌	1552	藤	206	熊	1148
闇	1758	畿	1684	吾	1393	辰	1562	桐	1569	妖	1888
伊	603	埼	1078	弘	1075	須	936	栃	1209	嵐	1578
蔭	1848	磯	1518	肛	1726	誰	1652	奈	822	梨	1487
寅	1563	伎	1654	岡	370	瑞	1687	那	1257	溜	1892
云	1813	迄	1945	幌	1003	靖	1554	乃	1960	菱	980
俺	1870	脇	1583	尻	1704	腺	1817	阪	401	栗	1571
淵	1538	旭	1146	坐	1874	揃	1395	幡	1159	鎌	1277
媛	1828	錦	1512	巳	1697	狙	1887	蒲	1598	呂	1509
宛	1799	巾	1685	之	697	曽	1482	釜	1621	鹿	1141
鴨	1570	駒	1519	茨	1269	爽	1832	阜	1656	窪	1510
鷹	1808	桂	1158	柿	1568	樽	1730	篇	1391	々	174
霞	1530	頃	1691	痔	1802	噂	1814	朋	1860		
鍋	1728	頁	1472	〆	1840	戴	1889	貌	1688		
鶴	1120	倦	1843	綬	1865	旦	1849	睦	1844		
葛	1313	鍵	1824	袖	1495	智	1416	弥	1536		
韓	685	拳	1852	峻	2000	辻	1474	也	1553		
函	1503	彦	1076	裳	1803	椎	1314	謎	1807		

Supplementary Notes

Introduction to *Kanji*

Appendix

Supplementary Notes

◆Numbers are entry numbers.

● 4 一応 Originally written 一往, lit. "(as) a go."

● 4 一緒 Originally written 一所 "(in) one place."

● 5 十月十日 Counting one month as 28 days.

● 7 大丈夫 Originally "a big, stout man" from which derived the meaning "free from danger," "all right," etc. Cf. 1317 丈夫.

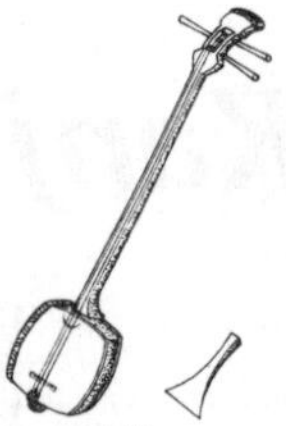

三味線

● 7 大胆 The gall bladder or liver was regarded as a seat of emotion. Cf. "white liver."

● 7 大和 In ancient Chinese geography, Japan was called 倭 or *wa*, meaning "dwarf." This 倭 was later replaced with 和 *wa*, meaning "harmony." Thus, 大和 literally means "great *Wa*."

● 8 国鉄 Abbreviation of 国有鉄道 (*kokuyū-tetsudō*).

● 8 国連 Abbreviation of 国際連合, lit. "international union."

● 10 三味線 *Samisen* is probably a corruption of 蛇皮線 *jabisen* (lit."snake-skinned string instrument"). *Jabisen* is indigenous to Okinawa and has snake skin stretched on its sound chamber. Cat skin is stretched on a *samisen*'s chamber.

● 12 会釈 Originally "collation of various views to disentangle the truth" in Buddhism, from which derived the meanings "consideration for others," etc.

● 13 中元 In the archaic Chinese calendar, there were 3 basal days in a year, i.e. the 15th of the first, seventh, and tenth months. The middle one was called 中元. It is a Japanese custom to give gifts to friends, benefactors, and the like twice a year: in mid-summer (called 中元), and at year-end (called [550]歳暮).

● 14 五十音図 This chart is influenced by the order of letters in native Sanskrit grammar. The number of *kana* sounds is not really 50, but it is conveniently spoken of as 50 because there are 5 vowels standing alone plus 9 consonants for 45 combinations.

● 17 出馬 Originally "a general who goes to the front in person" (on horseback with his infantrymen).

● 19 時雨 *Shigure* was derived from *suguru* or "to pass" and literally means "a temporary rain."

● 27 間違い It is said that this word originally meant 'wrong timing.' The verb *chigau* has the meaning 'to be wrong.'

八百屋

● 36 新春 In the old lunar calendar, New Year's Day was about Feb. 4, which is called 立春 (*risshun*), i.e. the first day of calendrical spring.

● 41 八百屋 This lit. "dealer in hundreds of things" or "dealer in all sorts of vegetables." Some say that *yaoya* is a corruption of *ao(mono)ya*, or "dealer in greens."

● 42 手形 The hand print was used in place of a seal. Cf. 204 切手 and [63]小切手.

● 44 七夕 *Tanabata* is a annual festival held traditionally on the 7th day of the 7th month in the lunar calendar (about

Aug. 7). Today, it is often held on July 7. This festival is based partially on an old Chinese tale in which Altair, the Cowherd Star, crosses the Milky Way (the River in the Sky) and meets his lover Vega, the Weaver Star, once a year. On the night the two are supposed to meet, people make offerings to the stars and tie their wishes, especially for skill at the loom, to bamboo branches. The word *tanabata* originally meant a loom (*hata*) on a shelf (*tana*) on a river. In Japan this festival has been related with the *Bon* festival (see 1873 盆) and visitors from the other world are believed to come to this world along streams.

七夕

● 49 高校 Abbreviation of 高等学校 (*kōtō-gakkō*), lit. "school of higher rank."

● 51 内訳 Originally 内分, meaning "inner division" or "itemization."

● 53 自然 Lit. "as it is of itself."

● 60 山車 Lit. "a mountain-like car," also called *yama*.

● 61 立腹 From an idiomatic expression 腹を立てる (*hara-o-tateru*), to get mad.

● 63 小切手 See 204 切手. The hand print was used in place of a seal.

● 63 小説 Originally "a trivial explanation," i.e. "gossip about secular affairs," in contrast with philosophy, etc.

● 85 野党 The 野 here means "non-governmental," contrasted with [257]朝 "governmental" which derived from the meaning "court." Today, the ruling party is called the 与党.

● 95 理屈 Originally written 理窟 lit. "(mazy) den of logics."

● 100 化繊 Abbreviation of 化学繊維 (*kagaku-sen'i*).

● 104 関西 Lit. "west to the barrier station," in reference to the barrier stations between Kyoto and Tokyo.

● 104 関東 Lit. "east to the barrier station." See above.

● 112 強味 *Mi* is a noun suffix attached to an adjective stem.

● 114 大手町 The main gate of a Japanese castle was called 大手門 (*ōte-mon*).

● 114 城下町 In the earlier days, Japanese castles were built on mountain tops, and towns grew up around/under them.

● 116 名乗る Originally written 名告る. 告る (*noru*) originally meant "to dare to speak a taboo." In ancient Japan it was taboo to announce one's name.

● 116 名刺 刺 here originally means to introduce oneself and to ask someone's convenience.

● 117 要領 Originally "waist and neck."

● 132 原爆 Abbreviation of 原子爆弾 or "atomic bomb."

● 132 原発 Abbreviation of 原子力発電所 or "nuclear power generating station."

● 135 経済 Abbreviation of a Chinese classical idiom (経世済民), which means "control the world to save the people."

● 152 世話 Originally "a world-wise word" or "recommendation."

● 152 世帯 Corruption of 所帯 (*shotai*), lit. "that borne" and indicating one's property, position, etc.

● 158 海老 From the comparison of a shrimp's back to an old man's back bent with age.

● 163 結局 Originally "at the end of a *go* match"

● 166 保母 Lit. "a woman who plays the mother's role to keep a baby."

● 178 女形 Originally written 女方, contrasted with 男方 (*otoko-*

gata) and 子方 (*ko-kata*).

指南車

● 178 女房 Originally this meant a woman's chamber, from which derived the meaning a court lady who has her own chamber. Today this is used to mean one's own wife. Cf. 878 奥さん.

● 179 運命 Lit. "destiny and assignments met out by Heavens."

● 183 反物 Originally "one *tan* (36cm×approx 10m) of cloth, enough to make one *kimono*."

● 188 数珠 The string of beads is used to count sutra summonings.

● 194 局面 Originally "the position in a *go* match."

神宮

● 197 勝手 The etymology is unknown. *Katte* also means a kitchen usually in the form of *o-katte* (*o* being an honorific prefix), which is said to be a corruption of *kate* meaning "food."

● 200 交差 Originally written 交叉. 叉 means a kind of fork.

● 204 切手 Abbreviation of 郵便切手 (*yūbin-kitte*). 切手 originally meant a receipt or a tally. Cf. [42]手形, [63]小切手, [204] 切符.

● 205 指南 The meaning direction or instruction was derived from the idea that the 指南車 (*shinansha*) shows the bearings. The *shinansha* always pointed south and was a kind of compass in ancient China.

● 205 南無 From the Sanskrit word *namo*, meaning "(with) obeisance (to)."

● 216 台風 Originally 颱風 (*taifū*). 颱 itself means typhoon.

● 227 無駄 Perhaps a corruption of *muna*, meaning "vain."

神社

● 229 神宮 神社 sacred to emperors or their ancestors.

● 229 神社 Shinto shrines in general.

● 236 院生 From 大学院生.

● 236 院長 From 病院長, 学院長, etc.

● 236 院内 From 衆議院内, 参議院内, etc.

● 241 薬指 The third finger was often used to knead drugs.

● 245 通商産業省 Often abbreviated to 通産省.

● 246 風呂 Originally written 風炉. 炉 means furnace. Until the Edo period, people took sauna baths. 風炉 means a fireplace with a partial opening so that wind can blow in, such as is used in the tea ceremony today. The ancient 風呂 might resemble 風炉 in shape, or 風炉 might literally mean a fireplace for air, i.e. for steam.

風炉

● 246 風邪 Lit. "an evil inside the body caused by the air."

● 246 中風 Lit. "hit by the shock of the air."

● 252 井戸 Originally written 井処, meaning "where a well is located."

● 264 銀行 Originally this meant a "bank-lined (street)," "bank district," or "guild of banks or money exchangers."

● 270 屋根 *Ne* is a suffix meaning "ridge."

● 276 …石 The fief was rated by the *koku* of rice produced.

● 279 言葉 *Kotoba* is the combination of *koto* and *ha*. *Koto* originally meant both a word and what is indicated by the word. *Ha*, which originally meant "piece," came to be suffixed to it to distinguish *koto* in the sense of a word from *koto* in the sense of what is meant. The orthography 言葉 originates from the figurative expression in which a word in a sentence is likened to a leaf of a tree.

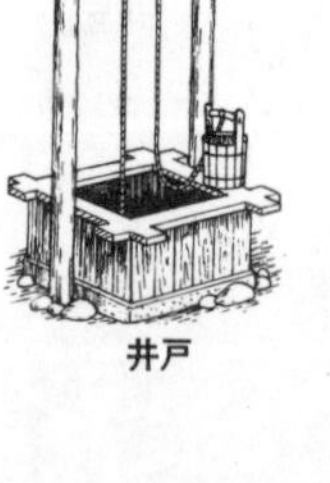

井戸

● 289 美女/美人 美女 implies more fascination and appeal than 美人.

● 295 味方 Originally written 身方, lit. "one's own direction" or "one's side."

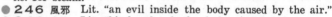

● **312** 五十歩百歩 This originates from a story about Mencius. A king posed the following question to Mencius: "In a battlefield, one soldier took one hundred steps backward and another fifty steps backward. Then the soldier who had taken fifty steps backward laughed at the other soldier saying, 'You are a real coward, running so far away.' Do you think that his criticism was fair?" Mencius replied, "No, both of them fled. Whether one hundred steps or fifty makes no difference."

● **328** 元旦 Originally, "the morning of the 15th of the first month in the archaic Chinese calendar." See 13 中元.

● **334** 格好 Originally written 恰好 and pronounced *kōkō*, which lit. "suitable and favorable" or "in a suitable form," from which derived the meaning "form" or "style," while the pronunciation was corrupted into *kakkō*. Because of this history, *kakkō* is today usually written 格好.

● **342** 井戸 See 252 井戸.

● **343** 太刀 *Tachi* is derived from the verb *tatsu* "to cut off."

● **362** 農協 Abbreviation of 農業協同組合 (*nōgyō-kyōdō-kumi-ai*), lit. "union for agricultural cooperation."

● **363** 認(め)印 A seal which is often used like a signature for approval.

● **364** 天の川 Cf. 44 七夕.

● **364** 天下り Originally "descent from heaven to earth." Now used sarcastically.

● **364** 天井 See picture.

● **384** 駅弁 Abbreviation of 駅売り弁当 (*eki-uri-bentō*), meaning "box lunch sold at a station."

● **390** 青 *Ao* originally meant all the cool colors, i.e., white, blue, green, etc. Today *ao* usually means blue-green.

● **393** 落語 *Rakugo* is a traditional Japanese one-man stand-up (actually, sit-down) comic vaudeville in which the shaggy-dog's story ending is called the *ochi*. Cf. 1350 漫才.

● **403** 沢山 Originally 沢山 was a suggestive interpretation to a divination sign symbolizing "abundant circulation" in *The Yi-King* or *The Book of Mundane Mutations*.

● **407** 助太刀 Originally "assistance in combat."

● **409** 試合 The word *shiai* originates from the verbs *suru* and *au*, its original meaning "doing each other."

● **451** 施主 Originally 施主 meant a patron or contributor to a temple, from which derived the meaning of a person who pays money for a Buddhist ceremony, typically a funeral or the construction of a building. Cf. 1849 旦那.

● **463** 観音 Abbreviation of 観世音 (*kanzeon*), which literally means "observing (people) in the world (calling his name) aloud." The original Sanskrit name was *Avalokita-svara*, meaning literally "(one by whom) the voice is heard." 世 was added in its Chinese version, either from a sutra sequence that this god sees people call his name or because of the analogy to the word *loka* meaning "the world." The usual Sanskrit name *Avalokiteśvara*, may be a corruption of *Avalokita-svara*, confused with the Hindu god *Siva*. He is feminized in Japan.

● **478** 歌舞伎 The word *kabuki* derived from the classical Japanese verb *kabuku*, originally meaning "to be libertine/eccentric." At the beginning, *kabuki* appeared affected.

● **490** 師走 Originally the name of the 12th month in the lunar calendar. There are many views on its etymology, all of them are questionable.

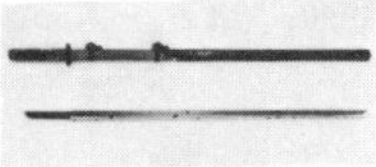

太刀

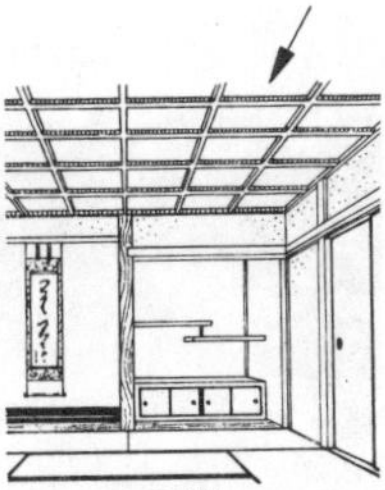

天井

駅弁

観音

伝馬船

● **492** 名残 It is said that *nagori* is a corruption of *nami-nokori,* which originally meant what is left by a backwash.
● **494** 伝馬船 伝馬 means a horse at a relay station. *Tenma-sen* was typically used as a lighter.
● **512** 馬鹿 Probably a corruption of 慕何 (*boka*) which is a *kanji* transliteration of the Sanskrit *moha* meaning "folly" or a corruption of 破家 of 破家者 (*haka-mono*) meaning "a person dissipating his family estate."

振袖

● **513** 具合 Lit. "how something is equipped and suited."
● **513** 具体的 Lit. "equipped with a body or a shape."
● **545** 寄席 Abbreviation of 寄せ席 (*yoseseki*), which means "a place where people are gathered."
● **600** 振袖 See picture.
● **606** 波紋 Strictly, 紋 here means a pattern, which is its original meaning. The figurative meaning of 波紋 is repercussions, like the ripples after a stone is thrown into a pond.
● **606** 波乱 Originally written 波瀾. 瀾 means a billow.
● **612** 字引 The *-biki* derives from the conjunctive form of the verb *hiku*, which means "to look up (a word/*kanji*) in a dictionary." Thus, *jibiki* originally meant exclusively a *kanji* dictionary, but is today used to mean any dictionary.

金閣寺

● **636** 鉢巻(き) Lit. "brainpan band." Samurai used to fix their *eboshi*, a kind of headgear, with a *hachimaki* when they wore helmets. Today the *hachimaki* is worn as a symbol of fighting spirit.
● **655** 五月雨 Lit. rain in the fifth month of the lunar calendar (around June of the solar calendar), or rain in [1009]梅雨.
● **657** 普請 Originally "to solicit donations widely to build a temple."

竹馬

● **674** 処女 Originally "a woman staying at home" or "a girl who has not yet left her house to get married."
● **685** 韓国 Abbreviation of 大韓民国 (*Daikanminkoku*).
● **687** 金閣寺 A popular name for the Rokuon-ji Temple in Kyoto, which is covered with gilt.
● **692** お歴々 Probably from "of illustrious history."
● **700** 君子 子 is used as a suffix for a learned man, a nobleman, etc. Cf. 孔子 *Kōshi* or Confucius.
● **709** 板前 Lit. "(one) in front of a cutting board." Cf. 台所.
● **713** 消息筋 消息 lit. "to vanish or be born."
● **719** 竹馬 See picture.
● **724** 御存知 The *zonji* of 御存知 is a conjunctive form of the verb *zonjiru/zonzuru.*

お節(料理)

● **731** お節(料理) Originally this meant the food offered to the gods on the five feast days which represent the turning points of the seasons. See below.
● **731** 節分 Originally "turning point of a season," i.e., "the last day" of the season. Today this has come to refer exclusively to the eve of the first day of the calendar spring, about February 4.

すき焼き

● **733** すき焼き In olden times, when eating the meat of quadrupeds was taboo, it was cooked not in a pan but on a spade.
● **734** 乱用 Originally written 濫用. 濫 means flood.
● **777** 居士 Lit. a person who is staying in the secular world.
● **793** 弁当 弁 here is a rebus for [578]便. Thus 弁当 originally meant "something convenient."
● **811** 切(り)札 In Japanese, "to trump" is *kiru.*
● **817** 候文 In 候文, the word *sōrō* is used in place of *masu,*

aru, or *iru*.

● **818** 馬鈴薯 Probably from the meaning "potatos growing like a string of bells strapped to a horse."

● **824** 留学 Lit. "to stay and study for a while at a school/place where one is not enrolled."

● **827** 源氏物語 Written by Murasaki-shikibu about 1000. The hero of this tale is Hikaru-Genji, meaning a brilliant man from the Minamoto clan. Minamoto is a clan name given to the children of emperors.

● **836** 幕府 Originally "a *shogun*'s administrative camp." As the *shogun*, which originally was a military title, became the title of a political ruler, 幕府 came to mean the shogunate.

● **865** マル秘 To indicate a document in top-secret, a circled 秘 is often stamped on it.

● **875** 知恵 Originally written 知慧. 慧 means "clever."

● **878** 奥さん The residential part of a house was located in the inner quarters. It was more respectful to address a person by place or position than by name. Thus, 奥さん is typically used to address someone else's wife.

● **887** 亡者 Originally "the dead whose souls are lingering in this world."

● **888** 混む *Komu* is often written this way, although orthographically it should be [280]込む.

● **907** 雪崩 Etymologically *nadare* means "leaning."

● **910** 杉 See picture.

杉

● **915** 野暮 Possibly a corruption of 野夫 (*yabu*), which means "a bumpkin."

● **927** 紅白 On auspicious occasions, the ceremony site is enclosed with a curtain of red and white, and pairs of red and white *manjū*, a kind of buns, are presented. (The pair for misfortune are black and white.) Around the 12th century there was a long conflict between the Taira family and the Minamoto family whose flags were red and white respectively. Thus even today two groups in competition will often adopt red or white as their colors and the match will be called 紅白試合 (*kōhaku-jiai*).

● **927** 紅茶 So named from the color of the liquid.

● **932** 一石二鳥 Translation of the English "to kill two birds with one stone."

● **932** 鳥居 Some say that *torii* originally meant a roost, or a perch for a rooster offered to a shrine.

● **939** 皮切り Originally "the breaking of the skin by the first moxibustion."

● **939** 皮肉 Lit. "skin and flesh," from which the meaning "superficial," (as contrasted with bone and muscle) was derived.

● **954** 風刺 Lit. pricking the heart indirectly like the wind moves a thing.

● **980** 菱 菱形 means "diamond" from the shape of the fruit.

● **1005** 縄文式土器 In the Jomon period (ca. 8000–200 B.C.).

縄文式土器

● **1009** 梅干(し) After salted, dried in the sun and pickled with red *shiso* leaves.

● **1009** 梅雨 Lit. "rain when *ume* bear fruit."

● **1023** 真宗 A sect of Japanese Buddhism. 真 here means the truth (of paradise).

● **1031** 砂利 Probably a corruption of *sazare(-ishi)*, meaning "small (pebbles)."

● **1047** 浮(き)彫(り) Lit. "engraving in which an image rises

寿司

up to the surface."

● 1104 川柳 From the name of the originator, Karai-Senryu (1718–1790).

● 1124 雲泥の差 Lit. "difference between cloud in the sky and mud in the water."

● 1132 寿司 From the classical form of the adjective *sui*, meaning "sour."

● 1137 外為 Abbreviation of 外国為替 (*gaikoku-kawase*). The *kanji* abbreviation 外為 here takes a pronunciation different from its original pronunciation.

● 1160 思惑 The word *omowaku* is a combination of a verb *omowa*, a conjugated form of *omou*, and the suffix *ku*. The original meaning was "what to think."

紋付(き)

● 1165 気の毒 Lit. "poisonous to one's mind."

● 1168 腰抜け From the idiomatic expression *koshi ga nukeru*, meaning "for the hip to be thrown out of joint" or "to be paralyzed with fear."

● 1176 紋付(き) The *montsuki* carries the family crest in 3 or 5 places: if 3, on the backsides of the sleeves and the center of the back; if 5, these 3 plus each lapel.

● 1194 殿下 Lit. "beneath the palace." It was more honorific to address a person by place or position than by name.

● 1203 坊主 Originally "the head of a monastery" or "the chief Buddhist priest," from which derived the meaning "a young boy," since both Buddhist priest and young boys traditionally shaved their heads.

● 1240 床の間 See picture.

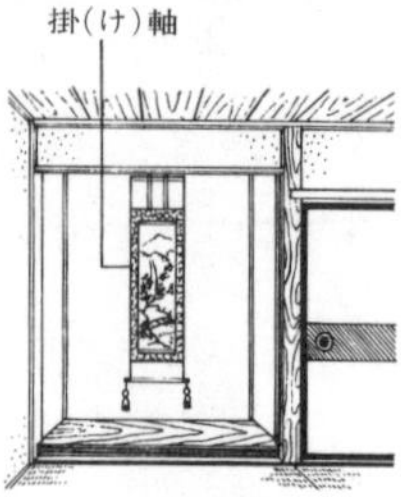

床の間

● 1254 暑い When the heat is felt all over the body, 暑い is used. Cf. [629]熱い.

● 1259 将棋 Originally 象棋 *zōgi* or "elephant game." *Shōgi* originally used chessmen with names like "gold elephant," etc. Later 象 was replaced by 将 and "gold elephants" came to be called "gold generals."

● 1279 網羅 Originally a "net for catching fish and birds," from which derived the meaning "to catch all."

● 1291 柔道 The martial art itself was originally called 柔術 (*jūjutsu*) or 柔 (*yawara*).

● 1309 山勘 It is said this originates from an abbreviation of 山本勘助 (Yamamoto-Kansuke), a legendary strategist in the 16th century.

● 1313 葛藤 Originally "ivy-like tangle."

● 1317 丈夫 Originally "a stout man of one *jō* (≒3m) height, from which derived the meanings "stout," "strong," "tough," etc.

● 1317 大丈夫 See 7 大丈夫.

● 1322 仮名 *Kana* is a corruption of *karina* or "provisional name/letter" in contrast with 真名 (*mana*) or "true name/letter," i.e. *kanji*.

仁王

● 1334 呉越同舟 See 1422 呉越同舟.

● 1335 麻酔 Lit. "intoxicated from hemp."

● 1346 仁王 A rebus for 二王, lit. "two kings."

● 1350 漫才 Originally written 万歳 or 万才. *Manzai* originally meant the performance by a pair of persons visiting houses to offer congratulations and best wishes for prosperity in the New Year. As this original *manzai* became a vaudeville act whereby two people engage in comic dialogue, *manzai* came to be written 漫才.

● 1384 土壇場 Originally "a soil platform where a convict is beheaded."
● 1394 漢字 Lit. letters of the Han dynasty. →p. 423
● 1410 肝心 Originally written 肝腎. 腎 means "kidney." The liver, heart, and kidney were regarded as especially important organs.
● 1422 呉服 Originally this meant silk textiles as contrasted with cotton or hemp. Silk textiles were brought to Japan by immigrants from *Wu*, China.
● 1422 呉越同舟 Originating from a Chinese classic. *Yueh* and *Wu* were two rival countries in ancient China (ca. 5C B.C.).
● 1424 用心棒 Originally "a stick readied for guarding against burglars."
● 1431 水墨画 See picture.

水墨画

● 1469 転嫁 Originally "to marry off a daughter to another man."
● 1469 花嫁 See picture.

花嫁

● 1472 頁 Originally "head." The pronunciation *pēji* comes from the English page.
● 1475 拝啓 When a letter starts with 拝啓, it usually ends with 敬具 (*keigu*).
● 1480 泥棒 Originally written 泥坊. The meaning "thief" probably originates from the meaning "miry guy."
● 1480 泥酔 Lit. drunken like a *dei*, an imaginary limp worm which has no bones.
● 1484 陛下 Lit. "under your steps." Cf. 1194殿下.
● 1496 料亭 料 here means [212]料理 "cooking."
● 1498 俗名 In Buddhism a person's name is changed when he passes away. Thus, the name in this world is called 俗名, as contrasted with 戒名 (*kaimyō*), the name in that world.
● 1503 函数 Today this is often written 関数.
● 1508 妨害 Originally written 妨礙. 礙 means "to interrupt."
● 1509 風呂 See 246 風呂.
● 1509 風呂敷 Originally 風呂敷 was a piece of cloth which was used for standing on when undressing, for wrapping clothes in, and for wiping the body.

風呂敷

● 1512 錦絵 *Ukiyoe* at first were hand-painted pictures, and later came to be printed but monochromic. When multicolored *ukiyoe* were printed, they were called 錦絵 in contrast to the monochromic prints.
● 1514 玄関 Originally "an entrance to a recondite way," i.e. entrance to *Zen* Buddhism, from which derived the meaning a gate to a *Zen* Buddhist temple. Later, it came to be used widely to mean any front door in general.
● 1516 五重の塔 See picture.

五重の塔

● 1524 魚雷 Abbreviation of 魚形水雷 (*gyokei-suirai*), lit. "fish-shaped mine in the water."
● 1540 数珠 See 188 数珠.
● 1558 虎の巻 Originally the name of a volume of an old Chinese book on the art of war.
● 1568 柿 See picture.

柿

● 1569 桐箱 Boxes, chests of drawers, etc. for clothes are often made of this, since it is very damp-proof.
● 1584 理屈 See 95 理屈.
● 1619 粗品 This is the humble, and therefore proper, way for the giver to refer to a gift.
● 1628 辛子 The word *karashi* is a classical form of *karai*,

●1630 星霜 Lit. "stars and frost," they came to symbolize the years since stars make one passage through the sky a year and frost appears in the same season every year.
●1643 邪魔 Originally "a demon instigating people to evil and disturbing Buddhistic *dharma*."
●1646 幾何 Abbreviation of 幾何学 (*kikagaku*), lit. "a study on how much/many something is."
●1658 仰天 Lit. "(being so astonished as) to look up to the heavens."
●1671 伯仲 Originally "the eldest and second eldest brothers." Since the eldest and the second eldest are closer than the eldest and the third eldest (叔), this came to mean "close."
●1671 伯父 Originally "the elder brother of one's father."
●1671 伯母 Originally "the wife of an elder brother of one's father."
●1672 矛盾 Originating from an old Chinese tale: A merchant was selling halberds and shields, saying, "This is the ultimate halberd. It can pierce any shield. This is the ultimate shield. It can stop any halberd." A man asked him, "Can your halberd pierce your shield, or does your shield stop your halberd?"

神棚

●1696 神棚 See picture.
●1708 土偶 Probably used for some incantation in the Jomon Period (ca. 8000–200 B.C.).
●1719 掛(け)軸 See picture (1240 床の間).
●1754 摂氏 摂 is an abbreviation for a rebus for Celsius.
●1766 百姓 Lit. "a hundred people with a hundred (different) names."
●1767 苗字 Often written 名字. Originally subdivisional names of a clan name ([177]氏名) such as 加藤 (*Katō*) which is given a family residing in 加賀 (*Kaga*, an old name of Kanazawa) among the clan 藤原 (*Fujiwara*). 字 here means an alias which is exclusively used by others.

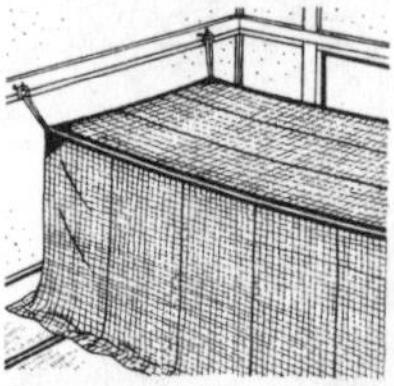
蚊帳

●1771 蚊帳 See picture.
●1808 鷹揚 Lit. "(like) a hawk flying high in the sky."
●1842 尺八 The *shakuhachi* is 1 *shaku* 8 *sun* (≒55cm) long.
●1849 旦那 From the Sanskrit word *dāna-pati*, meaning "master donator" or "contributor (to a temple)."
●1862 媒酌 In a traditional Japanese wedding, the bride and bridegroom exchange cups of *sake*.
●1873 盆 A festival which is held on the 15th of the 7th month in the lunar calendar (around Aug. 15), when the ancestral spirits are believed to visit this world.
●1894 南蛮 Since Europeans came to Japan through Southeast Asia around the 16 C, they were regarded as barbarians from the south.
●1936 衣鉢 In Buddhism it was a tradition to give a disciple a surplice and a bowl for asking for alms.
●1975 左遷 In ancient China, right was valued above left.
●1994 叔父 Originally "the younger brother of one's father."
●1994 叔母 Originally "the wife of the younger brother of one's father."

Introduction to *Kanji*

I. Learning *Kanji** Ideographs

Every word in every language has two linguistic components: its sound and its meaning. Obviously, the sound also represents the meaning, but the same sound can represent several different meanings (e.g. homonyms); and, conversely, the same meaning can be represented by different sounds (e.g. synonyms). Inherently neither sound nor meaning, the written language can focus on either. Most alphabets represent sounds. Thus the English letters w-a-t-e-r are not in themselves meaningful (and can even be used in different sequence for different meaning (e.g. tawer)) but take on meaning only when they are read as "water" and this evokes the reader's consiousness of what water is.

By contrast, *kanji* represent meanings. For example, the character 水 stands for water. As such, 水 is perhaps akin to H_2O, which may be read either H-2-0 or water, but which means water in either case. Perhaps the closest approximation to *kanji* in "ordinary" English is with numbers. The number "1," for example, means the same thing whether it is pronounced "one," "fir" as in July 1st, or as the second half of "eleven." This characteristic of representing primarily sense and not sound is what is meant when *kanji* is referred to as ideographic or logographic.

At the risk of exaggeration, it may thus be said that, whereas the alphabet is used to represent pronunciation which in turn evokes awareness of meaning, *kanji* is used to represent meaning which in turn evokes awareness of pronunciation. Thus the student starting to learn an alphabet-based language must learn which letters in which sequential combinations make which sounds and then must read by relating the particular sequence of sounds to a meaning. In learning *kanji*, it is possible in the extreme case to develop a silent literacy in which the student is able to read with comprehension even before he knows how to pronounce any of the words.

II. History of *Kanji*

Virtually every writing system began as pictographs to depict actual things and events. *Kanji* is thought to have originated in circa 1300-1100 B.C. with pictographs carved in tortoise shell and bone along the Yellow River during the Yin dynasty (China's oldest confirmed dynasty).

---

*Literally, this word means "Han writings," so called probably because Chinese characters were introduced into the Japanese language mainly during the Han dynasty. Today, *kanji* are used in Japanese, Chinese, and Korean, although each has evolved its own simplified forms and meanings so that the three languages' *kanji* are not necessarily compatible.

At the time, tortoise shells and animal bones were used for fortunetelling (driving a burning stick into a hole in the shell or bone and then "reading" the resultant pattern of cracks), and people inscribed these fortunes on the uncracked white of the shell or bone. Non-uniform in size and shape, these writings are obviously very primitive, yet the fact that they had already been conceptualized to some degree is clear evidence that they were derived from still-earlier writings.

In their long history, *kanji* have undergone manifold changes of depiction, function, and meaning. Compared to the ancient Egyptian hieroglyphs, for example, the tortoise-shell writing of the Yin dynasty was considerably advanced in design. As seen in Figure 1, the tortoise-shell writing used simple lines to depict an

Figure 1

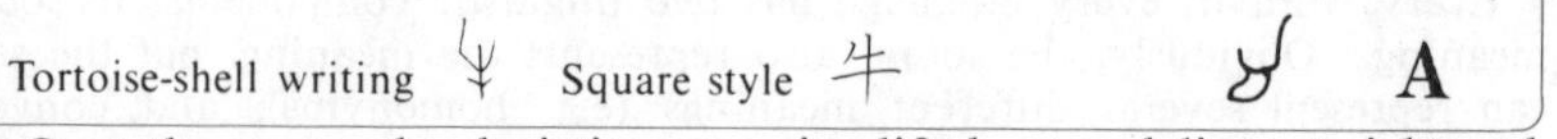

ox's head. Over the years, the depiction was simplified, curved lines straightened, and the overall shape squared. The development of today's "square style" was thus virtually completed by the Sui dynasty (589-618 A.D.). In the transition from tortoise-shell writing to the square style, *kanji* also developed the "seal style" and the "demotic style." The former was developed within the Sin dynasty (221-206 B.C.) court and is used today almost entirely for signets; while the latter was developed at the same time for more informal use but gave way quickly to the square style and remains today simply as an art form. Although the square style rose to dominance with the advent of printing technology in the late Tang (618-907) and early Song (960-1279) dynasties, the sharp edges were soon rounded off when it was written by hand in the "cursive" or "semi-cursive" style. Most commonly used today are the square style and the semi-cursive style.

Figure 2

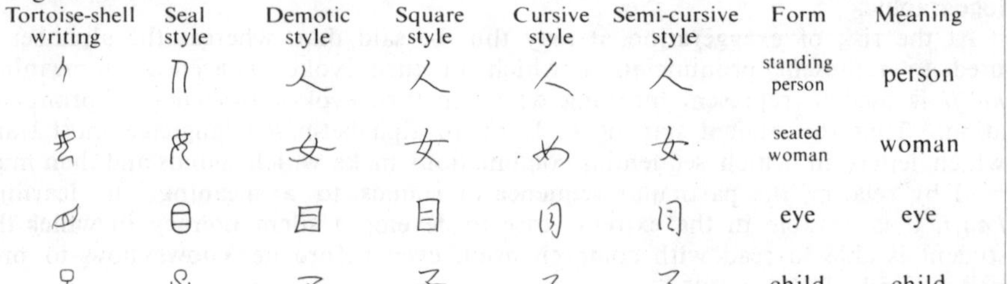

Tortoise-shell writing
Seal style
Demotic style
Square style
Cursive style
Semi-cursive style
Form
Meaning
standing person
person
seated woman
woman
eye
eye
child
child
horse
horse
ox head
cattle
fish
fish
(Kinbun)
heart
heart

Because *kanji* were not systematically devised by a single individual yet arose spontaneously from the collective wisdom of many, it is only natural that it should have been non-uniform, a characteristic which persisted even after the square style was developed.

Whereas the tortoise-shell writing used a total of approximately 3,000 *kanji* (only about half of which have been deciphered), this number had grown to 50,000 with the development of the square style. Even discounting *kanji* which fell into disuse, this increase is convincing testimony to the widespread use of *kanji* by large numbers of people. Part of this evolution also involved the creation of different *kanji* to represent the same concept. In the Tang period government authorities deemed it necessary to institute uniformity of usage by selecting one *kanji* for each meaning as the "correct" character and designating others "variants." Variants which persisted in popular usage despite this crackdown were known as "vulgar" characters. Because large numbers of people were using the same characters, different people naturally abbreviated different parts. Thus were born "simplified" characters.

Figure 3

Correct character	Variant character	Vulgar character	Simplified character
回	囘	囬	
點			点
學	斈		学
卽		卽	即

As a result, the vulgar or simplified characters were used in everyday writing and the "correct" characters were reserved for official or model purposes. After World War II, however, the Japanese authorities decided to officially adopt some of these simplified characters as part of an effort to simplify the language. A similar process has also been under way in China. As a result, Japan and China have simplified the same characters in different ways, creating a divergence at striking odds with the common currency possessed by the "correct" characters used in China, Japan, Korea, Taiwan, and elsewhere.

Figure 4

Correct character	廣	豐	變	處	國	點	學
Simplified character in Japan	広	豊	変	処	国	点	学
Simplified character in China	广	丰	变	处	国	点	学

Because *kanji* are ideographs depicting meaning, they were most easily developed for actual things having concrete shape that could be drawn. Yet language also includes large numbers of abstract concepts. Here the originators of *kanji* were forced to create ideographs which would evoke the abstract concepts to be represented. The *kanji* for "long," for example, was derived from the representation of an old man with long hair.

Figure 5

長 "long"

Yet there are limits to even this expediency. What of concepts which do not readily relate to any concrete representation? In such cases, use was made of other characters having entirely different original meanings yet pronounced the same as the concept to be represented. The term "I" is typical. Although the character used is 我, this *kanji*'s original meaning is a kind of handsaw, and its only connection with "I" is that it was pronounced the same. Over time, these *kanji* have lost their original meanings and taken on their step-meanings exclusively.

我, for example, is never used today to represent a handsaw but only for "I."

In a way, this adaptation of the ideograph to "mean" its sound is similar to the Western alphabet's development. Yet this transformation in *kanji* was not for the whole of its writing but only as a last resort for certain concepts which were otherwise unrepresentable.

In addition, there are also a number of words where the meaning of the *kanji* character has been extended. The character 長 (long) is thus used not simply to indicate physical length of hair but also in 年長 (long in years); and even "leader" (probably because the most experienced was the leader) as in company president 社長.

Basically developed to depict specific things, *kanji* has at times lacked terminology for collective or generalized concepts. For example, different species of monkeys were represented by 狖, 狙, 猨, 猴, 猱, 猿, and more. Later, almost all these characters came to be used to represent the entire class of monkeys (in modern Japanese, 猿 is used for monkey). As a result, each character has several meanings, and each meaning can be represented by several different characters. For example, as mentioned above, 長 is multi-semantic in being synonymous to 久 or 永in its meaning of temporally long.

When *kanji* was brought to Japan about the 5th century, it encountered a well-developed yet unwritten language. Despite the quick adoption of *kanji* for writing Japanese, the two languages differed in a number of crucial aspects. The first major difference between Chinese and Japanese was in grammar. Whereas Chinese was an isolated language, which had no difference in form, for example, between "he" and "him," Japanese requires inflectional, postpositional, and other endings which do not exist in Chinese. As these could not be readily represented with the available *kanji*, a new and entirely Japanese *kana* syllabary was created. By the 9th century, Japan had two such syllabaries, *hiragana* and *katakana* (the former derived primarily from further simplification of cursive-style *kanji* and the latter by extracting one part of a *kanji* carrying the desired pronunciation). These are now used to distinguish, for example, between 彼が (he) and 彼を (him) by using the third-person male character 彼 with postpositional endings in *kana*. In modern Japanese *kanji* are used usually for nouns, verb stems, and other trunk words while *kana* are used typically for inflectional, postpositional, and other endings.

The second major difference was in pronunciation. Because *kanji* is an ideographic script, it can be used to represent things which existed in common in both China and Japan. Yet because the Japanese language evolved totally independent of Chinese, the same thing naturally had a different name in Japanese. For example, 長 still means "long," but it is pronounced "*naga-*" instead of the Chinese "*diag*." In addition to assigning native Japanese readings, Japanized approximations of the Chinese pronunciation were also retained. Moreover, as adoption of Chinese pronunciations took place over several different periods and involved different Chinese dialects, each character generally has several Chinese readings as well as its Japanese readings. In some cases, a character represented two or more different words (typically an original word and its derivatives) in the original Chinese, which naturally had two or more different pronunciations. Academic distinctions aside, the Chinese-like readings are called *on* readings and the native Japanese readings *kun* readings.

Pronunciations of 外:

On Readings	Historical Chinese Pronunciations
ge (gwe)	quad (-3 C.)
gai (gwai)	quai (6 C.-10 C.)
ui	uai (ca. 14 C.)

NB: The reading *ui* is rarely used today.

A third major problem encountered stemmed from the two peoples' languages being so dissimilar that words which existed in one did not necessarily exist in the other. When there was a word or concept in Japanese which was not represented by any single *kanji*, either the closest *kanji* could be used and its meaning broadened or a new compound could be created by using *kanji* combinations. The word, "today," for example, had no equivalent in *kanji* and the solution was to combine 今 (now) and 日 (day) to create the Japanese word *kyō* 今日. Yet neither 今 nor 日 can be read independently as part of *kyō*. Similar "ideomatic renderings" are used for proper nouns.

Names present a special problem, since a parent may chose a *kanji* for its meaning yet chose an entirely unrelated reading for its own associations. For example, 春 (*kun* reading *haru*, *on* reading *shun*) meaning "spring" can be used as a male name and pronounced *hajime* (meaning "first") on the rationale that spring is the first of the four seasons.

Finally, when there were no appropriate *kanji* for Japanese words or concepts and when no suitable combination was to be found, entirely new *kanji* were created. These are distinctively Japanese *kanji* and do not usually carry *on* readings.

III. How *Kanji* Are Structured

Being ideographs, *kanji* are, in principle, visual depictions of meaning. In some cases, however, considerable ingenuity was required. A number of efforts have also been made to formulate systematic rules for how *kanji* are structured. Basically, *kanji* may be divided into three types.

First are straight-forward representations, such as the character 牛 which depicts an ox (or its head). These may be called **"pictographic"** characters. Also in this category are straight-forward depictations of abstract concepts such as 上 (up) and 下 (down). These are referred to as **"symbolic"** characters.

The second group is comprised of *kanji* which have been created by combining simpler *kanji* to represent more complex things or concepts. These are **"co-semantic"** characters. For example, the character for 木 (tree) is itself pictographic but becomes co-semantic when two trees are used to represent a grove 林 or three a forest 森. Likewise, the combination of 言 (say) plus 舌 (tongue) makes the word 話 (speak).

Third are those **"semasio-phonetic"** characters made up of one component for the pronunciation and another component for the meaning. For example, the character 記 meaning "describe" is made up of the two components 言 and 己. The left component 言 means "say," and the right component 己 (meaning "ego") is employed for the *ki* sound which was its pronunciation in Chinese.

Looking at these different types of *kanji*, it should be obvious that there are clearly more made up of a combination of components than there are single-component *kanji*. Over 80% of all *kanji* are multi-component. With so many *kanji* and so few components, clearly there is considerable overlap of components. Conversely, it may be said that the vast number of *kanji* are created of a small number of components. In fact, there are only about 250 components for the entire 50,000 *kanji*.

It is most important in writing such multi-component *kanji* that the whole be the same size as single-component *kanji*. Thus the word 木木 (tree twice meaning trees) is not the same as 林 (two trees representing a grove). The trees referred to in 木木 are abstract trees meaning different species of trees in general, while the trees in 林 are growing together to make a grove. Likewise, (when written vertically) 山風 (mountain wind) must be distinguished from 嵐 (storm). In prinicple, all *kanji*, regardless of complexity, should be uniform in size.

IV. Formation of *Kanji* Compound Words

As noted earlier, Chinese is a monosyllabic language. Adhering strictly to the phonetic structure of modern Chinese, it would in theory be restricted to approximately 1,400 different syllables. Yet 1,400 is obviously too few words for any language, with the result that Chinese possesses a large number of homonyms. Yet too many homonyms would impede the language's functioning. Chinese has solved this very early by developing compounds. This it has done by combining elements, themselves able to function as words, into compounds which form new words.

At first, these compounds were very unsettled, and the same compound might mean different things to different people. Yet over the centuries of use, consensus was formed on what the different combinations meant. By the time they were brought into Japanese, many of these elements had lost their individual meanings and were meaningful only in combination. Additional compounds were generated in Japan. Especially with the introduction of Western culture, large numbers of compounds were coined to translate these unfamiliar concepts and products. Indeed, new compounds are being created even today, and a number of Japanese-born compounds have been adopted for Chinese usage.

The smallest meaningful linguistic unit is the morpheme—from which it follows that every word must be formed of one or more morphemes—yet what had functioned as words in the original Chinese became the morphemes for Japanese. In other words, what had been words in Chinese became the building blocks for words in Japanese. Therefore, when a word indigenous to Japanese is made of two morphemes, two characters are used to represent it with or without *kana*. For example, *omoide* (memory) is made of *omoi* from *omou* (think) and *de* from *deru* (come out), and is written 思い出. Regardless of origin, words represented by two or more *kanji* are called *kanji* compounds.

There are a number of ways such compounds have been formed:

1. Repetition

The same character can be repeated to express plurality, repetition, or emphasis. This is so common that a special character has been created [174]々 to serve as the repeat. Thus 年年 is years, 人人 people, and 近近 soon.

2. Combinations of different characters

2.1. Endocentric combination

Endocentric combinations are those in which one of the *kanji* in combination modifies or qualifies the other. A number of possibilities exist.

2.1.1. Qualifier + qualified

This can include adjectival + nominal, adverbial + verbal, and adverbial + adjectival. Thus 外 (outside) plus 国 (country) is 外国 foreign country, 上 (outer) plus 着 (wear) makes 上着 (outerwear), 前 (before) plus 進 (proceed) is 前進 (advance), 日 (day) plus 帰 (return) is 日帰(り) (returning on the same day), 最 (most) plus 大 (big) is 最大 (biggest), and 真 (exact) plus 赤 (red) is 真(っ)赤 (crimson).

2.1.2. Subject + predicate

Here the word is akin to a mini-sentence, such that 日 (sun) plus 出 (come out) is 日の出 (sunrise), and 日 (sun) plus 没 (sink) is 日没 (sunset).

2.1.3. Verbal + object/complement
This is also sentence-like, as 殺 (kill) plus 人 (person) becomes 殺人 (homicide), 禁 (prohibit) plus 煙 (smoke) 禁煙 (No Smoking), and 買 (buy) plus 物 (things) 買物 (shopping).
2.1.4. Object/complement + verbal
Although the opposite of the verbal + object/complement, this works the same way. 人 (person) plus 殺 (kill) is 人殺し (murder), and 日 (day) plus 付 (attach) is 日付 (date).
2.1.5. Prefixal + nominal/verbal/etc.
Here, there are a number of standard prefixes which it is useful to know. These include 不 as in 不正 (un- + just = injustice), 未 as in 未来 (not yet + come = future), 非 as in 非常 (non- + usual = unusual), 無 as in 無理 (non + reason = unreasonable), 被 as in 被告 (*passive* + tell = the accused), and 御 as in 御社 (*honorific prefix* + company = your company).
2.1.6. Nominal/verbal/etc. + suffixal
As with prefixes, there are a number of standard suffixes which it is useful to know. These include 的 as in 病的 (sick + *Suf* to make na-adjective = morbid), 性 as in 酸性 (acid + *Suf* for abstract nouns = acidity), and 供 as in 子供 (child + *Ph* = children).
3. Exocentric combination
These are compounds in which the two elements are parts of a complementary pair. There are four main forms here.
3.1. A and B
Examples here include 男女 (man and woman), 左右 (left and right), and 親子 (parent and child).
3.2. A or B
Examples in this category are 多少 (more or less) and 早晩 (sooner or later).
3.3. Hypernymous concepts
In this group, two different characters representing words in a hypernymous concept are joined together to express the concept. For example, 兄 (elder brother) plus 弟 (younger brother) makes the term 兄弟 for brothers. Likewise, 手足 (arm + leg = limb) and 海洋 (sea + ocean = seas).
3.4. Abstract concepts
When two antonymous characters are joined together, they can express the abstract concept covering them both. Thus 往来 (go away + come = traffic) and 取捨 (get + throw away = selection).
4. Others
The category of others includes compounds from the Chinese classics, proverbs, and elsewhere in the cultural traditions of *kanji* as well as rebus words to write foreign-origin words.
4.1. Idioms
Perhaps the most famous of these is the term for contradiction, which is 矛 (halberd) plus 盾 (shield). See p. 422
4.2. Rebuses
While there are many, suffice to mention only 旦那, which is a combination of 旦 (*dan*) and 那 (*na*) to make the sound of the first half of the Sanskrit word "dāna-pati," which means "master donator" or "contributor (to a temple)."

Combinations of even three or more *kanji* are also possible following these same principles. In fact, these combination rules are not so rigid in governing the meaning of new words. For example, 父母 means literally father and/or mother, but it can also be used by extension to mean other elders who are in a parental relationship. Context likewise determines a *kanji*'s linguistic function, and the same *kanji* can function as a noun, a verb, or even a modifier.

V. Abbreviating

Kanji are abbreviated by using one of the *kanji* in a compound word. (This is thus not to be confused with *kanji* simplification, in which the *kanji* is made less complex.) In most cases, the first *kanji* of the word is used. Thus 東京 is abbreviated as 東, 大学 as 大, and hence 東京大学 (University of Tokyo) as 東大.

In cases where using the first *kanji* would be confusing, a different one is used. For example, both 大阪 and 大分 prefectures begin with the character 大. In this case, the distinctive 阪 is used as the abbreviation for 大阪.

For describing an institution or organization, the last character (or the category word) is usually used. Thus 病院 is abbreviated as 院 and 動物園 as 園.

Occasionally, the abbreviation may be combined with other *kanji* to make new words. Thus 鉄道 (railway) is abbreviated as 鉄 and combined with 地下 (underground) to make 地下鉄 (subway). When this happens with such frequency that the abbreviation may be considered to have taken on that meaning independently, this is given as a separate meaning in this dictionary. For example, 日 is frequently used to stand for 日本. Thus there is the word 来日 meaning to come to Japan, even though, strangely enough, there is no word 来日本. Clearly the character 日 has taken on the meaning of 日本 even in isolation.

VI. Pronouncing *Kanji*

As a general rule, each *kanji* can carry one or more *on* pronunciations originally from Chinese plus one or more *kun* pronunciations which were acquired after adoption into the Japanese language.

Yet not even these readings follow hard and fast rules, for each *on* and *kun* reading can also have its own variants. These variants are primarily those resulting from the phonetic combination of *kanji* or those induced by the inflexional *kana* endings.

Each *kanji* is basically equivalent to a single morpheme in Japanese. Thus to say that each word is made up of one or more *kanji* is to say that each single word is made up of one or more morphemes. When a word is made up of two *kanji*, this morpheme combination frequently results in phonemic changes according to the following seven principles.

1. When the final sound of the first *kanji* is *ki*, *ku*, *chi*, *tsu*, this is assimilated with the following consonant. Thus, *nichi* 日 (day) plus *ki* 記 (record) becomes *nikki* 日記 (diary).

2. The initial consonant of the second *kanji* can be vocalized, with the provision that "h" is changed to "b" and "k" to "g." Thus, *san* 三 (three) plus *kai* 階 (floor) becomes *sangai* 三階 (third floor) and *san* 三 (three) plus *hon* 本 (counter for long, slender objects) becomes *sanbon* 三本 (three long, slender objects).

3. When the initial consonant of the second *kanji* is an "h," this can also become a "p." For example, *nichi* 日 (sun) plus *hon* 本 (origin) becomes *Nippon* 日本 (Japan).

4. In some cases the final vowel of the first *kanji*'s *kun* reading undergoes a vowel change. The most common such vowel change is from "e" to "a" or "wa." Thus *sake* 酒 is transformed to *saka* in *sakaya* 酒屋 (liquor store).

5. When the first *kanji* is a numeral, its final sound frequently undergoes assimilation, vowel change, or expansion. Thus *jū* 十 (ten) becomes *jik* in *jikkagetsu* 十か月 (ten months), *nana* 七 (seven) becomes *nano* in *nanoka* 七日 (the seventh day of the month), and *mu* 六 (six) becomes *mui* in *muika* 六日 (the sixth day of the month).

6. In some cases the final sound of the first *kanji* is repeated. Thus *ten* 天 (heaven) plus *ō* 皇 (emperor) becomes *tennō* 天皇 (emperor).

7. In addition, there are changes that have evolved and been sanctioned over the centuries. Thus *waka* 若 (young) plus *hito* 人 (person) becomes *wakabito* 若人 and from that *wakōdo* 若人 (young person).

However, these rules for phonemic changes do not apply in all cases. A *ku* ending is not always changed to a small *tsu* when followed by another *kanji*. Nor is the initial consonant of a second *kanji* always vocalized.

Phonemic changes are also induced by inflectional endings. In contrast to the Chinese language which does not inflect, Japanese contains both inflections and postpositions. These inflections and postpositions are represented by *kana*, referred to as *okurigana*. The use of *okurigana* is similar to the English use of "ing" or "mas" after the capital letter "X" (which can be thought of as equivalent to *kanji*) to create the words "crossing" and "Christmas."

While there is no firm rule determining how much of the word ending is inflectional and should therefore be represented by *kana*, a general rule of thumb is that the *kana* portion usually represents the minimum needed to distinguish a given word from other words using the same *kanji*. For example, the same *kanji* 行 is used for the verbs *iku* (to go) and *okonau* (to conduct). In the plain form, these two verbs are readily distinguishable as 行く and 行う. However, as the verb *iku* has a conjugated form *ikō*, and the う can function as a symbol for the extension of the vowel *o*, 行う (*okonau*) could be mistaken for *ikō*. For the sake of clarity, *okonau* is frequently written 行なう, and the two forms 行う and 行なう coexist. Obviously, whether *okonau* is written as 行う or 行なう affects the pronunciation attributed to the *kanji* (*okona* in the first instance and *oko* in the second).

Since World War II, the government has repeatedly sought to standardize these *okurigana* by drawing up tables of traditional usage, but the results have been mixed. The "official" *okurigana* are used in education and widely throughout society, but they are by no means binding on every author. Granted, however, that every rule has its exceptions and there is a broad tolerance to deviation, the rules set forth in the current (1972) *okurigana* standards are shown below as general principles.

1. All Japanese words, whether inflecting or non-inflecting, contain one common element which signifies the basic meaning of the word in all grammatical forms. This common element is called the "root." For example, the "root" of *yasashii* (gentle) is *yasa*, such as in *yasaotoko* (a man of refined manners and/or slight build). The root form *mag* is found in the transitive verb *mageru* (to bend) and in the intransitive form *magaru*.

2. The "stem" of Japanese words is made up of the root form plus a suffix. In the case of words which inflect, the inflectional ending is added to the stem. With nouns and other parts of speech, the stem is followed by postpositions.

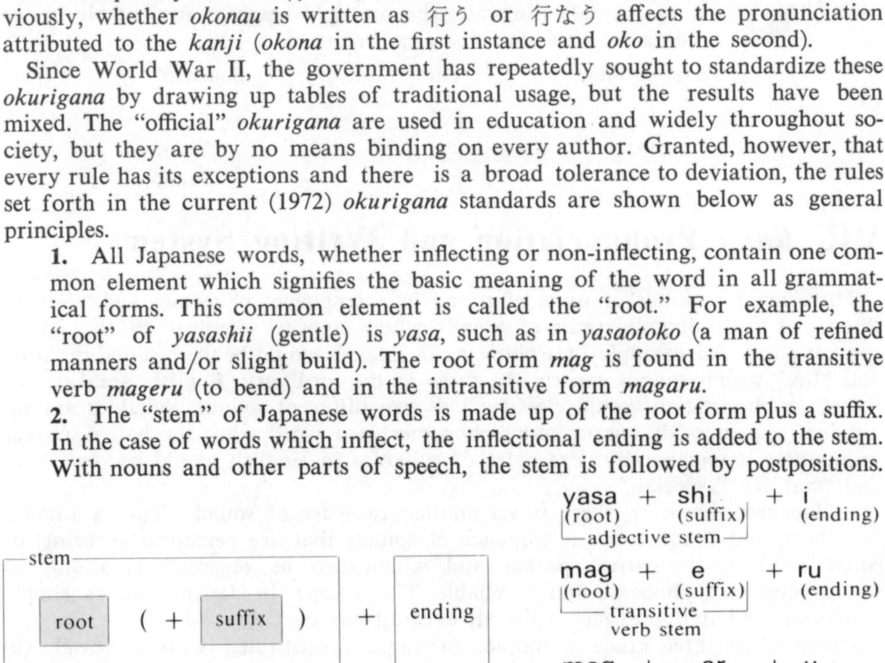

3. *Kanji* signify the root, while the remainder of the word is written in *kana*. In cases where the last-letter consonant of the root and the first-letter vowel of the suffix would normally be written as a single *kana*, they are so written and the last-letter consonant of the root becomes part of the *okurigana* ending.

4. The same rules regarding roots and stems apply for the formation of *kanji* compounds. However, for the reasons listed below, these rules are not always consistent.

i) There are a number of exceptions to the rule. For example, *magaru* 曲がる can also be written 曲る.

ii) The root element is not a strictly defined linguistic element. For example although *yasa* is popularly regarded as the root of *yasashii*, the strictly defined root is *yas*, since *yasashii* is cognate with *yaseru* meaning "lean" or "to lose weight." This is why *yasaotoko* means both a man of refined manners and a man of slight build. *Yasashii*, therefore, should logically be written 優さしい.

iii) Linguistic rules are not always adhered to by the masses. For centuries prior to the establishment of fixed linguistic rules regarding the proper use of *okurigana*, the Japanese people had already been employing a mixture of *kanji* and *kana* in their writing. The introduction of linguistic regulations cannot suddenly reverse established habits. Generally speaking, it is impossible to control the evolution of language, no matter how desirable a goal this may be. Language is maintained and undergoes change naturally during usage by the people, and it cannot be manipulated by any one individual or small group of leaders.

The following example illustrates the multiple readings attributable to one word depending on how the *okurigana* are used.

Deverbal noun	Form	Sound of "生"
umare	生まれ	"u"
	生れ	"uma"
	生	"umare"

VII. *Kana* Pronunciation and Writing System

There are two kinds of units of sound in a language: phonemes and syllables. Phonemes are individual units of sounds which appear identical to the native speaker's ear. An example of a phoneme in English would be the p-sound in "pen" and "lip," which sounds exactly the same to the ordinary English speaker, although a phonetician would classify it as two different sounds. Syllables are individual sequences of one or more phonemes in a word when the native speaker pronounces it segmentally. Examples of syllables in English would be "es," "pe," and "cial" in "especial."

In Japanese, however, there is yet another measure of sound. This is a mora, or a beat, and it represents a sequence of sounds that are perceived as being of equal length by the native speaker and which can be regarded as a unit of sound between a phoneme and a syllable. The morae in Japanese have simple structures, and it is possible to list all existing morae.

Japanese has three kinds of morae: (a) morae constituted with a vowel, (b) morae with a consonant, and (c) morae with a consonant plus a vowel.

The morae (a) are あ, い, う, え, and お. The morae (b) are っ and ん; the mora

っ occurs actually as the same consonant as the consonant following it, such as the first "t" sound in いった (*itta*). This is never a nasal. The mora ん occurs as a nasal such as in かんな (*kanna*). The morae (c) are か, き, く, け, こ, etc. and those which are expressed with *kana* representing a consonant plus a vowel followed by small ゃ, ゅ, or ょ. In Japanese the initial sounds such as in きゃ, きゅ, きょ, etc. are phonemically regarded not as consonants plus semivowels but as palatalized single consonants.

The extended vowels such as *ā*, *ē*, *ō*, etc. are counted as repetition of the same vowel and therefore as two morae, even though they are not pronounced as two separate vowels.

When the extended vowel is *ō* or *ē*, it is, with consideration to its phonological history, regarded not as repetition of the same vowel but as the combination of *o* plus *u* or *e* plus *i* and so written. Thus, the spelling おう may represent either *ō* or *ou*, and えい either *ē* or *ei*. For example, おう in おうさま (king) may be pronounced *ō* but おう in せおう (to bear on one's back) *ou*. By the same token, there is little difference in pronunciation between さとうや (さとう plus や 'sugar shop') and さとおや (さと plus おや 'foster parent').

In *katakana*, however, the extension of a vowel is expressed exclusively with ー (written vertically as ｜). For example, ページ (*pēji* (page)).

The Japanese syllabary chart, strictly the "50 morae chart," shows a traditional phonemical arrangement derived, for the most part, from native Sanskrit grammar. The order of *kana* in the chart is adopted virtually in all Japanese dictionaries with the order rules listed below.

(1) Variants such as ば and ぱ follow non-variant forms such as は.

(2) う and い representing the extension of a preceding vowel are treated the same as ordinary ones.

(3) Small ゃ, ゅ, ょ, or っ follow ordinary-size や, ゆ, よ, or つ.

VIII. Stroke Count and Order

In counting the number of strokes in a character, it is important to distinguish where one stroke ends and another starts. This is also inextricably tied to stroke order. For example, ロ can be seen as four distinct lines □ , as one continuous line □ , or, as it is in Japanese, as three lines □ .

The followings are basic strokes in *kanji* and counted as one stroke.

(1) Written downward

(2) Written rightward

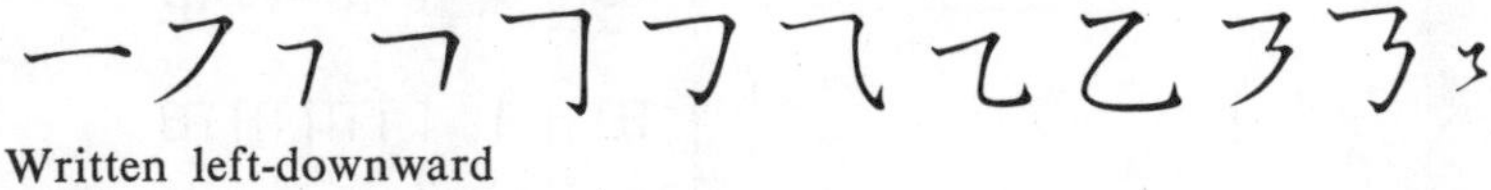

(3) Written left-downward

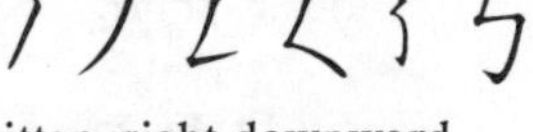

(4) Written right-downward

(5) Written right-upward

✓

Generally, stroke order will proceed as shown above, these directions formalized over long years of right-handed brush use and the resultant aesthetic aversion to "pushing" the brush against the bristles. As may be seen, the basic rules are top to bottom and left to right.

There is, however, considerable leeway in the actual writing, so long as the deviation evolves from a knowledge of the basic character's stroke order and the character is clearly recognizable. In this dictionary, stroke orders are given in six-frame sequences for the 1,200 most important entry characters. For characters which are more than six strokes, standardized parts are assumed in this sequence (e.g. 梅 contains the standardized left half 木, and this is thus shown as one frame of the sequence).

The stroke orders for commonly-used *kanji* parts are shown below.

匕	ノ 匕	尺	㇇ コ 尸 尺
十	一 十	反	一 厂 万 反
刀	フ 刀	日	丨 冂 月 日
力	フ 力	月	丿 冂 月 月
卜	丨 卜	牛	一 ⺊ 二 牛
厂	一 厂	壬	丿 二 千 壬
卩	コ 卩	ネ	丶 ラ ネ ネ
ム	ㄥ ム	衣	ノ 亻 亻 衣
又	フ 又	灬	丶 丷 灬 灬
刂	丨 刂	母	ㄥ 口 口 口 母
氵	丶 冫 氵	申	丨 冂 日 日 申
阝	㇇ ㇋ 阝	田	丨 冂 冂 田 田
山	丨 凵 山	疋	一 丁 下 𤴓 疋
小	亅 小 小	歹	一 ア 歹 歹 歹
忄	丶 丷 忄	且	丨 冂 月 月 且

扌	一 十 扌	去	一 十 土 去 去
宀	丶 丷 宀	立	丶 亠 亣 立 立
女	く 女 女	正	一 丅 下 正 正
夂	丿 ク 夂	方	丶 亠 方 方
彳	丿 彳 彳	氏	丿 𠂆 氏 氏
戈	一 弋 戈 戈	欠	丿 𠂊 欠 欠
艹	一 十 艹	禾	丿 二 千 禾 禾
口	丨 冂 口	糸	𡿨 幺 幺 糸 糸 糸
寸	一 寸 寸	米	丶 丷 丷 半 米 米
工	一 丅 工	里	丨 冂 日 日 甲 里 里
己	乛 コ 己	豕	一 丆 豕 豕 豕 豕 豕
土	一 十 土	隹	丿 亻 亻 亻 亻 隹 隹 隹
子	乛 了 子	車	一 𠂆 百 百 亘 亘 車
攵	丿 𠂉 攵 攵	免	丿 ク 免 免 免 免 免 免
木	一 十 才 木	良	乛 ヨ ヨ 良 良 良
王	一 丅 王	言	丶 二 言 言 言 言 言
斤	丿 厂 斤 斤	頁	一 丆 丆 百 百 頁 頁 頁 頁
殳	丿 几 殳 殳	止	丨 卜 止 止
幵	一 二 干 幵	大	一 ナ 大
央	乛 ユ 央 央	夫	一 二 三 夫 夫

APPENDIX I

Pentarchy, Decathedral, and Duodenary

五行	十干	音	訓	方位	季節	時	時刻	月	動物	十二支	音	訓
148 木	1072 甲	コウ	きのえ	east	spring	257 朝 morning	3a.m.— 5a.m.	1月	tiger	1563 寅	イン	とら
							5a.m.— 7a.m.	2月	hare	卯	ボウ	う
	1719 乙	オツ	きのと				7a.m.— 9a.m.	3月	dragon	辰	シン	たつ
432 火	丙	ヘイ	ひのえ	south	summer	863 昼 noon/ daytime	9a.m.—11a.m.	4月	snake	1697 巳	シ	み
							11a.m.— 1p.m.	5月	horse	98 午	ゴ	うま
	794 丁	テイ	ひのと				1p.m.— 3p.m.	6月	sheep	801 未	ミ	ひつじ
316 土	戊	ボ	つちのえ	center	‘*doyo*’ 土用							
	1323 己	キ	つちのと									
59 金	庚	コウ	かのえ	west	autumn	627 夕 evening	3p.m.— 5p.m.	7月	monkey	347 申	シン	さる
							5p.m.— 7p.m.	8月	hen	酉	コウ	とり
	1641 辛	シン	かのと				7p.m.— 9p.m.	9月	dog	戌	ジュツ	いぬ
144 水	壬	ジン	みずのえ	north	winter	258 夜 night	9p.m.—11p.m.	10月	boar	亥	ガイ	い
							11p.m.— 1a.m.	11月	rat	56 子	シ	ね
	癸	キ	みずのと				1a.m.— 3a.m.	12月	ox	丑	チュウ	うし

NB: 1. In reciting the duodenary, it is traditional to begin with *shi* and end with *gai*.

2. *Doyō* has traditionally meant the last 18 days of any season, yet it is today most commonly used to refer to the summer *doyō*, or the 18 days preceding the first day of the 7th month in the old (lunar) calendar.

3. The months as shown here are those of the lunar calendar, such that the first day of the first month corresponds roughly to the modern February 4.

The ancient Chinese used a hexadecimal calendar in which 60 days constituted one cycle. Each day of a cycle was indicated by one of 60 different combinations of the decathedral names and the duodenary. These decathedral and duodenary are called 十干 (*jik-kan*) and 十二支 (*jū-ni-shi*) respectively (干 being a rebus for the character 幹 meaning trunk, and 支 for 枝 meaning branch). One decathedral round, or 10 days, was called 旬 (*jun*). This is the origin of 十干十二支, or 干支 (*eto*) (see below).

In ancient Chinese astronomy, it was felt that the universe was made up of the two forces (*yin* and *yang*) and five elements. *Yin* and *yang*, of course, are negative and positive in binary opposition. This dualism is also reflected in the division of the universe into the two realms of space and time. Space is further divided into such binary poles as north and south, east and west, and up and down. At the center is "here." Likewise, "now" is at the center of time's binary opposition of past and future. In the sky are the two opposites of the sun and the moon, and among people there are male and female. All things are therefore made up of the interaction between *yin* and *yang*.

And it is the five elements or animi which are the agents of this interaction. These five elements are the five animi which make up and circulate throughout the universe. These are 木 (vegetation), 土 (soil), 水 (water), 火 (fire), and 金 (metal). Each of the five has its own coloration, direction, season, time, planet, bodily organ, sound, flavor, human character profile, and more associated with it.

Just as the English days of the week are taken from Nordic mythology and the planets named after the corresponding Roman gods and goddesses, Japanese has used the five elements plus the sun and the moon for its days of the week and the five elements for names of the planets.

Each of these five elements corresponds to two of the decathedral, such that the two are seen as a *yin-yang* pair within the element. In Japanese, they are also referred to as the 兄 (*e*=elder) and 弟 (*to*=younger), and it is from this elder-younger pairing that the duodenary has drawn its familiar Japanese name 干支 (*eto*) for the entire sequence.

Today most of the usages of 干支 have been forgotten. One notable exception is when the 十干, especially the first four, are used as ordinals such as A, B, C, D, etc. in English. 十二支 are often used as names of years, and each animal functions totem-like to those who were born in its year. For instance, a dog functions as a guardian angel to one who was born in 1982, which is the year of dog. A person who has lived one-*jik-kan* years, or 60 years, holds a ceremony on his 61st birthday, called [1139]還暦.

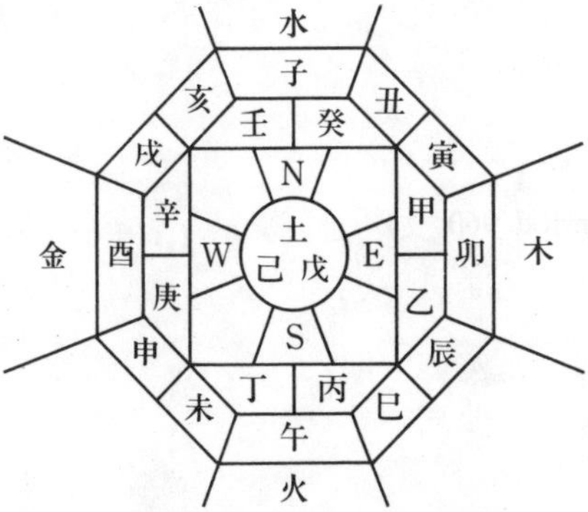

Pentarchy, Decathedral, Duodenary, and Directions

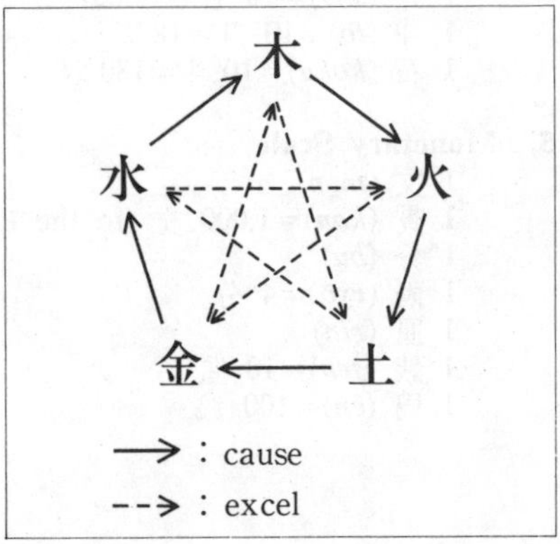

APPENDIX II

Weights and Measures

1. Linear Measure

1 分 (*bu*)=3.03mm / 3.787mm*
1 寸 (*sun*)=10 分=30.3mm / 37.87mm*
1 尺 (*shaku*)=10 寸=303mm / 378.7mm*
1 間 (*ken*)=6 尺=1.818m
1 丈 (*jō*)=10 尺=3.030m
1 町 (*chō*)=60 間=109.0m
1 里 (*ri*)=36 町=3.927km
NB: Values marked with asterisks are peculiar to cloth.

2. Square Measure

1 勺 (*shaku*)=330.5cm²
1 合 (*gō*)=10 勺=0.330m²
1 坪 (*tsubo*)=1 歩 (*bu*)=10 合=2 畳 (*jō*)*=3.30m²
1 畝 (*se*)=30 坪=99.17m²
1 段 (*tan*)=10 畝=9.917 ares
1 町 (*chō*)=10 段=99.17 ares
1 反 (*tan*)=36cm×approx10m
(This is the standard bolt of cloth needed to make a *kimono*.)
NB: Although there are many variations on either side of this "standard" tatami mat size, it is included here because it is so frequently used to indicate room sizes. The "standard" mat is 1 間 (ken) long and ½ 間 wide (=180×90cm).

3. Weight

1 匁 (*monme*)=3.750g
1 斤 (*kin*)=160 匁=0.601kg
1 貫 (*kan*)=1,000 匁=3.750kg

4. Dry / Liquid Measure

1 勺 (*shaku*)=0.018*l*
1 合 (*gō*)=10 勺=0.180*l*
1 升 (*shō*)=10 合=1.805*l*
1 斗 (*to*)=10 升=18.05*l*
1 石 (*koku*)=10 斗=180.5*l*

5. Monetary Scale

1 文 (*mon*)
1 貫 (*kan*)=1,000 文 (in the Edo period 960 文)
1 分 (*bu*)
1 両 (*ryō*)=4 分
1 厘 (*rin*)
1 銭 (*sen*)=10 厘
1 円 (*en*)=100 銭

INDICES

Reading Index

1. Numbers to right are entry numbers.
2. Syllabary Order
3. *On* readings before *kun* readings
4. † indicates an obsolete reading.

ア, あ

イ, い

鋳 1893
いい- 言 279
いえ 家 81
いか- 怒 1390
イキ 域 670
いき 行 31
活 203
息 872
粋 1537
いき- 生 29
いきお- 勢 365
いきどお- 憤 1796
イク 育 250
いく- 幾 1646
いくさ 戦 88
いけ 池 548
いけ- 生 29
いこ- 憩 1513
いこい 憩 1513
いさ- 勇 1167
いさぎよ- 潔 1397
いし 石 276
いしずえ 礎 1268
いずみ 泉 902
いそ 磯 1518
いそ- 急 275
いそが- 忙 1371
いた 板 709
痛 769
いた- 傷 723
致 916
至 1093
悼 1989
いだ- 抱 1229
いただ- 頂 1308
戴 1889
いただき 頂 1308
いたる 至 1093
イチ 一 4
壱 1938
いち 市 78
いちじる- 著 773
イツ 一 4
逸 1581
いつ- 五 14
イッ- 一 4
逸 1581
壱 1938
いつく- 慈 1829
いつわ- 偽 1639
いと 糸 699
いど- 挑 1241
いとな- 営 348
いな 否 816
いな- 稲 966
いぬ 犬 1295
いね 稲 966
いの- 祈 1573
いのち 命 388
いばら 茨 1269
いま 今 146
いま- 忌 1819
いまし- 戒 1191
いみ 忌 1819
いもうと 妹 1204
いや 嫌 1931
いり 入 74
いれ- 入 74
いろ 色 326
いろど- 彩 1341
いわ 岩 744
いわ- 祝 984
いわい 祝 984
イン 員 47
院 236
引 238
音 402
因 646
印 720
飲 935
陰 1408
隠 1511
寅 1563
蔭 1848
姻 1939
韻 1940

ウ，う

ウ 有 268
右 503
雨 655
羽 732
宇 757
う 得 358
う- 生 29
売 131
産 142
打 180
受 223
撃 433
討 466
請 657
植 1013
浮 1047
埋 1226
熟 1517
憂 1627
飢 1947
うい 初 261
うえ 上 21
植 1013
うえ- 飢 1947
うお 魚 1008
うか- 浮 1047
うかが- 伺 1963
うかがい 伺 1963
うき- 浮 1047
憂 1627
うけ 受 223
請 657
うけたまわ- 承 861
うご- 動 86
うごく 動 86
うし 牛 909
うし- 後 45
うじ 氏 177
うしな- 失 523
うす- 薄 975
うず 渦 1850
うた 歌 478
うた- 謡 1531
うたい 謡 1531
うたが- 疑 608
うち 内 51
打 180
討 466
うつ- 映 234
写 489
移 715
うつく- 美 289
うった- 訴 762
うつわ 器 483
うで 腕 1114
うと- 疎 1786
うなが- 促 1109
うば- 奪 1068
うぶ- 産 142
うま 午 98
馬 512
うま- 生 29
-うまれ 生 29
うみ 海 158
うめ 梅 1009
埋 1226
うやうや- 恭 1714
うやま- 敬 1247
うら 裏 755
浦 856
うら- 恨 1957
うらな- 占 851
うらない 占 851
うり- 売 131
うる- 潤 1597
うるお- 潤 1597
うるし 漆 1966
うるわ- 麗 1576
うれ- 熟 1517
憂 1627
愁 1737
うわ- 上 21
うわさ 噂 1814
ウン 運 179
雲 1124
云 1813

エ，え

エ 会 12
恵 875
絵 976
依 1177
え 重 155
得 358
江 517
柄 904
エ- 回 64
え- 笑 889
獲 1234
エイ 映 234
営 348
衛 394
英 449
影 630
永 690
栄 745
泳 1198
鋭 1211
詠 1942
えが- 描 920
エキ 役 315
駅 384
易 810
益 825
液 1131
疫 1834
えだ 枝 1154
エツ 越 529
悦 1690
閲 1815
エッ- 越 529
閲 1815
えら- 選 105
偉 1532
えり 襟 1924
エン 円 2
演 222
園 412
援 582
延 758
遠 803
塩 1058
煙 1147
炎 1231
宴 1304
縁 1362
淵 1538
鉛 1681
猿 1717
エン† 垣 1272
宛 1799
媛 1828
俺 1870
エン- 沿 1379

オ，お

オ 悪 504
汚 1246
尾 675
お 緒 1296
オ- 和 151
お- 生 29
小 63
下 72
置 322
終 344
落 393
追 398
起 443
負 473
雄 500
押 587
御 620
推 635
帯 718
織 753
降 787
老 788

カ，か

キ，き

きわ- 究 427
極 652
窮 1821
-ぎわ 際 300
きわま- 極 652
キン 金 59
近 127
今 146
筋 713
勤 750
均 806
禁 853
緊 912
菌 1016
琴 1486
錦 1512
巾 1685
謹 1835
襟 1924
ギン 銀 264
吟 1805
-ギン 金 59

ク，く

ク 九 58
区 67
公 122
工 169
口 213
供 456
久 591
苦 597
功 765
紅 927
句 1258
駆 1477
貢 1572
ク† 駒 1519
ク- 宮 419
庫 656
く- 来 113
組 189
食 269
暮 915
繰 1264
朽 1827
酌 1919
悔 1950
グ 求 332
具 513
愚 1884
-グ 貢 1572
-ぐ- 組 189
食 269
暮 915
繰 1264
クウ 空 233
グウ 宮 419
遇 1213
隅 1686
偶 1708
くき 茎 1995
-ぐき 茎 1995
くさ 草 705
くさ- 腐 1400
臭 1409
-ぐさ 草 705
臭 1409
-ぐさ- 腐 1400
くさり 鎖 1605
-ぐさり 鎖 1605
くじら 鯨 1786
くず 葛 1313
くず- 崩 1700
くすり 薬 541
-ぐすり 薬 541
くせ 癖 1903
-ぐせ 癖 1903
くだ 管 519
くだ- 下 72
砕 1695
くち 口 213
くち- 朽 1827
-ぐち 口 213
くちびる 唇 1929
クツ 掘 1276
屈 1584
くつ 靴 1446
クツ† 堀 941
クッ- 掘 1276
屈 1584
-ぐつ 靴 1446
くつがえ- 覆 1634
くに 国 8
-ぐに 国 8
くば- 配 304
くび 首 208
くぼ 窪 1510
くま 熊 1148
-ぐま 熊 1148
くみ 組 189
-ぐみ 組 189
くも 雲 1124
くも- 曇 948
-ぐも 雲 1124
-ぐも- 曇 948
くもり 曇 948
-ぐもり 曇 948
くや- 悔 1950
くら 蔵 429
倉 708
くら- 比 557
暮 915
暗 1044
-ぐら 蔵 429
倉 708
-ぐら- 暮 915
くらい 位 482
-ぐらい 位 482
くり 繰 1264
栗 1571
-ぐり 繰 1264
栗 1571
くる- 苦 597
狂 1352
-ぐる- 苦 597
狂 1352
くるま 車 162
-ぐるま 車 162
くれ 暮 915
-ぐれ 暮 915
くれない 紅 927
くろ 黒 317
-ぐろ 黒 317
くわ 桑 1561
くわ- 加 187
詳 1172
くわだ- 企 486
クン 君 700
訓 1059
勲 1312
薫 1735
グン 軍 193
郡 797
群 826

ケ，け

ケ 気 77
家 81
化 100
華 807
け 毛 521
ケ- 懸 1275
仮 1322
け- 消 336
ゲ 下 72
外 120
解 192
夏 580
-ゲ 気 77
家 81
化 100
華 807
-げ 毛 521
ケイ 経 135
計 186
係 263
形 408
警 410
型 423
競 609
景 645
軽 650
系 786
刑 848
恵 875
傾 913
慶 962
継 971
兄 1049
契 1153
桂 1158
掲 1221
敬 1247
携 1284
径 1451
啓 1452
憩 1513
鶏 1669
渓 1822
茎 1995
ケイ† 頃 1691
ケイ- 京 16
境 792
蛍 1925
ゲイ 芸 588
迎 726
鯨 1768
けが- 汚 1246
ゲキ 撃 433
劇 458
激 596
逆 857
けし 消 336
けず- 削 1453
ケツ 決 94
結 163
血 637
欠 968
穴 1201
傑 1601
ケツ† 頁 1472
-ケツ 潔 1397
ケッ- 決 94
結 163
血 637
欠 968
穴 1201
潔 1397
傑 1601
ゲツ 月 26
ゲッ- 月 26
激 596
けむ- 煙 1147
けむり 煙 1147
けもの 獣 1600
けわ- 険 616
ケン 間 27
見 48
県 195
建 244
権 260
件 290
検 351
験 404
研 426
健 568
券 584
険 616
堅 914
憲 943
絹 1010
肩 1041
兼 1042
献 1096
遣 1180
剣 1248
軒 1260
懸 1275
犬 1295
圏 1402
賢 1488
謙 1607
顕 1682
鍵 1824
倦 1843
拳 1852
嫌 1931

倹 1949
ゲン 現 82
原 132
言 279
元 328
験 404
限 474
減 533
源 827
厳 1055
玄 1514
幻 1550
弦 1617
ゲン† 彦 1076
-ゲン 間 27
見 48
眼 1127
軒 1260
嫌 1931

コ，こ

コ 戸 342
古 373
故 455
個 565
呼 640
庫 656
固 834
湖 1086
誇 1157
顧 1388
雇 1419
孤 1440
虎 1558
枯 1783
鼓 1836
弧 1958
こ 子 56
木 148
粉 1152
コ- 虚 1588
こ- 小 63
来 113
込 280
越 529
請 657
混 888
超 1006
黄 1063
恋 1123
濃 1185
焦 1202
肥 1398
懲 1626
凝 1845
-コ 去 618
拠 970
己 1320
ゴ 五 14
後 45
午 98
語 274
護 653
互 952
誤 1129
吾 1393
呉 1422
悟 1479
碁 1541
娯 1622
后 1759
ゴ- 御 620
-ゴ 固 834
期 119
-ご 子 56
-ご- 込 280
越 529
請 657
混 888
恋 1123
肥 1398
懲 1626
こい 恋 1123
-ごい 恋 1123
コウ 行 31
後 45
高 49
公 122
工 169
校 176
考 191
交 200
口 213
向 217
好 308
広 311
光 417
港 445
構 446
航 497
効 515
江 517
攻 594
講 649
幸 683
興 695
功 765
厚 774
康 783
抗 784
降 787
候 817
香 832
鋼 867
荒 901
紅 927
皇 964
更 978
項 995
鉱 1029
黄 1063
甲 1071
弘 1075
硬 1149
郊 1237
孝 1249
綱 1250
控 1301
稿 1340
巧 1444
肯 1535
貢 1572
耕 1585
酵 1602
拘 1611
衡 1694
溝 1706
肛 1726
孔 1755
后 1759
岬 1820
坑 1853
耗 1880
洪 1918
慌 1956
コウ- 格 334
恒 1403
購 1504
絞 1825
こう- 神 229
-コウ 仰 1658
ゴウ 合 46
業 54
号 368
豪 898
郷 1004
剛 1854
コウ† 岡 370
幌 1003
尻 1704
ゴウ- 強 112
拷 1961
-ゴウ 好 308
降 787
后 1759
-ごう- 神 229
こうむ- 被 852
こえ 声 467
肥 1398
こえ- 越 529
-ごえ 声 467
肥 1398
こお- 凍 1274
-ごお- 凍 1274
こおり 氷 1222
-ごおり 氷 1222
コク 国 8
谷 249
石 276
黒 317
告 320
刻 1033
克 1281
穀 1620
酷 1702
ゴク 極 652
獄 1644
-ゴク 国 8
石 276
こご- 凍 1274
ここの- 九 58
こころ 心 139
こころ- 試 409
-ごころ 心 139
こころざ- 志 622
こころざし 志 622
こころよ- 快 882
こし 腰 1168
-ごし 腰 1168
こた- 答 434
-ごた- 答 434
こたえ 答 434
-ごたえ 答 434
コツ 骨 1081
コッ- 国 8
黒 317
刻 1033
骨 1081
克 1281
酷 1702
こと 事 32
言 279
殊 1330
琴 1486
こと- 断 493
異 707
-ごと 事 32
言 279
毎 396
琴 1486
ことぶき 寿 1132
ことわ- 断 493
こな 粉 1152
-ごな 粉 1152
この- 好 308
-ごの- 好 308
こば- 拒 1232
こま 駒 1519
こま- 細 721
困 860
-ごま 細 721
駒 1519
こみ 込 280
こめ 米 90
-ごめ 米 90
こよみ 暦 1793
-ごよみ 暦 1793
ころ 頃 1691
ころ- 転 339
殺 546
-ごろ 頃 1691
-ごろ- 殺 546
-ころび 転 339
ころも 衣 1019
-ごろも 衣 1019
こわ- 声 467
壊 1266
怖 1593
コン 金 59
今 146
建 244
根 535
婚 633
困 860
献 1096
懇 1170
魂 1655
紺 1738

昆 1837
恨 1957
墾 1962
コン- 混 888
ゴン 言 279
勤 750
ゴン- 権 260
-ゴン 金 59
厳 1055

サ, さ

サ 作 99
査 284
佐 285
左 477
差 614
茶 805
砂 1031
詐 1464
唆 1560
鎖 1605
サ- 再 360
さ- 下 72
指 241
割 357
提 378
冷 607
差 614
去 618
避 886
覚 896
刺 954
裂 1332
咲 1435
挿 1744
-サ 者 22
ザ 座 377
坐 1874
-ザ 者 22
-ざ- 指 241
冷 607
差 614
去 618
避 886
覚 896
刺 954
裂 1332
咲 1435
挿 1744
サイ 西 167
済 288
際 300
再 360
裁 498
殺 546
歳 550
財 569
才 639
催 693
細 721
妻 767
債 785
採 815
祭 899
載 1038
災 1061
菜 1108
彩 1341
斎 1363
砕 1695
栽 1705
宰 1826
サイ- 最 121
-サイ 切 204
ザイ 在 243
財 569
材 590
罪 928
剤 949
-ザイ 西 167
済 288
際 300
歳 550
才 639
さいわ- 幸 683
-ざいわ- 幸 683
さえぎ- 遮 1927
さか 阪 401
坂 595
さか- 盛 737
栄 745
酒 781
逆 857
さが- 下 72
捜 701
探 1239
-ざか 阪 401
坂 595
-ざか- 盛 737
さかい 境 792
-ざかい 境 792
さかずき 杯 1135
さかな 魚 1008
-ざかな 魚 1008
さき 先 201
崎 457
埼 1078
-ざき 先 201
崎 457
咲 1435
サク 作 99
策 256
昨 346
索 1155
冊 1184
削 1453
酢 1633
錯 1794
さぐ- 探 1239
-ザク 冊 1184
さくら 桜 1121
-ざくら 桜 1121
さけ 酒 781
さけ- 叫 1336
さげ 提 378
さげ- 下 72
-ざけ 酒 781
ささ- 支 302
-ざさ- 支 302
さし 指 241
差 614
刺 954
挿 1744
-ざし 指 241
差 614
刺 954
挿 1744
さず- 授 558
さそ- 誘 1196
さだ- 定 62
さち 幸 683
サツ 殺 546
察 671
札 811
撮 1134
冊 1184
刷 1261
擦 1955
サッ- 作 99
早 259
昨 346
殺 546
察 671
札 811
冊 1184
刷 1261
錯 1794
擦 1955
ザツ 雑 812
ザッ- 雑 812
さと 里 1077
さと- 悟 1479
諭 1545
-ざと 里 1077
-ざと- 悟 1479
さば- 裁 498
さび 寂 1871
さま 様 472
-さま- 覚 896
-ざま 様 472
-ざま- 覚 896
さまた- 妨 1508
さむ 寒 1195
-ざむ 寒 1195
さむらい 侍 1823
-ざむらい 侍 1823
-さめ 雨 655
さら 更 978
皿 1651
-ざら 更 978
皿 1651
さる 申 347
猿 1717
-ざる 猿 1717
さわ 沢 403
さわ- 障 676
騒 987
触 1256
爽 1832
-ざわ 沢 403
-ざわ- 触 1256
サン 三 10
山 60
産 142
算 333
参 392
散 611
賛 881
酸 1027
惨 1470
傘 1856
サン† 杉 910
ザン 残 492
惨 1470
ザン- 暫 1715
-ザン 山 60
産 142
算 333
参 392
散 611

シ, し

シ 四 18
子 56
市 78
思 149
氏 177
私 221
使 226
資 230
次 235
指 241
死 254
士 301
支 302
仕 397
止 400
試 409
示 415
施 451
始 465
師 490
紙 501
視 502
史 563
姿 592
志 622
糸 699
司 712
誌 950
刺 954
歯 997
矢 1092
至 1093
詩 1094
旨 1151
枝 1154
姉 1329
紫 1489
脂 1505
詞 1624
巳 1697
肢 1932
伺 1963
賜 1964
シ† 之 697
芝 722

茨 1269
漬 1841
シ- 自 53
諮 1372
飼 1432
雌 1959
し- 強 112
知 207
死 254
締 740
占 851
敷 1053
閉 1143
染 1161
絞 1825
-シ 祉 1441
柿 1568
ジ 時 19
事 32
地 40
自 53
治 181
持 184
次 235
仕 397
示 415
児 556
字 612
寺 687
辞 868
似 1219
耳 1323
滋 1625
痔 1802
侍 1823
慈 1829
磁 1965
-ジ 子 56
死 254
士 301
師 490
除 688
司 712
至 1093
旨 1151
-じ 路 367
-じ- 強 112
死 254
締 740
敷 1053
絞 1825
しあわ- 幸 683
しい 椎 1314
しいた- 虐 1806
しお 塩 1058
潮 1105
-じお 塩 1058
しか 鹿 1141
-じか 鹿 1141
シキ 式 185
色 326
識 617
しき 敷 1053
-シキ 織 753
ジキ 食 269
直 329
-ジキ 色 326
-じき 敷 1053
ジク 軸 1719
しげ- 茂 1166
しず- 静 632
沈 1319
鎮 1520
しずく 滴 1750
した 下 72
舌 1711
した- 親 381
慕 1895
-じた 下 72
舌 1711
したが- 従 727
したた- 滴 1750
シチ 七 44
質 369
-ジチ 質 369
シツ 質 369
室 421
失 523
執 965
湿 1476
漆 1966
-シツ 疾 1724
シッ- 質 369
失 523
識 617
執 965
湿 1476
疾 1724
漆 1966
ジツ 日 1
実 89
ジッ- 十 5
実 89
しな 品 138
-じな 品 138
しに 死 254
-じに 死 254
しの- 忍 1373
しば 芝 722
しば- 縛 1983
-じば- 縛 1983
しぶ- 渋 729
しぼ- 絞 1825
しぼり 絞 1825
しま 島 173
-じま 島 173
しまる 閉 1143
-じみ 染 1161
しめ 締 740
〆 1840
しめ- 示 415
湿 1476
-じめ 締 740
絞 1825
しも 下 72
霜 1630
-じも 下 72
霜 1630
シャ 者 22
社 30
車 162
写 489
射 1000
砂 1031
舎 1056
謝 1162
捨 1223
斜 1757
遮 1927
赦 1967
シャ† 卸 1270
シャ- 煮 1294
ジャ 邪 1643
蛇 1916
-ジャ 者 22
社 30
舎 1056
シャク 石 276
赤 476
借 996
釈 1214
尺 1842
酌 1919
ジャク 若 372
弱 819
寂 1871
-ジャク 石 276
着 314
昔 1200
尺 1842
酌 1919
シャッ- 石 276
借 996
尺 1842
ジャッ- 若 372
弱 819
寂 1871
シュ 手 42
主 91
取 190
首 208
株 242
種 435
守 564
衆 570
酒 781
趣 1193
殊 1330
珠 1540
朱 1720
シュ- 修 644
狩 1650
ジュ 受 223
授 558
従 727
需 1011
樹 1034
寿 1132
綬 1865
儒 1968
-ジュ 手 42
主 91
種 435
守 564
就 953
珠 1540
シュウ 集 168
終 344
収 411
週 438
秋 540
州 542
衆 570
修 644
習 665
周 694
秀 859
就 953
執 965
祝 984
宗 1023
襲 1262
舟 1334
臭 1409
袖 1495
拾 1599
愁 1737
酬 1740
囚 1830
醜 1969
ジュウ 十 5
重 155
住 248
従 727
渋 729
充 974
銃 1163
柔 1291
縦 1383
汁 1502
拾 1599
獣 1600
-ジュウ 中 13
終 344
秋 540
シュク 宿 406
縮 924
祝 984
粛 1337
淑 1857
叔 1994
ジュク 熟 1517
塾 1727
-ジュク 宿 406
シュツ 出 17
シュッ- 出 17
ジュツ 術 299
述 736
ジュッ- 十 5
術 299
述 736
熟 1517
シュン 春 461
瞬 1315
俊 1321
峻 2000
ジュン 準 547
順 813
純 828
旬 937

セ，せ

ソ，そ

タ，た

チ，ち

ツ，つ

テ，て

ト，と

ヒ，ひ

フ，ふ

マ，ま

ミ，み

ム，む

ラ，ら

リ，り

ル，る

レ，れ

ロ，ろ

ワ，わ

Stroke Count Index

1. Numbers to right are entry numbers.
2. Numbers to upper left are correct number of strokes if different.

1

一 4
[2]了 919
乙 1713

2

十 5
二 6
人 9
八 41
七 44
九 58
力 69
入 74
丁 794
了 919
又 1460
刀 1494
[1]乙 1713
〆 1840
乃 1960

3

大 7
三 10
上 21
[4]方 28
子 56
[2]九 58
山 60
小 63
[4]区 67
下 72
[2]入 74
千 79
万 96
川 111
工 169
々 174
女 178
口 213
士 301
土 316
与 485
丸 567
久 591
夕 627
才 639
之 697
及 748
亡 887
干 1179
丈 1317
己 1320
凡 1507
寸 1523
刃 1526
弓 1539
也 1553
巾 1685
巳 1697
[4]孔 1755

4

日 1
円 2
中 13
五 14
六 20
月 26
方 28
分 35
手 42
内 51
[3]山 60
区 67
[5]市 78
[6]米 90
午 98
化 100
公 122
不 134
文 136
心 139
水 144
今 146
木 148
[5]世 152
[5]以 157
予 160
氏 177
[3]女 178
反 183
切 204
少 231
引 238
井 252
夫 265
支 302
[6]好 308
元 328
戸 342
太 343
天 364
止 400
収 411
火 432
[3]与 485
王 499
毛 521
友 543
比 557
[3]丸 567
介 666
仏 678
[3]之 697
父 742
[3]及 748
[5]巨 764
[3]亡 887
片 905
牛 909
互 952
欠 968
[7]更 978
双 1178
[5]甘 1212
丹 1263
犬 1295
[3]丈 1317
仁 1346
[3]凡 1507
[5]玄 1514
[3]弓 1539
幻 1550
升 1575
乏 1587
匹 1595
刈 1722
凶 1725
冗 1746
孔 1755
斗 1782
云 1813
尺 1842
[5]奴 1891
厄 1915
弔 1987

5

本 15
出 17
四 18
田 24
生 29
立 61
目 65
[4]区 67
代 68
民 70
市 78
[6]米 90
主 91
用 102
北 103
正 109
外 120
[4]公 122
平 143
世 152
以 157
[4]氏 177
打 180
加 187
[6]先 201
台 216
半 224
[4]引 238
付 251
白 266
[6]争 271
石 276
込 280
必 292
[6]好 308
広 311
申 347
他 355
号 368

6

7

形 408
応 413
状 414
究 427
兵 447
[8]武 448
声 467
何 471
赤 476
位 482
完 487
[6]伝 494
低 518
良 520
花 551
医 555
児 556
返 586
芸 588
材 590
攻 594
坂 595
冷 607
志 622
図 631
含 667
尾 675
抜 684
[6]糸 699
君 700
角 714
[6]芝 722
[6]存 724
走 725
迎 726
乱 734
余 735
伸 741
[8]延 758
[8]欧 766
[8]妻 767
批 771
[8]房 772
抗 784
系 786
努 795
希 798
均 806
否 816
沖 829
折 830
[6]扱 840
秀 859
困 860
[8]承 861
[8]乳 873
快 882
杉 910
戻 923
囲 945
吹 973
[6]充 974
更 978
臣 981
豆 988
束 998
邦 1001
[6]衣 1019
[8]刻 1033
呈 1043
妙 1045
即 1052
災 1061
[6]巡 1066
里 1077
[8]免 1084
弟 1090
[8]岳 1091
[6]至 1093
忘 1095
[5]幼 1099
伴 1115
[6]肌 1130
寿 1132
[6]吸 1133
[6]旭 1146
[6]旨 1151
[8]依 1177
戒 1191
坊 1203
[8]妹 1204
似 1219
励 1227
[8]拒 1232
床 1240
[6]汚 1246
孝 1249
[9]迷 1251
却 1252
那 1257
[8]邸 1278
克 1281
沈 1319
亜 1331
[6]叫 1336
芳 1339
序 1342
妥 1343
狂 1352
卵 1359
[6]忙 1371
忍 1373
[8]阻 1377
我 1392
吾 1393
抑 1399
肝 1410
麦 1411
択 1413
呉 1422
岐 1433
[9]孤 1440
廷 1493
[8]函 1503
妨 1508
呂 1509
[5]玄 1514
[8]阿 1515
[6]如 1521
尿 1543
辰 1562
没 1579
[6]劣 1580
貝 1590
[8]佳 1606
[6]机 1610
[8]弦 1617
辛 1628
[8]邪 1643
[6]仰 1658
[6]缶 1666
伯 1671
妊 1673
[8]芽 1676
肖 1712
肛 1726
汽 1732
扶 1748
[6]妃 1760
[8]姓 1766
吟 1805
忌 1819
[6]朽 1827
[8]枢 1839
坑 1853
[6]帆 1863
坐 1874
但 1877
妖 1888
[8]附 1898
[8]肪 1907
[6]吏 1911
把 1926
[6]妄 1937
壱 1938
[6]迄 1945
[8]享 1952
伺 1963
抄 1970
[6]迅 1971
[8]叔 1994

8

国 8
東 11
京 16
者 22
長 25
事 32
学 33
的 39
[9]政 50
金 59
定 62
[9]度 83
明 84
実 89
[7]決 94
所 107
[7]来 113
表 124
物 126
[7]近 127
法 145
画 150
和 151
府 156
委 171
治 181
取 190
[7]局 194
制 196
性 199
価 202
知 207
協 209
店 211
[10]料 212
松 215
[7]私 221
受 223
官 225
使 226
空 233
[9]郎 237
[9]建 244
育 250
夜 258
[7]投 273
果 277
放 282
[9]美 289
味 295
歩 312
[7]役 315
[7]防 325
直 329
岡 370
若 372
門 385
命 388
青 390
参 392
林 420
[7]究 427
注 437
武 448
英 449
[9]施 451
供 456
始 465
念 469
非 491
例 508
具 513
効 515
[7]低 518
服 534
彼 536
[7]医 555
突 574
券 584
[7]返 586
押 587
[7]芸 588
苦 597
波 606
[9]退 613
拡 625
[9]洗 626
呼 640
雨 655
況 658
宝 661
担 673
版 677
幸 683
[9]革 686
油 689
周 694
河 698
[6]糸 699
板 709
並 716
[7]迎 726
枚 730
述 736
卒 738
岩 744
招 747
延 758
欧 766
妻 767
[7]批 771
房 772
[9]厚 774
居 777
[7]抗 784
[7]系 786
[10]降 787
底 791
[7]努 795
易 810
奈 822
固 834
昇 841

迫 842
岸 847
[7]秀 859
承 861
季 871
乳 873
[7]快 882
刺 954
典 956
併 961
届 963
抛 970
[7]更 978
[9]威 982
到 989
宙 993
[7]束 998
宗 1023
刻 1033
[9]封 1039
忠 1040
肩 1041
[7]妙 1045
[7]即 1052
舎 1056
[7]里 1077
免 1084
[7]弟 1090
岳 1091
[7]忘 1095
奉 1106
[7]寿 1132
杯 1135
沼 1150
[10]粉 1152
枝 1154
毒 1165
茂 1166
[9]勇 1167
依 1177
奇 1189
泣 1192
泳 1198
昔 1200
妹 1204
[10]鬼 1207
抱 1229
炎 1231
拒 1232
[9]郊 1237
抽 1238
泊 1242
牧 1243
[9]迷 1251
[7]却 1252
刷 1261
[9]卸 1270
邸 1278
往 1283
[9]柔 1291
姉 1329
[7]妥 1343
抵 1347
坪 1354
[7]卵 1359
析 1365
怪 1367
阻 1377
沿 1379
肥 1398
[7]抑 1399
炉 1414
拓 1415
披 1417
[7]呉 1422
卓 1428
[7]岐 1433
[9]孤 1440
祉 1441
径 1451
拝 1475
泥 1480
征 1492
[7]廷 1493
盲 1499
函 1503
[7]妨 1508
阿 1515
斉 1528
拍 1529
肯 1535
弥 1536
昌 1552
虎 1558
[7]辰 1562
[9]柿 1568
祈 1573
[7]没 1579
屈 1584
怖 1593
佳 1606
拘 1611
尚 1612
弦 1617
[10]娯 1622
邪 1643
阜 1656
[7]妊 1673
芽 1676
沸 1707
垂 1716
[9]糾 1739
[6]妃 1760
姓 1766
苗 1767
炊 1774
[9]肺 1778
泡 1781
[9]某 1784
拙 1785
宛 1799
[9]虐 1806
岬 1820
侍 1823
昆 1837
枢 1839
泌 1846
[7]坑 1853
朋 1860
[9]赴 1864
奔 1866
宜 1872
[9]幽 1876
迭 1879
狙 1887
附 1898
侮 1900
肪 1907
[6]吏 1911
肢 1932
[6]妄 1937
[7]壱 1938
[9]姻 1939
[6]迄 1945
享 1952
[9]弧 1958
[9]窃 1974
[9]衷 1986
叔 1994
茎 1995

9

[8]長 25
前 38
発 43
後 45
政 50
相 66
度 83
要 117
[8]表 124
約 137
品 138
点 141
[8]法 145
思 149
[8]画 150
重 155
海 158
面 165
保 166
界 170
[8]治 181
持 184
計 186
軍 193
県 195
信 198
活 203
南 205
首 208
[10]料 212
送 220
[8]使 226
神 229
映 234
[10]院 236
郎 237
指 241
建 244
省 245
風 246
[8]育 250
係 263
食 269
屋 270
急 275
[8]果 277
査 284
美 289
派 293
[12]番 323
変 324
[8]直 329
段 340
昨 346
[10]席 349
科 350
乗 359
洋 366
[8]岡 370
待 374
[8]参 392
追 398
音 402
室 421
型 423
[10]害 425
研 426
飛 440
[10]起 443
施 451
故 455
春 461
負 473
限 474
独 479
[11]断 493
級 505
専 526
秋 540
昭 549
[10]庭 560
[10]旅 566
客 571
便 578
[8]券 584
姿 592
単 593
退 613
[10]差 614
洗 626
巻 636
城 638
津 679
革 686
[10]除 688
草 705
[10]帯 718
[7]迎 726
[8]述 736
栄 745
[8]欧 766
[8]妻 767
[10]徒 768
厚 774
[7]系 786
[10]降 787
背 796
[10]郡 797
茶 805
[10]陣 823
秒 831
香 832
浅 838
[8]迫 842
奏 845
則 855
逆 857
昼 863
逃 864
星 877
胃 885
荒 901
泉 902
柄 904
紅 927
紀 930
[10]勉 946
皇 964
[8]抛 970
[10]娘 979
威 982
祝 984
[8]到 989
炭 1007
宣 1012
看 1015
帝 1024
砂 1031
[8]刻 1033
封 1039
侵 1046
[10]浮 1047
律 1048
彦 1076

10

11

13

Meaning Index

1. Numbers to right are entry numbers.
2. † indicates an obsolete meaning.

Fraction

A, a

B, b

blue 青 390
blurt 失 523
board 台 216
板 709
盤 908
boat 船 313
舟 1334
艇 1429
body 体 110
身 331
胴 1564
boil 煮 1294
沸 1707
boil (rice) 炊 1774
bomb 爆 475
Bon 盆 1873
bone 骨 1081
book 本 15
書 130
冊 1184
篇 1391
border 界 170
born 息 872
borrow 借 996
bosom 胸 1085
both 両 281
bottle 瓶 1665
bottom 底 791
bounce 弾 933
boundary 界 170
境 792
boundless 漠 1789
bow 礼 983
弓 1539
bowl 鉢 1936
box 箱 944
brain 脳 621
branch 支 302
科 350
枝 1154
brave 武 448
雄 500
豪 898
勇 1167
brave man 士 301
break 破 634
折 830
breast 乳 873
breath 息 872
breed 育 250
飼 1432
brewing 醸 1777
bribe 賄 1816
bride 嫁 1469
bridge 橋 272
架 1659
brief 寸 1523
bright 明 84
輝 1205
朗 1450
bright† 昭 549
昌 1552
bring out 成 115
brink 端 942
brocade 錦 1512
brow† 埼 1078
brown 褐 1996
bubbles 泡 1781
buckeye 栃 1209
Buddha 仏 678
Buddhist sect
宗 1023
bug 虫 1073
build 建 244
造 460
bulb 球 379
bulky 厚 774
bullet 弾 933
bunch 房 772
括 1664
bundle 束 998
括 1664
burden 担 673
責 759
bureau 局 194
burglar 賊 1999
burn 焼 733
焦 1202
burnish 磨 1376
bury 埋 1226
葬 1436
business 業 54
busy 忙 1371
buttocks 尻 1704
buy 買 330
bygone 旧 808

C, c

c/o 方 28
cabin 斎 1363
cabinet 閣 480
calamity 災 1061
禍 1753
厄 1915
calculate 算 333
calendar 暦 1793
call 申 347
号 368
呼 640
掛 1183
calm 康 783
悠 1881
寧 1982
camp 営 348
can 缶 1666
Canada 加 187
cap 冒 1483
帽 1556
capable 得 358
cape 岬 1820
capital 都 92
資 230
capital† 京 16
capital suburbs†
畿 1684
captive 虜 1679
car 車 162
card 券 584
札 811
票 866
冊 1184
career 歴 692
carry 運 179
提 378
携 1284
carry on 営 348
履 1657
carry out 履 1657
carry to extremity
究 427
carve 刻 1033
case 件 290
格 334
函 1503
cask 樽 1730
cast 投 273
鋳 1893
castle 城 638
cat 猫 1763
catch 捕 669
掛 1183
Cathay 呉 1422
唐 1668
cattail 蒲 1598
cattle 牛 909
cauldron 釜 1621
cause 故 455
因 646
cavity 窟 1584
洞 1756
cease 絶 743
cedar 杉 910
celebration 祝 984
censor 検 351
center 中 13
央 468
ceramic 陶 1596
cereals 穀 1620
ceremony 式 185
礼 983
certain 確 395
certificate 証 430
chafe 擦 1955
chain 鎖 1605
challenge 挑 1241
chamber 房 772
chance 機 101
change 変 324
転 339
更 978
change itself
化 100
channels 筋 713
chant 謡 1531
詠 1942
chapter 章 967
character 性 199
屋 270
字 612
charcoal 炭 1007
charge 掛 1183
嘱 1890
charm 魅 1145
chase 追 398
狩 1650
chastise 討 466
懲 1626
chastity 貞 1318
cheap 安 128
廉 1752
checkmate 詰 1035
cherry 桜 1121
chest 胸 1085
chestnut 栗 1571
chic 粋 1537
chief 長 25
主 91

D, d

E, e

engagement 事 32
England 英 449
engrave 彫 1366
enjoy 娯 1622
enliven 揮 883
enough 飽 1906
enriched 潤 1597
entangled 紛 1100
enter 入 74
enterprise 企 486
entire 丸 567
entomb 葬 1436
entrust 任 310
託 895
預 977
enumerate 羅 1762
envoy 使 226
epistle 簡 870
equal 等 601
equestrian 騎 1734
equipment 具 513
era 紀 930
erase 消 336
erect 立 61
eros 色 326
errand 用 102
error 誤 1129
essense 粋 1537
essential 要 117
establish 立 61
設 164
estrange 疎 1786
etc. 等 601
ethics 倫 1795
Europe 欧 766
even 平 143
evening 夕 627
宵 1917
every 毎 396
every other...
隔 1608
evidence 証 430
evil 邪 1643
凶 1725
exact 真 278
exam 試 409
examine 験 404
example 例 508
exceed 過 399
excel 勝 197
excellent 上 21
秀 859
excepting that...
但 1877
excerpt 抄 1970
excess 剰 1546
exchange 交 200
易 810
換 846
exclude 除 688
exclusive 専 526
excrete 泌 1846
excretion 便 578
excuse 断 493
execute 施 451
執 965
exempt 免 1084
exert 行 31
践 1769
exhale 呼 640
exhaust 尽 1603
exhibition 展 431
exist 在 243
有 268
存 724
expand 拡 625
布 749
expect 期 119
expel 除 688
排 1156
斥 1973
expense 費 337
expert 士 301
explain 説 307
exploit 勲 1312
explore 探 1239
explosion 爆 475
expose 露 1144
express 急 275
exquisite 妙 1045
extend 程 530
拡 625
伸 741
延 758
extensive 博 802
extract 抜 684
抽 1238
抄 1970
extreme 極 652
至 1093
extremely 切 204
extremity 絶 743
exude 泌 1846
eye 目 65
眼 1127

F, f

face 相 66
面 165
顔 527
face to face 相 66
fact 事 32
faint 淡 1478
fair 佳 1606
fall 落 393
墜 1316
堕 1979
fall in 陥 1678
false 偽 1639
falsity 詐 1464
fame 誉 1357
familiar 親 381
famish 飢 1947
famous 名 116
fan 扇 1442
fancy 思 149
far 遠 803
fare 料 212
fasten 締 740
fat 太 343
肥 1398
脂 1505
肪 1907
fate 運 179
father 父 742
fatigue 疲 986
favorable 好 308
feather 羽 732
feature 色 326
候 817
徴 1026
fee 代 68
料 212
賃 756
feed 養 605
feel 感 283
触 1256
felicitations 寿 1132
felicity 慶 962
fellow 徒 768
丁 794
朋 1860
fellows 輩 1544
female 女 178
雌 1959
fence 垣 1272
ferment 酵 1602
ferry 渡 615
fertile 厚 774
肥 1398
fertile† 那 1257
festival 祭 899
festive 晴 739
fetal 胎 1801
fetter 縛 1983
fever 熱 629
few 少 231
fiber 繊 1122
field 野 85
原 132
fiend 鬼 1207
fierce 劇 458
激 596
猛 1378
fight 闘 654
figure 相 66
物 126
態 354
姿 592
file 列 891
filial piety 孝 1249
fill 満 579
充 974
finance 蔵 429
財 569
fine 精 672
細 721
晴 739
繊 1122
佳 1606
finger 指 241
finish 済 288
了 919
finish...ing 切 204
fire 火 432
撃 433
firefly 蛍 1925
firm 確 395
堅 914
頑 1922
first 初 261
fish 魚 1008
釣 1225
fishing 漁 628
fist 拳 1852
fit 適 663
five 五 14

G, g

S, s

sugar 糖 1125
suggest 唆 1560
suit 合 46
suitable 宜 1872
sulfur 硫 1500
sum 和 151
summer 夏 580
smmit 頂 1308
summon 徴 1026
召 1473
喚 1953
sun 日 1
sun 《=3.03 cm》
寸 1523
sunshine 陽 990
super 超 1006
superb 英 449
逸 1581
superior 上 21
優 453
supervise 監 537
宰 1826
supply 配 304
供 456
補 516
給 581
support 佐 285
支 302
助 407
surf 浪 1445
surface 表 124
面 165
surface of body
肌 1130
surmount 越 529
surname 姓 1766
surplus 余 735
剰 1546
surprise 驚 1107
survey 覧 1197
sustain 保 166
sutra 経 135
swamp 沼 1150
swear 誓 1743
sweat 汗 1434
sweep 掃 1235
sweet 甘 1212
swell 膨 1589
swift 迅 1971
swim 泳 1198
swine 豚 1557
swing 振 600
sword 剣 1248
刀 1494
symbol 象 575
system 制 196
秩 1458

T, t

table 表 124
台 216
卓 1428
tablet 錠 751
taboo 忌 1819
tabular 表 124
tactics 術 299
tail 尾 675
尻 1704
tailor 裁 498
take 《hon.》 召 1473
take (photos)
撮 1134
take in 収 411
take on 請 657
tale 話 133
talent 才 639
talk 話 133
談 303
tall building 楼 1905
tally 符 1653
tame stock 畜 1729
tan 《≒10m/10a》
反 183
Tang 唐 1668
tangle 絡 958
tank 槽 1741
target 的 39
taste 味 295
tatami 畳 1300
tatsu 辰 1562
tax 税 383
tea 茶 805
teach 教 97
team 班 1448
tear 破 634
裂 1332
tears 涙 1360
telegraph 電 125
tell 道 129
告 320
temperature 温 623
temple 寺 687
temporary 仮 1322
tempt 誘 1196
ten 十 5
ten《archaic》 拾 1599
ten days 旬 937
ten thousand
万 96
tense 緊 912
term 期 119
辞 868
terminate 絶 743
terrible 恐 951
test 試 409
掛 1183
-th place 着 314
than 以 157
thank 謝 1162
that† 伊 603
that which 所 107
the next 《time》
翌 1307
the other party
先 201
the other side
裏 755
theater 座 377
theca 胞 1764
theme 題 123
thick 厚 774
濃 1185
thin 薄 975
thing 物 126
think 思 149
考 191
thirst 渇 1951
this particular
本 15
thither 彼 536
thorns 茨 1269
thousand 千 79
thrash 拷 1961
thread 糸 699
three 三 10
参 392
thrive 振 600
盛 737
茂 1166
throughout 徹 1017
却 1252
throw 投 273
throw away 捨 1223
thrust 突 574
刺 954
thunder 雷 1524
ticket 券 584
tide 潮 1105
tiger 虎 1558
tight 緊 912
tightrope 維 926
tighten 張 462
締 740
絞 1825
time 時 19
time (s) 度 83
timid 憶 1662
tin 缶 1666
tiny thing 子 56
tip 先 201
tired of 倦 1843
title 題 123
to 至 1093
to 《=18*l*》 斗 1782
together 同 23
連 87
共 159
Tokyo 都 92
tomb 墳 1901
墓 1349
tome 籍 1463
tone 調 108
tongue 舌 1711
too… 過 399
tool 器 483
tooth 歯 997
tora 寅 1563
torso 胴 1564
torture 虐 1806
touch 触 1256
tour 巡 1066
towards the end
暮 915
tower 塔 1516
town 町 114
街 790
trace 跡 931
索 1155
track 軌 1629
trade 貿 1037
traffic 便 578
tram 電 125
transfer 移 715
譲 960
translate 訳 879
transmit 通 71
伝 494

U, u

V, v

W, w

Y, y

Z, z

●Bibliography

金田一春彦，池田弥三郎　「学研国語大辞典」　学習研究社　1978
新村出　「広辞苑（1st ed.）」　岩波書店　1955
新村出　「広辞苑（2nd ed.）」　岩波書店　1969
日本大辞典刊行会　「日本国語大辞典」小学館　1975
大野晋，佐竹昭広，前田金五郎　「岩波古語辞典」　1974
上代語辞典編集委員会　「時代別国語大辞典（上代編）」　三省堂　1967
大槻文彦　「大言海」　冨山房　1933
藤堂明保　「学研漢和大字典」　学習研究社　1978
諸橋轍次，渡辺末吾，鎌田正，米山寅太郎　「新漢和辞典」　大修館　1963
諸橋轍次　「大漢和辞典」　大修館　1955
小川環樹，西田太一郎，赤塚忠　「角川新字源」　角川書店　1968
藤堂明保　「漢字語源辞典」　学燈社　1965
加藤常賢　「漢字の起源」　角川書店　1970
白川静　「漢字の世界」　平凡社　1976
国立国語研究所　「現代新聞の漢字」　秀英出版　1976
国立国語研究所　「現代雑誌九十種の用語用字（1）」　秀英出版　1962
国立国語研究所　「現代雑誌九十種の用語用字（2）」　秀英出版　1963
国立国語研究所　「現代雑誌九十種の用語用字（3）」　秀英出版　1962
国語審議会「常用漢字表」大蔵省印刷局　1981
広田栄太郎　「新版用字用語辞典」　東京堂出版　1974
野村雅昭　「東京堂用字用語辞典」　東京堂出版　1981
武部良明「漢字の読み方」　角川書店　1977
武部良明「日本語の表記」　角川書店　1979

●Picture Credits

Cover：芳賀日出男（神田明神祭）○増田正造（能「通小町」）○東大寺（「盧遮那仏坐像」）○家の光フォト・サービス○フォート・キシモト○天龍寺（庭園）○学研企画資料部

Text　：金剛峯寺（title page「聾瞽指帰（弘法大師）」）○東京国立博物館（p.140 能面「小面」/ p.378 伎楽面「迦楼羅」/ p.407「餓鬼草紙」/ p.421「秋冬山水図（雪舟）」）○東北大学文学部考古学研究室（p.384 土偶）○鞍馬寺（p.417 太刀）○法隆寺（p.417「観音菩薩立像（夢違観音）」）○鹿苑寺金閣（p.418 金閣寺）○国学院大学考古学資料室（p.419 縄文式土器）○東大寺（p.420 仁王「金剛力士像」）○学研企画資料部

●Layout & Design

佐藤靖デザイン室

●Illustration

杵渕亮一

●Editorial Corporation

アルバ・フォーラム

●Production Corporation

日進工房○そのスタジオ○学研植字

List of the 2,000 *Kanji* in this Dictionary

LEVEL 1					LEVEL 2					LEVEL 3					LEVEL 4					LEVEL 5				
日	八	家	最	多	先	指	両	備	望	阪	病	婦	毛	将	等	離	副	細	幹	未	昇	賛	略	併
円	手	現	公	車	価	株	放	置	農	音	難	位	額	敗	諸	豊	幅	芝	訴	博	迫	快	措	慶
年	発	度	題	結	活	在	感	番	認	沢	起	器	失	史	伊	善	幸	傷	販	遠	脱	揮	戻	届
一	七	明	表	設	切	建	査	変	天	験	働	読	導	守	曲	修	抜	存	巨	渉	貸	遅	縮	皇
十	後	野	電	面	南	省	佐	防	勢	葉	港	与	達	個	養	景	韓	走	功	茶	奏	胃	慮	執
二	合	動	物	保	藤	風	情	色	洋	宿	構	企	専	旅	波	因	革	迎	欧	均	換	避	維	稲
大	員	連	近	西	知	線	義	鉄	路	助	兵	完	顔	丸	冷	響	寺	従	妻	華	岸	亡	紅	章
国	見	戦	安	集	首	住	済	元	号	形	武	規	末	健	疑	塁	除	遊	徒	旧	刑	混	罪	欠
人	高	実	道	工	協	谷	美	直	質	試	英	写	越	財	競	講	油	渋	痛	倍	替	笑	械	夢
三	政	米	書	界	村	育	件	買	岡	警	福	師	程	衆	玉	軽	永	枚	喜	易	僚	駐	紀	拠
東	内	主	売	委	店	付	判	身	宅	収	施	非	課	客	散	陸	模	節	批	札	占	列	跡	継
会	議	都	原	団	料	井	必	求	若	園	整	残	森	登	字	極	歴	羽	房	雑	被	仲	鳥	飾
中	自	当	話	島	口	階	派	算	古	応	優	断	減	針	退	護	催	焼	著	順	禁	層	弾	吹
五	業	決	不	々	続	死	改	格	待	状	帰	伝	服	突	差	闘	周	乱	厚	途	綿	贈	躍	充
本	対	理	経	進	松	別	味	職	然	示	故	編	根	象	渡	雨	興	余	盟	採	則	託	飲	薄
京	子	万	文	校	台	策	流	消	由	録	供	違	彼	接	険	庫	辺	述	標	否	浦	覚	須	絵
出	全	教	約	氏	向	朝	横	費	座	光	崎	航	監	核	識	請	之	盛	居	候	逆	臨	句	預
四	九	午	品	女	案	夜	増	領	提	浜	劇	裁	訪	便	去	況	河	卒	賀	鈴	密	豪	紹	更
時	金	作	心	運	利	早	術	転	球	宮	庁	王	富	満	刊	速	糸	晴	肉	弱	秀	祭	皮	娘
六	山	化	務	打	送	権	際	段	審	林	造	雄	秋	夏	御	督	君	締	遺	築	困	創	筆	菱
上	立	機	点	治	私	初	士	能	親	室	春	紙	薬	給	脳	宝	捜	伸	酒	暴	承	荒	堀	臣
者	定	用	産	各	演	聞	支	戸	基	容	張	視	州	援	志	堂	融	父	塚	奈	測	泉	端	威
同	小	北	平	反	受	係	談	太	税	型	観	右	友	休	温	適	袋	絶	康	陣	昼	冬	憲	礼
田	回	関	水	持	半	銀	配	終	駅	輪	吉	悪	量	券	危	払	練	岩	抗	留	逃	柄	箱	祝
長	目	選	法	式	官	夫	足	値	門	害	始	級	寄	復	拡	習	草	栄	債	益	秘	片	囲	操
月	相	党	今	計	使	白	報	昨	頭	研	討	積	殺	返	洗	介	頼	舞	系	群	票	像	勉	疲
間	区	所	記	加	無	論	説	申	技	究	声	賞	準	押	夕	含	異	招	降	源	鋼	雪	瀬	騒
方	代	調	木	数	男	有	好	営	命	評	央	例	池	芸	漁	令	倉	及	老	純	辞	盤	曇	豆
生	力	正	思	組	神	食	労	席	億	蔵	念	清	昭	装	熱	捕	板	布	短	沖	願	牛	剤	到
社	民	体	画	取	資	屋	任	科	青	証	隊	可	歳	材	影	域	募	勤	街	折	簡	杉	誌	陽
行	通	川	和	考	少	争	広	検	条	展	何	署	花	久	図	察	犯	錠	底	秒	季	貨	恐	環
事	下	強	世	解	楽	橋	歩	想	参	火	様	馬	深	姿	静	精	司	停	境	香	息	緊	互	悩
学	百	来	特	軍	空	投	船	商	落	撃	負	具	率	単	婚	担	筋	織	弁	鮮	乳	傾	就	宙
場	入	町	総	局	映	語	着	態	衛	答	限	曜	母	攻	破	処	角	許	丁	固	逮	堅	刺	納
分	問	成	重	県	次	急	役	他	確	種	爆	効	医	坂	推	尾	移	裏	努	郵	恵	暮	症	項
新	第	名	府	制	院	石	土	常	毎	愛	赤	補	児	激	巻	障	並	賃	背	幕	救	致	典	借
部	気	要	以	勝	郎	果	黒	割	仕	注	左	江	比	苦	血	版	素	宇	郡	療	星	窓	盗	歯
前	市	意	海	信	引	真	製	得	追	週	歌	低	授	圧	城	仏	帯	延	希	浅	奥	衝	絡	束
的	千	期	共	性	統	言	館	乗	過	挙	独	管	般	族	才	津	竹	責	属	徳	訳	了	輪	欲
地	開	外	予	交	側	込	告	再	止	飛	閣	良	庭	振	呼	類	印	績	震	扱	普	描	譲	射